Astrid Fritz, Jahrgang 1959, studierte Germanistik und Romanistik in München, Avignon und Freiburg. Als Fachredakteurin arbeitete sie anschließend in Darmstadt und Freiburg und verbrachte drei Jahre in Santiago de Chile. Heute lebt sie mit ihrer Familie in der Nähe von Stuttgart und ist freiberufliche Texterin und Autorin.

Zusammen mit Bernhard Thill hat Astrid Fritz den erfolgreichen Stadtführer *Unbekanntes Freiburg* (1998) veröffentlicht. Bei der Recherche hierzu stieß sie auf die Lebensgeschichte der Catharina Stadellmenin. *Die Hexe von Freiburg* ist ihr erster Roman.

Weitere Informationen im Internet unter
www.astrid-fritz.de

Astrid Fritz

Die Hexe von Freiburg

Roman

Rowohlt Taschenbuch Verlag

15. Auflage Februar 2006

Originalausgabe
Veröffentlicht im Rowohlt Taschenbuch Verlag,
Reinbek bei Hamburg, November 2003
Copyright © 2003 by
Rowohlt Verlag GmbH,
Reinbek bei Hamburg
Umschlaggestaltung any.way, Cathrin Günther
(Abbildung: «The Crystal Ball», 1902, von John William Waterhouse)
Satz Adobe Garamond PostScript bei
Pinkuin Satz und Datentechnik, Berlin
Druck und Bindung Clausen & Bosse, Leck
Printed in Germany
ISBN 3 499 23517 X

Astrid Fritz · Die Hexe von Freiburg

Prolog

Die Frau schob sich eine weiße Strähne aus der Stirn und rückte den Stuhl näher ans Herdfeuer. Marthe-Marie blickte auf.

Lene betrachtete ihre Älteste liebevoll und wehmütig zugleich. Wie sehr sie Catharina doch glich. Mit ihrem schwarzen, glänzenden Haar und diesem dunklen Blick.

Es war an der Zeit. Sie musste die Wahrheit erfahren.

«Zünde das Licht an, Kind, und hol mir die Wolldecke. Im Alter kriecht einem die Kälte in alle Knochen.»

«Du bist nicht alt, Mutter.»

«Ach, Marthe-Marie, was weißt du schon. Du hast noch alles vor dir.» Sie wickelte sich in die Decke. «Ich will dir heute etwas zeigen. Dort im Schrank, unter der Wäsche, liegt ein Buch. Bring es mir bitte.»

Marthe-Marie erhob sich und ging zum Schrank. Als sie unter dem schweren Wäschestapel tatsächlich auf ein Buch stieß, hielt sie überrascht die Luft an.

«Was ist das?»

Lene nahm ihr den schweren Band ab.

«Hier, zwischen diesen Buchdeckeln, auf vielen hundert Seiten niedergeschrieben, steht die Lebensgeschichte meiner Base Catharina.»

«Hat sie selbst das alles aufgeschrieben?»

«O nein.» Lene lachte bitter auf. «Catharina konnte zwar schreiben wie ein gelehrter Mann, aber zu jener Zeit hätte sie nicht einmal mehr eine Feder zwischen den Fingern halten können. Ein gewisser Dr. Textor hat diese Zeilen verfasst. Ich selbst kenne ihn nicht, doch in Catharinas besseren Zeiten hat er zum Freundeskreis ihres Mannes gehört, und sie sagte einmal über ihn, dass er mehr Verstand besäße als der gesamte Magistrat zusammen. In den langen Wochen, als sie gefangen im Turm saß, kam dieser Mann oft zu ihr, gepeinigt von schlechtem Gewissen. Er war zu Anfang mit ihrer Verteidigung beauftragt gewesen, doch später hat man diese Aufgabe einem anderen Ratsherren übertragen. Als er Catharina fragte, ob er ihr irgendwie helfen könne, bat sie ihn, die Wahrheit aufzuschreiben, damit sie nicht verloren gehe. Und wenn alles vorbei sei, möge er den Bericht Lene Schillerin, ihrer Base in Konstanz, übergeben. So kam ich zu diesen Seiten.»

Lene zögerte und starrte in die Flammen. Das Mädchen hatte ein Recht darauf, alles zu erfahren. Müde richtete sie sich auf.

«Die Toten soll man ruhen lassen, dachte ich immer. Was hätte ich euch erzählen sollen? Aber jetzt fühle ich, dass ich dir die Wahrheit über Catharina schulde. Du musst wissen: Sie war keine Hexe. Ihr einziger Fehler mag gewesen sein, dass sie nicht in der Weise gelebt hat, wie es die Welt von einer Frau erwartet.»

I

So also sah eine leibhaftige Hexe aus! Festgekettet kauerte Anna Schweizerin mit gebrochenen Beinen auf dem Henkerskarren, kahl geschoren, den flackernden Blick zum Himmel gerichtet, mit einem losen Kittel über dem nackten Leib. Deutlich konnte die Menge die Brandmale auf ihren Armen und Schultern erkennen, zu denen jetzt neue Wunden hinzukamen: Alle zwanzig Schritte stieß der Henkersknecht ihr eine glühende Zange ins Fleisch.

Für die Zuschauer des Spektakels war die öffentliche Bestrafung von Mördern, Dieben und Betrügern so selbstverständlich wie der Wechsel von guten und schlechten Ernten, von fetten und mageren Jahren. Ob Auspeitschen oder Brandmarken, Abschneiden der Zunge oder der Gliedmaßen, Aufhängen, Rädern, Ertränken oder der mildtätige Hieb mit dem Richtschwert – niemandem wäre in den Sinn gekommen, dass an der Wiederherstellung des Rechts mittels körperlicher Züchtigung etwas unrecht sein mochte. Davon abgesehen, war jeder Schauprozess eine willkommene Unterbrechung des Alltagstrotts und der täglichen Mühsal.

Doch als am 20. März des Jahres 1546 das Hohe Gericht verkündet hatte, die Besenmacherin Anna Schweizerin sei wegen Hexerei bei lebendigem Leib zu verbrennen, ging ein ungläubiges Raunen durch die Bevölkerung von Freiburg. Dabei war es nicht die schreckliche Todesart, die die Gemüter erregte, sondern die Tatsache, dass mitten unter ihnen eine Hexe gelebt haben sollte, unbemerkt und unerkannt. Zwar hatte man von Ketzer- und Hexenverbrennungen gehört, aber das waren Nachrichten von weit her gewesen, aus anderen Teilen des Reiches, aus Frankreich, Oberitalien oder aus der welschen Schweiz. Auch der inquisitorische Eifer der beiden Dominikanermönche Jacob Sprenger und Heinrich Cramer war niemals bis Freiburg gelangt. Zauberei und Wahrsagerei, schwarze und weiße Magie – das waren Dinge, mit denen fast jeder einmal in Berührung gekommen war, doch Hexerei und Teufelspakt? Auf einmal wussten sich die Freiburger unglaubliche Dinge zu erzählen über diese Besenbinderin aus der Wolfshöhle, jenem düsteren Viertel unterhalb des Burgbergs, das man nach Einbruch der Dämmerung nur ungern durchquerte. Nun strömten die Menschen gaffend, mit offenen Mäulern zusammen, um die Verurteilte auf ihrem letzten Weg vom Kerker zum Richtplatz auf dem Schutzrain zu begleiten.

Gespannt warteten die Leute das Aufstöhnen der Gemarterten ab, um dann in lautes Grölen auszubrechen. Kaum einer der Zuschauer verspürte Mitleid, schließlich war diese Frau in einem ordentlichen Prozess überführt und verurteilt worden. Auf Geheiß ihres teuflischen Buhlen hatte sie auf der Gemarkung Kirchzarten in einem riesigen Kessel Hagel gesiedet und damit die frische Saat vernichtet, etliche Stück Vieh gelähmt und sich nächtens auf dem Kandel zum Sabbat eingefunden. Hinzu kam, dass sie eine Fremde war, eine ‹Reingeschmeckte› aus Basel. Hatte man sie dort nicht letztes Jahr wegen Zauberei aus der Stadt gejagt?

Die Hebamme schloss das Fenster, und das Geschrei des Pöbels wurde leiser. Im Hause des Marienmalers Hieronymus Stadellmen interessierte sich ohnehin niemand für dieses unerhörte Ereignis. Stadellmens junge Frau Anna lag in den Wehen, seit zwanzig Stunden schon, und verlor zusehends an Kraft. Das offene pechschwarze Haar klebte um ihr kalkweißes Gesicht, und die feinen wie von Künstlerhand modellierten Züge waren von Schmerz verzerrt. Es war ihre erste Geburt.

Verzweifelt ging Hieronymus neben dem Bett auf und ab, bis ihn seine Schwester Marthe hinausschickte.

«Du machst uns alle verrückt mit deiner Lauferei! Geh runter in deine Werkstatt und versuche zu arbeiten oder zu schlafen. Wir holen dich schon rechtzeitig.»

Die Hebamme warf ihr einen dankbaren Blick zu, als Stadellmen widerstrebend die kleine Kammer verließ, und massierte weiter mit der rechten Hand Annas riesigen gewölbten Bauch, während die linke vorsichtig zwischen den Schenkeln tastete.

«Der Kopf kommt. Ihr habt es gleich geschafft, Stadellmenin. Nehmt alle Kraft zusammen und presst!»

Im selben Moment, als draußen vor der Stadt über Anna Schweizerin die tödlichen Flammen zusammenschlugen, kam Catharina Stadellmenin endlich auf die Welt. Marthe kümmerte sich um ihre Schwägerin, die vor Schmerzen und Erschöpfung fast ohnmächtig war, während die Hebamme versuchte, dem veilchenfarbenen reglosen Säugling ein Lebenszeichen zu entlocken. Es war das längste Mädchen, das sie je auf die Welt gebracht hatte, dabei jedoch spindeldürr.

«Nun hol schon Luft», murmelte sie und klopfte mit der flachen Hand den verklebten Körper ab, mal stärker, mal schwächer. Schließlich hob sie das Kind an den Beinen in die Luft. Ein Krächzen entrang sich dem Neugeborenen, dann folgte ein markerschütternder Schrei, und die winzigen Fäuste ballten sich.

«Es atmet! Es lebt!» Marthe küsste ihre Schwägerin. Hieronymus stürzte herein und starrte erst den zappelnden Säugling, dann seine Frau an. Tränen der Erleichterung liefen über sein schmales, bartloses Gesicht.

«Es ist ein Mädchen, eine Catharina», flüsterte Anna und richtete sich vorsichtig ein wenig auf. Sie lächelte. «Hoffentlich bist du nicht enttäuscht.»

«Was für ein Unsinn», stammelte Hieronymus. «Mädchen oder Junge – das ist mir gleich. Außerdem werden wir noch viele Kinder haben. Sieh nur, es hat schon richtige Haare auf dem Kopf, so schwarz wie deine!»

Unterdessen hatte die Hebamme das Mädchen in ein wollenes Tuch gewickelt und seiner Mutter an die Brust gelegt. Sie bat Stadellmen, einen Bottich mit warmem Wasser aus der Küche zu holen. Aus Erfahrung wusste sie, dass Männer zwar die blutigsten Geburten durchhielten, beim Anblick der Nachgeburt jedoch die Fassung verloren. Ihrer Ansicht nach war die Geburt eines Kindes ohnehin Frauensache, Männer störten dabei nur. Während sie auf die Nachwehen wartete, sah sie wieder aus dem Fenster. Die Gassen der Schneckenvorstadt waren jetzt wie leer gefegt.

«Die Leute sind alle bei der Hinrichtung», sagte sie leise zu Marthe, die neben sie getreten war. «Ein solcher Geburtstag steht unter keinem guten Stern.»

«Seid still», fuhr Marthe sie an. «Wie könnt Ihr so etwas sagen!»

In den ersten Jahren ihres Lebens fehlte es Catharina an nichts, weder an Fürsorge noch an ausreichender Kost. Daran änderte zunächst auch die schreckliche Tatsache nichts, dass ihre Mutter zwei Jahre nach ihrer Geburt im Kindbett starb. Für ihren Vater bedeutete es einen Verlust, den er niemals überwand, doch Catharina war zu klein, um Trauer zu empfinden. Hinzu kam, dass sich Marthe ihrer annahm. Kaum, dass Catharina fünf Jahre alt war, machte sie sich allein auf den Weg zum Gasthof ihrer Tante, wann immer es ihr in den Kopf kam. Für Hieronymus Stadellmen, der tagsüber kaum Zeit für seine Tochter hatte, war es eine Beruhigung, sie in der Obhut seiner Schwester zu wissen.

Catharina liebte den weiten Weg hinaus zu ihrer Tante, besonders im Frühsommer. Durch die winkligen Gässchen und Gemüsegärten der Predigervorstadt, an der alten Peterskirche vorbei, in der ein Marienbild ihres Vaters hing, erreichte sie die Landstraße, die sich gemächlich durch Felder und Brachland nach Lehen schlängelte, einem kleinen Dorf von Viehzüchtern, Wein- und Obstbauern, auf das die Stadt Freiburg schon seit vielen Jahren ein Auge geworfen hatte. Oder sie nahm, wenn die Dreisam mit ihrem tosenden braunen Strom nicht gerade die Uferwiesen überschwemmt hatte, den schmalen Pfad am Fluss entlang, genoss den Blick auf die Berge, die im Morgenlicht ihre Düsternis verloren, und blickte den Flößern nach, die Tannen- und Fichtenholz vom Schwarzwald herunterbrachten. Sie kannte bald jeden Strauch und jede Wegbiegung und beobachtete gern das Spiel von Sonne und Wolken über der weiten Ebene. Die Stadt kam ihr dann jedes Mal noch schmutziger und düsterer vor. Sie fürchtete sich vor nichts und niemandem, weder vor Unwettern noch vor den Bauern und Händlern, denen sie unterwegs begegnete und die das Mädchen bald beim Namen kannten. Nur eine Stelle gab es, wo sich ihr Schritt verlangsamte und ihr Herz in einer Mischung aus Angst und gespannter Erwartung heftiger zu klopfen begann: das steinerne Kreuz unter der alten Linde.

Die Leute sagten, dass unter dem Kreuz ein Bischof begraben sei, der vor Jahrhunderten grausam hingemetzelt worden war. Zigmal sei das Kreuz auf den Kirchhof des Nachbardorfes Betzenhausen überführt worden, aber schon in der nächsten Nacht sei es wie auf Geisterbeinen wieder an seinen alten Platz zur Landstraße zurückgewandert. Catharina blieb jedes Mal eine Weile vor dem Bischofskreuz stehen und beobachtete mit leichtem Schaudern, ob es sich nicht bewegte. Einige Male war sie sich fast sicher. Oder waren es die Blätter der Linde, die im Wind rauschten und ihre Schatten auf den verwitterten Stein warfen?

Marthe Stadellmenin, genannt die Schillerin, hatte vier Kinder, zwei davon in Catharinas Alter. Nachdem ihr Mann vor einigen Jahren an Typhus gestorben war, führte sie den Gasthof in Lehen allein weiter, in der Hoffnung, ihr Ältester würde ihn eines Tages übernehmen. Catharina fühlte sich bei ihrer Tante jederzeit willkommen, sie wurde nicht anders behandelt als Marthes leibliche Kinder, was bedeutete, dass Catharina mit Hand anlegte, wo sie konnte, und sich ansonsten mit ihren Vettern, ihrer Base und den Nachbarskindern herumtrieb.

Als Kind erschien Catharina das Anwesen ihrer Tante riesig, herrschaftlich wie ein Schloss. Der mit Rheinkiesel gepflasterte Innenhof wurde an zwei Seiten vom Gasthaus begrenzt, an der dritten Seite von Stall und Scheune. Zur Straße hin stand eine mannshohe blendend weiß gekalkte Mauer, die einen im Sommer, wenn die Sonne hoch stand, blinzeln machte. Das Gasthaus selbst, das größte und stattlichste in der Gegend, war ganz aus Stein mit einem Dach aus verschiedenfarbig gebrannten Ziegeln. Alle Räume, selbst die winzigsten Kammern, hatten verglaste Fenster, die bei Sturm und Gewitter mit Holzläden verschlossen werden konnten. Im Frühjahr roch es nach frischem Gras und Blüten, im Spätsommer nach den Früchten des Obstgartens.

Wie düster und eng hingegen war das Haus ihres Vaters in der Stadt! Eingeklemmt zwischen zwei verwahrlosten Häusern stand es direkt am Gewerbekanal auf der Insel, einem kleinen Handwerkerviertel, wo sich auf engstem Raum Knochen- und Ölmühlen, Gerberhütten und die Schleifereien der Bohrer und Balierer drängten. Die baulichen Errungenschaften der letzten Jahrzehnte schienen an diesem Viertel spurlos vorübergegangen zu sein. Die Fachwerkhäuschen mit ihren lehmgefüllten Flechtwänden, Schindel- oder Strohdächern stellten eine ständige Brandgefahr dar, und die offenen Herdstellen in den Wohnstuben, die oft der ganzen Familie samt Federvieh als Schlafstätte dienten, taten ihr Übriges. Geflieste Böden, Kachelöfen oder gar Badestuben waren hier unbekannt, statt der teuren Kerzen und Öllampen spendeten rußende Kienspäne im Winter ihr spärliches Licht.

So oft schon hatten die Winterstürme die Schindeln vom Dachstuhl gerissen, und gerade im obersten Stockwerk, wo Catharina ihre Kammer hatte, pfiff dann der Wind durch die Ritzen. Aber sie besaßen einen Aborterker! Wie ein dicker Käfer klebte er ganz oben an der Außenwand, mit einem Türchen zum Hausinneren. Die meisten Nachbarn hatten nur eine Grube im Hof. Im Sommer vermischte sich dann der Gestank der Fäkalien und der Küchenabfälle auf der Gasse mit dem der geschabten trocknenden Häute der Gerber. Als Catharina ihrer Tante einmal neidvoll gestand, wie viel schöner sie es bei ihr fand, lächelte Marthe: «Wir sind nur Pächter, während das Haus deines Vaters euer eigen Grund und Gut ist. Du wirst eines Tages froh darum sein.»

Sonntags, nach dem Kirchgang, nahm ihr Vater sie bei der Hand, und sie machten sich gemeinsam auf den Weg nach Lehen. An den Wochentagen führte Catharina ihrem Vater den Haushalt und setzte sich anschließend zu ihm in die Werkstatt, um ihn beim Malen zu beobachten. Die schönsten Momente kamen, wenn ihr Vater Pinsel und Spachtel beiseite legte und ihr Geschichten erzählte. Darüber vergaßen sie manchmal sogar das Nachtessen, und nicht selten musste Hieronymus seine Tochter ins Bett tragen, wenn sie an seiner Schulter eingeschlafen war.

Ihr Vater wusste über sämtliche Länder der Welt zu berichten. Lange Zeit hatte sie geglaubt, dass er all diese Länder bereist hatte, dabei war Hieronymus Stadellmen nie aus dem Breisgau herausgekommen. Am liebsten hörte Catharina von der Neuen Welt, wie die Spanier und Portugiesen auf diesen fremden Kontinent vorgedrungen waren, der durch einen unendlichen Ozean von ihrer Heimat getrennt war.

«Die Menschen dort», berichtete er, «leben ganz anders als wir. Sie sind von dunkler Hautfarbe, und es scheint immer die Sonne, sodass sie keine Kleidung tragen müssen. Du darfst sie dir nicht als wilde Tiere vorstellen, vielmehr sind sie sanft und friedlich und sehr religiös, denn sie haben gleich mehrere Götter, die sie anbeten.» Dass es dort auch Völker gab, die ihren Göttern Menschenopfer brachten, bestürzte Catharina, und sie war froh, in ihrem ruhigen Städtchen geboren zu sein.

Von ihrem Vater erfuhr sie auch, dass die Erde keine vom Ozean umspülte Scheibe sei, sondern rund. Schon vor vielen, vielen Jahren habe ein Nürnberger namens Behaim die Welt als eine Kugel nachgebildet, auf der er neben den Erdteilen Europa, Asien und Afrika auch die Neue Welt eingezeichnet hatte. Catharina hätte alles darum gegeben, solch eine Weltkugel einmal zu sehen.

«Wie kommt es, dass die Menschen auf der unteren Seite der Kugel nicht herunterfallen? Und außerdem leben sie ja dann mit dem Kopf nach unten?»

Hieronymus Stadellmen zögerte. «Es muss wohl daran liegen, dass der Erdball so riesig groß ist und die Menschen es gar nicht merken, dass sie auf der unteren Seite leben.» Aber so richtig befriedigt hatte diese Antwort Catharina nicht.

Nach ihrem Dafürhalten hätte das Leben an der Seite ihres Vaters immer so weitergehen können. Doch von einem Tag auf den anderen änderte sich alles. Ihr Vater heiratete Hiltrud Gellert, und am Hochzeitstag zog diese Frau bei ihnen ein. Hiltrud war die Tochter eines Steinmetzmeisters und somit wohl eine gute Partie. Sie war früh Witwe geworden. Der alte Steinmetz hatte sie und ihre beiden Söhne noch eine gute Weile unterstützen können, aber dann wurde er zu alt, und die Zunftversammlung drängte ihn, seine Tochter noch einmal zu verheiraten.

Ihr Vater hatte Catharina später erzählt, dass er lange Zeit geglaubt hatte, es sei Schicksal oder Vorbestimmung gewesen, weil er in jenen Wochen der jungen Witwe so häufig begegnet war. Doch habe der alte Steinmetz dahinter gesteckt, den Hieronymus von einem gemeinsamen Auftrag her kannte. Geschickt hatte er bis zum Hochzeitstag die Fäden in der Hand gehalten.

Catharina war überzeugt davon, dass ihr Vater mit dieser Frau betrogen worden war. Vielleicht war Hiltrud keine schlechte Ehefrau, ihr gegenüber jedoch zeigte sie sich kalt und gleichgültig. Hiltrud kümmerte sich keinen Deut um sie, übersah mitunter einfach, dass sie eine Stieftochter hatte, sodass es vorkommen konnte, dass beim Morgenmahl für Catharina kein Gedeck vorgesehen war.

Manchmal stritten Hiltrud und Hieronymus wegen Catharina.

«Du tust so, als sei das Mädchen etwas Besonderes», hörte Catharina sie keifen. «Sie soll lernen, den Haushalt zu führen und zu nähen und flicken, was weiß ich. Du aber bringst ihr Firlefanz wie Schreiben und Rechnen bei und stopfst ihr den Kopf voll mit Dingen, die ein kleines Mädchen nichts angehen!»

In solchen Momenten warf der Vater ihr ein verlegenes Lächeln zu, ohne diesen Vorwürfen etwas entgegenzusetzen.

«Hiltrud hat Recht», sagte er ihr eines Abends, als er sie zu Bett brachte. «Du bist etwas Besonderes.» Er seufzte. «Weißt du, dass du deiner Mutter immer mehr gleichst? Nicht nur äußerlich, auch im Wesen.»

Dass er die Nörgeleien seiner neuen Frau mit gesenktem Kopf über sich ergehen ließ, fand Catharina schlimm genug, doch weit heftiger traf es sie, dass er ihr immer weniger Zeit widmete. Er sprach nicht mehr mit ihr über ihre Mutter, und die abendliche Zeremonie der Gutenachtgeschichten fand ein Ende.

Dabei blieb es nicht. Das Bild der Mutter, das über dem Esstisch gehangen hatte, wanderte auf den Dachboden. In Catharinas kleines Zimmer, das sie wegen seiner Aussicht auf den sanft plätschernden Gewerbekanal so liebte, zogen die beiden Stiefbrüder Claudius und Johann, und sie musste auf eine alte Strohmatte im Wohnraum ausweichen.

Als Nächstes wurde Catharina der Unterricht bei Othilia Molerin gestrichen. Die Molerin war eine Schulmeisterswitwe, die Bürgerskindern in einer so genannten Winkelschule Rechnen, Schreiben und Lesen beibrachte. Ihr Vater hatte beobachtet, wie neugierig Catharina war und wie leicht ihr das Lernen fiel. Offiziell waren die Winkelschulen vom Rat der Stadt verboten, da sich die Schulmeister der städtischen Lateinschule immer wieder über diese lästige Konkurrenz beschwerten. Aber im Grunde drückte der Magistrat beide Augen zu, war es doch allgemein bekannt, dass die meisten Kaufleute und Handwerker das Studium von Latein und Rhetorik für ihre Kinder als Zeitverschwendung betrachteten und inzwischen mit Nachdruck eine Deutsche Schule forderten. Selbstredend waren die städtischen Schulen nur für Knaben vorgesehen, den Mädchen blieb also ohnehin nur der Unterricht bei den heimlichen Schulmeistern oder den Klosterfrauen der Beginen.

Catharina war völlig vor den Kopf geschlagen, als Hiltrud nur wenige Wochen nach ihrem Einzug eröffnete, für diesen Unfug, Mädchen zu unterrichten, sei ihr jeder Pfennig zu schade. Als sich Catharina von der dicken, gemütlichen Schulmeisterin verabschieden ging, konnte sie die Tränen nicht zurückhalten, und die Molerin schalt fürchterlich über die Borniertheit und Hartherzigkeit der Stiefmutter.

Hiltrud kümmerte sich ansonsten nicht weiter um Catharina. Dabei konnte man nicht behaupten, dass sie boshaft zu ihr war, auch wenn ihr Catharina gegenüber weitaus öfter die Hand ausrutschte als bei ihren eigenen Söhnen. Vielmehr sorgte sie dafür, dass Catharina angemessen gekleidet war, und wenn sie die Werkstatt aufräumte oder Besorgungen erledigte, steckte sie ihr auch mal einen Kuchenrest als Belohnung zu. Nur manchmal, wenn Hiltrud mit den Söhnen zu ihrer Verwandtschaft nach Emmendingen fuhr, war es fast wie früher.

Dann saß Catharina beim Vater in der Werkstatt, oder sie übten zusammen in der Küche Rechnen und Schreiben. Catharina schickte dann jedes Mal ein Stoßgebet zur Jungfrau Maria, damit das Wetter schlecht würde, denn dann kämen ihre Stiefmutter und die Stiefbrüder erst am nächsten Tag zurück.

Überhaupt die Stiefbrüder! Sie machten sich im ganzen Haus breit, benutzten ihre Sachen, lungerten in Vaters Werkstatt herum. Wobei Claudius, der Dreizehnjährige, noch erträglich war: Er neckte sie ständig, wusste aber, wann der Zeitpunkt gekommen war, sie in Ruhe zu lassen.

Johann hingegen, den Sechzehnjährigen mit seinem teigigen Gesicht und den großen Pratzen, fürchtete sie. Er war hochmütig. Er ließ sie bei jeder Gelegenheit spüren, dass er sie für ein dummes kleines Mädchen hielt. Und er beobachtete sie immerfort, schweigend und mit halb geschlossenen Augen. Wenn er in ihrer Nähe war, schauderte sie, doch hätte sie damals nicht genau sagen können, warum sie sich von ihm bedroht fühlte. Einmal hatte er ihr, grinsend und mit flackerndem Blick, auf ihre noch flache Brust gefasst, und sie bekam eine vage Ahnung, was hinter seinen ständigen Andeutungen stecken mochte.

Sie ging ihm aus dem Weg, und so wurde es ihr zur Gewohnheit, morgens das Haus zu verlassen, um erst zur Abenddämmerung heimzukehren.

Der Marsch von ihrem Elternhaus dauerte nach Lehen hinaus eine gute Stunde, vorausgesetzt, das Wetter spielte mit. An jenem Tag, Mitte März, eine Woche vor ihrem zwölften Geburtstag, hatte es jedoch in der Nacht noch einmal heftig zu schneien begonnen. Als ihr Vater sie bei Sonnenaufgang weckte und sagte, sie solle ein Bündel mit Wäsche zusammenpacken, sie müssten zu Tante Marthe, da erschrak sie. Was hatte das zu bedeuten? Was sollten sie bei diesem Hundewetter in Lehen? War ihre Tante krank? Hieronymus wich ihrem Blick und ihren Fragen aus und drängte sie zum Aufbruch.

Draußen wehte ihnen ein scharfer Wind die nassen Flocken in den Kragen. Catharina fror, und den ganzen Weg sprach der Vater kein Wort, was sonst nicht seine Art war. Verunsichert klammerte sie sich an seine Hand. Als sie nach fast zwei Stunden endlich ankamen, brannte im Nebenraum der Gaststube ein Feuer, und die Hausmagd stellte einen Topf heiße Suppe auf den Tisch. Bei der Ankunft hatte Marthe Stadellmenin sie herzlich in den Arm genommen. Jetzt, beim Essen, lächelte sie ihr zwar aufmunternd zu, blieb aber ansonsten ebenso schweigsam wie ihr Bruder. Die Stille wurde nur hin und wieder vom Kichern der beiden Jüngsten, der Zwillinge Wilhelm und Carl, unterbrochen. Lene, die in Catharinas Alter war, rutschte aufgeregt auf ihrem Stuhl hin und her, und Christoph, Tante Marthes ältester Sohn aus ihrer ersten Ehe, schaute sie mit seinen tiefblauen Augen neugierig an. Ihr fiel auf, dass er den gleichen sanften Blick wie ihre Tante hatte. Da räusperte sich der Vater und legte bedächtig den Löffel neben den Holzteller.

«Catharina, wie du weißt, hat Tante Marthe viel Arbeit, seitdem der Schillerwirt tot ist. Christoph muss den Hof versorgen, Lene den Haushalt und die Kleinen. Da braucht deine Tante noch eine Hilfe in der Gaststube, und du bist alt genug, um eine Stellung anzutreten.» Er nahm noch einen Löffel Suppe. Draußen rüttelte der Wind an den Fensterläden. «Nun ja, bei uns ist es inzwischen recht eng geworden, und da dachte ich mir, du wohnst sicher gern bei deiner Tante.»

Catharina starrte ihn an. Sie sollte abgeschoben werden. Jetzt verstand sie, was dieser unerwartete Ausflug zu bedeuten hatte. In diesem Moment hasste sie ihren Vater, hasste die neue Frau mit ihren ekelhaften Söhnen, die ohne Vorankündigung in ihr Leben eingedrungen waren und sie aus ihrem Elternhaus vertrieben. Sie stieß polternd den Stuhl zurück und stürzte hinaus. Ihr Vater lief ihr nach.

«Ich bin doch nicht aus der Welt. Du kannst mich jederzeit

besuchen, und sonntags komme ich wie früher nach Lehen. Marthe braucht deine Hilfe, verstehst du das denn nicht?» Dann schwieg er. Sie drehte sich um und sah, dass er Tränen in den Augen hatte. Wie konnte er weinen und sie gleichzeitig wegschicken von zu Hause? Sie wollte ihn nie wieder sehen. Sie rannte los, hinein in den heulenden Sturm, doch jemand packte sie am Arm. Es war ihr Vetter Christoph.

«Komm jetzt ins Haus. Wir freuen uns alle auf dich.»

So ganz die Wahrheit war das nicht. Mochten Christoph und Mutter sich freuen – ich fand es zunächst schrecklich, mit welcher Selbstverständlichkeit sich Catharina in unserer Familie breit machte. Ich hatte Mutter versprechen müssen, meine Kammer mit ihr zu teilen und sie freundlich aufzunehmen. Weißt du, Marthe-Marie, was ich stattdessen getan habe? Jeden Abend, wenn sie zu mir ins Bett kam, nahm ich wortlos meine Decken und zog trotz der eisigen Kälte auf den Dachboden um. Ich strafte sie mit Missachtung, wo ich konnte, denn ich wollte nicht, dass sie bei uns blieb. Sie war anders, immer so nachdenklich und verschlossen. Ich war mir sicher, dass sie sich als etwas Besseres fühlte. Das glaubten wir damals von allen Kindern aus der Stadt. Und bei Catharina kam hinzu, dass sie das einzige Mädchen war, das ich kannte, das lesen und schreiben konnte.

Heute weiß ich, dass meine anfängliche Abneigung nichts als Eifersucht war, denn ich hatte Angst, Catharina könne meine Stellung als einzige Haustochter bedrohen. Zudem war mir nicht entgangen, mit welchen Blicken mein Bruder Catharina von Anfang an bedachte. So habe ich mich in den ersten Wochen wohl recht ekelhaft benommen. Mich wundert heute noch, wie schnell sich Catharina trotz allem bei uns einlebte. Sie teilte sich mit mir die Hausarbeit, und an den Tagen, an denen die Fuhrleute aus Breisach kamen oder die Gemeindeobrigkeit tagte, half sie in der Gaststube mit. Diese Arbeit schien ihr zu gefallen, denn sie stellte sich so geschickt an, dass sie oft gelobt wurde von den Gästen. Es machte mich wütend zu sehen, wie Christoph gleich zur Stelle war, wenn sie mit einer Arbeit Schwierigkeiten hatte, oder dass Mutter sie anfangs umsorgte wie eine Glucke. Wir müssen ihr die Familie ersetzen, waren ihre ständigen Worte. Ich hingegen sagte meiner Base, wie dankbar sie uns sein sollte:

«Du hast Glück, dass du nicht zu fremden Leuten geschickt worden bist. Oder dass dein Vater dich nicht im Wald ausgesetzt hat.»

Mein Gott, was schäme ich mich heute noch für diese Worte. Sie wehrte sich nie gegen meine Gemeinheiten, schaute mich immer nur erschrocken und traurig aus ihren dunklen Augen an, was mich nur noch mehr reizte. Bis ich eines Tages auf den Gedanken kam, meine Freunde gegen sie aufzustacheln.

Gelegentlich ließ ich es zu, dass Catharina mit mir und meinen Freunden nach der Arbeit durchs Dorf zog. Sie schien mich zu bewundern, vielleicht, weil ich unter den Kindern das Sagen hatte, vielleicht auch, weil ich schon ein wenig fraulich aussah, während sie so knochig und staksig wie ein Fohlen daherkam. Wären nicht das dichte schwarze Haar und das schmale Gesicht gewesen, hätte man sie damals für einen Jungen halten können.

Mit Unmut hatte ich bemerkt, wie die anderen begannen, Catharina nett zu finden. So versprach ich den beiden einzigen Jungen, die mit uns herumzogen, dass derjenige mich küssen dürfe, der es schaffe, Catharina der Länge nach in eine Pfütze zu werfen.

Wie sehr hatte ich meine Base unterschätzt. Im Handumdrehen hatte sie erst dem einen Burschen eine blutige Nase geschlagen, dann den anderen in den Schwitzkasten genommen, bis der nur noch jammerte und wimmerte.

An diesem Abend wanderte ich zum Schlafen nicht auf den Dachboden, denn ich wollte erfahren, wo Catharina das Raufen gelernt hatte. Bis spät in die Nacht hinein erzählte sie mir von früher, von ihren Kämpfen mit den Freiburger Gassenbuben, von ihrem Vater und seiner wunderbaren Werkstatt, und von dieser grässlichen Frau mit ihren beiden Söhnen, die Catharina alles, was ihr wichtig war, weggenommen hatte.

2

Schon bald galten die beiden Mädchen im Dorf als unzertrennlich. Catharina empfand längst keinen Neid mehr auf die bewundernden Blicke der Männerwelt, die Lene auf sich zog. Mit ihrem hübschen Gesicht, den braunen Augen und dunklen Brauen, die in reizvollem Kontrast zu den langen blonden Haaren standen, war ihre Base zweifellos das schönste Mädchen der Gegend. Lene selbst hatte für diese Gunst nur Spott übrig, und wenn die Burschen im Dorf ihnen gegenüber zu aufdringlich oder zu frech wurden, halfen sie sich nun gegenseitig. Wo Lene ein frecheres Mundwerk hatte, war Catharina die Stärkere von beiden.

Einmal, zweimal die Woche machte sich Catharina auf den Weg in ihr Elternhaus, aber es geschah immer widerwilliger. Sie wusste, wie wichtig ihrem Vater diese Besuche waren, doch sie spürte bei jedem Wiedersehen deutlicher, wie viel Argwohn, ja Feindseligkeit ihr seitens Hiltrud und ihrem ältesten Sohn entgegenschlug und, was noch viel schmerzhafter war, dass es zwischen ihrem Vater und ihr nie wieder so sein würde wie früher. Hinzu kam, dass sie jedes Mal, wenn sie die Schwelle des Hauses überschritt, ein Gefühl von Beklemmung ergriff, von unbestimmter Angst. Bis schließlich, an einem schwülen Morgen Anfang Juli, diese Vorahnung Wirklichkeit wurde.

Ausnahmsweise hatte Catharina bei ihrem Vater übernachtet. Die Nacht hatte die stickige Hitze und den Gestank, der seit Tagen über der Stadt lag, nicht vertreiben können, und die Menschen waren gereizt und fanden keinen Schlaf. Als Catharina im Morgengrauen schweißnass die Küche betrat, um sich einen Becher Wasser zu holen, prallte sie im Halbdunkel mit ihrem Stiefbruder zusammen. Sie unterdrückte einen Schrei.

«Nicht so schreckhaft, meine Hübsche.» Johann hielt sie am Arm fest. «Du kannst also auch nicht schlafen.»

Sie schüttelte ihn ab und trat ein paar Schritte zurück. «Lass mich in Ruhe.»

Seine aschblonden Haare standen wirr vom Kopf, auf seiner kurzen, stumpfen Nase glänzten Schweißtropfen. Plötzlich wurde ihr bewusst, dass sie nur ein kurzes Leibchen trug, und sie kam sich unter seinem stieren Blick ganz nackt vor.

In diesem Moment riss er sie an sich. «Führ dich bloß nicht so stolz auf, du – du Zigeunerbalg. Jeder hier weiß doch, dass deine Mutter eine Zigeunerin war. Du wirst schon sehen, wo du endest.»

Sein Atem ging schneller, wurde zu einem grunzenden Stöhnen. Wie ein Schraubstock hielt er sie umklammert und versuchte, sie auf den Mund zu küssen.

Catharina wusste nicht, woher sie auf einmal ihre Kraft nahm. Sie drehte und wand sich, bis sie seinen kräftigen Armen entkommen war, und schlug ihm dann mit voller Wucht ins Gesicht. Aus seiner Nase lief ein dünner Streifen Blut.

«Das wirst du mir büßen», brüllte er.

Catharina lief zur Kommode, riss hastig ihre Kleider heraus und zog sich an. Sie würde keinen Moment länger hier bleiben.

Der Vater stand hinter ihr, als sie fertig zum Gehen war. «Was war los?»

«Johann – dieser Hundsfott …» Unter Schluchzen berichtete sie, wie sich ihr Stiefbruder ihr genähert hatte.

«Ich will nie wieder hierher kommen – nie wieder.»

Das Gesicht ihres Vaters wirkte hilfloser denn je.

«Das darfst du nicht sagen, Cathi. Ich verspreche dir, ich rede mit Johann. Der Junge muss aus dem Haus, ich werde ihm einen Lehrherrn suchen.»

Hiltrud warf ihrer Stieftochter einen höhnischen Blick zu, als Catharina sich wortlos an ihr vorbeidrückte und die Haustür aufstieß.

«Stell dich nicht an wie ein adliges Fräulein», rief sie ihr nach. «Was hat er schon getan? Junger Most muss sausen und verbrausen.»

Catharina beruhigte sich erst, als sie die Landstraße erreichte. Wieso ließ ihr Vater das zu? Und wieso sagten die Leute, dass ihre Mutter eine Zigeunerin sei? Sie wusste, dass es hier am Oberrhein viele Leute gab, die so dunkel waren wie sie. Ihr Vater hatte das einmal damit erklärt, dass der Rhein ein uralter Handelsweg sei, auf dem bis heute Menschen aus den südlichen Ländern kamen, um Handel zu treiben oder im Norden ihr Glück zu versuchen, und manche hätten sich dann hier in der Gegend niedergelassen. Sie war sich nie fremd vorgekommen mit ihren glänzenden schwarzen Haaren und dunklen Augen, im Gegenteil, sie war stolz darauf, dass sie in dieser Hinsicht ihrer Mutter glich.

Jedes Mal, wenn ein Fuhrwerk den Weg entlangkam, wirbelte es Staub von der trockenen Straße, der sich auf ihre verschwitzte Haut legte. Es hatte seit Wochen nicht mehr geregnet, und heute schien es, als würde sich die Hitze aller vergangenen Tage zusammenballen. Der Himmel war wie Blei, Blätter und Grasspitzen regten sich nicht. Selbst die Vögel und Grillen blieben stumm.

Plötzlich raschelte es am Wegrand. Catharina glaubte, ihr Herz müsse aufhören zu schlagen: Unter der Linde, an das Bischofskreuz gelehnt, kauerte ein feuerroter Zwerg. Er streckte ihr eine zitternde knochige Hand entgegen. Sie wollte losrennen, aber wie unter einem Bann blieb sie vor dem winzigen Greis stehen. Er trug einen leuchtend roten Umhang mit Kapuze, seine schmutzigen Beine steckten in zerschlissenen Bundschuhen. Das Entsetzlichste aber war sein Gesicht: Über den blatternarbigen Wangen lagen leere Augenhöhlen, von faltigen Lidern verschlossen.

«Hab keine Angst, junges Ding, und gib mir ein Almosen.» Der Zwerg hatte eine Kinderstimme wie ihre kleinen Vettern.

Wieder wollte Catharina nichts lieber als weglaufen, fragte aber stattdessen fassungslos: «Woher wisst Ihr, dass ich jung bin?»

Der Zwerg wandte sein Gesicht von ihr ab. «Nur weil ich keine Augen mehr habe, heißt das nicht, dass ich nichts sehe.»

Sie schwiegen für einen Moment. Von Westen her hörte man dumpfes Grollen.

«Gib mir einen Pfennig oder eine Kleinigkeit zu essen, und du wirst mehr über dich erfahren, als deine Mutter und dein Vater über dich wissen können.»

Außer ihrem Wäschebündel hatte sie aber nichts dabei, und zudem wollte sie an diesem Tag nicht noch mehr schlimme Dinge zu hören bekommen. Trotzdem – vielleicht konnte ihr diese unheimliche Begegnung nützlich sein.

«Ist es wahr, dass meine Mutter eine Zigeunerin war?»

Der Alte lachte wie eine kranke Ziege. «Ich seh schon, du hast nichts, was du mir geben könntest. Das macht nichts, reich mir deine Hand, damit ich dich fühle. Ja, so ist es gut. Deine Mutter war eine Frau mit einem großen Herzen, die viel zu früh gestorben ist. Du wirst bald so schön sein wie sie. Dann aber wirst du langsam verwelken und vertrocknen an der Seite eines stattlichen Mannes. »

Der Alte ließ ihre Hand los und schwieg. Catharina bat ihn, weiterzusprechen, obwohl sie den Sinn seiner Worte nicht recht verstand. Der Zwerg zögerte.

«Es ist nicht immer gut, alles bis zum Ende zu wissen. Außerdem kann ich mich irren.»

Jetzt war sie erst recht neugierig geworden. Sie bedrängte ihn, bis er zu einer letzten Auskunft bereit war. Sie werde eines Tages neu erwachen und glücklich sein wie in ihren Kindertagen, aber dieses Glück sei bedroht wie trockenes Holz von einer Feuersbrunst.

«Hüte dich vor den Nachbarn», schloss er. Dann sprang er mit einer unerwarteten Behändigkeit auf und tippelte querfeldein davon. Bald sah sie nur noch einen roten Fleck, der hin und wieder einen Sprung nach links oder rechts machte.

An der Abzweigung nach Betzenhausen brach der Himmel mit einem Knall auseinander und vergoss Ströme von warmem Regen über dem ausgedörrten Land. Als Catharina am Gasthaus ankam, war sie nass bis auf die Haut.

Lene hielt ihr die Tür auf: «Komm schnell rein und zieh dich um, du kannst Hemd und Schürze von mir haben.»

Catharina zitterte am ganzen Körper, als sie sich mit dem Tuch, das ihr Lene reichte, trocken rieb.

«Hoffentlich hast du dich nicht erkältet.»

Sie erzählte ihr, was am Morgen geschehen war, das mit Johann und die Begegnung mit dem roten Zwerg.

«Deinen Stiefbruder soll doch der Teufel holen – wenn wir ihn nur mal zu zweit erwischen könnten.»

Doch Catharina war von den geheimnisvollen Worten des alten Mannes inzwischen fast beunruhigter. «Glaubst du an Weissagungen?»

Lene hängte die nassen Kleider über einen Stuhl und überlegte. «Kommt drauf an. Bei der letzten Kirchweih hat mir so eine alte Vettel aus der Hand gelesen. Sie hat viel geredet, auch grausige Dinge. Da hab ich mir einfach nur die schönen Sachen gemerkt.»

«Und was war das?»

Lene kicherte. «Dass sich einmal drei Männer um mich schlagen werden. Und dass ich in einem vornehmen Haus leben werde.»

An diesem Tag gab es viel zu tun. Da es bis zum späten Nachmittag wie aus Kübeln goss, kamen mehr Gäste als sonst, auch ärmere Leute, die sonst ihr Brot am Straßenrand zu sich nahmen und jetzt einen trockenen Ort suchten. Als der letzte Fuhrmann gegangen war, mussten die beiden Gaststuben von Grund auf geputzt werden, da die Dielen voller Schlamm standen. Catharina scheuchte die Hühner hinaus in den Hof und machte sich an die Arbeit.

Beim Abendessen war sie völlig erschöpft.

Marthe reichte ihr die Schüssel. «Nimm dir noch was von dem Hirsebrei, du hast heute viel gearbeitet.»

Aber sie hatte keinen Hunger.

Marthe schaute sie an. «Lene hat mir alles erzählt. Dein Vater wird Johann schon zurechtstutzen, zerbrich dir also nicht den Kopf. Und was den alten Bartholo betrifft, diesen blinden Narren: Der hat zwar keine Augen im Kopf, aber er beobachtet besser als unsereins. Der weiß doch längst, wohin du gehörst und wer du bist. Ein Wahrsager ist er deshalb noch lange nicht.»

Eine Jahreszeit löste die nächste ab. Catharina arbeitete immer häufiger in der Gaststube. Sie bediente nicht nur die Gäste und bekam dabei immer mal ein paar Münzen zugesteckt, sondern kassierte auch meist ab, da sie flink im Kopfrechnen war. Im Sommer half sie beim Garbenbinden und beim Sichelschnitt, bis ihr der Rücken steif wurde. Die Tante selbst besaß außer dem Obstgarten nur wenig Land, gerade so viel, wie sie für das Pferd und die paar Schweine brauchten. Aber hier auf dem Dorf war es üblich, dass man den Nachbarn aushalf.

Catharina wusste bald, wie man butterte und Schnaps brannte, wie man reife Früchte dörrte und Heringe pökelte. Zweimal in der Woche buk sie zusammen mit der Hausmagd Brot. Der alte Lehmofen stand am Rand des Hofes, wo es zu den Obstwiesen hinaus ging. Sie mochte diese Arbeit, denn ihr Vetter war für das Feuer und die richtige Temperatur verantwortlich. Ganz anders als die übrigen Burschen seines Alters sah er in Catharina nicht das Mädchen, mit dem man seine Scherze treiben konnte, sondern suchte in ihr eine Gesprächspartnerin in seiner fast schon besessen zu nennenden Neigung, die Welt zu hinterfragen und den Geheimnissen der Dinge auf den Grund zu gehen. Oft saßen sie mit dem Rücken an die warme Ofenwand gelehnt und sinnierten über die Unendlichkeit des Himmels über ihnen, über die Beschaffenheit der Sterne oder über die Lebenskraft, die in einem winzigen Samenkorn steckte, bis Marthe sie aufscheuchte.

«Ihr seid nicht die hohen Herrschaften vom Gutshof, also los. Der restliche Brotteig muss angesetzt werden, und das Pferd läuft auch nicht von allein zum Schmied.»

Als die Tage kürzer wurden und das Laub der Auwälder in Rot und Gold aufflammte, nahm Christoph sie zum Sammeln von Eicheln für die Schweinemast mit. Er führte sie in den Mooswald. Catharina wusste, dass dies als Auszeichnung anzusehen war, denn das Herumschleichen im Wald der Lehener Herrschaft galt unter den Buben als Mutprobe. Mehr als einmal mussten sie sich in letzter Minute vor den Steinwürfen des aufgebrachten Waldhüters in Sicherheit bringen, außer Atem, Hand in Hand, mit prall gefülltem Beutel.

Lene sah sie tagsüber selten, da ihre Base für die Hausarbeit zuständig war: Sie musste sich um die Zwillinge kümmern und erledigte die Putz- und Flickarbeit, die Catharina verabscheute. Gott sei Dank hatte sie damit nichts zu tun. Abends lagen sie dann im Bett und tratschten wie die Marktweiber. Beinahe über jeden Gast konnte Lene eine Geschichte erzählen, wobei sich Catharina manchmal fragte, ob ihre Base es mit der Wahrheit so genau nahm.

«Stimmt das mit dem Freiherrn von Lehen?», fragte Catharina und zog sich die Bettdecke über die Schultern, als ob sie fröstelte. Sie war dem Gutsherrn einige Male in seinem eleganten Zweispänner begegnet. Die Leute im Dorf fürchteten ihn: Er sei jähzornig und habe oft üble Einfälle, um zu seinem Recht zu kommen.

«Was meinst du?»

«Dass er Mädchen entführt.»

Lene lachte laut auf.

«Mir macht er keine Angst. Ich musste einmal hinübergehen, um ihm einen eingelegten Hasen zu bringen. Da hat er mir übers Haar gestrichen und gesagt, ich sei ein schönes Mädchen. Aber seine Hände haben so gezittert, dass er nicht einmal eine Maus hätte festhalten können. Er ist alt und faltig wie eine getrocknete Zwetschge. Weißt du, was ich glaube? Manche Mädchen gehen freiwillig zu ihm, weil sie denken, wenn er ihnen erst ein Kind gemacht hat, können sie es sich gut gehen lassen.»

Wenn Lene so daherredete, bewunderte Catharina sie und kam sich so viel jünger und einfältiger vor als ihre Base. Vielleicht lag es daran, dass sie keine Geschwister hatte und nur mit ihrem Vater aufgewachsen war, denn sie verstand so wenig von diesen Dingen. Bei ihren ersten Gesprächen tat sie so, als seien ihr Lenes Erklärungen vollkommen einsichtig. Mit wachsender Vertrautheit aber fragte sie nach: Wieso gehen manche Mädchen zum Gutsherrn? Was passiert dann? Wieso ist die Hausmagd neulich so erschrocken, als sie ihr abends im Stall begegnete? Was passiert da drüben beim Schmied, wenn nachts trunkenes Gelächter herüberschallt?

Und Catharina erfuhr nach und nach, dass sich die Vorgänge, die sie von klein auf bei Tieren beobachtet hatte, recht einfach auf die Menschen übertragen ließen. Ein wenig war sie darüber enttäuscht.

Einmal – Catharina war schon fast eingeschlafen – fragte Lene: «Sag mal, kennst du die Spinnstube?»

Catharina schüttelte den Kopf.

«Das ist die Stube beim dicken Müller. Immer von Erntedank an treffen sich dort die ledigen Frauen abends zum Arbeiten. Sie spinnen und stricken und nähen dort den Winter über, um bei sich zu Hause Holz und Licht zu sparen. Dem alten Müller geht es ganz gut dabei, denn Essen und Trinken lässt er sich bezahlen. Und hübsche Mädchen hat er auch um sich.»

«Woher haben die Mädchen das Geld, Essen und Trinken zu bezahlen?»

Lene lachte.

«Das bezahlen doch nicht die Mädchen. Am späten Abend kommen die Burschen aus dem Dorf und singen und trinken mit ihnen. Und nicht nur das. Komm, ich zeig's dir.»

Catharina verspürte wenig Lust, aus dem warmen Bett aufzustehen, aber wie immer siegte ihre Neugier. Sie zogen sich schnell an. Da in der Küche Marthe und Christoph über den Haushaltsbüchern saßen, mussten sie aus dem Fenster steigen. Leise schlichen sie durch den Obstgarten, überquerten die Landstraße und gingen am Dorfbach entlang bis zum Müller'schen Hof. Im Erdgeschoss waren die Läden verschlossen.

«Wir müssen in den Hinterhof, da ist ein Fenster offen.»

Sie kletterten eine Mauer hoch. Unter ihnen funkelten die Augen eines zottigen Hundes, der sie anknurrte.

«Das ist Michel, der kennt mich», flüsterte Lene, sprang in den Hof und tätschelte dem Hund den Kopf.

Aus dem Fenster drang lautes Singen und Lachen. Sie blickten in einen großen Saal, von ein paar Öllampen eher spärlich erleuchtet. Auf den ersten Blick war kaum zu erkennen, wer die Burschen, wer die Mädchen waren, denn alle saßen oder standen dicht beieinander. Da begannen Fidel und Sackpfeife aufzuspielen, mehr laut als melodisch, und sofort hatten sich zahlreiche Paare gefunden und wirbelten in schnellem Rhythmus im Kreis, dass die Röcke nur so flogen.

Lene stieß sie an. «Schau mal, da in der Ecke, die dicke Ursel, die Tochter vom Sattler.»

Auf Ursels Schoß saß ein Mann, den Catharina nur vom Sehen kannte. Er hatte eine Hand in ihr offenes Leibchen geschoben, mit der anderen hielt er einen Krug Bier an ihre Lippen. Dann küsste er sie. Daneben hockte der Metzgerlehrling mit dem Kopf auf der Tischplatte, offensichtlich völlig betrunken, und ein Mädchen goss ihm Wasser oder Wein über den Kragen.

Catharina stand wie gebannt. Da schien das halbe Dorf zusammengekommen zu sein. Fast gleichzeitig entdeckten sie ihre Hausmagd. Laut singend saß sie auf einem Tisch, vor ihr kniete ein Mann, den sie nicht erkennen konnten, da er seinen Kopf unter ihren weiten Rock geschoben hatte, und neben ihr stand der älteste Sohn ihres Nachbarn und versuchte, ihr Ohr zu küssen. Nur wenige Mädchen hatten noch ihr Näh- und Flickzeug vor sich liegen. Hin und wieder kam der alte Müller, brachte frisches Bier und klatschte einem Mädchen auf den Hintern.

«Los, ich zeig dir noch was. Hinter der Mühle liegen die Paare nur so aufeinander herum.»

Aber Catharina hatte genug, sie fror und war müde. Auf dem Heimweg fragte sie, ob Christoph auch schon in der Spinnstube gewesen sei. Lene konnte das zwar nicht mit Sicherheit verneinen, aber sie glaubte es nicht. Ihr Bruder habe mit solchen Sachen wohl nicht viel im Sinn. Catharina freute sich über diese Antwort. Zu albern war ihr das Treiben im Müllerhaus vorgekommen.

Seit jenem Zusammenstoß mit ihrem Stiefbruder Johann hatte Catharina keine einzige Nacht mehr in ihrem Elternhaus verbracht. Ihre Besuche wurden noch seltener und kürzer. Zwar hatte ihr Vater, wie versprochen, am selben Abend mit Johann geredet, und Hiltrud und er waren übereingekommen, ihn auf die städtische Lateinschule zu schicken – Catharina wusste, dass

Hiltrud ihren Ältesten für sehr begabt hielt und sich daher weigerte, ihn in die Lehre zu geben –, aber das war wohl gerade das Falsche gewesen. Johann kam nun nächtelang nicht heim, trieb sich, was für Schüler streng verboten war, in Schenken herum, und wenn er zu Hause war, sprach er mit niemandem ein Wort oder war betrunken. Catharina wurde zufällig Zeuge, als eines Tages der Schulmeister ins Haus ihres Vaters platzte und klagte, dass der Junge für seine Schule nicht mehr tragbar sei, er habe einen sehr schlechten Einfluss auf die anderen Schüler.

«Er hat keine Disziplin und keine Moral. Davon abgesehen ist er, verzeiht, wenn ich das so offen sage, auch nicht gerade der Hellste. Der gute alte Donatus, der einfachste aller Grammatiker, scheint ihm Chinesisch rückwärts zu sein. Ich verwette meinen Talar, dass Euer Sohn nicht einmal die Quarta schafft!»

Hiltrud verteidigte ihren Sohn und warf dem Schulmeister vor, dass er sich für das hohe Schulgeld, das sie bezahle, ganz offensichtlich nicht genug Mühe gebe. Sie einigten sich schließlich, nachdem ihm Hiltrud ein paar Gulden monatlich «ganz zu seiner eigenen Verfügung» versprochen hatte. An Johanns Verhalten änderte das selbstredend keinen Deut. Catharina war es vollkommen einerlei, was aus Johann wurde, ihr einziges Bestreben war, ihm aus dem Weg zu gehen. Fast hatte sie vergessen, dass er im Hause ihres Vaters wohnte, als er ihr an einem nebligen Herbstnachmittag auflauerte.

Sie war mit Lene in der Stadt gewesen, um Salz und Gewürze zu kaufen, und hatte anschließend noch bei ihrem Vater vorbeigesehen. Es war spät geworden, die Tore würden bald schließen, und Lene wartete sicher schon ungeduldig am Fischbrunnen auf sie. Eilig überquerte Catharina den Gewerbekanal vor ihrem Elternhaus, als sich aus dem düsteren Gemäuer des Augustinerklosters eine Gestalt löste und ihr den Weg versperrte.

«Aha, mein Schwesterchen hat uns wieder besucht. Wie schade, dass ich nicht zu Hause war.»

Ein Grinsen breitete sich auf Johanns Gesicht aus, als Catharina ängstlich zurückwich. Breitbeinig folgte er ihr, die Arme auf ihren Hüften, sein Atem stank nach Schnaps. Als eine Gruppe Mönche aus dem Tor trat, ließ er von ihr ab.

«Eines Tages packe ich dich, dass dir Hören und Sehen vergeht», zischte er und spuckte vor ihr aus. Dann ging er mit schwankenden Schritten nach Hause. Catharinas Knie zitterten. In diesem Moment hätte sie alles darum gegeben, Johann für immer aus ihrem Leben zu verbannen.

Natürlich stammte dieser dumme Einfall mit dem Verwünschen von mir, eine alberne Kinderei, von der ich nie gedacht hätte, dass Catharina sie ernst nehmen würde. Ich möchte schwören, dass sie sich vorher und nachher nie wieder mit schwarzer Magie beschäftigt hat, genauso wenig wie ich, doch ich suchte irgendetwas, um sie von ihren Ängsten abzulenken. Denn seit dieser Begegnung mit Johann schlief sie nachts schlecht, hatte Albträume, ihre ganze Fröhlichkeit und Neugier waren auf einmal verschwunden.

«Du musst deinen Stiefbruder verwünschen.»

Dieser Satz rutschte mir also eines Abends, nachdem wir das Licht gelöscht hatten, einfach so über die Lippen. Erst an ihrem stockenden Atem, daran, dass ihre Hand auf meinem Arm plötzlich eiskalt wurde, bemerkte ich, wie ernsthaft sie dieser Vorschlag traf.

«Was muss ich dafür tun?», flüsterte sie.

Ich hatte zwar von zahlreichen magischen Zaubern gehört, kannte zur Genüge die Prahlereien der Dorfjungen, wenn sie sich damit brüsteten, um Mitternacht unter dem Galgen nach den kostbaren Alraunwurzeln zu graben, diesen Wurzeln, die sich angeblich aus Schweiß, Urin und Samen der Gehenkten bildeten und ihrem Besitzer unermessliche Kräfte verhießen. Beim Ausreißen musste man mit List vorgehen, denn die Alraune schrie dabei wie ein Mensch vor Schmerz und konnte den Gräber damit in Wahnsinn und Tod treiben. Dieser Gefahr entging man am besten mit einem schwarzen Hund, dem man die freigelegte Wurzel an den Schwanz band und ihn dazu trieb, sie herauszuziehen. Anschließend musste dieser Hund zwar eines elenden Todes sterben, dafür blieb man selbst unversehrt.

Dies alles war mir zwar wohl vertraut, doch selber hatte ich solche Rituale noch nie angewandt – davon abgesehen, dass ich diese Dinge eher lächerlich fand. Doch ich wollte mir in diesem Moment keine Blöße geben, außerdem freute ich mich, dass Catharina meinen Rat brauchte, denn es kränkte mich, wie innig das Verhältnis zwischen ihr und Christoph geworden war – gerade so, als sei ich nicht mehr wichtig. Du musst wissen, Marthe-Marie, dass ich Christoph fast abgöttisch liebte, auch wenn er nur mein Halbbruder war, und ich konnte kaum mit ansehen, mit wie viel Aufmerksamkeit er Catharina bedachte.

Nun gut – ich holte tief Luft und sagte: «Es ist ganz einfach. Du denkst drei Abende hintereinander beim Einschlafen an nichts anderes, als dass Johann ersticken, ersaufen oder vom Blitz getroffen werden soll oder was weiß ich. Du musst es aber mit aller Inbrunst tun. Dann stehst du jedes Mal vor Sonnenaufgang auf und begräbst ein totes Tier. Ich verspreche dir, du siehst den Kerl danach nie wieder.»

Catharina wollte mit solcher Zauberei nichts zu tun haben. Doch sie kam nicht dagegen an, dass der Gedanke, es wenigstens zu versuchen, mehr und mehr von ihr Besitz ergriff. Ein unüberwindliches Hindernis schien ihr allerdings das Ritual mit den toten Tieren, denn sie konnte keiner Maus etwas zuleide tun. Am nächsten Tag klaubte sie eine der vielen Spinnen, die vor dem nasskalten Herbst in die Häuser flüchteten, aus ihrem Bett, setzte das Tier auf den Boden und zermalmte es mit großem Widerwillen mit ihrem Holzschuh. Anschließend machte sie sich auf die Suche nach zwei weiteren Opfern.

Als sie gerade die dritte Spinne in der Küche zertrat, wurde sie von Marthe überrascht.

«Was machst du da?»

Catharina bekam einen roten Kopf. Vor kurzem erst hatte ihre Tante erklärt, dass Spinnen nützliche Tiere seien und dass das Gerede, sie würden Unglück bringen, dummes Geschwätz sei.

Kopfschüttelnd kehrte Marthe das zerquetschte Tier in den Hof. Stunden später, als sich Catharina unbeobachtet fühlte, las sie es auf und legte es zu den beiden anderen in ein Kästchen. Für das weitere Vorgehen bot ihr Lene bereitwillig Hilfe an. Nachdem die anderen zu Bett gegangen waren, setzten sie sich auf den nackten Boden und entzündeten ein Talglicht. Sie kamen überein, dass Johann von Räubern entführt werden sollte. Lene flüsterte ein paar unverständliche, düster klingende Worte, die Catharina nachsprechen musste, dann schwenkte sie das Licht in die vier Himmelsrichtungen.

Vor Aufregung blieb Catharina wach, bis sich der Himmel im Osten grau verfärbte. Dann stand sie auf, nahm das Kästchen mit den toten Spinnen und schlich in den Obstgarten. Es war kalt, und ein stürmischer Wind riss das Laub von den Bäumen. Zitternd ging sie hinüber zum Kräuterbeet, wo die Erde am lockersten war. Nachdem sie die erste Spinne begraben hatte, bekreuzigte sie sich, obwohl sie nicht so recht wusste, ob das helfen oder schaden würde. In der folgenden Nacht tauchte eine Schwierigkeit auf, mit der sie nicht gerechnet hatte: Sie wachte erst am späten Morgen auf, als die Hausmagd an die Tür klopfte. Wenn sie auf irgendeinen Erfolg hoffen wollte, würde sie die nächsten beiden Nächte wach bleiben müssen.

Bis auf Lene wunderten sich alle, wie müde und unaufmerksam Catharina in den nächsten Tagen ihre Arbeit verrichtete. Catharina war heilfroh, als das Unternehmen vollbracht war. Außerdem glaubte sie gar nicht so recht an das Gelingen ihrer

Verwünschung, da sie ja eine Nacht verschlafen hatte. Und es geschah auch erst einmal gar nichts. Wahrscheinlich hatte ihr Vater Recht, wenn er sämtliche Gerüchte über Magie mit der Bemerkung «Wunder verrichtet nur der liebe Gott» ins Reich der Lügen verwies.

Mittlerweile war es November geworden. Johann war nun endgültig aus der Lateinschule ausgeschlossen worden, da hatten Hiltruds sämtliche Überredungskünste nichts genutzt. Nun lungerte er von morgens bis abends in den Gassen herum, beleidigte ehrbare Bürger oder zettelte Raufereien mit anderen Burschen an. Catharina wagte sich ohne Lene nicht mehr in die Stadt.

Es war die Zeit des Schweineschlachtens. Die Freiburger Metzger machten ihre Runde durch die Dörfer und boten ihre blutigen Dienste an. An jenem Morgen erwachte Catharina von gellenden Schreien, die nicht enden wollten. Sie presste sich die Hände gegen die Ohren, zog die Decke über den Kopf, doch es war vergeblich. Widerstrebend stand sie auf und kleidete sich an. Es war sicher schon spät. Marthe hatte sie schlafen lassen, weil es gestern in der Gaststube spät geworden war. Und sicher auch, weil Catharina beim Schlachten nicht gern dabei war.

Die beiden Schweine hingen an den Hinterläufen vom Vordach des Stalls, mit heraushängender Zunge, den Bauch weit geöffnet. Christoph und der Lehrbub des Metzgers schütteten den Zuber mit dem heißen Wasser aus, während Marthe mit dem Meister die ausgenommenen Tiere begutachtete. Catharina betrat die Küche. Vor einem riesigen Kessel dampfender Blutsuppe stand Lene und rührte, damit das Blut nicht zu gerinnen begann.

«Na endlich. Mach mal weiter, mir fällt gleich der Arm ab.»

Catharina nahm den schweren Holzlöffel. Angewidert von dem süßlichen Geruch drehte sie den Kopf zur Seite. Lene richtete unterdessen kräftiges Graubrot, Speck und Käse als Morgenmahl her. Für die Männer füllte sie Bier in Krüge. Dabei trank sie selbst genüsslich ein paar Schlucke.

Marthes kräftige Gestalt erschien in der Küchentür.

«Ist alles gerichtet? Die Männer haben Hunger.» Ihr Blick fiel auf Catharina. «Ach, Cathi, weißt du übrigens, was mir der Metzger eben erzählt hat? Johann ist seit drei Tagen spurlos verschwunden.»

«Ist das wahr?» Catharina wurde bleich. Lene versetzte ihr einen Tritt gegen das Schienbein.

«Siehst du, was hab ich dir gesagt!», rief sie, als sie wieder allein waren. «Du hast es geschafft! Jetzt hockt dieses Scheusal hungernd und frierend in einer Höhle und wartet darauf, dass ihm die Räuber den Kopf abschlagen.»

«Hör auf, so zu reden.» Catharina umklammerte den Holzlöffel, als müsse sie sich daran festhalten. Ihr war alles andere als wohl bei dem Gedanken, dass Johann etwas zugestoßen sein könnte.

Sie versuchte, nicht mehr an ihren Stiefbruder zu denken. Doch als er nach zehn Tagen immer noch nicht aufgetaucht war, war sie sich seines Todes so gut wie sicher. Irgendwann würde seine Leiche gefunden werden – und was sollte sie dann dem Vater sagen? Dass sie schuld war an Johanns Tod? War das, was sie getan hatte, Mord?

Die Geschichte der Besenmacherin Anna Schweizerin aus der Wolfshöhle kam ihr in den Sinn. Sie sei dem Teufel verfallen gewesen, sagten die Leute, und habe mit ihrer Hexenkunst, Hagel zu sieden, etliche Bürger und Bauern geschädigt. So sei es nur rechtens gewesen, dass man sie bei lebendigem Leib verbrannt hatte.

Wieso bloß hatte sie auf Lene gehört?

Catharina hatte sich tatsächlich eingebildet, sie habe Johann mit ihren magischen Kräften umgebracht. Zwei Tage lag sie nerven-

krank und mit hohem Fieber im Bett, von Albträumen geplagt, bis
schließlich die Nachricht kam, Johann stecke in Straßburg.

Herr im Himmel, verzeih mir – aber wäre dieser Kerl nur schon
damals verreckt. Das hätte Catharina und mir so vieles erspart.

3

Ganz plötzlich wurde es Winter. Eine Woche vor Weihnachten
wachte Catharina auf und wusste sofort, dass es geschneit hatte.
Es war, als ob sie den Schnee riechen konnte. Die Geräusche von
draußen klangen gedämpft.

Sie sprang aus dem Bett und lief zum Fenster. Im Licht der
Morgendämmerung schimmerte der Schnee violett.

«Lene, es hat geschneit!» Sie rüttelte Lene an der Schulter.

«Na und? Das kommt vor im Winter.» Unwillig verkroch sich
Lene noch tiefer unter der Decke.

In der Küche saßen Marthe und Christoph beim Morgenmahl. Christoph füllte ihr einen Teller mit heißer Milchsuppe.

«Hilfst du mir beim Schneeschippen?»

«Gern.»

Die Wollmütze tief ins Gesicht gezogen, trat sie aus dem Haus.
Es war eiskalt, und der Schnee knirschte trocken unter ihren
Schritten. Wie konnte in einer Nacht nur so viel Schnee fallen!

Als die Sonne über den Schwarzwald stieg, wurde das fahle
Blau des Himmels kräftiger, und die weiße Landschaft begann
zu glitzern. Nachdem sie den Hof freigeschaufelt hatten, lachte
Christoph sie an.

«Die roten Wangen stehen dir gut. Du siehst richtig hübsch
aus.»

Sie wandte ihr Gesicht ab. Seit einiger Zeit machten seine Bemerkungen sie sofort verlegen.

Da trat eine vermummte Gestalt durch das Hoftor. Zu ihrem Erstaunen erkannte sie ihren Vater.

«Guten Morgen, ihr beiden.» Er klopfte sich den Schnee von den Stiefeln. «Kommt ihr mit hinein? Ich habe etwas zu besprechen.»

Gemeinsam gingen sie zu Marthe in die Küche. Hieronymus holte tief Luft.

«Hiltrud und ich sind übereingekommen, dass wir euch für Heiligabend einladen möchten.» Er warf einen Seitenblick auf Catharina. «Johann will in Straßburg bleiben, und so könnten wir gemütlich feiern und wären alle mal wieder beisammen.»

Catharina fragte sich, wie viel Überredungskunst ihn Hiltruds Einwilligung wohl gekostet haben mochte.

«Das ist schön, Hieronymus.» Marthe strich sich die Schürze glatt. «Aber ich muss die Wirtschaft führen, wir können es uns an so einem Tag nicht leisten, zu schließen.»

«Geh du nur, Mutter», sagte Christoph. «Ich übernehme das schon.»

Als Catharina ihren Vater zur Tür brachte, griff Hieronymus nach ihrer Hand und hielt sie so fest, dass es schmerzte.

«Cathi, glaub mir bitte, ich habe das so nicht gewollt. Du darfst nicht meinen, dass ich dich aus deinem Elternhaus verstoßen habe. Oft denke ich, dass deine Mutter traurig wäre, wenn sie das alles wüsste.»

Catharina nickte nur und gab ihm einen flüchtigen Kuss auf die Wange. Das hätte er sich früher überlegen können.

Sie hatten sich festlich herausgeputzt. Die Tante trug ein hochgeschlossenes Kleid aus grauem Tuch mit einer kleinen weißen Krause um den Hals, die Haare unter einer bestickten Haube verborgen, und die beiden Mädchen dunkelgrüne Kattunkleider und Kopftücher. Die Zwillinge Wilhelm und Carl hatten sich zu diesem Anlass sogar das struppige Haar schneiden lassen.

Zur Begrüßung schenkte ihnen der Vater heißen Rotwein ein. Nachdem Hiltrud endlich erschienen war – «Samt aus Flandern», erklärte sie, als sie ihr neues Kleid vorführte –, zogen sie bei einbrechender Dunkelheit zum Münsterplatz, um die Messe zu besuchen. Vor dem Hauptportal drängte sich im Schein der Pechfackeln eine dichte Menschenmenge.

Catharina entdeckte ihre alte Lehrerin, die sie herzlich begrüßte.

«Cathi, mit dir habe ich eine meiner begabtesten Schülerinnen verloren.» Sie sah sich schnell um und fügte leiser hinzu: «Hier in der Stadt geht das Gerücht, dass deine Stiefmutter deinem Vater das Geld aus der Tasche zieht und ihn in den Ruin treibt. Schau sie dir nur an, wie sie angezogen ist, und für deinen Unterricht hatte sie keinen Pfennig übrig.» Die Molerin schüttelte empört den Kopf. «Aber was soll man machen, es gibt einfach Weibsbilder, die verdrehen den besten Männern den Kopf. Ich fürchte, die Zeiten sind vorbei, in denen gestandene Frauen selbst für ihr Leben aufkommen. Versprich mir, dass du eines Tages deinen Töchtern Lesen und Schreiben beibringst.»

Bevor Catharina etwas erwidern konnte, setzten sich die Umstehenden in Bewegung, und sie verabschiedeten sich eilig.

Catharina war jedes Mal gefesselt von der erhabenen Größe und Schönheit des Münsters. Sie verstand nicht viel von dem, was vor sich ging, sondern ließ sich einhüllen vom Geruch nach Weihrauch und altem Gestein, den lateinischen Worten des Bischofs und dem monotonen Gesang der Gemeinde.

Jetzt, im flackernden Licht der unzähligen Kerzen, wirkten die hohen, düsteren Mauern des Münsters fast bedrohlich, doch bei Tageslicht, wenn die Sonne durch die bunten Fenster schien und der Sandstein rosa schimmerte, konnte sie sich nicht satt sehen an den unzähligen Figuren und Bildern.

Stunden um Stunden hatte sie als Kind damit verbracht, diesen Bildnissen ihre Geheimnisse zu entlocken und die Geschichten, die sie erzählten, weiterzuspinnen. Da gab es am Pfeiler des Querhauses eine Skulptur, die ein Rudel zähnefletschender Wölfe beim Schulbesuch zeigte. Einer der Wölfe hielt Feder und Buch in den Pfoten, ein anderer bekam vom Schulmeister einen kräftigen Rutenstreich übergezogen. Catharina wusste, dass sich hinter diesem mächtigen Stein der Zugang zu einem unterirdischen Gang verbarg, der zum Burgberg hinaufführte. Das erzählten sich jedenfalls die Kinder und Dienstmägde.

Dann die kunstvollen Glasmalereien, die von den Zünften gestiftet waren und Szenen aus ihrer Arbeit oder Darstellungen der Heilsgeschichte zeigten. Das Fenster der Schmiedezunft über dem Nordportal hatte sie besonders ins Herz geschlossen: Im Stall zu Bethlehem zappelte das Jesuskind lachend in der Luft, von Ochs und Esel an seiner Windel hochgezogen. Maria reckte die Hände nach ihrem Sohn, Joseph haute den Tieren mit einem Stab auf die Mäuler. Um wie viel lieber war Catharina dieses Bild als die vielen grausamen Darstellungen der Leiden Christi. Sie blickte hinüber zu ihrem Vater und dachte daran, dass es immer sein größter Wunsch gewesen war, ein Bildnis für dieses Gotteshaus anzufertigen.

Als sie nach der Messe heimkehrten, hatte die Köchin, die eigens für diesen Abend eingestellt worden war, schon den Tisch gedeckt. Sie waren alle durchgefroren, obwohl der Weg zum Münster nicht weit war, und wärmten sich am Kachelofen. Auch eine Neuerung, die Hiltrud durchgesetzt hatte, dachte Catharina nicht ohne Bitterkeit. Marthe und ihr Vater indessen strahlten, froh darüber, endlich wieder zusammen zu sein.

Sie ließen es sich schmecken, so ein Festessen kam nicht alle Tage auf den Tisch: Saukopf und Lendenbraten in saurer Soße gab es, danach Hecht in Sülze, und ein verführerischer Duft kündigte Käsekuchen als Nachtisch an.

Es hätte ein wunderbarer Abend werden können, wäre nicht

die Sprache auf Johann gekommen. Marthe hatte ihren Bruder gefragt, wieso der Junge zu Weihnachten nicht nach Hause gekommen sei. An Hieronymus' Stelle antwortete Hiltrud.

«Mein Sohn ist sehr beschäftigt. Er hat große Pläne als Händler, nur leider werden ihm in Straßburg von allen Seiten Knüppel zwischen die Beine geworfen.»

«Und leider trinkt er zu viel», entfuhr es Hieronymus.

Hiltrud warf ihm einen bösen Blick zu.

Marthe hakte nach: «Stimmt es, dass er aus diesem Grund aus der Lateinschule geworfen wurde?»

«Der Junge ist begabter als andere, das haben ihm seine Mitschüler geneidet», antwortete Hiltrud bissig. «Die hatten doch nichts anderes im Sinn, als ihn vom Lernen abzuhalten, und haben ihn deshalb von einer Schenke zur nächsten geschleift.»

«Er wird sich nicht allzu sehr dagegen gewehrt haben», sagte Lene und wischte sich die fettigen Finger an ihrer Schürze ab.

Das war eine Bemerkung zu viel. Wütend fauchte Hiltrud ihre Schwägerin an: «Du solltest deine Kinder besser im Zaum halten. Deine Tochter hat ein reichlich freches Mundwerk. Aber ich habe längst gemerkt, dass ihr glaubt, was Besseres zu sein mit eurem protzigen Gasthaus da draußen. Uns Handwerkerfamilien geht es immer schlechter, während ihr euren Nutzen daraus schlagen könnt, dass die Leute bis zum Sankt-Nimmerleins-Tag fressen und saufen werden. Da könnt ihr euch leicht das Maul zerreißen, wenn ein strebsamer Bürger für seine Söhne etwas Besseres will.»

Beim letzten Satz sprang sie auf, wobei ihr Trinkgefäß aus edlem Noppenglas zu Boden fiel und zersprang.

«Und Kultur habt ihr auch keine, ihr sitzt ja mit euren Hühnern und Schweinen am Tisch und esst aus Kürbisschalen», rief sie mit Blick auf die Glasscherben und rannte in ihre Schlafkammer.

Der Vater stand seufzend auf und ging ihr nach.

Die festliche Stimmung war zerstört. Als die Köchin den letzten Gang auftrug, hatte bis auf die Jungen niemand mehr Appetit.

Lene murrte. «Am liebsten würde ich jetzt nach Hause gehen. Aber die Stadttore sind wahrscheinlich längst geschlossen.»

Catharina kehrte das zerbrochene Glas zusammen und wischte den Rotwein vom Boden. Sie war überrascht, dass Marthe ihrer Tochter keine Vorwürfe machte. Aber schließlich war ja auch ihre Stiefmutter beleidigend geworden und nicht Lene.

Der Vater blieb in der Schlafkammer verschwunden. Seine leise Stimme war selten zu hören, seine Frau schien ihm ständig ins Wort zu fallen. Catharina starrte an die Decke, die im Schein des Kerzenleuchters flackerte. Wieso setzte sich ihr Vater gegen diese raffgierige, herrschsüchtige Frau nicht zur Wehr?

«Es tut mir Leid», flüsterte Lene, als sie sich später neben Catharina auf die Strohmatte legte. «Ich weiß, wie sehr du dich auf diesen Abend gefreut hast, und jetzt haben wir alles verdorben.»

Hiltrud bekamen sie auch am nächsten Morgen nicht zu sehen. Hieronymus war grau im Gesicht und sah müde aus.

«Marthe, Cathi», er zögerte einen Moment, «es fällt mir schwer, es euch zu sagen – Hiltrud möchte euch hier im Haus nicht mehr sehen.»

Er drehte ihnen den Rücken zu.

Marthe legte den Arm um ihn. «Vielleicht renkt sich alles wieder ein. Wir lassen euch jetzt erst einmal allein.»

Sobald sie in Lehen angekommen waren, setzte sich Catharina auf ihr Bett und faltete das Schaffell auseinander, das ihr Vater ihr zum Abschied geschenkt hatte. Darin eingewickelt fand sie ein Blatt Papier mit der ungelenken Handschrift des Vaters und das vertraute Bildnis ihrer Mutter. Ihre Hände bebten, als sie den weichen lächelnden Mund und den liebevollen Blick dieser Frau betrachtete. Dann nahm sie den Brief zur Hand.

«Ich hoffe, ich habe dir in den Jahren bei mir so viel geben können, wie ein Vater seiner Tochter geben kann. Ich werde dich weiterhin lieben, wie ich außer dir nur deine Mutter geliebt habe. Aber ich bin alt geworden und fühle mich am Ende meiner Kraft. Bitte verzeih mir», waren die Worte ihres Vaters.

Sie weinte stundenlang, weinte die seit vielen Monaten unterdrückten Tränen.

Marthe hatte Unrecht gehabt: Nichts renkte sich mehr ein. Seit jenem unseligen Streit an Weihnachten hatte keiner von ihnen mehr den Fuß in Hieronymus' Haus gesetzt. Sooft es der Vater ermöglichen konnte, kam er sonntags nach Lehen heraus, auch bei Eis und Schnee. Allen fiel auf, wie schnell er plötzlich alterte. Sein Rücken war krumm geworden, seine Stimme leise, und gesundheitlich ging es ihm zunehmend schlechter.

Catharina fand sich damit ab, dass sie eine neue Familie gefunden hatte, und schaffte es manchmal sogar, ihren Vater aufzuheitern.

Einmal belauschte sie Marthe und ihren Vater in der Küche.

«Ich weiß, Hieronymus, dass du dich am Anfang von Hiltruds Äußerem hast blenden lassen. Aber warum trennst du dich jetzt nicht von ihr?»

«Wie soll das gehen, ich arbeite doch im Dienst der Kirche! Weder bestiehlt sie mich, noch verweigert sie die ehelichen Pflichten. Die ich übrigens schon lange nicht mehr in Anspruch nehme», setzte er bitter hinzu.

Die langen Winterabende gaben ihnen viel Zeit, in der Küche am Herdfeuer zu sitzen. Wenn die Mädchen mit ihrem Flick- und Strickzeug, die Jungen mit irgendwelchem Werkzeug, das auszubessern war, Platz genommen hatten, begann die Stunde des Geschichtenerzählens. Marthe besaß die gleiche Begabung dafür wie Catharinas Vater. Mit dem Unterschied, dass ihre Geschichten nicht von fernen Ländern und berühmten Menschen handelten, sondern aus der Gegend stammten.

«Als ich gerade mal laufen konnte und Cathis Vater ein richtig unausstehlicher Bub war», begann sie eines Abends und nahm ihr Flickzeug auf, «da brachen hier in der Gegend die ersten Aufstände der Bauern aus. Hieronymus und ich können uns natürlich nicht an diese Zeit erinnern, aber unsere Großmutter Agnes, eure Urgroßmutter, die haben wir noch ganz gut in Erinnerung. Heute erzähle ich euch, wie sie beinah einmal zum Tode verurteilt worden wäre», sagte Marthe und steckte eine neue Kerze an.

Die aufständischen Bauern hatten im Frühjahr jenes Jahres die Stadt Freiburg von allen Seiten umstellt und belagerten sie. Ihre Führer waren zäh und verlangten nichts weniger als die Kapitulation der Stadt. Im Mai wurden die Verhandlungen vonseiten der Obrigkeit abgebrochen, und die Aufständischen erstürmten die Burg und beschossen die Stadt von oben. Die Bürger waren in Angst und Schrecken versetzt, sodass eiligst ein Waffenstillstand vereinbart und zum Schein ein Abkommen mit den Bauern getroffen wurde. Dies war natürlich ein Hinterhalt. Die Aufständischen wurden besiegt, ihre Führer noch auf Jahre hinaus verfolgt und erbarmungslos verurteilt. Irgendwann wurde auch Agnes vor Gericht geladen.

«Unsere Großmutter hatte nämlich während der Belagerung der Stadt nichts Besseres zu tun gehabt, als den Rebellen als Bote zu dienen. Und das in ihrem Alter! Sie muss damals schon weit über fünfzig gewesen sein. Doch sie kannte einige der Rebellen und war fest entschlossen herauszufinden, was es mit der Bedrohung durch die Bauern auf sich hatte.»

«Vielleicht war sie auch nur in einen von ihnen verliebt», kicherte Lene.

«Als sie sich auf den Weg zu den Belagerern machen wollte», fuhr ihre Mutter fort, «wurde sie von ihren Verwandten flehentlich gewarnt, der Teufel werde sie totschießen, sie aber lief schnurstracks zum Predigertor. Dort ließen sie die Wachen natürlich nicht durch, aber sie kannte eine geheime Pforte. Als sie auf den Trattmatten, wo die Bauern ihr Lager aufgeschlagen hatten, ankam, tat sie so, als wolle sie Gras fürs Vieh sammeln. Bald sah sie einige bekannte Gesichter und kam mit den Aufständischen ins Gespräch. An deren Gedanken fand sie nichts Schlechtes: dass sie alle vor Gott gleich seien, ob Geistlicher oder Adliger, Bürger oder Bauer, und dass sie am Jüngsten Tag allesamt nach ihren Taten und nicht nach ihrem Stand gerichtet würden. Und wo in der Heiligen Schrift stünde geschrieben, dass nicht auch ein Schneider oder ein Bauer als Amtswalter gewählt werden könne? Sie nahm bereitwillig einen Brief mit, den sie der Obrigkeit übergeben sollte, ohne sich zu erkennen zu geben. Anschließend zog sie durch die Gassen und verkündete lauthals, dass Hunderte von Menschen vor den Toren lagerten, die gut ausgerüstet seien und den gemeinen Mann nicht schädigen wollten. Man möge sich ihnen doch anschließen, sie forderten nichts Unrechtes, sondern gemilderte Abgaben, freien Zugang zum Wald, zu Fischgründen und Gewässern, die Wahl ihres Pfarrers sowie die Besetzung von Ämtern und Dorfgerichten.»

«Mich wundert, dass sie bei diesen Predigten nicht gleich von der Stadtwache festgenommen wurde», warf Christoph ein.

«Die Stadtwache war wohl zu sehr mit dem Sichern der Tore und Stadtmauern beschäftigt, als dass sie sich um eine verrückte alte Frau kümmern konnten. Jedenfalls hat sie ein Jahr später irgendwer angeschwärzt. Sie musste vor Gericht und berichtete dort freimütig, wie sich alles zugetragen hatte. Wegen Landesverrats wurde sie anschließend zum Tode verurteilt, nur hatte von den Gerichtsherren niemand damit gerechnet, was für eine beliebte und angesehene Frau eure Urgroßmutter in Lehen war. Selbst der damalige Grundherr schickte eine Bittschrift, man möge doch die gute Frau laufen lassen. So kam sie mit einer

Geldstrafe von hundert Gulden davon – was sie allerdings an den Rand der Armut gebracht hat.»

Catharina war beeindruckt vom Mut dieser Frau. Abgesehen von Tante Marthe, der Schulmeisterswitwe und, leider Gottes, ihrer schrecklichen Stiefmutter kannte sie nur Frauen, die sich von ihrem Mann oder ihrem Vormund gängeln ließen. Hatten sich die Zeiten geändert, oder war auch Agnes eine Ausnahme gewesen?

4

Bis Anfang März lag Schnee. Die Bauern warteten ungeduldig auf den Moment, wo sie mit Pflügen beginnen konnten. Auch Christoph konnte das Frühjahr kaum erwarten. Er brannte darauf, Catharina zur Lehener Kirchweih an Ostern zum Tanz auszuführen. Etwas hatte sich verändert zwischen ihm und seiner Base. Das Unbekümmerte, Arglose in ihrem Verhältnis war seit einiger Zeit einer unerklärlichen Spannung gewichen. Sie wich seinem Blick aus und vermied es, mit ihm allein zu sein. Womöglich war er ihr an ihrem Geburtstag zu nahe getreten – da hatte er allen Mut zusammengenommen und ihr die zierliche Flöte überreicht, die er an den Winterabenden geschnitzt hatte. Vor allem: Er hatte sie geküsst, wenn auch nur unbeholfen und flüchtig auf die Wange.

Endlich schmolz der Schnee, und binnen weniger Tage hatte die Frühlingssonne die aufgeweichte, schwere Erde getrocknet. Überall wurden Pferde und Ochsen eingespannt und das Saatgut in die Leinenbeutel gefüllt. Marthe gab ihr Pferd wie jedes Jahr dem Heißler Jakob, der seine winzigen Felder hinter dem Mooswald hatte und kein eigenes Zugtier besaß. Catharina und Christoph sollten das Tier bei der Feldarbeit führen.

Es war ein herrlicher Morgen, als sie das Pferd auf den Acker brachten. Zarte Federwolken zogen über den hellblauen Himmel, die Luft war frisch und kühl. Catharina schloss die Augen und reckte ihr Gesicht den Strahlen entgegen.

«Weißt du, was ich glaube?»

«Nein.» Christoph betrachtete gebannt ihre langen seidigen Wimpern, die auf ihrer alabasterfarbenen Haut nicht schwärzer hätten schimmern können.

«Dass ich es in der Stadt nicht mehr aushalten würde, mit dem Gestank und den engen Gassen voller Bettler und Krüppel. Hier muss niemand Hunger leiden, und man hilft sich gegenseitig, so wie ihr dem Heißler Bauern.»

«Du vergisst nur, dass die meisten Bettler in der Stadt aus den Dörfern stammen. Wer hier kein Auskommen findet, sucht sein Glück eben in der Stadt, und viele scheitern dann.»

«Trotzdem – das Leben hier scheint mir gerechter. In den Genossenschaften wird alles abgesprochen, und die Pfarrei und die Gemeinde kümmern sich um die Kranken oder Schwachen.»

Die Frau des Heißler Jakob wartete bereits auf sie. An ihren Rockzipfel klammerten sich zwei magere, kränklich aussehende Mädchen. Die Heißlerin war in letzter Zeit unglaublich dick geworden, und jetzt erst kam Christoph der Gedanke, dass sie hochschwanger sein musste.

«Wo ist denn dein Mann?», fragte er, während er das Pferd vor den Pflug spannte.

«Ach herrje, ausgerechnet jetzt hat ihn der Herr zum Grabenziehen auf die überschwemmten Uferwiesen abkommandiert», klagte die Frau.

Catharina zog die Augenbrauen hoch. «Aber in Eurem Zustand könnt Ihr doch nicht diese schwere Arbeit machen?»

«Es wird gehen müssen. Außerdem ist es erst in zwei Wochen so weit.»

Die Frau stemmte sich mit ihrem ganzen Gewicht in den

Sterz und schob den Pflug vorwärts, während Catharina das Pferd lenkte und Christoph sich mit dem älteren Mädchen seitlich von ihr in die Seile hängte. Schon nach kurzer Zeit stand der Frau der Schweiß auf der Stirn, und sie atmete schwer. Sie tat Christoph Leid.

«Lass mich mal versuchen, wir wechseln uns einfach ab. Heißlerin, nimm du das Pferd am Zügel, und du, Cathi, gehst ans Seil.»

Die Schar zog eine tiefe Furche in den schweren Ackerboden, doch soviel Mühe sich Christoph auch gab: Sie wurde krumm und schief. Die Bäuerin bat ihn anzuhalten.

«Lass gut sein, Christoph, du bist eben kein Bauer. Ich werde es schon schaffen, wenn auch ein bisschen langsamer.»

Bis Mittag hatten sie noch nicht einmal ein Drittel des Ackers gepflügt. Ganz blass war die Bäuerin im Gesicht, und sie beschlossen, eine Pause einzulegen. Während sich die schwangere Frau mit ihren Töchtern in den Schatten setzte, spannten Christoph und Catharina das Pferd aus und führten es an den Wegrand zum Grasen.

Catharina war empört: «Wie kann der Herr den Bauern wegholen, wenn er doch ganz genau weiß, dass die Frau ein Kind erwartet.»

«Ob krank oder schwanger – das spielt keine Rolle, wenn man unfrei ist. Du hast doch gehört, dass selbst die Aufstände damals nichts ändern konnten. Diese Bauern haben eben kein eigenes Land, alles, was sie säen, gedeiht auf dem Land des Grundherrn. Und dafür müssen sie Abgaben und Dienste leisten. Da hast du deine Gerechtigkeit.»

Wie um seine Worte zu unterstreichen, kam in diesem Moment der alte Freiherr auf seinem Rappen angetrabt.

«Aha, hier wird palavert statt gearbeitet.» Der Alte zügelte sein Pferd knapp vor Christophs Füßen und verzog sein feistes Gesicht zu einem verächtlichen Grinsen. «Abends rottet ihr euch dann zusammen, um darüber zu lamentieren, dass euch die Arbeit das Kreuz bricht. Faules Pack.»

Christoph wich keinen Zoll vor dem tänzelnden Pferd zurück. «Die Heißlerin steht kurz vor der Niederkunft. An ihrer Stelle sollte ihr Mann den Acker bestellen.»

«Du wagst es, ungefragt deine nichtsnutzige Meinung kundzutun? Hast du mir noch mehr zu sagen?»

Die Augen des Freiherrn funkelten vor Zorn. Christoph biss sich auf die Lippen und warf einen Blick zur Bäuerin hinüber, die gerade unter großen Mühen wieder auf die Beine kam. Ihre Töchter stützten sie.

«Es ist nicht recht», sagte er leise, aber mit fester Stimme. Da holte der Freiherr aus und zog ihm seine Reitgerte über die Schulter. Christoph hörte Catharinas Aufschrei und spürte einen kurzen brennenden Schmerz, doch er presste die Zähne zusammen.

«Das soll dich lehren, künftig weniger vorlaut zu sein, Schillersohn. Und grüß deine Mutter von mir.»

Er schlug seinem Pferd die Sporen in die Flanke und galoppierte davon.

«Tut es sehr weh?» Catharina sah ihn besorgt an. Der Schreck stand ihr noch ins Gesicht geschrieben.

«Es geht schon.»

«Aber du blutest. Du musst das Hemd ausziehen.»

Er schloss die Augen, als sie ihm das Hemd vom Oberkörper zog. Die behutsame Berührung ihrer Hände, der Geruch ihrer Haare, die warme Märzsonne, die jetzt auf seinen bloßen Rücken schien – wenn er doch die Zeit anhalten könnte.

«So viel Mut hätte ich niemals aufgebracht. Er hätte dich erschlagen können.»

«Es war wohl eher dumm von mir», gab er zurück und betrachtete ihre schmalen Handgelenke.

In diesem Moment sackten der Heißlerin die Knie ein, und

sie fiel der Länge nach auf die Seite. Ohne sich weiter um Christophs Wunde zu kümmern, rannten sie zu ihr hinüber. Der Rock der Bäuerin war nass.

«Ich hätte es wissen müssen», flüsterte sie mit schmerzverzerrtem Gesicht. «Ich hatte schon den ganzen Morgen immer wieder Wehen. Schnell, helft mir zurück ins Haus.»

Nach wenigen Metern jedoch stieß die Frau einen Schrei aus und krümmte sich. Vor Schmerzen konnte sie kaum noch sprechen.

«Es hat keinen Zweck. Das Fruchtwasser ist schon abgegangen, das Kind kommt gleich. Holt den Schäfer von der Hasenweide.»

Catharina rannte los.

Vorsichtig legte Christoph die Frau ins Gras. Er hatte nicht weniger Angst als die beiden Mädchen, die leise zu schluchzen begannen. Was, wenn die Bäuerin vor ihren Augen starb? Er legte seinen Rock unter den Kopf der Frau und strich ihr mit dem Ärmel den Schweiß von der Stirn. Ächzend zog die Frau ihre Beine an und packte Christophs Arm.

Die Wehen wurden heftiger und kamen in immer kürzeren Abständen. Christophs Arm begann zu brennen, so fest griff die Frau jedesmal zu. O Gott, wo blieb nur der Schäfer so lange? Nach einem besonders heftigen Krampf ließ die Bäuerin seinen Arm plötzlich los und sank in sich zusammen. Ganz still war sie auf einmal. Atmete sie überhaupt noch? Christoph klopfte das Herz bis zum Halse.

In diesem Moment tauchte ein Maultier mit zwei Reitern auf. Der Schäfer sprang ab, kniete sich neben sie und fühlte ihren Puls. Die Frau stöhnte und öffnete die Augen.

«Es wird schon, Heißlerin», sagte der Schäfer und bat Christoph, sich hinter die Frau auf den Boden zu knien, damit sie sich anlehnen konnte. Dann breitete er seinen Umhang unter das Becken der Frau, kniete sich vor ihre gespreizten Beine und schob ihren Rock hoch. Mit einem Ruck zerriss er ihr Leibchen. Dann ging alles ganz schnell. Mit einem tiefen kehligen Schrei presste sich die Frau gegen Christoph. Er wagte es nicht, der Gebärenden über die Schultern zu sehen, doch an Catharinas Gesichtsausdruck erkannte er, dass sich das Kind zeigte. Eine letzte heftige Wehe, ein glitschendes Geräusch. Verschmiert und blau angelaufen lag ein kleiner Junge zwischen den Rockschößen der Frau. Catharina standen Tränen in den Augen.

«In meinem Beutel dort drüben findest du ein sauberes Tuch und eine Wasserflasche», wandte sich der Schäfer an sie. «Mach einen Zipfel des Tuches nass.»

Der Schäfer reinigte das winzige Gesicht von Blut und Schleim. In diesem Moment fing der Säugling mit dünner Stimme an zu schreien.

«Ist er verletzt? Er hat ja überall Blut.» Christoph war zu Tode erschrocken.

Der Schäfer lachte. «Der Kleine ist kerngesund.»

Dann legte er das Kind der erschöpften Heißlerin in die Arme. Ein leises Schmatzen war zu hören, nachdem der Säugling die Brust gefunden hatte. Christoph holte tief Atem und streckte die schmerzenden Beine aus. Noch ganz benommen von den Ereignissen betrachtete er das kleine Wesen, das während des Trinkens seine winzigen Fäuste öffnete und wieder schloss.

«So, Heißlerin.» Der Schäfer durchtrennte mit einem schnellen Schnitt seines Messers die bläulich schimmernde Nabelschnur. »Jetzt noch die Nachgeburt, und du hast es wieder mal geschafft.»

Während sie auf die Wehen warteten, schimpfte der Schäfer auf alle Grundherren, die ihre hochschwangeren Mägde und Abhängigen aufs Feld schickten.

«Was meint ihr, wie oft ich im Jahresverlauf zu einer Geburt gerufen werde. Und nicht immer läuft es so gut ab wie heute.»

Aber die Bäuerin lächelte. «Komm doch heute Abend bei uns vorbei, Schäfer, damit du mit meinem Mann deinen Lohn aushandeln kannst.»

Als er eine abwehrende Handbewegung machte, fügte sie hinzu: «Dann bring wenigstens deinen Umhang zum Waschen vorbei.»

«Ach, lass gut sein.» Er riss das Tuch, mit dem er das Neugeborene abgewischt hatte, entzwei und reichte ihr die trockene Hälfte. «Wickel den Kleinen nachher gut ein.»

Dann packte er seine Sachen zusammen und ritt mit einem kurzen Gruß davon.

«Sollen wir dich nach Hause bringen?», fragte Christoph die Heißlerin.

«Ich möchte noch etwas ausruhen, und danach tun mir ein paar Schritte ganz gut. Meine Älteste wird den Säugling tragen. Ihr habt schon genug für mich getan. Behüt euch Gott!»

So machten sie sich auf den Heimweg. Catharina schien in Gedanken versunken.

Kurz bevor sie den Gasthof erreichten, fasste Christoph Catharina bei der Schulter. Er wollte etwas sagen, wusste jedoch nicht, wie er es über die Lippen bringen sollte. Was für wunderschöne Augen sie hat, dachte er und strich ihr unbeholfen eine Haarsträhne aus der Stirn. Endlich brachte er einen Satz heraus, der ihm dafür, was er fühlte, viel zu nichts sagend erschien:

«Ich freu mich auf die Kirchweih, Cathi. Nur mit dir möchte ich tanzen.»

Catharina wusste nicht, was sie in den nächsten Tagen mehr beschäftigte: das Erlebnis der Geburt des kleinen Jungen oder Christophs glühender Blick, der flehende Klang in seiner Stimme. Wie gern hätte sie ihn an jenem Abend umarmt, stattdessen war sie mit abgewandtem Gesicht und ohne ein weiteres Wort ins Haus gegangen.

Zwei Abende vor Ostern wurde Christoph krank. Es begann mit Gliederschmerzen, in der Nacht bekam er Fieber. Lene und Catharina hörten durch die dünne Bretterwand, die seine Kammer von der ihren trennte, wie er sich im Bett herumwarf und stöhnte. Fast gleichzeitig sprangen sie auf und liefen hinüber. Schweißnass lag er neben der zerwühlten Decke.

Catharina betrachtete ihren Vetter. Über dem fein geschnittenen Mund zeigte sich seit kurzem ein zarter heller Flaum. Seine dunkelblauen Augen passten gut zu den hellen Haaren, und wenn er durchs Dorf ging, schauten ihm nicht nur die jüngeren Mädchen nach. Jetzt war das schmale Gesicht gerötet, Schweißperlen standen auf seiner Stirn.

Lene holte die Mutter.

«Er hat hohes Fieber.» Marthes Stimme klang besorgt. «Cathi, in der Küche steht noch lauwarmes Wasser auf dem Herd. Und du, Lene, bring mir zwei Tücher und einen Lappen.»

Als die beiden zurückkamen, hatte Marthe ihrem Sohn das Hemd ausgezogen. Trotz seines elenden Zustandes fand Catharina ihn wunderschön. Er war sehr groß für seine sechzehn Jahre, dabei viel weniger ungelenk als seine Altersgenossen. Die muskulösen Beine und Arme glänzten im Schein der Lampe.

Marthe tauchte den Lappen in das warme Wasser und wusch dem Jungen den Schweiß vom Körper, mehrere Male. Danach wartete sie einen Moment lang und zog ihm dann mit Hilfe der Mädchen ein frisches Hemd über. Christoph war zwar wach, schien aber kaum wahrzunehmen, was um ihn herum vorging.

«Ihr könnt jetzt ins Bett gehen. Ich mache ihm noch Wadenwickel, das zieht die Hitze aus dem Körper.»

Catharina konnte nicht einschlafen. Sie dachte daran, dass es nun keinen Ostertanz mit Christoph geben würde. Im gleichen Moment schämte sie sich für diesen Gedanken. Wenn er nur wieder gesund würde! Was, wenn er an derselben Krankheit litt, an der sein Vater damals gestorben war?

Von nebenan hörte man keinen Laut mehr, und jetzt war es Catharina, die keine Ruhe fand und sich hin und her warf. Sie begann zu beten. Nur wenige Male hatte sie bisher in ihrem Leben gebetet, aber jetzt tat sie es umso inbrünstiger: zur Jungfrau Maria, von der sie wusste, dass sie die Hüterin der Kinder, Schwachen und Kranken war, deren sanftes Lächeln ihr Vater so oft gemalt hatte.

Am nächsten Morgen war das Fieber weiter gestiegen. Halb besinnungslos starrte Christoph mit flatternden, entzündeten Lidern ins Leere, sein Atem ging rasselnd, und er erbrach alles, was er zu sich nahm.

«Wenn es ihm morgen nicht besser geht, muss ich den Bader holen», sagte Marthe.

Gegen Mittag hielt es Catharina nicht länger aus. Sie bat ihre Tante um eine freie Stunde und machte sich auf den beschwerlichen Weg zur Vierzehn-Nothelfer-Kapelle, die an der Landstraße nach Basel lag. Beschwerlich deshalb, weil sie dazu die Dreisam durchqueren musste, wollte sie nicht den großen Umweg über die Stadt machen und damit kostbare Zeit verlieren.

Sie kannte eine Furt. Gott sei Dank führte der Fluss kein Hochwasser mehr, und so gelangte sie sicher, wenn auch mit nassen Rockschößen ans andere Ufer. Mit klopfendem Herzen durchquerte sie riesige Viehweiden. Es wäre nicht das erste Mal gewesen, dass diese halb wilden Rinder jemanden auf die Hörner genommen hätten. Dort, wo sich seit einiger Zeit das Hochgericht befand, erreichte sie die Basler Landstraße. Erleichtert stellte sie fest, dass niemand am Galgen hing oder auf das Rad geflochten war – davor hatte sie die meiste Angst gehabt.

In der kleinen Kapelle herrschte eisige Kälte. Links und rechts des schmucklosen Altars hingen überall Gliedmaßen aus Wachs: Beine, Arme, Hände, ja sogar ein winziger Kopf. Was für ein Anblick! Hierher kamen alle, die um Heilung von Krankheiten und Gebrechen flehten. Vor allem bei Knochenbrüchen erhoffte man sich von den vierzehn Nothelfern Beistand. Catharina stiftete eine Kerze und ließ sich neben einer alten Frau auf den Boden sinken. Ein Credo, ein Paternoster, ein Agnus Dei, drei Ave-Maria betete sie, dann erst hatte sie das Gefühl, genug für Christoph getan zu haben.

Als sie nach Hause kam, fand sie ihre Base in Christophs Kammer. Lene versuchte auf ihre Art, Christoph zu helfen. Irgendwo hatte sie einen kleinen Bergkristall aufgetrieben und ihn unter das Kopfkissen gelegt. Dazu murmelte sie unablässig vor sich hin.

«Vielleicht hilft es», flüsterte Lene ihr schließlich zu. «Die Krankheit muss auf den Stein übertragen und damit für immer gebannt werden.»

Die Bemühungen der beiden Mädchen waren erfolgreich.

«Steh endlich auf», weckte Lene sie am nächsten Morgen. «Es ist viel zu tun an Ostern, und übermorgen beginnt die Kirchweih.»

Catharina rieb sich die Augen. Sie hatte schlecht geschlafen und dabei abwechselnd von Christoph und von Johann geträumt.

«Wie geht es Christoph?»

«Besser. Das Fieber ist zurückgegangen, und heute Morgen hat er sogar schon Dünnbier und trocken Brot zu sich genommen. Aber zum Aufstehen ist er noch zu schwach. Und verwirrt scheint er auch zu sein, denn er hat irgendwas vom Tanzboden gefaselt und deinen zarten Lippen, die er küssen möchte.» Sie grinste.

«Hör auf. Du brauchst dich nicht über mich lustig zu machen.»

«Ist ja gut. Aber vom Tanzen hat er wirklich gesprochen, und letzte Woche habe ich ihn beobachtet, wie er deinen Namen auf eine Staubschicht im Stall geschrieben hatte. So viel kann ich nämlich auch noch lesen.»

Lene setzte sich neben sie auf den Bettrand und seufzte.

«Er beachtet mich gar nicht mehr. Ich glaube, er ist in dich verliebt.»

Beim Frühstück besprach Marthe mit ihnen, wie sie sich die Arbeit an den kommenden Feiertagen einteilen wollten. Da Feste immer auch Mehrarbeit im Schankbetrieb bedeuteten, wog der Ausfall von Christoph schwer. Zudem war es hier in der Gegend üblich, dass die Mägde an den hohen Festtagen jeweils einen freien Tag bekamen.

Catharina bot sich an durchzuarbeiten. Lene verdrehte die Augen. «So ein Unsinn! Du musst endlich mal zum Tanzen raus. Sonst denken die andern noch, du fühlst dich als was Besseres.»

Marthe hingegen war froh über Catharinas Angebot. «Wir müssen auf jeden Fall zu viert sein: zwei in der Küche und zwei im Ausschank.»

Catharina unterbrach sie: «Und wer schaut nach Christoph?»

«Du willst wohl Medicus spielen.» Lene zog sie an den Haaren. «Er kommt schon von selbst wieder auf die Beine.»

Der sonst so kahle Kirchplatz von Lehen hatte sich verwandelt. Dichte Menschentrauben umringten die zahlreichen Bretterbuden, es duftete nach frischem Brot und geröstetem Fleisch, hier wurden feine Stoffe, Lederbeutel und Irdenware, dort Süßigkeiten, frischer Fisch und Wein von den Bauern der umliegenden Dörfer angeboten. Neben dem Pfarrhaus bauten ein paar Burschen gerade den Tanzboden auf und schmückten das Geländer mit bunten Blumengirlanden.

Etwas wehmütig dachte Catharina an die verpasste Gelegenheit, mit Christoph zu tanzen, aber bevor sie aus dem Haus gegangen war, hatte er sie getröstet: Im Herbst, zu Erntedank, sei noch ein viel größerer Jahrmarkt in Freiburg, mit Automatenmenschen und Furcht erregenden Missgestalten, da würden sie zusammen hingehen. Und dass es ihm wieder besser ging, war die Hauptsache. Ob es stimmte, dass er ihren Namen in den Staub geschrieben hatte? Dass er in sie verliebt war?

Jemand rempelte sie von hinten an. Es war Schorsch, der Sohn vom Stellmacher. Catharina mochte ihn nicht besonders, sie fand ihn langweilig und selbstgefällig.

«Du bist allein, ich bin allein, da können wir auch zusammen sein», reimte er grinsend und strich sich die langen Haare aus der Stirn.

Das sollte wohl witzig sein, dachte Catharina und schüttelte den Kopf. «Ich hab Besorgungen zu machen und wenig Zeit.»

«Dann sehen wir uns eben heute Abend zum Tanz.»

«Da muss ich arbeiten. Und morgen und übermorgen auch.»

«Du kannst einem ja Leid tun. Eine strenge Frau, deine Tante. Na ja, jetzt, wo ihr Prinz krank darnieder liegt, musst du dich sicher noch mehr um ihn kümmern als sonst.»

«Was soll das heißen?»

«Das ganze Dorf weiß doch, dass du ihm hinterherscharwenzelst wie die Henne dem Hahn.»

Catharina war nahe daran, ihm eine Ohrfeige zu verpassen, drehte ihm dann aber den Rücken zu und ging davon.

«Falls du dich doch einsam fühlst: Ich warte auf dich am Bierausschank», rief er ihr nach.

Da kannst du lange warten, dachte sie und blieb an einem Kräuterstand stehen. Wie gut das hier duftete! In offenen Leinensäcken lagen Gewürze, Kräuter und Farbstoffe. Catharina kannte nur die heimischen Heilkräuter, solch eine Vielfalt hatte sie noch nie gesehen. Davon würde sie Marthe etwas mitbringen.

«Kräuter und Gewürze aus aller Welt», erklärte der Händler. «Gelber Safran aus Spanien, Farbpulver aus Sizilien, Kreuzkümmel, Koriander und Ingwer vom Schwarzen Meer, Thymian, Rosmarin und Lavendel aus dem Frankenreich – greif zu, junges Fräulein, die ganze Welt liegt vor dir.»

Catharina konnte sich nicht entscheiden. Sie hielt ihre Nase über die offenen Säcke und sog fasziniert die fremden Gerüche ein, ließ die getrockneten Kräuter durch die Finger gleiten und kaufte schließlich ein Säckchen mit einer Gewürzmischung, die jedes Fischgericht in einen Festschmaus verwandeln würde, wie ihr der Händler versicherte. Der Preis war allerdings auch festlich: Fünf Pfennige wollte er dafür. Für drei überließ er ihr das Säckchen schließlich.

Direkt nebenan tschilpten Hunderte von Küken in einem viel zu engen Verschlag, blutig gerupfte Hühner mit zusammengebundenen Füßen lagen zuckend im Dreck. Catharina ging rasch weiter. Mittlerweile war es voll geworden, die Händler und Aussteller überschrien sich gegenseitig. An manchen Lauben gab es kaum ein Durchkommen mehr, so wie dort an der Ecke, wo ein bärtiger Mann einen Gegner für die stärkste Frau der Welt suchte. «Zwanzig Pfennige und einen Festtagsbraten dazu für den, der die schöne Helena besiegt.»

Als Catharina an dem Ochsen am Spieß vorbeikam, konnte sie nicht wiederstehen und ließ sich eine kleine Portion geben. Damit setzte sie sich auf die Stufen des Kirchenportals und beobachtete die Artisten und Jongleure. Das mussten Wesen aus einer anderen Welt sein. Wie Elfen sprangen sie in die Höhe, überschlugen sich, liefen auf den Händen weiter, wirbelten Bälle und Stöcke durch die Luft. Als einer von ihnen nach der Darbietung herumging, warf sie ihren letzten Pfennig in seinen Hut. Dann machte sie sich auf den Heimweg.

Am äußersten Ende des Kirchplatzes war ein Trödelstand aufgebaut. Catharina blieb stehen. Wie gern hätte sie sich ein buntes Haarband gekauft, aber sie hatte kein Geld mehr.

Sie wollte sich schon abwenden, da sagte eine raue Stimme: «Du bist doch die Tochter vom Marienmaler.»

Hinter der Auslage stand der Trödler, ein dunkler, kräftiger Mann, den sie vom städtischen Markt her kannte und der für seine Schwatzhaftigkeit bekannt war.

«Und die Stiefschwester vom Johann», fügte er hinzu.

Sie zuckte zusammen. «Was ist mit ihm?»

«Na ja, vor zwei Tagen, auf dem Weg hierher, hab ich ihn ein gutes Stück nördlich von Basel aufgelesen. Übel zugerichtet war er. Besonders sympathisch fand ich ihn ja nie, aber so schlimm hat er es nun auch nicht verdient.»

Catharinas Stimme zitterte: «Was ist denn geschehen?»

«Also, ich komm da von Basel her, und dort, wo die hohen Sandsteinfelsen sich Richtung Rheinufer schieben und der Weg eng wird, seh ich einen Kerl am Straßenrand liegen. Ich war auf der Hut, dachte an einen neuen Trick dieser Wegelagerer, aber da richtet sich die Gestalt langsam schwankend auf, und ich erkenne Hiltruds Sohn. Der Hiltrud bringe ich nämlich immer Bänder und Spitzen ins Haus. Jedenfalls halte ich gleich an und sehe, dass der Junge verletzt ist: ein Auge zugeschwollen, eine Platzwunde am Kopf, der linke Arm von der Schulter bis zum Ellbogen aufgeschlitzt. Ich habe die Wunden erst mal gereinigt und verbunden und ihm einen kräftigen Schnaps eingeflößt. Da ging es ihm dann schon besser. Er war von einer ganzen Horde Räuber überfallen worden, als er zu Fuß auf dem Weg nach Neuenburg war. Die Halunken haben ihn in eine Höhle geschleppt und dort bis aufs Hemd ausgeraubt. Wahrscheinlich hätten sie ihm den Hals durchgeschnitten, wären sie nicht von einer Jagdgesellschaft gestört worden. So machten sie sich aus dem Staub und ließen den Jungen liegen. Er konnte sich gerade noch bis zur Landstraße schleppen, dann wurde er bewusstlos.»

Catharina konnte ihren Schrecken kaum verbergen. Sie stotterte einen Gruß und wankte benommen in Richtung Gasthaus. War der Überfall Zufall gewesen oder Folge ihrer Verwünschung? Hatte sie zauberische Kräfte? Es gab solche Menschen, das wusste sie, und sie wurden entweder hoch geschätzt oder der Hexerei beschuldigt und unbarmherzig verfolgt. Gehörte sie zu ihnen?

Vor dem Hoftor blieb sie stehen. Nein, sie würde kein Wort darüber verlieren, auch zu Lene nicht. Sie wollte nichts mehr mit dieser Geschichte und diesem Burschen zu tun haben. Von jetzt an schwieg sie, wenn die Sprache auf Johann kam, und auch mit Lene ließ sie sich zu diesem Thema auf kein Gespräch mehr ein.

5

Jockl, der Ziegenbock der Tante, war entlaufen. Jockl hatte die einzige Aufgabe, hin und wieder Deckgeld einzubringen. Denn er war ein wunderschönes Tier, ansonsten aber eigensinnig und störrisch. Jemand hatte das hintere Hoftor offen gelassen, und anstatt die Gelegenheit zu nutzen und den Obstgarten abzuweiden, hatte Jockl die Flucht ergriffen. Die Zwillinge Carl und Wilhelm suchten am nahen Flussufer, Marthe und Lene auf der Hasenweide, und Christoph und Catharina wurden zum Lehener Bergle geschickt.

Es war ein sonniger Frühsommertag Ende Mai. Sie setzten sich auf einen Stein oben auf dem Hügel und schauten hinüber zur Stadt. Aus dem Dunst erhob sich der Turm des Münsters in den wolkenlosen Himmel, dahinter zogen sich, noch ganz schwach erkennbar, die Burggemäuer den Berg hinauf. Christoph nahm einen Grashalm zwischen beide Hände und pfiff durch die kleine Öffnung zwischen den Fingern. Dann warf er den Halm weg.

«Komm, ich erkläre dir das Tric-Trac-Spiel», sagte er und sprang auf.

Catharina wehrte ab. Christoph hatte sich verändert seit seiner Krankheit, niemals schien er zur Ruhe zu kommen. Catharina jedenfalls mochte jetzt lieber neben ihm in der warmen

Sonne sitzen und nichts tun. Allenfalls nach Jockl Ausschau halten. Da unten, am Waldrand, schimmerte da nicht das braunweiß gescheckte Fell von Jockl durch die Sträucher? Sie erhob sich und kniff die Augen zusammen.

«Catharina –»

Fast erschrocken drehte sie sich um. Lautlos war ihr Vetter dicht an sie herangetreten und sah sie mit geröteten Wangen an. Nach einem Moment angespannten Schweigens streckte er die Arme nach ihr aus und zog sie, gleichermaßen ungestüm wie unbeholfen, an sich. Sie spürte seine zitternden Finger über ihren Rücken, dann ihren Nacken streichen, und fast gleichzeitig durchlief sie ein wohliger Schauer, der sie die Augen schließen ließ. Sachte, wie ein Windhauch, glitten seine Lippen über ihr Gesicht, und sie legte ihm ihre Arme um die Schultern.

«Du bist so schön, Cathi», flüsterte er und presste sie an sich. Sein Atem ging schneller. Plötzlich sah sie Johanns feistes Gesicht vor sich. Sie riss die Augen auf und stieß ihren Vetter zurück.

«Was ist los?» Flehentlich sah er sie an.

Sie schüttelte den Kopf. Christoph traf keine Schuld – doch der Zauber des Augenblicks war zerstört. Sie trat einen Schritt zurück.

«Geh nicht weg.» Christoph nahm ihre Hand.

«Lass mich los.» Sie schüttelte ihn ab, heftiger, als sie beabsichtigte. Enttäuschung und Unverständnis zeichneten sich auf seinem Gesicht ab.

«Glaubst du, ich würde dir wehtun? Ist es das? Ich bin nicht so – so unerfahren, wie du vielleicht denkst.»

«Ach nein?» Sie konnte den spöttischen Klang in ihrer Stimme nicht unterdrücken. «Dann hast du eine Geliebte, die dir alles beibringt?»

«Nein, Unsinn», stotterte er. «Ich bin noch nie bei einer Frau gelegen, von der Müllersmagd –» Er stockte, doch es war zu spät. Catharina stieß ihn so heftig von sich, dass er rücklings ins Gras fiel, und rannte davon.

Er hatte alles verpatzt.

In jenen Wochen gingen sich die beiden aus dem Weg, Christoph mit einer Leidensmiene, die einen Stein hätte erweichen können, Catharina hingegen verbissen und wütend. Zunächst wollte sie mit mir nicht über ihren Kummer reden, doch als ich ihr auf den Kopf zusagte, dass sie in Christoph verliebt sei, fuhr sie mich an:

«Bist du verrückt? In diesen Gockel? Soll er sich doch mit seinen Dienstmägden vergnügen.»

«Was bist du nur für eine Mimose. Er hat dir doch nichts getan.»

«Was weißt du schon – warst du etwa dabei?»

«Nein, aber ich kenne ihn. Er ist schließlich mein Bruder. Und außerdem noch ein halber Junge.»

«Diesmal war es anders.» Catharinas Stimme wurde leiser. «Es hat mir Angst gemacht.»

Manchmal frage ich mich, ob Catharinas Schicksal damals nicht seinen Anfang genommen hat. Und ob nicht alles anders gekommen wäre, wenn ich meinen Mund gehalten hätte.

«Haben Christoph und Cathi sich gestritten?», fragte mich meine Mutter ein paar Tage später.

«Nein, im Gegenteil, sie sind bis über beide Ohren verliebt.»

Mutter sah mich weniger überrascht als vielmehr betroffen an. Im selben Moment wusste ich, dass ich aus purer Missgunst ein Geheimnis verraten hatte. Schon den vorangegangenen Winter, wenn wir abends in der Küche zusammengesessen hatten, fand ich es unerträglich, mit welch schmachtenden Blicken Christoph unsere Base beobachtete. Ich selbst hatte für ihn völlig an Bedeutung verloren.

Durch meinen Verrat erst setzte ich etwas in Gang, was womöglich sonst irgendwann als kindliche erste Liebe im Sande verlaufen wäre.

Ach, Marthe-Marie, könnte man das Rad der Zeit nur ein einziges Mal zurückdrehen.

*

Eines Tages kam ein Freund von Catharinas Vater mit schlechten Nachrichten.

«Hieronymus hat seit ein paar Tagen Fieber, dazu Pusteln am ganzen Körper. Aber er will weder Bader noch Chirurg ins Haus lassen. Vielleicht solltet ihr nach ihm sehen.»

Catharina warf ihrer Tante einen flehenden Blick zu.

«Du kannst gleich morgen zu ihm», sagte Marthe. «Aber wegen Hiltrud möchte ich nicht, dass du allein gehst.»

«Ich begleite sie», rief Christoph. Catharina sah ihn verstohlen an. Nichts schien ihm im Moment wichtiger, als wieder einzurenken, was zwischen ihnen aus den Fugen geraten war.

«Nein.» Marthes Antwort kam unerwartet scharf. «Du weißt doch, was Hiltrud gesagt hat, dass sie keinen von uns sehen will. Dir oder Lene würde sie die Tür vor der Nase zuschlagen. Besser, ich gehe mit, es ist schließlich mein Bruder. Wenn er tatsächlich ernsthaft krank ist, muss ich ihn sehen. Und wenn ich mir mit der Stadtwache Eintritt verschaffen muss.»

Am nächsten Morgen brachen sie zeitig auf. Marthe wirkte ungewohnt besorgt. In der Stadt waren in letzter Zeit wieder vermehrt Fälle von Blattern aufgetreten.

Grußlos öffnete Hiltrud ihnen die Tür und zog sich in die Küche zurück. Im abgedunkelten Schlafzimmer war es stickig und stank nach Kräuterbranntwein, Schweiß und Urin. Neben dem Bett saß der Bader. Demnach war es also doch so ernst, wie Catharina befürchtet hatte. Sie bekam vor Aufregung kaum noch Luft. Beklommen setzte sie sich auf den Bettrand und nahm Vaters Hand. Sie war eiskalt. An der Innenseite seines Handgelenks klebte Blut.

«Vater, bist du wach? Kannst du mich hören?»

Es dauerte eine Weile, bis er reagierte. Langsam wandte er ihr den Kopf zu und drückte ihre Hand. Catharina war entsetzt darüber, wie verändert ihr Vater aussah. Mager und eingefallen, die Augen zu einem schmalen Spalt geschlossen, die Haut wie schmutziges Wachs und am Hals und an der Schläfe diese roten Flecken, von denen einige entzündet waren und eiterten – das war nicht mehr der Mensch, auf dessen Knien sie einst als Ritter gegen feindliche Mächte ins Feld gezogen war und der mit sicherer Hand Bildstöcke und Altarbilder entwarf.

Auch Marthe war offensichtlich entsetzt, wenn auch aus einem anderen Grund.

«Ich hab weiß Gott schon viele Krankenzimmer gesehen», schimpfte sie, «aber hier sieht es schlimmer aus als im Armenspital.»

Angewidert starrte sie auf das schmutzige Bett und das zerrissene Nachthemd ihres Bruders, auf dem sich Speisereste und Kotflecken abzeichneten. Sie riss die Tür zum Flur auf und brüllte hinaus:

«Hiltrud, du bringst sofort ein frisches Nachthemd und Bettlaken.»

Dann öffnete sie das Fenster und kippte wütend den Inhalt des übervollen Nachttopfs hinaus. Frische Morgenluft strömte herein. Sie wandte sich an den Bader.

«Wie steht es um ihn?»

«Jetzt ist er natürlich ziemlich schwach, ich hab ihn vor einer halben Stunde zur Ader gelassen. Aber die Blattern sind es sicher nicht, er hätte sonst Bläschen auf den Rachenmandeln. Und die Urinschau ergibt auch keinen Befund in dieser Richtung.»

«Wieso hat mein Vater dann überall diese Flecken und Pusteln?», fragte Catharina mit zitternder Stimme.

«Die Säfte, immer wieder die Säfte! Ihr seht ja, die Gifte, die in den Organismus eingedrungen sind, wollen wieder hinaus, daher die Pusteln. Die natürliche Ordnung der Kardinalsäfte ist zerrüttet – damit meinen wir Blut, Schleim, schwarze und gelbe Galle. Die müssen wieder ins Gleichgewicht gebracht werden. Da hilft Schröpfen oder Aderlass. Ist die Krankheit weiter fortgeschritten wie hier beim Stadellmen, dann ermüdet der Aderlass den Kranken zunächst. Aber nur so hat der Körper die Möglichkeit, mit sich wieder ins Reine zu kommen. Gleichzeitig hilft Schwitzen – dabei sollte der Körper allerdings sehr sauber gehalten werden.» Ein wenig hilflos blickte er bei diesem Satz zu Marthe. «Und wenn gar nichts hilft, müsste ich eine Fontanelle setzen. Aber das wollen wir nicht hoffen.»

Der Bader schien erschöpft, denn für seine Verhältnisse hatte er eine lange Rede gehalten. Aber er kannte Catharina von klein auf und hatte wohl Mitleid mit ihr, wie sie da zusammengesunken auf dem Bettrand kauerte.

«Was ist das, eine Fontanelle setzen?», fragte Catharina leise, als der Bader gegangen war.

«Neben einer besonders stark entzündeten Stelle wird ein tiefer Schnitt gemacht, damit die schädlichen Säfte abfließen können. Wenn du mich fragst: Es nützt nicht viel.»

Mühsam hob Hieronymus den Kopf. «Einer meiner Zunftbrüder ist daran gestorben.»

Catharina schrak zusammen, weniger über diesen Satz als über die gebrochene Stimme ihres Vaters.

«Kennst du noch den Spruch unserer Großmutter Agnes?», fuhr er fort. «Wer sind die freiesten Leute? Henker und Arzt, weil sie fürs Töten nicht bestraft, sondern entlohnt werden.»

Dann verlor er das Bewusstsein.

Eine Woche später schien der Vater über den Berg. Er war wieder bei sich und freute sich über die Besuche seiner Tochter und seiner Schwester. Hemd und Bettzeug waren sauber, und das Krankenzimmer wurde offensichtlich regelmäßig gereinigt.

Marthe hatte in der Woche zuvor unter vier Augen mit Hiltrud gesprochen und ihr mit scharfen Worten nahe gelegt, ihren Mann besser zu versorgen, ansonsten werde sie sich an die Zunft und an das Gericht wenden.

Catharina ahnte, dass es ihrem Vater ein Grauen sein musste, den ganzen Tag im Bett zu liegen, abhängig von den Launen seiner Frau. Sooft es möglich war, besuchte sie ihn und brachte frisches Obst und Säfte zur Stärkung mit. Catharina genoss das Alleinsein mit ihrem Vater, wenn es sie auch sehr schmerzte, mit ansehen zu müssen, wie er immer hinfälliger wurde. Er redete kaum, bat stattdessen seine Tochter, von ihrem Alltag zu erzählen, von ihrer Arbeit, den Gästen, von Lene und Christoph. Meist schlief er dabei irgendwann ein.

Es wurde Hochsommer, bis er endlich wieder arbeiten konnte, wenn auch zunächst nur stundenweise. Das Geld war längst knapp geworden, und er hatte sich an die Zunft mit der Bitte um Unterstützung gewandt. Die Zunftversammlung jedoch lehnte jegliche Geldzuwendungen ab, da sich herausgestellt hatte, dass Hiltrud noch über ein beträchtliches Erbe von ihrem ersten Mann verfügte. Hieronymus hatte davon nichts gewusst, und es kam zu einem hässlichen Streit zwischen ihnen. Hiltrud musste sich dem Beschluss der Zunft beugen und ihr Erbe für den täglichen Unterhalt einbringen.

Catharina und Christoph hatten sich mittlerweile versöhnt, die alte Ungezwungenheit stellte sich aber nicht wieder ein. Wo die Arbeit es erforderte, waren sie zusammen, ansonsten kümmerte sich Catharina um ihren Vater oder hielt sich an Lene und die Zwillinge. Manchmal wollte sie einfach allein sein. Über den Vorfall auf dem Lehener Bergle hatten sie und Christoph nie wieder ein Wort verloren. Einzig und allein ihrer Base hatte sie irgendwann Einzelheiten über jenen Nachmittag erzählt und ihrer Enttäuschung über Christophs Verhältnis mit der Magd Luft gemacht.

«Das hat doch überhaupt nichts zu bedeuten», hatte Lene sie zu trösten versucht. «Weißt du denn nicht, dass die Müllersmagd für sämtliche Burschen im Dorf die Beine breit macht?»

Catharina kam sich in diesem Sommer zum ersten Mal alt und erwachsen vor. Ihr Bild von der Welt hatte sich verändert. Sooft sie Zeit hatte, zog sie sich an ihren Lieblingsplatz zurück, einen kleinen Buchenhain am Dreisamufer, gleich hinter Marthes Obstgarten. Dorthin kam keine Menschenseele, dort saß sie ungestört und konnte die Flöße und Kähne beobachten und nachdenken.

Christoph wusste um diesen Ort, denn er hatte Catharina in der ersten Zeit nach jener unglückseligen Umarmung auf Schritt und Tritt beobachtet. Er nahm es hin, dass sie dort allein sein wollte, wenn er auch zu gern gewusst hätte, worum sich ihre Gedanken drehten.

Ein einziges Mal nur wagte er es, Catharina an ihrem geheimen Ort aufzusuchen. Die heißen Tage waren dem Altweibersommer gewichen, und Spinnen zogen ihre im Abendlicht glitzernden Fäden. Christoph rannte den ganzen Weg vom Gasthof bis an den Fluss, quer durch das Wäldchen mit seinem sumpfigen Boden. Dann ließ er sich keuchend neben Catharina auf die Uferböschung sinken.

«Verzeih, dass ich dich störe, aber ich wollte dir nur sagen, dass meine Mutter gerade eine zweite Dienstmagd eingestellt hat.» Er schnappte nach Luft.

«Wie schön für dich. Aber für mich sind Dienstmägde nicht besonders aufregend», gab Catharina schnippisch zurück.

«Bitte, hör auf damit. Darum geht es auch gar nicht. In zwei Wochen ist doch der große Michaelismarkt in Freiburg, und wenn sich die neue Magd bis dahin gut einarbeitet, können wir alle drei, Lene, du und ich, zusammen nach Freiburg. Wir dürfen schon mittags los und können bleiben, bis die Stadttore zumachen. Ist das nicht wunderbar?»

Er bemerkte, wie ein Leuchten über ihr Gesicht glitt.

«Ist das wahr?»

«Ja. Stell dir vor, zum ersten Mal haben wir alle drei gemeinsam Ausgang. Es soll eine Wanderbühne auftreten, und am Nachmittag findet ein großes Tanzfest mit vielen Musikanten statt.»

Glücklich sah Christoph, wie sich Catharina von seiner Begeisterung anstecken ließ. Er konnte nicht ahnen, dass die Anstellung einer zweiten Dienstmagd einen ganz bestimmten Grund hatte.

6

Den ganzen Morgen hatte es genieselt. Endlich teilten sich die Wolken und ließen ein paar zaghafte Sonnenstrahlen durch. Catharina trat aus dem Schatten des Martinstors, um sich aufzuwärmen. Eine Stunde nach Mittag wollte sie sich hier mit Christoph und Lene treffen, und sie spürte, wie ihr Herz schneller schlug. Konzentriert schaute sie auf die Turmuhr, eine Errungenschaft, auf die die Stadtväter sehr stolz waren, besaß sie doch zwei Zeiger und gab damit die Uhrzeit auf die Minute genau an. Catharina stellte fest, dass die beiden schon eine halbe Stunde zu spät waren. Sie hatten noch ein paar Botengänge für ihre Mutter erledigen wollen, währenddessen war Catharina bei ihrem Vater gewesen.

Letzte Nacht hatte sie kaum geschlafen vor Vorfreude. Lene war das nicht entgangen, und beim Aufstehen hatte sie gestichelt:

«Freu dich nicht zu früh – Christoph ist nämlich mit sämtlichen schönen Mädchen Freiburgs verabredet.»

Die Gassen waren voller Menschen. Schon in aller Frühe waren Kleinkrämer, Händler und Schaulustige in die Stadt geströmt, und wer immer sich Zeit nehmen konnte, eilte jetzt zum Münsterplatz, wo der große Jahrmarkt mittlerweile voll in Gang war. Als sich eine Gruppe Betrunkener dicht an Catharina vorbeidrückte, fasste sie ängstlich unter ihrem Umhang nach der Geldkatze. Erleichtert sah sie Christoph und Lene um die Ecke kommen.

«Jetzt kann's losgehen», rief Lene und nahm ihre Base am Arm. Sie zogen mit dem Menschenstrom die Große Gasse hinauf, an den Marktständen der hiesigen Bauern vorbei, und bogen in das schmale Gässchen ein, das zum Münster führte. Hier herrschte ein solches Geschiebe und Gedränge, dass sie kaum vorwärts kamen. Das war etwas ganz anderes als die kleine Kirmes in Lehen.

Schon von weitem sahen sie den Akrobaten, der hoch oben in der Luft zwischen Kornhaus und Heiliggeist-Spital auf einem kaum erkennbaren Seil balancierte. Der zartgliedrige, fast knabenhafte Mann war im farbenfrohen Gewand der Landsknechte gekleidet: ein Hosenbein feuerrot, das andere grasgrün, am gelben Wams hingen bunte Bänder. Ein langer, dünner Stab half ihm, das Gleichgewicht zu halten.

Von unten ertönte ein dumpfer Trommelwirbel. Der Seiltänzer richtete sich auf, jeder Muskel gespannt, und hielt mit festem Griff seine Stange vor der Brust. Dann rannte er plötzlich los, als seien Wegelagerer hinter ihm her. Die Menge schrie auf, und Catharina krallte sich in Christophs Arm fest, als sich der Mann mit enormem Schwung in die Höhe stieß und in einem perfekten Salto einmal um seine Stange wirbelte. Leicht wie eine Feder kam er wieder auf die Füße, wobei das Seil gefährlich schwankte. Die Leute johlten.

«Das ist doch ein tolles Weib», meinte ein Zuschauer neben ihnen anerkennend.

«Hast du gehört? Das ist eine Frau. Ich kann's kaum glauben», sagte Catharina.

«Du kannst meinen Arm jetzt wieder loslassen», lachte Christoph. Verlegen zog Catharina ihre Hand zurück. An Christophs Unterarm war der Abdruck ihrer Finger zu erkennen. In diesem Moment entdeckte Lene eine Gruppe junger Leute aus Lehen.

«Wir sehen uns später beim Tanz», verabschiedete sie sich und war im Gewühl verschwunden.

Ein gellender Schrei ertönte nur wenige Schritte neben ihnen, und Catharina zuckte zusammen. Er kam von einem dicken Kerl, dem der Bader gerade einen Backenzahn gezogen hatte. Zusammengekrümmt saß er auf dem Schemel und spuckte dicke Blutschlieren auf den Boden. Dann nahm er einen herzhaften Schluck von dem Branntwein, den der Bader bei jeder Zahnbehandlung großzügig zur Verfügung stellte.

«Du kannst mich ruhig wieder festhalten, wenn du heute so schreckhaft bist», neckte sie Christoph. Catharina musste lachen. Es war fast wieder wie früher mit ihrem Vetter. Vielleicht nicht ganz, denn sie spürte einen wohligen Schauer im Bauch.

In den Lauben entlang des Heiliggeist-Spitals roch es verführerisch nach Honigkuchen, allerlei Braten und Suppen. Sie kauften sich jeder ein Stück knusprige Hammelkeule, dazu einen Krug Dünnbier, und setzten sich auf eine Bank. Da sie nur wenig Geld dabeihatten und es üblich war, für jede Vorführung einen kleinen Obolus zu entrichten, mussten sie sich auf zwei, drei Darbietungen beschränken. Dabei gab es so viel zu sehen: Jongleure und Gymnastiker, Taschenspieler und Zauberer, einen Tanzbären und dressierte Ziegen, einen Mann, der Eisenketten wie Papierbänder zerriss, und jede Menge Musikanten.

Sie hatten sich gerade darauf geeinigt, erst in das Raritätenkabinett und dann zu den Wanderschauspielern zu gehen, als Christoph unvermittelt aufsprang und zu der Menschenmenge am Bierstand eilte. Catharina sah noch, wie ein Mann mit einem großen albernen Hut davonrannte – Johann!, schoss es ihr durch den Kopf –, als Christoph auch schon zurückkam. Er sah ärgerlich aus.

«Was war denn los», fragte sie.

«Ach, nichts. Ich dachte, ich hätte einen Bekannten gesehen, aber ich habe mich wohl getäuscht.» Unwirsch verjagte er zwei abgemagerte Hunde, die unter der Bank in den Essensresten wühlten.

Vor dem Zelt mit den «seltsamsten Kreaturen der Schöpfung», wie der Ausrufer mit schriller Stimme ankündigte, mussten sie lange warten, so groß war der Andrang. Endlich durften sie, zusammen mit etwa zwanzig anderen Neugierigen, eintreten. Im Zelt roch es nach Schweiß und Unrat, und es war so dunkel, dass sie die Gestalten auf dem lang gestreckten Podest nur schemenhaft wahrnehmen konnten. Jetzt griff Catharina ohne Scheu nach Christophs Arm. Ein bärtiger Mann mit langen Haaren, die ihm fettig über die Schultern hingen, ging mit zwei Talglichtern voraus.

«Hochverehrtes Publikum, bitte halten Sie Abstand. Unsere Kreaturen sind nicht an menschliche Zivilisation gewöhnt, und wir können keine Verantwortung für eventuelle Zwischenfälle übernehmen.» Dann beleuchtete er die erste Sensation.

Ein Aufschrei entfuhr den Zuschauern: Im flackernden Licht der Kerzen erkannte man einen riesigen schwarzen Hund mit zwei Köpfen, aus den beiden leicht geöffneten Mäulern hing dunkelrot die Zunge heraus. Regungslos starrte er sie an.

«Ist der tot?» Catharinas Stimme bebte.

«Hier sehen Sie Zerberus, unseren doppelköpfigen Hund aus England. Eine perfekte Nachbildung aus Wachs und Fell, das Original finden Sie in der Londoner Anatomie. Zerberus diente als treuer und, wie Sie sich denken können, äußerst wirkungsvoller Wachhund einem königlichen Bannwart und erreichte immerhin das erstaunliche Alter von zehn Jahren.»

Sie gingen ein paar Schritte weiter.

«Und jetzt kommen wir zu einer ganz besonderen Spezialität, unserem Automatenmenschen. Dieser künstliche Mensch ist eine hochkomplizierte Konstruktion des berühmten Professors Suliman aus Konstantinopel. Einzigartig im Habsburgerreich. Wir würden den Automat gern für Sie öffnen und Ihnen den Mechanismus veranschaulichen, aber leider ist der Apparat so empfindlich, dass wir das nicht riskieren können. Indem ich diesen Hebel hier am Rücken umlege, erwecke ich den Automatenmenschen zum Leben.»

Der Automat, ganz nach der spanischen höfischen Mode gekleidet, hatte bisher regungslos auf dem Podest gestanden. Jetzt hob er zitternd das Kinn und ging mit ruckhaften Bewegungen und starrem Blick auf die Menge zu, die verschreckt zurückwich. Catharina meinte, ein leichtes Knirschen in den Bewegungen zu hören. Ein Kind, das den Automaten berühren wollte, wurde von dem Bärtigen heftig zurückgerissen.

«Bittschön, nicht anfassen, meine Herrschaften. Diese Konstruktion ist Hunderte von Goldstücken wert.» Eilig drängte er die Menge zum Ende des Zelts.

«Und hier sehen Sie die Hauptattraktion unseres Unternehmens: Rochus Agricola, der Mann ohne Hände und Beine, der manche Arbeiten geschickter verrichten kann als jeder von Ihnen.»

Der grauhaarige Mann, der auf einem winzigen Stuhl an einem ebenso winzigen Tisch saß, verneigte sich.

«Meister Agricola ist schon verkrüppelt auf die Welt gekommen. Nichtsdestoweniger kann er ohne Hilfe essen, zeichnen, sich selbst barbieren, ja sogar auf Anhieb einen Faden einfädeln.»

Der Bärtige legte ihm Nadel und Faden auf das Tischchen. Meister Agricola klemmte mit seinem rechten Armstumpf die Nadel aufrecht gegen die Tischkante, nahm dann mit dem Mund den Faden auf und führte ihn zielsicher in die Nadel ein.

Die Zuschauer applaudierten. Anschließend malte er mit Tusche einen verblüffend echten Rosenstrauch, indem er die Feder mit dem Mund führte. Dann rasierte er sich geschickt die wenigen Barthaare, das lange Messer fest zwischen die beiden Armstümpfe geklemmt. Zu den Klängen eines lustigen Trinklieds, das Agricola auf seinem Hackbrett zauberte, verließen sie das Zelt.

Christoph schien ein wenig enttäuscht über die Darbietungen, er hatte sich wohl mehr erhofft. Auch Catharina war es schade um ihr Geld, wenn auch aus einem anderen Grund.

«Die armen Menschen, hast du gesehen, wie traurig sie alle ausgesehen haben? Da hat es die Maschine noch am besten, die spürt wenigstens nichts.»

«Glaubst du im Ernst, dass das ein Automat war? Der Mann war doch genauso aus Fleisch und Blut wie wir beide», gab Christoph zurück, aber Catharina ließ sich nicht überzeugen.

Draußen war der Himmel inzwischen wolkenlos blau, und auf der Wanderbühne an der Nordseite des Münsters hatte die Vorstellung bereits begonnen. Eine kräftige Frau mit langen blonden Haaren saß auf einem Bett und strich gerade einem jungen Mann, der vor ihr auf dem Boden kniete, über die Haare: «O Geliebter, niemals werden wir uns trennen.» Catharina lachte. Sie merkte sofort, dass diese Frau ein Mann war, mit Perücke, rot geschminktem Mund und einem viel zu großen Busen unter seinem Kleid. Als die verkleidete Frau ihren Liebhaber zu sich auf das Bett zog, sah man auf der anderen Bühnenseite einen dicken, glatzköpfigen Mann auf einem Stock mit Pferdekopf an der Spitze heranhüpfen. Wieder gurrte die Frau in höchsten Tönen: «Du bist so anders als Hans, dieser tumbe Tor, der nichts von Frauen versteht.»

Neben Catharina begannen einige Zuschauer zu kichern und knufften einen älteren, schon etwas betrunken wirkenden Mann in die Seite. «Hast du gehört, Hans?» – «Weißt du, was deine

Susanne in diesem Moment gerade treibt?» – «Geh doch mal nachschauen.»

«Lasst mich in Ruhe», knurrte der Gefoppte ärgerlich.

Auf der Bühne spitzte sich die Situation jetzt zu. Die beiden Ehebrecher wälzten sich laut stöhnend auf dem Bett, als der heimgekehrte Ehemann unbeholfen vom Pferd stieg und rief: «Susanne, mach sofort die Tür auf!»

Das war zu viel für die Gruppe neben Catharina und Christoph. Sie johlten und lachten über die Namensgleichheit, während der echte Hans feuerrot anlief.

«Das ist eine Unverschämtheit, mich und meine Frau so in den Dreck zu ziehen», schrie er und stürzte zur Bühne. Die Schauspieler, sichtlich irritiert über den wütenden Zuschauer, unterbrachen ihr Spiel. «Weitermachen!», brüllte die Menge. Da kletterte der echte Hans auf das Podest, nahm das Steckenpferd und schlug es dem falschen Hans an den Kopf. Die beiden Liebhaber stürzten herbei, und alle vier fielen bei dem Handgemenge von der Bühne. Bald wusste keiner mehr, wer hier gegen wen haute und schlug. Zwei Stadtwächter bahnten sich ihren Weg durch die lärmende Menge, wurden aber wieder zurückgedrängt.

Christoph und Catharina versuchten, sich in Sicherheit zu bringen.

«Los, komm, dort hinüber.» Christoph zog seine Base zur Nordpforte des Münsters, die zum Glück offen stand. Im Chor setzten sie sich auf eine Steinstufe und holten Luft. Obwohl Catharina einen heftigen Schlag gegen die Schulter abbekommen hatte, musste sie über die Situation lachen.

«Die Leute sind froh, wenn sie raufen können. Genauso wie bei uns auf dem Dorf.»

Christoph betrachtete das Farbenspiel, das die Sonne durch die bunten Fenster auf den Steinboden zauberte. Er wirkte verlegen, als er den Blick hob.

«Gehen wir tanzen.»

Der Rest des Tages verging viel zu schnell. Auf der Tanzdiele trafen sie Lene wieder, die mit Schorsch, dem aufgeblasenen Sohn des Stellmachers, über die Bohlen wirbelte. Catharina, die noch nie in ihrem Leben getanzt hatte, ließ kein Musikstück aus, und im Gegensatz zu Lenes Ankündigung hatte Christoph nur Augen für sie.

Als es dämmerte, erinnerte das Läuten der Münsterglocken die ausgelassenen Tänzer daran, dass die Stadttore bald schließen würden. Nach und nach machten sich einzelne Gruppen auf den Weg. Catharina und Christoph hatten es nicht eilig. Bald waren sie die Letzten, die auf der Landstraße durch die sternenklare Nacht wanderten.

«Cathi, es tut mir wirklich Leid, dass ich im Sommer so aufdringlich war.» Er blieb stehen. «Und die alte Magd interessiert mich wirklich keinen Pfifferling. Ich möchte mit dir zusammen sein.»

Er wollte schon weitergehen, da hielt Catharina ihn fest. Zögernd legte sie eine Hand an seine Wange und ließ zu, dass er sie in die Arme nahm. Sie ließen den Abstand zu den anderen noch größer werden und gingen Hand in Hand nach Hause.

«Deshalb also hast du die zweite Dienstmagd eingestellt. Du hattest das schon seit längerem geplant.»

Catharina war im ersten Moment eher wütend als traurig. Sie saß mit Marthe allein in der Küche, Christoph und Lene waren irgendwo im Dorf unterwegs, und die Zwillinge spielten im Hof.

«Denk doch mal nach, Cathi. Christoph muss, wenn er unseren Gasthof übernehmen will, noch eine Menge lernen. Und es ist nun einmal üblich und auch vernünftig, wenn er das an einer anderen Arbeitsstätte tut.»

«Aber warum schickst du ihn nach Villingen, warum so unendlich weit weg? Du hast doch auch einen Schwager in Freiburg, Christophs Vormund, dem das Schneckenwirtshaus gehört? Dort kann er doch genauso viel lernen.»

«Eben nicht. Das Schneckenwirtshaus ist eher eine Schenke, dazu hat es nicht einmal den besten Ruf. Der Hof von Onkel Carl in Villingen ist viel größer, mit eigenem Gästehaus, ähnlich wie hier. Und außerdem –» Sie zögerte einen Moment.

«Was außerdem?» Catharina spürte jetzt, dass es noch einen anderen Grund gab.

«Cathi, ich will ehrlich zu dir sein. Es ist mir nicht verborgen geblieben, wie nah ihr beiden euch gekommen seid. Aber ihr seid doch praktisch Geschwister, lebt unter einem Dach. Und ihr seid noch viel zu jung. Stell dir vor, du würdest ein Kind bekommen.»

Jetzt wurde Catharina trotzig. «Vor dem Gesetz dürften wir aber heiraten, und du könntest es nicht verbieten.»

«Nein. Aber ich kann vielleicht verhindern, dass in eurem Alter mehr passiert als irgendeine Küsserei auf dem Lehener Bergle.»

Catharina sprang auf. «Wer hat das erzählt? Hat dir das Lene zugesteckt?»

Marthe lächelte. «Beruhige dich, Lene kann im rechten Moment schweigen, auch wenn sie sonst ein loses Mundwerk hat. Der Müller hat euch im Sommer beobachtet.»

Catharina starrte vor sich hin. Sie waren auf dem Lehener Bergle also nicht allein gewesen. Im Nachhinein war ihr dieser Gedanke furchtbar unangenehm.

«Und – wann wird Christoph gehen?»

«Noch bevor im Höllental der erste Schnee fällt. Genauer gesagt, in zwei Tagen.»

Wortlos rannte Catharina hinauf in ihre Kammer und warf sich aufs Bett. Warum nur waren in ihrem Leben die schönen Zeiten immer von so kurzer Dauer?

Sie dachte an den Buchenhain am Fluss, der zu ihrem heimlichen Treffpunkt geworden war. Viel zu selten allerdings hatte sich ihnen die Gelegenheit geboten, unbemerkt davonzuschleichen. Dann aber saßen sie im weichen Gras am Ufer, schmiedeten Pläne für die Zukunft und küssten sich lange. Längst genoss Catharina die Zärtlichkeiten genauso wie Christoph.

So glücklich hatte sie sich noch nie gefühlt. Die Arbeit ging ihr noch schneller von der Hand als sonst, sie hätte die ganze Welt umarmen mögen. Abends lag sie neben Lene im Bett und dachte daran, dass sie nur eine hauchdünne Bretterwand von Christoph trennte.

Catharina richtete sich auf und betrachtete das Bild ihrer Mutter. Wie hätte sie sich wohl verhalten? Hätte sie ihnen auch Steine in den Weg gelegt? Lene trat in die Kammer und setzte sich zu ihr auf das Bett.

«Meine Mutter hat dir also gesagt, dass Christoph weggeht. Ich weiß es auch erst seit heute Morgen.»

Sie legte den Arm um Catharina, die mit den Tränen kämpfte.

«Ach, Cathi, das ist doch keine Trennung auf Ewigkeit. In zwei, drei Jahren kommt er wieder zurück, und wenn ihr dann immer noch zusammenbleiben wollt, verlobt ihr euch einfach, und dann kann nichts mehr passieren. Und bis dahin lassen wir beide es uns gut gehen. Tanzen kannst du auch mit anderen Jungen.»

So war Lene. Für sie schien alles einfach, jede Schwierigkeit lösbar. Catharina wischte sich die Tränen aus dem Gesicht.

«Aber warum muss jetzt alles so schnell gehen? Tante Marthe hätte uns doch auch schon früher sagen können, was sie vorhat.»

Lene zuckte die Achseln. «Vielleicht hat sie jetzt erst begriffen, was zwischen euch ist, und übermorgen fährt zufälligerweise ein Händler, den sie kennt, nach Villingen und kann Christoph mitnehmen. Pass auf», Lene flüsterte jetzt, «er und ich haben beschlossen, dass wir in der letzten Nacht die Betten tauschen: Ich leg mich in seins, und er kommt herüber. Falls Mutter auf die Idee kommt nachzuschauen, ob alles in Ordnung ist, zieht ihr beide euch einfach die Bettdecke über die Ohren. Ist das nicht ein famoser Einfall?»

Als am Abend die letzten Gäste gegangen waren, trat Catharina mit dem Kübel voll Essensreste in den Hof hinaus. Ihre Tante folgte ihr.

«Es fällt mir schwer, euch zu trennen. Ich seh doch, wie sehr ihr euch mögt. Aber versuch auch, mich ein bisschen zu verstehen.»

Catharina nickte nur. Dann ging sie zum Stall hinüber. Es dämmerte bereits, und Christoph war mit Füttern beschäftigt. Gemeinsam schütteten sie die Essensreste in den Schweinetrog.

Christoph nahm ihre Hand.

«Heute habe ich mich schrecklich mit meiner Mutter gestritten. Jetzt tut es mir Leid, was ich ihr alles an den Kopf geworfen habe.»

«Ist es wahr, dass wir morgen Nacht in einem Bett schlafen werden?», fragte Catharina leise.

«Ja, aber es wird nicht die letzte Nacht sein, das verspreche ich dir.» Er küsste sie lange und zärtlich im Dunkel des Stalles.

Den nächsten Tag war Christoph mit den Vorbereitungen für seinen Umzug beschäftigt. Vormittags ging er mit seiner Mutter in die Stadt, um noch ein paar Kleinigkeiten einzukaufen, dann machte er sich daran, seine Sachen zu packen. Catharina sah blass aus. Sie vermochte nicht zu sagen, was sie mehr beunruhigte: der Gedanke an Christophs Abschied oder die bevorstehende gemeinsame Nacht. Es war sicherlich nicht richtig, was sie vorhatten, und sie hatte Angst, dass Marthe sie erwischen könnte.

Catharina spürte, wie ihr das Blut in den Schläfen pochte, als am Abend Christoph in die Kammer trat. Die Stelle neben ihr im Bett war noch warm von Lenes Körper. Hilflos stand er vor ihr, trotz seines leinenen Nachthemds zitterte er.

«Frierst du?»

«Nein. Es ist nur – ich weiß nicht recht, was jetzt geschieht. Darf ich zu dir kommen?»

Sie schlug die Bettdecke zurück und rutschte gegen die Wand. Da klopfte es dreimal leise gegen die Bretter. Das vereinbarte Zeichen von Lene, dass alles in Ordnung war. Sie hatte sich noch einmal versichert, dass ihre Mutter schlafen gegangen war.

Catharina nahm Christoph in den Arm, bis er aufhörte zu zittern.

«Freust du dich auf Villingen?»

«Ach, weißt du, freuen ist zu viel gesagt. Es ist schön, einmal aus diesem engen Dorf herauszukommen. Und Onkel Carl finde ich recht nett. Aber ich habe Angst, dass du dir, wenn ich weg bin, irgendeinen hergelaufenen Dorfburschen angelst.»

Catharina streichelte seine Hand. «Lass uns einander versprechen, dass wir aufeinander warten.»

«Versprochen. Und jedes Mal, wenn ich freibekomme, werde ich dich besuchen.»

Dann lagen sie schweigend nebeneinander. Irgendwann fragte sich Catharina, ob Christoph wohl eingeschlafen sein mochte, so tief und regelmäßig gingen seine Atemzüge. Im Obstgarten miaute eine Katze. Sie fand keine Ruhe. Immerzu dachte sie daran, wie leer das Haus ohne Christoph sein würde.

Da spürte sie, wie er sich bewegte.

«Cathi, ich habe einen großen Wunsch. Willst du ihn hören?»

Sie nickte, obwohl er das in der Dunkelheit nicht sehen konnte. Es dauerte eine Weile, bis er wieder sprach.

«Du weißt, dass ich nichts mache, was du nicht auch möchtest. Aber ich hätte gern, dass du – dass du dich ausziehst.» Dann fügte er so leise hinzu, dass sie es kaum verstehen konnte: «Vielleicht ist es ja das letzte Mal.»

«So etwas darfst du nicht sagen.» Sie zog sich das Hemd über den Kopf. Christoph küsste sie sanft auf ihre Augen, ihre Nase, ihre Wangen, während seine Hand die Linien ihres Halses bis zum Schlüsselbein nachzeichnete und von dort zu ihren kleinen festen Brüsten wanderte. Er streichelte Catharina lange und zärtlich. Sie schloss die Augen und genoss die Wärme, die ihr in die Glieder fuhr.

Cathis Furcht, dass meine Mutter sie ertappen könnte, war völlig unbegründet. Ohne nachsehen zu müssen, wusste sie, dass die beiden zusammen in einem Bett lagen. Aber das beunruhigte sie nicht, denn sie vertraute darauf, dass die Kinder – und Kinder waren die beiden in ihren Augen – vernünftig blieben. Was sie nicht schlafen ließ, war ihr schlechtes Gewissen: Den eigentlichen Grund, warum sie Christoph ausgerechnet nach Villingen schickte, hatte sie verschwiegen. Carl, der Vetter ihres zweiten Mannes, hatte nämlich eine Tochter in Christophs Alter, knapp siebzehn Jahre alt, hübsch anzusehen, fleißig und bescheiden. Mutter hoffte auf eine Verbindung zwischen den beiden. Ich weiß, dass sie Catharina wie ihre eigene Tochter liebte, aber gerade deshalb kam für sie eine Ehe mit Christoph nicht infrage. «Wenn Verwandte Kinder bekommen», sagte sie immer, «führt das zu Krankheit und schlechtem Blut.» Und dass das Ganze nur eine kurze Kinderliebe war, darauf wollte sie sich nicht verlassen.

«Wie schäbig waren meine Pläne, die beiden auseinander zu bringen», sagte sie mir später einmal. Doch was war das gegen meinen Verrat – ohne mich wäre ihr die heimliche Liebe zwischen den beiden vielleicht nie aufgefallen.

7

Der Abschied von Christoph war schrecklich. Am Morgen, als sie aufwachte, lag er mit geröteten Augen neben ihr. Als er merkte, dass sie wach war, küsste er sie ungestüm und schlich dann in seine Kammer, um sich fertig zu machen. Dann ging alles ganz schnell. Der Händler saß schon in der Gaststube und wartete ungeduldig, denn es hieß, oben im Schwarzwald habe es zum ersten Mal geschneit. Lene, die längst auf war, packte noch schnell ein großes Vesper zusammen, dann versammelten sich alle um den Pferdekarren. Auch vom Dorf waren etliche Leute gekommen, um den Wirtssohn zu verabschieden.

Hastig warf Christoph sein Bündel auf den Wagen, reichte allen die Hand und umarmte seine Mutter und Lene. Dann wandte er sich Catharina zu. Sie sahen sich an und schwiegen. Catharina hätte ihm so viel sagen mögen, brachte aber kein Wort heraus. Vor aller Augen küsste er sie schließlich auf den Mund und stieg auf.

Catharina lief in ihre Kammer und warf sich aufs Bett. Bildete sie es sich ein, oder war die Decke noch warm von Christophs Körper, verströmte noch seinen Geruch? Als von der Straße her die Abschiedsrufe lauter wurden, presste sie sich die Hände gegen die Ohren. Sie stellte sich vor, nie wieder aufzustehen. Nie wieder würde sie essen, arbeiten oder lachen können.

Aber seltsamerweise holte der Alltag sie wieder ein. Marthe und Lene waren sehr liebevoll mit ihr. Doch manchmal schienen die Tage nicht enden zu wollen, denn jetzt im Winter gab es weniger Arbeit und weniger Abwechslung. Wenn Marthe nach Einbruch der Dunkelheit zu erzählen begann, hörte Catharina kaum zu, denn ihre Gedanken waren bei Christoph. Einmal kaufte sie sich für teures Geld ein paar Bogen Papier und schrieb einen langen Brief an ihn. Da aber um diese Jahreszeit ohnehin niemand in den Schwarzwald hinauffuhr, zerriss sie die Blätter am nächsten Tag wieder.

Was sich in diesen öden Wochen jedoch ereignete, war, dass Lene sich verliebte. Ausgerechnet in diesen ungeschlachten Nachbarsburschen Schorsch.

«Was findest du bloß an diesem Kerl?», fragte Catharina ihre Base.

«Wieso? Er sieht doch nicht schlecht aus. Außerdem ist er der einzige Junge im Dorf, der nicht den Mund hält, wenn er anderer Meinung ist als ich. Das gefällt mir.»

Marthe durfte davon selbstredend nichts erfahren, und so war Catharina damit beschäftigt, Lene bei ihren Verabredungen Rückendeckung zu geben. Abends im Bett bekam sie dann ausführlich zu hören, was sich Neues ergeben hatte. Catharina war zwar nicht sonderlich interessiert daran, aber es lenkte sie von ihren eigenen Grübeleien ab.

Anfang des neuen Jahres teilte Marthe den beiden Mädchen mit, dass Christoph an Ostern zum ersten Mal ein paar Tage freihabe und nach Hause kommen würde. Lene tanzte vor Freude in der Küche herum, und Catharina fragte ungeduldig:

«Dann hast du also Nachricht bekommen. Wie geht es ihm?»

«Ich denke, er hat sich ganz gut eingelebt. Carl würde ihn am liebsten ganz bei sich behalten, aber das geht natürlich nicht. Wir brauchen ihn ja über die Festtage hier bei uns.»

Ich brauche ihn bei mir, dachte Catharina. Plötzlich überdeckte ein wagemutiger Gedanke ihre Freude auf das Wiedersehen: Wenn Christoph nicht bei ihr leben durfte, dann konnte sie doch ebenso gut bei ihm leben.

An diesem Abend konnte sie vor Aufregung nicht einschlafen. Sie war jetzt vierzehn, und viele Mädchen in diesem Alter mussten sich irgendwo als Dienstmädchen verdingen. Sie würde Ostern mit Christoph nach Villingen gehen und sich dort eine

Arbeitsstelle suchen. Wer konnte sie daran hindern? Sie beschloss, nicht einmal Lene von ihren Plänen zu erzählen, und gab sich in den nächsten Wochen alle Mühe, bei den Gästen möglichst viel Geld einzustreichen.

Doch Ostern ging vorbei, und Christoph kam nicht. Er hatte ausrichten lassen, dass er nur zwei Tage freibekommen würde, und zwei Tage dauerte allein die Reise. Weder Lene noch Catharina konnten das verstehen.

«Wenn Onkel Carl so zufrieden mit ihm ist, muss er ihm doch erlauben, nach so langer Zeit seine Familie zu besuchen. Ich an Christophs Stelle hätte mich da jedenfalls besser durchgesetzt.» Lene ärgerte sich über ihren Bruder.

Marthes Enttäuschung schien sich in Grenzen zu halten. «Es wird schon seine Richtigkeit haben. Dafür kommt er ja im Sommer auf jeden Fall.»

Misstrauisch sah Catharina ihre Tante an. War sie vielleicht froh darüber, dass es zu keinem Wiedersehen zwischen ihr und Christoph kam? In ihr stieg langsam Wut auf. Den Winter hatte sie nur durch die Vorfreude auf seinen Besuch durchgestanden. Wer hatte das Recht, sie jetzt so vor den Kopf zu stoßen? Immer war ihr Leben von anderen gelenkt worden – jetzt würde sie es selbst in die Hand nehmen. Niemand sollte ihr mehr Vorschriften machen.

Sie holte ihre Geldkatze aus dem Versteck im Heuboden. Der Beutel war prall gefüllt mit Pfennigstücken und sogar zwei Silbermünzen. Ihr war nicht klar, wie weit sie mit diesem Geld kommen würde, aber immerhin, es war ein Anfang. Ihr Vorhaben nahm konkrete Züge an. Für eine Frau war es gefährlich, allein unterwegs zu sein. Aber für die kurze Zeit der Reise nach Villingen würde es ihr wohl gelingen, sich als Mann auszugeben.

Ihr Plan war einfach: In Kürze sollte in Villingen der große Markt stattfinden, wo sich auch Händler aus Freiburg und dem

Rheintal einfanden. Als wandernder Handwerksbursche verkleidet, konnte sie sicherlich auf einem der Pferde- oder Ochsenkarren mitfahren. Sie musste nur weit genug von Lehen entfernt sein, bevor sie sich sehen ließ. Am besten würde sie noch vor Sonnenaufgang aufbrechen und bis zum Fuß des Gebirges versteckte Seitenwege nehmen. Das Risiko, dass ein Bekannter aus Lehen oder Betzenhausen sie in den Morgenstunden auflesen könnte, wäre sonst zu groß.

Es musste alles perfekt vorbereitet werden, denn in der Nacht ihres Aufbruchs durfte sie keine Zeit mehr verlieren. Kopfzerbrechen bereitete ihr allerdings, dass sie ihrer Tante zwar mitteilen wollte, sie solle sich keine Sorgen machen, andererseits aber einen ausreichenden Vorsprung brauchte. Einen Moment lang dachte sie daran, Lene einzuweihen, verwarf den Gedanken aber wieder.

In den nächsten Tagen verschwand sie immer wieder heimlich auf den Dachboden. Dort lagen in einer Truhe alte Kleider von Christoph und Marthes verstorbenen Männern. Vor einem verstaubten zerbrochenen Spiegel probierte sie alle Kleidungsstücke durch, bis sie mit dem Ergebnis zufrieden war. Die Hose aus dunkelrotem Tuch, Hemd und Wams stammten von Christoph, dazu ein schwarzer Umhang und ein etwas altmodischer Reisehut von ihrem Onkel. So musste es gehen.

Am Vorabend ihrer Abreise versteckte sie Kleider, Geldkatze und ihr Bündel mit etwas Proviant im Stall. Als sie zu Bett ging, hoffte sie inbrünstig, dass sie nicht verschlafen würde wie damals bei dieser kindischen Verwünschung. Lene erzählte ihr in aller Ausführlichkeit von einem schrecklichen Streit mit ihrem Schorsch, aber Catharina hörte kaum hin.

Sie wusste nicht, wie lange sie vor sich hin gedöst hatte, als das Bellen eines Hundes sie auffahren ließ. Durch das Fenster sah sie den Mond hell und fast rund am Himmel stehen. Umso besser: Das würde ihr helfen, die Schleichwege bis hinter Freiburg zu finden. Vorsichtig stand sie auf und zog ihre Filzstiefel unter dem Bett hervor. Sie lauschte: Im Haus war alles still. Auf Zehenspitzen schlich sie in die Küche, suchte sich einen Kienspan, hielt ihn in die Herdglut und machte Licht. Dann schnitt sie schweren Herzens ein langes Stück von ihren dichten, schwarzen Haaren ab. Sie reichten jetzt nur noch drei Finger breit über die Ohren, was zwar immer noch recht lang, aber für einen jungen Burschen nicht ungewöhnlich war. Beim Anblick der Schere in ihrer Hand fiel ihr plötzlich ein, dass sie eine Waffe brauchte. Kurz entschlossen nahm sie sich ein langes, scharfes Messer vom Bord und wickelte es in ein Küchentuch. Sie würde es ihrer Tante ja eines Tages zurückgeben.

Im Schatten der Hofmauer huschte sie in den Stall, zog sich hastig um und nahm aus ihrem Bündel die Nachricht an Marthe, die sie am Vortag verfasst hatte: «Liebe Tante, liebe Lene, ich muss mich auf meinen eigenen Weg machen. Seid unbesorgt, ich lasse so bald wie möglich von mir hören.» Sie legte das Blatt in den Lehmofen im Hof. Dort würde die Tante den Brief erst zur Backzeit am Nachmittag finden, und dann würde sie erst jemanden bitten müssen, ihn ihr vorzulesen. Vorsichtig schloss Catharina die quietschende Ofentür, als sie jemand heftig in die Seite stieß. Ihr Herz setzte aus vor Schreck. Sie drehte sich um, und vor ihr stand Jockl, der Ziegenbock. Catharina holte tief Luft.

«Du Mistvieh, mich so zu erschrecken.»

Sie tätschelte dem Tier das borstige Fell. Dann lief sie, ohne sich noch einmal umzudrehen, durch den Obstgarten zum Fluss hinunter.

Die Dreisam glitzerte silbern im Mondlicht. Bald hatten sich ihre Augen an das Licht gewöhnt. Mit schnellen Schritten, um die Kälte und die Furcht zu vertreiben, lief sie auf einem schmalen Treidelpfad am Ufer entlang. Sie war noch nie nachts allein unterwegs gewesen, und die vielen Geräusche machten ihr

Angst. Mal knackte es im Gebüsch, mal hörte sie den Ruf eines Käuzchens, mal scheuchte sie ein Kaninchen auf. Aber sie kannte den Weg, und von Räuberbanden hier in der Gegend hatte sie noch nie gehört.

Bald lag der Kirchturm von Betzenhausen weit hinter ihr, und sie näherte sich den Stadtmauern Freiburgs. Düster ragte der Burgberg in den Himmel. Um das Dörfchen Wiehre, das sich vor den Toren der Stadt den Fluss entlangzog, musste sie einen großen Bogen machen, denn es war verdächtig, um diese Uhrzeit in der Gegend herumzustreunen. Das sumpfige Gelände neben dem Fußweg musste der Nägelesee sein. Die Leute erzählten sich grässliche Geschichten von nächtlichen Hexensabbaten, die auf diesen morastigen Wiesen abgehalten würden. Catharina schauderte. Erhoben sich dort hinten nicht zwei Gestalten aus dem Schilf? Sie rannte mit klopfendem Herzen los, bis sie die Hütten der Sägemühle am Floßplatz vor sich sah. Von der Kartause oben am Wald hörte sie das tröstliche Gebimmel der Glocke, die die Einsiedler zur Frühmesse rief. Inzwischen fragte sie sich, ob sie noch ganz bei Sinnen gewesen war, als sie beschloss, mitten in der Nacht durch die Gegend zu wandern.

Erleichtert sah sie, dass sich der Himmel im Osten schon verfärbte. Catharina zog sich den Hut tiefer in die Stirn, als ihr die erste Gestalt dieses Tages in der Dämmerung entgegenkam: ein untersetzter Bauer mit einer Gans unter dem Arm, der ihr im Vorbeigehen zunickte. Kurz darauf erreichte sie einen heruntergekommenen Herrenhof, die Mauern ganz von Brombeerbüschen überwuchert. Dem Anwesen gegenüber erhob sich ein Hügel mit etwa zwei Dutzend Häusern und einer wehrhaft aussehenden Kirche. Das musste Ebnet sein.

Catharina bog in den ersten Weg ein, der den Hügel hinaufführte. Da raschelte etwas über ihrer Schulter. Erschrocken sah sie auf. Knarrend drehte sich das Seil des Galgens, an dem ein lebloser, zerlumpter Mann hing und mit seinen Füßen bei jeder

Drehung durchs Gebüsch strich. Über seinem Kopf kreisten die Raben, die ihm längst die Augen aus den Höhlen gehackt hatten. Anstelle der Nase klaffte ein blauschwarz schimmerndes Loch.

«Ja, ja, schau ihn dir nur an, mein Junge.» Ein zahnloses altes Weib hatte sich ihr in den Weg gestellt. «Das ist Gottes Strafe, wenn man seine Hände nicht von anderer Leute Hab und Gut lassen kann.»

Catharina bekreuzigte sich und ging rasch weiter. Auf dem Kirchplatz setzte sie sich auf eine Steinbank und stärkte sich mit einem Stück Brot. Langsam füllte sich das Dorf mit Leben. Bis jetzt war ja alles gut gegangen, und die Alte hatte sie sogar für einen Burschen gehalten. Aber sie machte sich besser gleich wieder auf die Reise, bevor sie hier als Fremder auffiel. Dort unten, das musste die Landstraße Richtung Höllental sein. Als sie aufstand, merkte sie, dass ihr jetzt schon, nach gut zwei Stunden Fußmarsch, die Beine wehtaten. Hoffentlich würde sie bald jemand mitnehmen.

Aber sie musste noch fast bis Kirchzarten gehen, bevor endlich ein Pferdekarren neben ihr anhielt.

«Wo willst du hin?», fragte der Mann. Er sah wenig vertrauenerweckend aus mit seinem roten, aufgedunsenen Gesicht und den fetten Tränensäcken unter den Augen.

«Ich muss nach Villingen», erwiderte Catharina und stellte erschrocken fest, dass ihre Stimme viel zu hell und zu hoch klang.

«Da hast du Glück, ich fahre dorthin zum Markt. Du kannst hinten aufsteigen, unter einer Bedingung: Du musst ein Auge auf die Wolle haben. Beste Schafswolle aus dem Rheintal.»

Der Mann roch nach Branntwein, und Catharina setzte sich möglichst weit weg von ihm zwischen die Wollsäcke. Besser hätte sie es gar nicht erwischen können, so weich lag es sich zwischen den Säcken.

Das Tal verengte sich langsam. Die düsteren Berge rückten näher und wirkten noch gewaltiger. Irgendwo dort oben, tief im Schwarzwald, lag Villingen, und dort würde sie Christoph wiedersehen. Ob er sich wohl freuen würde? Erschöpft schlief sie ein.

Der Karren ruckte zwei-, dreimal heftig, und Catharina fuhr aus dem Schlaf. Sie standen vor einem einsamen Gasthof. Der Wollhändler sprang vom Bock.

«Wir sind jetzt gleich im Höllental. Dort und später in der Ravenna-Schlucht wimmelt es von Wegelagerern, wir müssten verrückt sein, allein weiterzufahren. Ich geh mich jetzt stärken und schau, dass wir eine größere Gruppe zusammenbekommen. Du passt auf die Ware auf. Und führ das Pferd zur Tränke. Ausspannen brauchst du es nicht.»

Catharina ärgerte sich, dass er sie wie seinen Knecht behandelte, zog es aber vor, den Mund zu halten. Nachdem sie das Pferd getränkt und sich selbst ein wenig erfrischt hatte, setzte sie sich wieder auf den Wagen, packte ihren Proviant aus und beobachtete die Ochsen- und Pferdegespanne, die sich nach und nach vor dem Wirtshaus sammelten.

Nach etwa einer Stunde kam eine Gruppe Männer heraus und machte sich zum Aufbruch bereit. Der Wollhändler hielt ihr einen Lederbeutel mit Branntwein hin. Catharina schüttelte den Kopf.

«Los, stell dich nicht an wie ein zickiges Weib.»

Da nahm sie wohl oder übel einen Schluck. Im ersten Moment hatte sie das Gefühl, es würde ihr die Kehle zerreißen, doch dann breitete sich eine wohlige Wärme in ihrem Bauch aus. Beherzt nahm sie noch einen Schluck und kletterte dann nach hinten zwischen die Säcke.

Der Händler klatschte die Zügel auf das breite Kreuz seines Schimmels. «Ho, ho, los geht's. Wenn wir Glück haben und sich kein verdammtes Räuberpack blicken lässt, sind wir morgen Abend in Villingen.»

In einer Kolonne von sechs Gespannen zogen sie los. Catharina war heilfroh, dass sie in einer größeren Gruppe unterwegs waren. Einerseits, weil sie den rotgesichtigen Mann, der ständig einen trank, immer abstoßender fand, andererseits, weil sie noch nie etwas so Unheimliches gesehen hatte wie dieses Höllental. Sie brauchte nicht viel Phantasie, um sich vorzustellen, wie Dämonen, Unholde und des Teufels Spießgesellen an diesem düsteren Ort ihr Unwesen trieben. In die tief eingeschnittene Schlucht verirrte sich sicher nie ein Sonnenstrahl. Die gewaltigen nackten Felsen rechts und links des Weges ragten fast senkrecht in den Himmel. Hier und da stürzten Wasserläufe in die Tiefe, es roch modrig, und an die wenigen Stellen, wo sich ein Krümchen Erde festgesetzt hatte, klammerten sich Moose, Flechten und verkrüppelte Sträucher. Das Aufschlagen der Hufe auf den Schotterweg hallte von den Steinwänden wider. Manchmal wurde es so eng, dass keine zwei Fuhrwerke nebeneinander gepasst hätten.

Als das Tal endlich wieder ausladender und übersichtlicher wurde, atmeten alle auf. Doch die Gefahr eines Überfalls war längst nicht vorüber, das wussten die Reisenden. Catharinas Weggefährte war sehr schweigsam, nur hin und wieder nahm er einen Schluck aus seinem Lederbeutel und rülpste. Ein scharfer Dolch lag griffbereit neben ihm. Catharina war froh, dass er keine Fragen stellte.

Der steile Aufstieg in der Ravenna-Schlucht war schon in Sichtweite, da kam eine Hand voll Reiter auf sie zugeprescht. War es jetzt so weit? Catharina war nicht die Einzige, die es mit der Angst zu tun bekam. Als der Trupp näher kam, erkannte sie, dass es sich um schwer bewaffnete Söldner handelte.

«Vorderösterreichische», knurrte der Wollhändler und spuckte aus.

Es stellte sich heraus, dass erst gestern ganz in der Nähe zwei Händler erschlagen und ausgeraubt worden waren. Die Uniformierten versuchten, den Schlupfwinkel der Räuber herauszufinden, und befragten dazu alle Reisenden und die Bewohner des Gebiets. Während der Befragung trabte ein jüngerer Bursche, groß und hager, neben Catharina. Er musterte sie misstrauisch und sagte dann spöttisch: «Was bist du für einer? Du scheinst mir reichlich jung für so eine gefährliche Reise!» Catharina blieb fast das Herz stehen. Jetzt war alles aus und vorbei.

«Das ist mein Sohn. Wird Zeit, dass er mir zur Hand geht beim Wollgeschäft.»

Der Söldner nickte und wendete sein Pferd. Catharina empfand fast so etwas wie Dankbarkeit für den Händler.

«Wieso habt Ihr das gesagt?»

«Weiß ich, wer du in Wirklichkeit bist? Und bevor ich mir mit denen Ärger einhandle, geb' ich dich lieber als meinen Sohn aus. Soldatenpack ist auch nicht viel besser als Räuberpack.» Er nahm einen Schluck Branntwein. «Aber heute kommen uns die Kerle sogar gelegen. Wenn die hier nämlich die Gegend durchkämmen, werden sich die Räuber nicht aus ihren Löchern wagen.»

Der Meinung waren die anderen Reisenden wohl auch, denn die Anspannung wich aus ihren Gesichtern, und die Stimmung wurde hörbar ausgelassener. Weitere Branntweinflaschen machten die Runde, deftige Trinklieder wurden angestimmt. Als schließlich Zoten und schmutzige Witze hin und her gingen, fühlte sich Catharina ziemlich unwohl in dieser Gesellschaft.

«Da hast du dir aber ein schüchternes Bürschchen als Wächter ausgesucht», neckten einige den Wollhändler.

«Lasst ihn in Ruhe. Besser einer, der das Maul hält, als einer, der am falschen Ort das Falsche sagt!»

Kurz vor der Ravenna-Schlucht hielt die Kolonne vor einem lang gestreckten Stallgebäude. Der Anstieg sollte bald so steil werden, dass Hilfspferde vor die Wagen gespannt werden mussten.

«Rausgeschmissenes Geld», knurrte der Wollhändler. «Wolle ist leicht, und wenn's nicht weitergeht, musst du mit Hand anlegen.»

Mit der Peitsche trieb er das vor Schweiß triefende Pferd die Steigung hinauf. Etliche Male knickte der Schimmel in der Hinterhand ein oder rutschte auf dem Geröll aus. Geizkragen, Pferdeschinder, dachte Catharina wütend und stemmte sich mit ihrem ganzen Gewicht hinten gegen den Wagen, wenn es wieder einmal nicht weiterging. Die anderen Gespanne hatten sie längst überholt.

Am späten Nachmittag befanden sie sich auf einer Art Hochebene. Der düstere Tannenwald wich Feldern und großen Weideflächen. Sie fuhren ein Stück oberhalb der Gutach entlang und hielten dann vor einem von alten Linden umstandenen Wirtshaus. Bis auf einen buckligen Trödler, der sich ihnen unterwegs angeschlossen hatte, waren alle anderen weitergefahren.

«Hast du Hunger?»

Catharina schüttelte den Kopf.

«Gut. Ich werde im Wirtshaus übernachten. Hier hast du eine warme Decke, du passt auf die Sachen auf. Wenn sich dem Wagen einer auch nur auf drei Schritte nähert, schreist du, so laut du kannst, und kommst ins Haus gelaufen.» Er schirrte das Pferd aus und brachte es in den Unterstand.

Catharina war jetzt alles recht. Ihr schmerzten Schulter und Arme, sie wollte nur noch schlafen. Nachdem sie sich zwischen den Wollsäcken eine behagliche Schlafstatt zurechtgemacht hatte, wickelte sie sich fest in ihren Umhang und schloss erschöpft die Augen.

Sie hatte einige Stunden tief und traumlos geschlafen, als sie Schritte hörte. Aber es war nur der Wollhändler, der aus dem Wirtshaus wankte. Er wollte wohl nochmal nach dem Rechten sehen. Als er seinen Karren erreicht hatte, merkte sie, dass er sternhagelvoll war.

«Du sollst auch nicht leben wie ein Hund», lallte er und reichte ihr den prall gefüllten Branntweinbeutel. «Trink mit mir, du bist ein netter Bursche.»

Umständlich kletterte er neben sie. Instinktiv spürte Catharina, dass an dieser Situation etwas nicht stimmte. Wie ein Tier, das Gefahr wittert, spannte sie alle Muskeln an und wartete. Der Mann murmelte etwas von ihrer zarten Haut und legte seine fleischige Hand auf ihren Hosenlatz. Sie rückte zur Seite.

«Nun sei doch ein bisschen lieb. Kleine Jungen wie du gefallen mir sehr.»

Bei diesen Worten legte er sich mit seinem schweren, nach Alkohol stinkenden Körper auf sie. Voller Entsetzen biss sie ihm in den Hals. Er fluchte laut und ließ von ihr ab. Sie rappelte sich hoch, sprang vom Wagen und lief zur Landstraße. Rannte, so schnell sie konnte, bis das Wirtshaus außer Sichtweise war. Hinter einem steinernen Wegekreuz ließ sie sich ins hohe Gras fallen. Zitternd vor Kälte, Müdigkeit und Angst hielt sie ihr Messer fest umklammert und kauerte sich zusammen. Sie dachte an Lene und das warme Bett daheim und fragte sich, ob sie wohl jemals heil in Villingen ankommen würde.

Ein warmer Sonnenstrahl im Gesicht weckte sie. Zusammengekrümmt lag sie im feuchten Gras, das Messer immer noch in ihrer Faust, und wusste im ersten Augenblick nicht, wo sie sich befand. Dann erinnerte sie sich langsam, wie an einen fernen Traum, an die Ereignisse der letzten vierundzwanzig Stunden. Mit schmerzenden Gliedern stand sie auf. Sie musste schleunigst weg hier, bevor der Wollhändler wieder auftauchte. Doch in welche Richtung? Sie stellte fest, dass sie sich an einer breiten Kreuzung befand, und es war niemand zu sehen, den sie hätte nach dem Weg fragen können. Fröstelnd ging sie auf und ab. Sie hatte Hunger und Durst, aber ihr Beutel lag irgendwo zwischen den Wollsäcken.

Die Sonne stand hoch am Himmel, als sich ein Pferdekarren näherte. Erleichtert stellte Catharina fest, dass kein Schimmel, sondern ein Brauner eingespannt war. Auf dem Kutschbock saß eine schmale Gestalt, dahinter ein riesiger gelber Hund. Catharina fasste allen Mut zusammen und stellte sich mitten auf die Straße.

«Geh mir aus dem Weg, Bursche, sonst fahr ich dich über den Haufen!»

Das war ja eine Frau auf dem Wagen! Catharina traute kaum ihren Augen. Sie sprang zur Seite und lief neben dem Wagen her.

«Bitte, könnt Ihr mich ein Stück mitnehmen?»

Die Frau erkannte wohl, dass von diesem Jungen in seinen abgerissenen Kleidern keine Gefahr ausging, und hielt an. Catharina setzte sich neben sie. Verunsichert spürte sie den heißen Atem des Hundes in ihrem Nacken.

«Der tut nichts», sagte die Frau, als könne sie Gedanken lesen, «solange ich ihm nicht den Befehl dazu gebe. Ich fahre nach Villingen. Wo musst du hin?»

«Auch nach Villingen.» Catharina fühlte sich zum ersten Mal auf ihrer Reise in Sicherheit.

«Und woher kommst du?»

«Aus einem Dorf bei Freiburg.»

Die Frau sah sie erstaunt an: «Dann musst du ja einen wichtigen Grund für deine Reise haben, wenn du dich so ganz allein auf diesen weiten Weg gemacht hast.»

Da fing Catharina an zu weinen. Die Anspannung der letzten Zeit löste sich in einen Strom von Tränen. Mütterlich legte ihr die Frau den Arm um die Schultern. Sie hatte Ähnlichkeit mit Tante Marthe.

«Du brauchst nicht weiter den harten Kerl zu spielen, ich habe gleich gemerkt, dass du ein Mädchen bist.»

Nachdem sich Catharina mit Brot und Käse gestärkt hatte, erzählte sie der Frau, die sich als Marie vorgestellt hatte, ihre ganze Geschichte. Marie schüttelte immer wieder den Kopf, sie konnte es offenbar kaum fassen, was sie da hörte.

«Und was denkst du, wie es weitergeht in Villingen? Dieser Christoph weiß doch gar nicht, dass du kommst, und hat vielleicht ganz anderes zu tun, als sich um dich zu kümmern?»

«Wir haben uns beim Abschied geschworen, aufeinander zu warten.»

«Aufeinander zu warten und tatsächlich zusammenzufinden, das sind zwei verschiedene Paar Stiefel. Aber ich will dir nicht den Mut nehmen. Jetzt hast du erst einmal eine gemütliche Reise ohne aufdringliche Mannsbilder vor dir, und ich bin froh, eine Weggefährtin zu haben.»

Auf Catharinas Fragen hin erzählte sie ein wenig von sich. Ihr Mann war ein bekannter Fellhändler aus Lenzkirch, und seit seinem plötzlichen Tod im letzten Jahr führte sie seine Geschäfte weiter.

«Habt Ihr als Frau keine Angst, allein unterwegs zu sein?», fragte Catharina erstaunt.

«Wenn ich mehrere Tage auf Reisen bin, nehme ich den Gesellen mit, einen Mann, auf den ich mich auf Biegen und Brechen verlassen kann. Und sonst habe ich ja Moses.» Sie tätschelte den riesigen Kopf des Hundes.

«Habt Ihr Kinder?»

«Leider nicht. Die ersten Jahre unserer Ehe dachte ich, es liege an mir. Mein Mann hat mir zwar nie Vorwürfe gemacht, aber auch er war überzeugt, dass ich keine Kinder bekommen konnte. Inzwischen bin ich mir da nicht mehr so sicher, zu oft habe ich schon erlebt, dass eine Frau nicht von ihrem Mann, sondern von ihrem Untermieter oder Nachbarn schwanger wurde. Möchtest du Kinder?»

«Ja. Zwei Mädchen und zwei Jungen.» Aber nur zusammen mit Christoph, dachte sie.

Die Fahrt verlief ohne Zwischenfälle. Catharina döste vor sich hin, unterhielt sich mit Marie oder betrachtete die Landschaft. Hier oben kam der Frühling viel später als zu Hause. Die Laubbäume waren noch kahl, und die Obstbäume setzten gerade ihre ersten Blüten an. Sie fuhren durch ärmliche Dörfer, wo barfüßige Kinder mit zerrissenen Kleidern hinter ihnen herrannten. Nach und nach füllte sich die Landstraße mit weiteren Karren und Fuhrwerken, dazu gesellten sich Bauern und Krämer, die ihre gesamte Ware auf dem krummen Rücken schleppten.

«Wir sind bald da», sagte Marie. «Weißt du, wo du deinen Christoph findest?»

«Er arbeitet im Gasthaus ‹Zum Ochsen›. Kennt Ihr es?»

«Es liegt ganz in der Nähe der Kirche Unserer Lieben Frau. Wenn du willst, bringe ich dich hin.»

Catharina überlegte. Wenn sie an das bevorstehende Wiedersehen dachte, fing ihr Herz sofort schneller an zu schlagen.

«Nein danke, ich gehe das letzte Stück lieber allein.»

Vor dem Stadttor mussten sie eine Weile warten, so groß war der Andrang der heranströmenden Händler und Bauern. Marie lenkte ihren Karren geschickt durch die engen Gassen. Überrascht stellte Catharina fest, wie viel Ähnlichkeit diese Stadt mit Freiburg hatte.

«Ich fahre gleich zum Markt, um mir einen guten Standort zu sichern. Von dort sind es nicht mal fünf Minuten zum ‹Ochsen›. Es ist leicht zu finden.»

Kurz vor dem Marktplatz blieben sie im Gedränge stecken. Catharina beschloss, den Rest des Weges zu Fuß zu gehen. Sie verabschiedeten sich herzlich.

«Wenn irgendetwas passiert, komm bei mir vorbei. Ich wohne bei meinem Bruder, gleich neben der Münze. Frag einfach nach dem Schladerer Hans.»

Als sich Catharina dem Gasthaus näherte, krampfte sich ihr Magen schmerzhaft zusammen. Sie hatte Christoph seit gut einem halben Jahr nicht mehr gesehen. So vieles konnte seitdem geschehen sein. Unruhe beschlich sie, als sie sich auf der gegenüberliegenden Straßenseite an eine Hauswand lehnte und den Eingang beobachtete. Gerade hielt ein vornehmer Reiter in pelzverbrämter Schaube vor dem Tor, ein Packpferd und einen Diener im Schlepptau. Er rief etwas, und dann trat Christoph aus dem Haus.

Wie oft hatte sie an ihn gedacht, und jetzt stand er nur wenige Schritte vor ihr, noch größer und breiter in den Schultern, das Gesicht viel ernster, als sie es in Erinnerung hatte. Er war nicht allein: Dicht neben ihm, viel zu dicht, stand eine junge Frau, zierlich, mit hellblonden Haaren und einem zarten, blassen Gesicht.

Catharina verlor allen Mut. Als er in ihre Richtung blickte, zog sie sich den Hut tiefer ins Gesicht. Am liebsten hätte sie auf der Stelle kehrtgemacht. Doch zu ihrem Schrecken kam Christoph auf sie zu.

«He, Bursche, du kannst dir ein paar Pfennige verdienen und uns beim Abladen helfen.»

Dann blieb er wie erstarrt stehen.

«Das gibt's doch nicht. Bist du es, Cathi, oder träume ich?»

Sie wollte weglaufen, aber er hielt sie am Arm fest.

«Wie kommst du hierher? Was machst du hier? Und wie siehst du aus? Warte, ich muss erst unserem Gast helfen.» Vor Überraschung stotterte er. Dann zog er sie hinter sich her in den Eingang und wandte sich wieder dem Gast zu, der die Szene mit finsterer Miene beobachtet hatte.

Wie angewurzelt blieb Catharina in der düsteren Diele stehen, während Christoph beim Abladen half und die junge Frau den Gast hineinführte. Was wollte sie hier eigentlich? Hatte sie wirklich geglaubt, dass ihr Vetter sie bei der Hand nehmen und allen als seine zukünftige Frau vorstellen würde? In ihrer Verkleidung kam sie sich vollends lächerlich vor.

Christoph kehrte zu ihr zurück.

«Cathi, was für eine Überraschung.»

Catharina spürte seine Verwirrung.

«Ich dachte, du freust dich, mich zu sehen.»

«Ich freue mich auch, aber –» Er begann abermals zu stottern und warf einen Blick auf den Hauseingang. «Glaub mir – ich hätte niemals mit dir gerechnet. So eine weite Reise. Und warum hast du deine schönen Haare abgeschnitten?»

Sie gingen ein paar Schritte die Gasse hinunter.

«Weil ich dich wiedersehen musste.» Catharina war nur noch unglücklich. Ihr Vetter verstand nichts. «Wer ist dieses Mädchen?»

«Das ist Sofie, die Tochter von Onkel Carl.» Er blieb plötzlich stehen und sah sie so entgeistert an, als begriffe er erst jetzt.

«Du bist heimlich gekommen. Deshalb die Verkleidung als Junge. Und was hast du jetzt vor?»

Sie schwieg und unterdrückte ein Schluchzen. Als er sie fest in die Arme schloss, fühlte sie sich nur noch verlorener.

«Catharina, du weißt, wie sehr ich dich mag. Und du bist das erste Mädchen, das ich wirklich …» Er stockte. «Verstehst du, ich lebe jetzt hier in Villingen und du in Lehen bei Mutter und Lene. Und du bist noch so jung. Ach, Herr im Himmel!» Er biss sich auf die Lippen. «Komm, gehen wir ins Haus. Ich stelle dich den anderen vor.»

Sie riss sich los. «Und mit dieser Sofie bist du zusammen?»

«Wir – wir sind verlobt. Ich habe Onkel Carl versprochen, sie zu heiraten.»

Catharina war, als würde sie mit glühendem Pech übergossen. Es gab keinen Grund mehr, auch nur eine Sekunde länger zu bleiben.

«Ich reise morgen früh wieder zurück», sagte sie leise. «Du brauchst deiner Sofie nicht zu erklären, wer ich bin. Das geht keinen was an. Es hat sowieso keine Bedeutung mehr.»

Sie drehte ihm den Rücken zu und ging los. Als Christoph

ihr nachlief, schrie sie ihn an, er solle verschwinden, sie in Ruhe lassen, sich zum Teufel scheren, und tatsächlich blieb er stehen. Die Tränen liefen ihm über das Gesicht, als sie sich das letzte Mal nach ihm umdrehte. Dann tauchte sie in die Menschenmenge ein, die zum Marktplatz drängte.

Bis Einbruch der Dunkelheit irrte Catharina in den verwinkelten Gassen umher. Sie konnte keinen klaren Gedanken mehr fassen. Das Blut pochte ihr schmerzhaft in den Schläfen. So schnell wie möglich wollte sie weg von hier, aber was hatte sie in Lehen noch zu schaffen, wo sie alles an Christoph erinnerte? Und in ihrem Elternhaus war genauso wenig Platz für sie. Ebenso gut könnte sie sich auf der Stelle hier in dieser dunklen Gasse die Kehle durchschneiden. Wenn sie nur nicht so müde wäre. Sie setzte sich auf eine Treppenstufe. Da erst merkte sie, dass es zu regnen begonnen hatte. Neben ihr raschelte es. Zwei Ratten wühlten sich durch einen Haufen Küchenabfälle. Angewidert stand sie auf. Wie war der Name von Maries Bruder gewesen? Schladerer?

Mühsam fragte sie sich bis zur Münze durch. Nass bis auf die Haut, klopfte sie schließlich an die Tür und war froh, dass Marie selbst ihr öffnete.

«Du brauchst mir nichts zu erzählen, du Armes. Komm schnell herein und zieh dich um. Und dann setzt du dich zu uns an den Tisch, wir sind gerade beim Essen.»

Marie ließ sie in ihrer Kammer schlafen und machte am nächsten Tag einen Bekannten ausfindig, mit dem Catharina nach Freiburg zurückfahren konnte.

Erst nachdem Catharina längst im Gedränge verschwunden war, gingen ihm die Augen auf. Er begriff, warum sie gekommen war. Welche Gefahren sie auf sich genommen hatte, nur um ihn wiederzusehen. Hatte sich als Junge verkleidet und sich mutterseelenallein auf den Weg gemacht. Dabei wusste er, wie ängstlich sie, bei all ihrer Entschlossenheit, in ungewohnten Situationen sein konnte. Und was tat er? Ihm fiel nichts Besseres ein, als sofort seine Verlobung mit Sofie zu verkünden. Er kam sich vor wie ein Betrüger. Dabei war die Verlobung noch nicht einmal vollzogen, lediglich beschlossen – er würde alles rückgängig machen, diesen ganzen elenden Handel, auf den er sich mit Onkel Carl eingelassen hatte. Wie hatte er sich einreden können, dass das Leben in Lehen, die Zeit mit Catharina in weiter Ferne und vorbei sei?

Nach einer schlaflosen Nacht durchstreifte er am nächsten Morgen die Gassen der Stadt, fragte jeden Passanten nach einem schwarzhaarigen Knaben, doch seine Suche war umsonst. Catharina war nicht aufzufinden.

8

Mit starken Halsschmerzen, Husten und triefender Nase lag Catharina im Bett. Sie hatte sich in Villingen eine schwere Erkältung geholt. An die Rückfahrt konnte sie sich kaum erinnern, so geschwächt war sie gewesen. In Lehen hatte Marthe sie gleich ins Bett gesteckt und ihr Wadenwickel angelegt. «Ich bin so froh, dass du wieder da bist», waren ihre einzigen Worte gewesen. Keine Schelte, keine Vorhaltungen.

Lene brachte heißen Holundersaft und setzte sich zu ihr ans Bett.

«Mutter war völlig niedergeschlagen. So habe ich sie noch nie erlebt. Weißt du, sie macht sich schreckliche Vorwürfe, weil sie dir nicht gleich gesagt hat, dass Christoph verlobt ist. Sie wollte dich schonen und hat damit nur erreicht, dass du weggelaufen bist. Wenn es dir besser geht, musst du mir unbedingt erzählen, was du erlebt hast.»

Aber vorerst war Catharina nicht nach Reden zumute. Drei Tage lang schlief sie fast ununterbrochen. Als sie zum ersten Mal wieder in die Küche hinunterging, lag neben dem Herd ein junger Hund und kaute auf einer alten Bürste herum. Er hatte ein struppiges blondes Fell und dicke Pfoten.

«Für dich», sagte Marthe und lächelte sie erwartungsvoll an. «Er wird wahrscheinlich sehr groß.»

Catharina nahm den Hund auf den Arm. Er leckte ihr mit seiner rosigen Zunge über das Gesicht. «Wie herzig der ist. Und er hat hellbraune Augen, habt ihr das gesehen?»

«Er ist vom Schäfer und wird wahrscheinlich genauso schlau werden wie seine anderen Hunde. Weißt du schon einen Namen?»

Da musste Catharina nicht lange überlegen.

«Ich nenne ihn Moses.»

Moses folgte ihr von nun an auf Schritt und Tritt. Mit Mühe konnte Lene verhindern, dass er nachts bei ihnen im Bett schlief.

«Wenn er größer ist, muss er sowieso im Hof schlafen, also verwöhne ihn besser nicht.»

Marthes Geschenk hatte Erfolg: Catharina war in ihrer freien Zeit so mit dem jungen Hund beschäftigt, dass sie es schaffte, kaum noch an ihren Vetter zu denken – sie verbot es sich einfach. Und die anderen vermieden in den nächsten Wochen, den Namen Christoph auch nur auszusprechen.

Der Sommer nahm seinen Lauf mit den üblichen Arbeiten im Haus, im Obstgarten und auf den Feldern der Nachbarn. Catharina war bald wieder mit der alten Tatkraft und Freude beim Bewirten der Gäste. Einmal kam Marthes Vetter Berthold aus Freiburg zum Abendessen, ein dicker, gemütlicher Mann mit unzähligen Lachfalten um die Augen. Nachdem die letzten Gäste gegangen waren, blieb er noch mit Marthe am Tisch sitzen. Catharina war gerade dabei, das Geschirr in die Küche zu tragen, als er sie zu sich rief.

«So ein Mädchen wie dich könnte ich bei mir im Schnecken-wirtshaus gut gebrauchen. Willst du nicht die Arbeitsstelle wechseln? Ich würde dich gut bezahlen.»

Marthe protestierte, und Catharina freute sich über sein Lob.

«Ich habe doch bei Tante Marthe gar keine Arbeitsstelle», gab Catharina zurück. «Das ist meine Familie, und ich bin sehr glücklich hier.»

Bei dieser Bemerkung ging ein Strahlen über Marthes Gesicht, und Berthold drückte dem Mädchen eine Silbermünze in die Hand.

«Ich sehe schon, ich habe keine Aussicht, dich abzuwerben. Was bin ich für ein Pechvogel.»

Er holte von der Anrichte einen Becher, goss ihn mit Rotwein voll und reichte ihn Catharina. Kurz darauf sah Lene in die Stube und setzte sich dazu. Seit langer Zeit wieder einmal saßen sie zusammen und genossen schwatzend und lachend den Feierabend.

Mindestens einmal die Woche gingen Lene und Catharina in die Stadt auf den Markt, um Kleinigkeiten für Haushalt oder Küche zu kaufen. Bei dieser Gelegenheit besuchte Catharina ihren Vater. Manchmal kam Lene mit, manchmal schlenderte sie währenddessen durch die Gassen.

Man wusste nie, in welcher Verfassung der Vater gerade war. Es konnte sein, dass er lesend auf der Ofenbank saß und Catharina kaum bemerkte, so sehr war er in die Heilige Schrift vertieft. Er las nichts anderes mehr. An manchen Tagen setzte sein Verstand aus.

An das erste Mal konnte sich Catharina gut erinnern. Es war der Tag, als Kaiser Ferdinand seinen Untertanen in Freiburg einen Besuch abstattete. Vor dem Haus zum Walfisch, wo er residierte, drängten sich die Menschenmassen. In der gegenüberliegenden Martinskirche sollte gegen Mittag ihm zu Ehren eine

Messe gelesen werden, und die Leute standen sich die Beine in den Bauch, um ihren Herrscher aus dem fernen Wien einmal leibhaftig vor sich zu sehen. Lene hatte Catharina überredet mitzukommen, aber die ganze Warterei stellte sich als umsonst heraus: Die Stadt hatte eigens für diesen Kirchgang einen geschlossenen Holzsteg vom Walfisch hinüber zur Kirche bauen lassen, sodass kein Zipfel des kaiserlichen Rocks zu sehen war.

«Hast du den Kaiser gesehen, meine liebe Anna?», begrüßte ihr Vater sie. Catharina erschrak zu Tode: Anna war der Name ihrer Mutter. Von diesem Tag an verwechselte er sie mal mit seiner früheren, mal mit seiner jetzigen Frau, und einmal hatte er sie sogar wieder weggeschickt, weil er überzeugt war, sie sei der Bader, der ihm mit Aderpresse und Lanzette zu Leibe rücken wollte. Catharina hoffte vor jedem Besuch inbrünstig, dass er bei sich war, denn sie konnte sich an diese Zustände ihres Vaters nicht gewöhnen.

Eines Tages erfuhr sie, dass Johann in die Stadt zurückgekehrt war. Von da an bat sie Lene, sie zu ihrem Vater zu begleiten, denn sie hatte Angst, dort auf ihren Stiefbruder zu treffen. Doch diese Vorsichtsmaßnahme erwies sich als unnötig, denn Johann war nie zu Hause aufgetaucht, und niemand wusste, wo er sich aufhielt.

«In Straßburg haben sie ihn wegen Schulden aus der Stadt gejagt. Ich habe ihn ein paar Mal auf der Straße getroffen, aber er wollte mir nicht sagen, wo er jetzt wohnt», berichtete Claudius über seinen Bruder.

In Catharina stieg wieder die alte Angst auf.

«Mach dich nicht verrückt», beruhigte Lene sie. «Nach Lehen wird er sich nicht hinauswagen, und in die Stadt gehen wir ja immer zu zweit. Außerdem hast du noch deinen Moses.»

Dass der Hund ihr ein ernsthafter Bewacher sein könnte, bezweifelte Catharina. Moses war noch zu verspielt und zu neugierig, auch wenn er jetzt fast ausgewachsen war. Als sie einmal den

Schäfer draußen besuchte, fragte sie ihn, ob er Moses beibringen könne, auf Befehl zu beißen.

«Das wäre schon möglich», war seine Antwort, «gescheit genug ist er. Aber es würde seinen Charakter verändern, und es ist die Frage, ob du das willst. Mir ist es lieber, wenn ein Hund selber spürt, wann er seinen Herrn verteidigen muss.»

Im Grunde dachte sie genauso und verwarf den Gedanken wieder.

Wenige Wochen später hörte sie, dass Johann im Schuldturm saß, da er in verschiedenen Schenken die Zeche geprellt hatte. Falls er sich noch den geringsten Verstoß gegen das geltende Gesetz zuschulden kommen ließe, würde er lebenslänglich aus der Stadt verwiesen.

«Na also», war Lenes Kommentar. «Den sind wir bald auf immer los.»

Lene hatte sich inzwischen neu verliebt. Ihrem Freund Schorsch hatte sie sang- und klanglos den Laufpass gegeben, und der Arme litt unsagbar. An einem heißen Augustmorgen war Catharina mit ihrer Base wieder einmal auf dem Weg in die Stadt, als er ihnen in der Nähe der alten Lehmgrube entgegenkam.

«Auch das noch», stöhnte Lene.

Mit gesenktem Kopf ging der Junge an ihnen vorbei, blieb dann stehen und drehte sich zu Lene um.

«Bitte, Lene, ich muss mit dir reden.»

Unschlüssig trat Lene von einem Fuß auf den anderen. Zu Catharina sagte sie schließlich: «Geh schon mal voraus, ich komme gleich.»

Als Catharina ihren Weg fortsetzte, stellte sie fest, dass Moses verschwunden war. Bestimmt war er wieder in der Lehmgrube auf Kaninchenjagd. Nur war Moses zu ungeschickt, um bei diesem Zeitvertreib Erfolg zu haben. Sie kletterte die Böschung zur Grube hinunter. Seit die Befestigung der Vorstädte fertig gestellt war, wurde sie nicht mehr benutzt. Catharina war dieser Ort nicht geheuer. Im Sommer wimmelte es hier von Stechmücken, und hin und wieder suchten heimatlose Bettler und Vagabunden Unterschlupf.

Da hörte sie den Hund wütend bellen und entdeckte ihn vor einer der verfallenen Holzhütten. Wahrscheinlich hatte sich seine Beute darin versteckt. Erleichtert ging Catharina auf ihn zu und tätschelte sein Fell, während sie ihn liebevoll ausschimpfte.

In diesem Moment packte sie jemand heftig am Oberarm und zerrte sie in die Hütte. Noch bevor ihre Augen sich an das Halbdunkel gewöhnen konnten, wusste sie, wer vor ihr stand. Ihr Herzschlag stockte. Das war das Ende, sie hatte gewusst, dass es eines Tages so kommen würde.

«Du solltest dich freuen, mich noch einmal wieder zu sehen, bevor ich auf Reisen gehe», hörte sie den verhassten Stiefbruder sagen. Da machte Moses einen Satz und schnappte nach seinem Bein. Ohne seinen Griff zu lockern, versetzte ihm Johann einen so heftigen Tritt, dass der Hund winselnd gegen die Bretterwand rutschte. Mit der freien Hand zog Johann aus dem Hosenbund ein Messer hervor.

«Du bindest diesen Köter jetzt draußen an, oder ich schneide ihn in Stücke. Da vorne in meinem Beutel ist ein Strick.»

Mit der Messerspitze im Rücken legte sie ihrem Hund den Strick um den Hals und band ihn vor der Hütte an einen abgestorbenen Baum. Dann drängte Johann sie zurück und verschloss die Tür.

«Jetzt können wir uns endlich einmal gepflegt unterhalten. Oder wäre dir Küssen lieber.»

Johann stank, als habe er sich wochenlang nicht mehr gewaschen, und Catharina drehte sich fast der Magen um, als sich sein schweißtriefendes Gesicht ihrem Mund näherte. Quer über die linke Wange zog sich eine hässliche Narbe. Sie musste Zeit gewinnen, vielleicht war Lene schon auf der Suche nach ihr. Voller Ekel wandte sie ihr Gesicht ab.

«Ich denke, du sitzt im Schuldturm?»

«Schon lange nicht mehr.» Er grinste und drückte sie rückwärts gegen eine alte Werkbank. Unter seinem geöffneten Hemd entdeckte Catharina ein Alraunmännchen, das an einem Lederband vor seiner schmutzigen, vor Schweiß glänzenden Brust gebunden baumelte. Von Lene wusste sie, dass diese wie Püppchen bekleideten Wurzeln sehr wertvoll waren und einem männlichen Besitzer neben dem Schutz vor bösem Zauber auch eine enorme Manneskraft verleihen sollten.

«Ich verlasse diese verdammte Stadt», hauchte er ihr mit heißem Atem ins Ohr, «und gehe in die Schweiz. Dort braucht man Söldner für unseren Heiligen Vater. Aber vorher habe ich noch etwas Wichtiges zu erledigen.»

Wieder versuchte er sie zu küssen, und Catharina verlor die Beherrschung.

«Du elender Hurensohn, du Miststück, lass mich los», schrie sie und versuchte verzweifelt, sich loszumachen. Da schlug er ihr mit voller Wucht ins Gesicht. Erstaunt spürte sie den Geschmack von Blut im Mund. Vor Angst war sie jetzt wie gelähmt.

«Führ dich nicht auf wie eine Betschwester, ich habe doch auf dem Jahrmarkt letztes Jahr beobachtet, wie du mit deinem Vetter poussiert hast. Bestimmt hat dich dieser halb lahme Hengst längst angestochen. Wart nur, mein Schwengel ist um einiges stärker.»

Bei den letzten Worten fing er an zu keuchen. Heftig drückte er sie mit dem Rücken auf die Bank und riss ihr die Unterkleider entzwei. Er versuchte, in sie einzudringen, aber sie presste mit aller Kraft die Beine zusammen. Da schlug er sie erneut und bohrte mit Wucht seine Finger zwischen ihre Schenkel. Ein brennender Schmerz durchfuhr Catharina. Sie hörte noch von draußen den Hund jaulen, dann verlor sie das Bewusstsein.

Gott mag mich richten, wenn ich Unrecht begangen habe an jenem unseligen Augusttag. Doch selbst heute, Marthe-Marie, nach so vielen Jahren, würde ich wieder genauso handeln.

Nachdem ich Schorsch endlich abgeschüttelt hatte, war Cathi verschwunden. Ich dachte, sie sei schon vorausgegangen in die Stadt, als ich das Jaulen des Hundes hörte. Es kam aus der Lehmgrube. Dann sah ich von der Böschung aus Moses, der vor einem Schuppen angebunden war und wie ein Rasender an seinem Strick zerrte. Ich wusste sofort, dass Catharina in Gefahr war.

So schnell ich konnte, stolperte und rutschte ich durch die dornigen Büsche den Abhang hinunter zur Hütte. Als ich die Tür aufriss, bot sich mir ein Bild, das ich mein Lebtag nicht vergessen werde: Ich erblickte den breiten nackten Hintern eines Mannes, der sich heftig vor und zurück bewegte, und über breite Schultern hinweg das reglose, blutverschmierte Gesicht von Catharina.

In jenem Moment habe ich weder nachgedacht noch gezögert: Ich griff nach einer losen Holzlatte, holte weit aus und zerschlug sie über dem Schädel des Mannes. Lautlos und ganz langsam sackte der schwere Körper zur Seite. Jetzt erst erkannte ich, dass es Johann war.

Ich schleppte Catharina ins Freie, ihr Körper war schlaff, ihr geschundenes Gesicht wie eine leblose Maske. Wenn dieser Dreckskerl sie nun umgebracht hatte?

Es dauerte eine gute Weile, bis Catharina zu sich kam. Sie spürte etwas Feuchtes an ihrer Schläfe. Wo war sie? Als sie die Augen öffnete, sah sie über sich Lenes besorgtes Gesicht und den haarigen Kopf ihres Hundes

«Was ist geschehen?», flüsterte sie.

«Es ist vorbei, bleib ganz ruhig. Hast du Schmerzen?»

«Es geht.»

Mit Lenes Hilfe stand sie auf und ging vorsichtig ein paar Schritte. Da fiel ihr Blick auf den Schuppen. Sie begann zu zittern wie Espenlaub.

«Lene, wir müssen weg – Johann – er ist da drin.»

Ihre Knie gaben nach, und sie fiel auf die Erde.

«Nein, Cathi, der rührt sich nicht mehr. Ich glaube, ich habe ihn umgebracht.»

Sie hielten sich an den Händen, als sie die Hütte betraten, wo Johann immer noch in derselben Stellung halb über der Werkbank hing, mit offenem Mund und nach oben verdrehten Augen.

Catharina starrte den leblosen Körper an. Etwas in ihrem Inneren verhärtete sich. Ja, so sollte es sein, es war gerecht, dass Johann nicht mehr lebte. Jahrelang hatte er ihr Angst eingejagt. Damit war es nun vorbei.

Langsam ging sie auf ihn zu und berührte seine Hand. Diese dreckigen Hände würden nie mehr etwas anfassen. Dann betrachtete sie seinen entblößten Unterleib, minutenlang, bis sich ihr Magen hob und sie sich in heftigen Krämpfen neben der Leiche übergab.

Sie richtete sich mühsam auf. «Gehen wir zum Fluss und waschen uns.»

Das kühle Wasser tat ihnen gut. Bei dem Sturz durch die Böschung hatte sich Lene Arme und Gesicht zerkratzt, Catharinas Oberlippe war aufgesprungen und dick geschwollen, auf ihrer linken Wange breitete sich ein Bluterguss aus. Glücklicherweise war kein Zahn ausgeschlagen. Wieder und wieder wusch Catharina sich den Unterleib, auch als der kleine Blutfleck am Oberschenkel längst verschwunden war. Nur der Abdruck von Johanns Fingernägeln blieb, wie ein Mal, dass er ihr aufgedrückt hatte.

Seitdem sie die Hütte verlassen hatten, hatte Lene kein Wort mehr gesprochen. Jetzt fing sie an zu schluchzen.

«Du hast recht getan, Lene», versuchte Catharina sie zu trösten. Dann stieß sie ein schrilles Lachen aus, weil sie an Johanns Alraunmännchen dachte: Wer sich dieser Wurzel nicht rechtzeitig vor dem Tode entledigte, auf dem lastete der Fluch ewiger Verdammnis. Ihr Lachen wurde lauter, und Lene sah sie erschrocken an.

«Er war nicht nur ein Gesetzloser», flüsterte Catharina, «sondern auch teuflisch. Hörst du, Lene? Der Teufel war in ihm, und jetzt ist er dort, wo er hingehört.»

Erschöpft ließ sie sich ins Gras fallen und fing ebenfalls an zu weinen.

Lange Zeit lagen sie in der glühenden Mittagshitze, ohne sich zu rühren. Erst als Moses bellte, weil dicht am Ufer ein Floß vorbeitrieb, standen sie auf. Catharina packte Lene am Arm.

«Wir müssen noch einmal zur Hütte zurück. Niemand darf erfahren, was geschehen ist. Wenn wir ihm alles, was er hat, wegnehmen, sieht es aus wie ein Raubmord.»

Auf der Leiche und dem Erbrochenen hatten sich inzwischen Schwärme von fetten, blauschwarz schillernden Fliegen niedergelassen. Hastig leerten sie Johanns Taschen, zogen ihm die Schuhe aus und stopften alles in seinen Beutel. Dann banden sie einen schweren Stein daran und versenkten die Sachen im Fluss.

Lene wirkte inzwischen wieder gefasster. «Was ist, wenn du von ihm ein Kind bekommst?»

Catharina zuckte zusammen. Wie in einem bösen Traum sah sie wieder den massigen Körper vor sich, der sich auf sie legte. In ihrem Magen rumorte es erneut.

«Was soll ich denn machen?»

Lene zupfte sich am linken Ohr, wie immer, wenn sie nachdachte.

«Komm mit. Ich weiß, wer uns vielleicht helfen kann.»

Die alte Gysel lebte ein Stück außerhalb des Dorfes in einem winzigen, mit Efeu überwucherten Steinhaus. Sie war ihr Leben lang als Heilkundige tätig gewesen, die meiste Zeit davon in Freiburg. Aber nachdem vor ein paar Jahren die städtische Hebammenverordnung verschärft worden war und die heilkundigen Frauen nur noch im Dienste der Stadt, unter Aufsicht des Amtsarztes, arbeiten durften, hatte sie sich zu ihrer Tochter nach Lehen zurückgezogen. Von Rechts wegen durfte sie nur Küchen- und Heilkräuter verkaufen, aber in der Dorfgemeinde scherte sich niemand darum.

Freundlich begrüßte sie die beiden Mädchen.

«Du bist doch Lene, die Wirtstochter? Und du das Mädchen aus der Stadt, Catharina, nicht wahr? Kommt ans Fenster, damit ich euch besser sehe, mein Augenlicht lässt langsam nach.»

Befangen traten sie zu der zierlichen alten Frau, die am offenen Fenster saß. In dem niedrigen Raum roch es angenehm nach getrockneten Kräutern, und über dem Herdfeuer köchelten Suppen und Sude. Prüfend blickte Gysel die Mädchen an.

«Euch ist es nicht gut ergangen, das sehe ich.» Und mit einem Blick auf Catharinas zerrissenen Rock: «Da ihr ausgerechnet zu mir kommt, nehme ich an, dass ein gewalttätiger Mann dahinter steckt.»

Catharina nickte und spürte, wie ihr die Knie weich wurden. Ohne um Erlaubnis zu bitten, setzte sie sich auf eine Bank. Die Alte ging zum Herd und goss zwei Becher randvoll mit einer dampfenden Flüssigkeit.

«Heißer Kräuterwein. Das wird euch stärken und den Schreck erträglicher machen.» Dann wandte sie sich an Catharina. «Dich hat also ein Mann genommen.»

Catharina nickte wieder und trank einen Schluck von dem süßen Wein.

«Hast du schon deine Blutungen?»

«Erst einmal, und das ist schon längere Zeit her.»

«Dann müssen wir mit dem Schlimmsten rechnen.» Sie stellte einen Kessel mit Wasser auf das Feuer. «Hab keine Angst, ich werde dich jetzt untersuchen. Dann nimmst du dort drüben ein heißes Sitzbad, und ich bereite derweil einen Sud vor.»

«Was für einen Sud?», fragte Catharina ängstlich.

«Aus Mutterkorn, Gartenraute und Wacholder. Damit spülst du dir den Unterleib.»

Behutsam untersuchte Gysel das Mädchen. Die Scheide war auf einer Seite wund, und Gysel trug eine kühlende Salbe auf. Damit bedeckte sie auch Catharinas geschwollene Lippe.

«Kanntet ihr den Mann?»

«Nein», antworteten sie fast gleichzeitig.

Ohne weiter auf Einzelheiten zu drängen, fuhr die Alte mit ihren Verrichtungen fort. Nachdem sie einen Bottich mit heißem Wasser gefüllt hatte, zog sich Catharina aus und setzte sich hinein. Im ersten Moment glaubte sie, sich zu verbrühen, doch dann entspannte sie sich. Lene hielt ihre Hand. Als ihre Blicke sich trafen, stieg ein Gefühl tiefer Dankbarkeit in Catharina auf.

Zurück im Gasthaus, stieß Marthe einen Schreckensschrei aus, als sie ihre Mädchen sah.

«Um Himmels willen, was ist mit euch geschehen?»

«Wir sind überfallen worden», antwortete Lene, und bevor ihre Mutter noch etwas sagen konnte: «Wir sind vom Weg abgekommen, als wir mit Moses spielten. Wir wissen nicht, wer der Mann war, aber Moses hat ihn gebissen und verjagt. Bitte, Mutter, frag nicht weiter.»

Catharina bat ihre Tante, den Rest des Tages in ihrer Kammer verbringen zu dürfen. Dort spülte sie alle ein, zwei Stunden ihren Unterleib, betete zu Gott und allen Heiligen, dass sie nicht schwanger werde, und fragte sich immer wieder, ob sie das, was sie erlebt hatte, jemals würde vergessen können.

Wochen später wurde Johanns Leiche gefunden. Hitze, Gewürm und streunende Hunde hatten sie beinahe unkenntlich gemacht.

9

Am Tag nach dem Brand im Münsterturm starb Catharinas Vater. Wie sein Stiefsohn Claudius später erzählte, war er in der letzten Nacht sehr unruhig gewesen, hatte den Abend über halblaut vor sich hin murmelnd in der Heiligen Schrift gelesen und keine Anstalten gezeigt, zu Bett zu gehen. Stattdessen stieg er irgendwann auf den Dachboden. Bis tief in die Nacht hinein hörten sie seine schleppenden Schritte, hin und her schlurfte er über die ächzenden Dielen.

Kurz nach Mitternacht brachen die Flammen im Münsterturm aus. Der Turmwärter hatte, nicht zum ersten Mal, ein paar Freunde und Weiber von der Straße zum Zechen und Würfelspiel auf den Turm eingeladen. Um sich in dieser kalten Herbstnacht zu wärmen, entfachten sie ein Feuer auf dem steinernen Zwischenboden. Dummerweise stolperte einer der Männer in seiner Trunkenheit mitten in die Feuerstelle: Glitzernde Funken stoben zu Tausenden in die Luft und setzten sich in den trockenen Balken des darüber liegenden Glockenstuhls fest. Wenige Augenblicke später züngelten die ersten Flammen das Holz entlang, hätten vielleicht noch gelöscht werden können, doch von den Saufkumpanen war keiner mehr bei klarem Verstand. Mit einem Schlag brannte lichterloh der gesamte Stuhl.

Die halbe Stadt war inzwischen auf den Beinen. Eine Löschkolonne zog sich quer über den Münsterplatz. Hieronymus Stadellmen trat durch die Dachbodentür auf die Außenstiege und riss mit einem Aufschrei die Arme in die Höhe. Der neblige Nachthimmel warf den rotgelben Widerschein des Feuers zurück.

«Und der erste Engel posaunte», rief er mit heiserer Stimme. «Und es kam Hagel und Feuer, mit Blut vermischt, und wurde auf die Erde geworfen. Und der dritte Teil der Erde verbrannte, und der dritte Teil der Bäume verbrannte, und alles grüne Gras verbrannte.»

Dann stolperte er, stürzte die Treppe hinunter und blieb besinnungslos liegen.

Catharina bereitete gerade das Frühstück, als Stadellmens Geselle in die Küche stürzte.

«Schnell», keuchte er. «Dein Vater liegt im Sterben.»

Bevor Catharina die Bedeutung dieser Worte richtig erfassen konnte, warf Marthe ihr einen Umhang zu.

«Du nimmst das Pferd. Lene und ich kommen zu Fuß nach.»

Der Geselle half ihr beim Aufzäumen, und sie schwang sich auf den blanken Pferderücken. In ihrem Leben war sie selten geritten, doch sie war kräftig und geschickt genug, um das schwerfällige Tier vorwärts zu treiben. Sie betete, nicht zu spät zu kommen.

Als sie ihr Elternhaus erreichte, war der Priester bereits da. Ernst sah er sie an.

«Gelobt sei Jesus Christus.»

«In Ewigkeit, amen», gab sie zurück, ohne ihm die Hand zu küssen. Dann kniete sie vor ihrem Vater nieder, der mit geschlossenen Augen und schwer atmend im Bett lag. Zitternd nahm Catharina seine Hand. Sie war eiskalt. Claudius erzählte ihr in knappen Worten von dem Sturz und dass der Wundarzt nichts mehr habe ausrichten können. Auch ohne seinen Bericht hätte Catharina sofort gewusst, dass es dem Ende zuging. Sie spürte die Nähe des Todes mit jeder Faser ihres Körpers.

Der Priester gebot ihnen zu schweigen. Mit heiligem Öl salbte er dem Sterbenden Augenbrauen, Mund, Hände und Füße und erteilte ihm die Absolution. Ob ihr Vater wusste, dass sie hier war? Nach langer Zeit sah sie, wie er seine Lippen bewegte, und fühlte einen leichten Druck seiner Hand. Sie beugte ihren Kopf über sein Gesicht und versuchte seine Worte zu verstehen.

«Hab ich – dich – verstoßen …?»

«Nein, Vater.» Tränen liefen ihr übers Gesicht. «Du hast mir bei Tante Marthe ein neues Zuhause gegeben. Mehr hättest du nicht tun können. Du darfst dir keine Sorgen mehr um mich machen.»

Er nickte unmerklich, und seine Züge entspannten sich. Dann öffnete er die Augen und sah sie mit einem Blick wie aus unendlicher Ferne an. Lange ruhten ihre Blicke ineinander, bis Catharina schließlich begriff, dass er gegangen war. Der Pfarrer schloss dem Toten die Augen.

Marthe stand hinter ihr, als sie sich mit schmerzendem Rücken wieder aufrichtete.

«Er lächelt», sagte sie zu ihrer Nichte und legte den Arm um sie. Tatsächlich: Ihr Vater wirkte so glücklich wie schon seit Jahren nicht mehr.

Jenes Jahr hatte nichts Gutes gebracht. Erst hatte Christoph sie verlassen, dann hatte sich der grauenhafte Vorfall in der Lehmgrube ereignet, und nun war ihr Vater tot. In Catharina zerbrach etwas. Ihre kindliche Zuversicht war verschwunden, und sie fühlte sich leer und allein.

Fast willenlos überließ sie sich dem Strom des Alltags. Sie arbeitete jetzt für zwei. Einmal nahm Marthe ihre Nichte zur Seite.

«Es freut mich, wie schnell dir die Arbeit von der Hand geht, aber du bist gerade fünfzehn Jahre alt und solltest ab und zu aus dem Haus, unter deinesgleichen. Ich begreife dich manchmal nicht. In deinem Alter war ich froh, wenn ich bei meinen Freunden sein konnte.»

«Ich habe keine Freunde», gab Catharina zurück. So ganz stimmte das nicht, denn mit Lene fühlte sie sich nach wie vor eng verbunden, und der Schäfer war ihr zum väterlichen Freund geworden. Die Gleichaltrigen aus dem Dorf hingegen bedeuteten ihr nichts. Ihre freien Abende und die Sonntage verbrachte sie mit ausgedehnten Spaziergängen, auf denen Moses sie beglei-tete. So verging ein ganzes Jahr, in dem ihr ein Tag wie der ande-re vorkam.

Seltsamerweise war es Schorsch, der sie aus ihrer Gleichgül-tigkeit riss. Der Arme litt nach wie vor unter der Trennung von Lene und ertrug es kaum, wie sie mit einem Burschen nach dem anderen in aller Offenheit anbändelte. Aus dem lauten und fre-chen Wagnerssohn war inzwischen ein nachdenklicher, etwas schwerfälliger junger Mann geworden, der sich nicht mehr wie früher auf der Straße herumtrieb, sondern ernsthaft bei seinem Vater in der Werkstatt mitarbeitete. Catharina konnte seine Ent-täuschung gut verstehen und sah so etwas wie einen Leidensge-fährten in ihm.

Zunächst nahm sie es gar nicht bewusst wahr, dass sich Schorsch ihr näherte. Sie traf ihn eines Abends auf der Hasen-weide, als er mit gesenktem Kopf durch das hohe Gras schlich. Moses hatte ihn als Erster entdeckt und sprang freudig an ihm hoch. Erstaunt beobachtete sie, wie Schorsch ihm zärtlich den Kopf streichelte.

«Normalerweise mag Moses keine Fremden», sagte sie un-wirsch anstelle eines Grußes.

«Er kennt mich. Wenn ihr das Hoftor offen lasst, kommt er manchmal zu uns herüber.»

Sie gingen zusammen ins Dorf zurück, und Schorsch erzählte ihr, dass er gern einen Hund hätte, sein Vater es aber nicht er-laubte.

«Er sagt immer: Tiere sind für die Feldarbeit oder für den Kochtopf bestimmt.»

Am nächsten Abend tauchte er wieder auf und fragte sie, ob er sie begleiten dürfe. Catharina hatte nichts dagegen, sie fand ihn gar nicht mehr so übel. Die gemeinsamen Spaziergänge wurden zur Gewohnheit. Ihr gefiel, dass er so ruhig war, und manchmal legten sie den ganzen Weg zurück, ohne ein Wort zu sprechen.

Einmal nahm er seinen ganzen Mut zusammen und fragte sie, ob ihre Tante nichts dagegen habe, dass Lene mit einem Liebhaber nach dem anderen zusammen sei. Catharina musste bei dem Wort Liebhaber lachen. Sie wusste, dass Marthe keinen Pfifferling auf das Geschwätz anderer Leute gab und dass Lene mit den Jungen aus dem Dorf ein Spiel trieb. Keiner von ihnen hatte Aussicht auf Erfolg, ihre Base lockte sie heran wie ein Angler die Fische, um ihnen dann im letzten Moment den Köder vor der Nase wegzuziehen. Catharina versuchte, Schorsch das zu erklären, aber er verstand sie nicht.

«Lene hat ein kaltes Herz», sagte er.

«Hat sie nicht», widersprach sie, ohne weiter darauf einzugehen.

Das Gerücht, Catharina und Schorsch seien ein neues Paar, ließ selbstredend nicht lange auf sich warten, aber es kümmerte die beiden nicht. Catharina hatte von Anfang an klargestellt, dass sie niemals seine Frau werden würde, und Schorsch wusste, dass Christoph der Grund dafür war.

Nur einmal machte er einen Vorstoß in dieser Richtung. Es war bei einem Hochzeitsfest in der Nachbarschaft. Schorsch hatte einige Krüge Bier getrunken und war ungewohnt redselig geworden. Auch Catharina stieg der Alkohol zu Kopf, und sie alberte und scherzte mit ihm, wie sie es sonst nur mit Lene konnte.

Marthe, die den beiden an der Hochzeitstafel gegenübersaß, freute sich ganz offensichtlich über Catharinas Ausgelassenheit. Sie knuffte ihre Nichte in die Seite.

«Der Stellmacher-Schorsch wäre doch nicht der Schlechteste, oder?», flüsterte sie. «Er ist fleißig und ehrlich und übernimmt bald die Wagnerei seines Vaters.»

Doch Catharina lachte nur und schüttelte den Kopf. Als

Schorsch sie nach Hause brachte, machten sie einen Umweg über den Fluss. Es war Neumond und stockfinster. Sie lästerten über die Brautleute, über die jeder in Lehen wusste, dass sie sich von morgens bis abends nur stritten. Plötzlich stolperte Schorsch über eine Wurzel und riss Catharina, die er im Arm hielt, mit zu Boden.

«Au», entfuhr es ihm.

«Hast du dir wehgetan?», fragte Catharina, doch statt einer Antwort küsste er sie auf den Mund. Er tat es unerwartet sanft, und Catharina erwiderte bereitwillig den Kuss. Sie hätte nie gedacht, dass ihr das gefallen könnte. Da schob er ihr die Hand unter das Mieder. Heftig stieß sie ihn weg und sprang auf.

«Tu das nie wieder, hörst du.»

Verdutzt sah Schorsch sie an.

«Was ist mit dir?»

Catharina schwieg. Was hätte sie ihm auch sagen sollen? Dass sie auf einmal Angst vor seinem kräftigen Körper bekommen hatte?

Schorsch erhob sich.

«Ist es wegen Christoph? Glaubst du immer noch, er kommt zu dir zurück? Wieso willst du mich nicht? Vielleicht mache ich keine so stattliche Figur wie dieser Kerl, aber dafür würde ich dich auch nie so schändlich sitzen lassen.»

Schweigend gingen sie durch die Nacht, bis sie vor dem Wirtshaus standen. Schorschs Wut schien inzwischen verraucht.

«Darf ich dich wenigstens noch einmal küssen?»

«Darum geht es doch gar nicht», sagte sie, drückte ihm einen Kuss auf die Wange und ging ins Haus. Sie fragte sich, ob sie wohl ihr ganzes Leben so verbringen würde, immer in Angst vor dem Augenblick, in dem sich ein Mann ihr nähern könnte. Dabei wünschte sie sich von ganzem Herzen Kinder. Mit Christoph hätte sie keine Angst gehabt, das wusste sie. Aber Schorsch hatte Recht, er würde nie zu ihr zurückkommen, jetzt, wo er mit Sofie verheiratet war und bald eigene Kinder haben würde.

Am nächsten Tag entschuldigte sie sich bei Schorsch, und sie versöhnten sich. Es blieb bei ein paar gelegentlichen Küssen.

10

Als Catharina neunzehn Jahre alt war, brach in der Stadt die Pest aus. Vorausgegangen war in jenem feuchtwarmen Frühjahr eine Rattenplage, wie sie die Einwohner noch nie erlebt hatten. In Rudeln huschten die Tiere selbst tagsüber durch die verschlammten Gassen. Der Magistrat untersagte bei strengsten Strafen, weiterhin Küchenabfälle und Kot auf die Straße zu kippen, konnte diese Gewohnheit aber kaum eindämmen.

Zunächst traf die Epidemie ein paar Alte und Hinfällige. Nach ein paar Tagen hohen Fiebers erschien deutlich sichtbar das Zeichen für diese Geißel Gottes: Die Kranken bekamen blaue Beulen unter den Achseln, die Zunge wurde schwarz und rissig. Wenn sie dann schwarzes Blut erbrachen, war es von jetzt auf nachher vorbei mit ihnen.

Die Kunde vom schwarzen Tod verbreitete sich wie ein Blitz durch die Gassen. Wer irgendwo auswärts Freunde oder Verwandte hatte, verließ mit ein paar wenigen Habseligkeiten die Stadt, die Übrigen verbarrikadierten ihre Türen und Fenster und beteten, dass Gott ihr Haus verschonen möge.

Doch die Seuche war nicht aufzuhalten. Wie ein Geschwür breitete sie sich in der Stadt aus, am heftigsten waren die engen Vorstädte betroffen. Die Schreiner kamen nicht nach mit der Fertigung von Bahren für die Erkrankten und die Toten, die in die eilig ausgehobenen Massengräber gekippt und anschließend mit Kalk überschüttet wurden. Der Handel mit Amuletten und

Wundermitteln wie Wieselblut, getrockneten Rabeneiern und Wolfsherzen blühte, in den Häusern der Kranken stank es nach Weihrauch, Moschusäpfeln und Gewürzsträußen, deren Geruch die Pest aus der Stube vertreiben sollte. Trotz Verbots seitens der Kirche tauchten die ersten Geißler auf, barfüßige, zerlumpte Männer und Frauen, die sich den nackten Rücken mit geflochtenen Riemen und Ruten blutig schlugen. «Tut Buße, tut Buße, erniedrigt euch vor dem Herrn», riefen sie in die menschenleeren Straßen.

Der Magistrat trug das Seine dazu bei, die Epidemie einzudämmen. Eilends wurde eine Pestordnung verfasst und vor dem Hauptportal des Münsters verlesen und aufgehängt: An erster Stelle stand ein Aufruf an die Bürger zu einem tugendhaften, bußfertigen und gottgefälligen Lebenswandel. Dann folgten ausführliche Verfügungen zu Ordnung und Sauberkeit im Haus und in den Gassen, zum Umgang mit den Infizierten, Genesenden und Leichnamen und zuletzt zahlreiche Verbote von Festen und Lustbarkeiten aller Art.

Das Leben in Freiburg schien vor Angst gelähmt. Bis auf ein paar Mönche, die Beginenschwestern und eine Hand voll beherzter Frauen und Männer kümmerte sich niemand mehr um die Kranken. Erfüllte sich jetzt die Offenbarung des Johannes? «Und der dritte Teil aller Kreaturen wird sterben.» Wer war als Nächster an der Reihe? Am siebten Tag nach Ausbruch der Pest führten die Franziskaner eine Prozession durch. Vorweg gingen die Träger mit der lebensgroßen von Pfeilen durchbohrten Holzfigur des heiligen Sebastian, des Helfers der Pestkranken. Mit dem «Miserere nobis» auf den Lippen zogen die Mönche von Kirche zu Kirche. Aber es half alles nichts, weder die Reichen noch die Jungen, noch die Kräftigen wurden verschont.

Von alledem war in Lehen wenig zu spüren. Es gab keine Opfer zu beklagen, und aus Sicherheitsgründen ließ die Dorfgemeinde ein paar Tage nach Ausbruch der Seuche keine Freiburger mehr ein. Marthe schloss den Gasthof. Ihr Vetter Berthold vom Schneckenwirtshaus hatte mit seiner Familie Unterschlupf bei ihr gefunden. Weder seine noch Marthes Familie jedoch konnte die freie Zeit so recht genießen. Sie setzten Hausrat instand, weißelten die Hofmauer neu, saßen bei Spielen und Gesprächen zusammen, aber die Zeit schien stillzustehen.

Catharina hatte erfahren, dass Christoph nach Lehen zurückkehren wollte, sobald die schreckliche Epidemie ein Ende finden würde. Seine Frau hatte inzwischen eine Tochter zur Welt gebracht.

Eines Abends, als sie für einen Augenblick mit Berthold allein war, fragte Catharina ihn, ob sie bei ihm arbeiten könne.

«Du hast aber lange Zeit gebraucht, um auf mein Angebot zurückzukommen», lachte er. Dann wurde er ernst. «Tut mir Leid, Cathi, aber ich habe eben eine neue Kraft im Ausschank eingestellt.»

«Aber ich würde auch in der Küche arbeiten, Schweine füttern, putzen – ganz gleichgültig, was.»

Berthold schüttelte den Kopf.

«Du hast doch hier deinen Platz, dein Zuhause. Und irgendwann wirst du ja ohnehin einen anständigen Burschen kennen lernen, der um deine Hand anhält.»

Catharina war enttäuscht. Dann musste sie eben einen anderen Weg finden, um aus Lehen herauszukommen.

So plötzlich, wie die Pest hereingebrochen war, kam sie auch zum Stillstand. Von einem Tag auf den anderen gab es keine Toten mehr, und der Alltag in Freiburg kam wieder in Gang. Über ein Viertel der Einwohner war von der Krankheit dahingerafft worden, zahlreiche Häuser und Geschäfte geplündert. Auch Hiltrud und ihr Sohn zählten zu den Opfern. Ungerührt hörte Catharina die Nachricht vom Tod ihrer Stiefmutter. Um Claudius hingegen tat es ihr Leid, er war ein netter Junge gewesen. Ihr Elternhaus wurde verkauft, und sie und Marthe erhielten eine hübsche Summe Geldes.

«Jetzt kannst du dir ein schönes Leben machen», sagte Lene, aber Catharina bedeutete der unerwartete Geldsegen nichts. Ihre Gedanken kreisten um Christophs Ankunft. Über vier Jahre war er fort gewesen, und in dieser Zeit hatte er nur zweimal seine Familie besucht, das letzte Mal gemeinsam mit seiner Frau Sofie. Diese Tage waren ihr eine Qual gewesen. Er hatte hartnäckig das Gespräch mit ihr gesucht, doch sie war ihm ausgewichen. Für sie gab es nichts mehr zu besprechen. Jetzt würde er also für immer nach Lehen zurückkommen und den Gasthof übernehmen. So bald wie möglich musste sie sich in der Stadt nach einer Arbeit und einem Zimmer umsehen.

Anfang September fand sie schließlich eine Anstellung in der Neuburg. Mit Handschlag besiegelte der Rappenwirt ihre Arbeitsvereinbarung: Bedienen in der Schankstube und nach der Sperrstunde Aufräumen der Küche für freie Kost und Logis. Was die Gäste ihr zusteckten, durfte sie behalten, einen Sonntag im Monat hatte sie frei.

Marthe war bestürzt über diese Neuigkeit. Ihr war zwar unwohl bei dem Gedanken gewesen, dass Catharina und Christoph bald unter einem Dach wohnen würden, doch hatte sie nie geglaubt, dass Catharina Ernst machen und sich eine Arbeit suchen würde. Und ausgerechnet in der Neuburg, der größten, engsten und verkommensten der Freiburger Vorstädte! Dort wohnten Wäscherinnen und Tagelöhner, Totengräber und Abdecker, Kloakenfeger, Spielleute und Huren – all jene, die heute nicht wussten, wie sie morgen satt werden sollten. Es war kein Zufall, dass sich die meisten Häuser der städtischen Fürsorge wie das Blatternhaus, das Armenspital oder das Haus der Findelkinder in diesem Viertel befanden. Wohlweislich hatte Catharina ihrer Tante verschwiegen, dass gegenüber vom «Rappen» das «Haus zur kurzen Freud» stand, ein Dirnenhaus unter der Aufsicht des Scharfrichters, und so war sie froh, dass nicht Marthe, sondern Lene sie an ihrem ersten Arbeitstag in die Stadt brachte.

Beim Abschied hatte Marthe Tränen in den Augen.

«Du musst uns oft besuchen kommen», sagte sie und wischte sich mit dem Ärmel über das Gesicht, nachdem sie Catharina ein dickes Paket mit Käse, Brot und luftgetrockneten Schweinswürsten überreicht hatte.

Lene sah ihre Mutter an.

«Es ist alles wegen Christoph.» Aus ihren Augen blitzte Zorn. «Soll er sich doch irgendwo im Dorf ein Haus bauen. Dann kann Cathi bei uns bleiben.»

Sie warf sich Catharinas Reisesack über den Rücken und schob ihre Base zum Hoftor hinaus. Moses begleitete sie bis zur Kreuzung nach Betzenhausen, dann trottete er mit eingekniffener Rute wieder nach Hause, als ahnte er, dass seine Herrin nicht so bald zurückkehren würde.

«Gerlinde wird dir deinen Schlafplatz zeigen», waren die Grußworte des Rappenwirts. «Danach kommst du herüber und beginnst mit der Arbeit.»

Ein mürrisches Mädchen, kaum älter als Catharina, führte sie in eine stickige Kammer, in die durch ein winziges Fenster mit gesprungenen Scheiben kaum Tageslicht fiel. Drei Strohsäcke lagen auf dem Boden, dazwischen stand eine von Kleidung und allerlei Krimskrams überquellende Kommode.

«Dort an der Wand schlafe ich, daneben Ruth. Waschen musst du dich im Hof.»

«Wo soll ich meine Sachen verstauen?»

Gerlinde zuckte die Schultern.

«Eine Kleiderkammer können wir dir natürlich nicht anbieten.»

Kurzerhand warf Lene den Reisesack mitten ins Zimmer.

Daraufhin machte das Mädchen unwillig eine Schublade frei und ging wortlos hinaus.

«Keine einzige Nacht könnte ich hier verbringen», stöhnte Lene. «Schon gar nicht mit dieser Vogelscheuche neben mir.»

«Lass gut sein, ich werde mich daran gewöhnen. Geh jetzt besser, der Rappenwirt wartet sicher schon auf mich.»

Lene zögerte. «Das ist jetzt kein richtiger Abschied, oder? Ich meine, auch wenn du nicht nach Lehen kommst, kann ich dich doch ab und zu besuchen?»

Catharina nickte beklommen.

Nachdem Lene gegangen waren, stellte Catharina das Bild ihrer Mutter neben dem Strohsack auf und räumte ihre Sachen in die Schublade. Dabei fiel ihr die kleine Flöte in die Hände, die Christoph ihr einst zum Geburtstag geschnitzt hatte. Leise blies sie eine Melodie vor sich hin. Ihr Vetter war jetzt ein verheirateter Mann, obendrein Vater, und sie konnte ihn nicht aus ihrem Herzen vertreiben. Bedrückt ließ sie sich auf den Strohsack sinken und betrachtete die Kammer. Wie schäbig sie war. Aber es war immer noch besser, als Wand an Wand mit Christoph zu leben.

Wenn Marthe schon hin und wieder über das Schneckenwirtshaus ihres Vetters Berthold lästerte, so hätte sie an dieser Schenke kein gutes Haar gelassen. Der Boden starrte vor Schmutz und Essensresten, der Branntwein floss in Strömen, und bereits am Nachmittag war der düstere Raum mit der niedrigen, rußgeschwärzten Decke brechend voll. Gleich am ersten Abend gab ihr ein Mann, dem der linke Unterarm fehlte, großmäulig einen Rat, wie sie ihr Einkommen aufbessern könnte.

«Wenn du mir und meinen Freunden ab und zu deinen schönen Hintern hinhältst, lassen wir uns das was kosten!»

«Du kannst deinen Dampf drüben im Dirnenhaus ablassen, aber nicht bei mir», zischte Catharina und wandte sich wieder ihrer Arbeit zu. Ihr hatte das Auftragen und Bewirten bisher immer Spaß gemacht, doch hier war es ein ständiges Spießruten-laufen zwischen betrunkenen Männern.

Nachdem sie bis in die Nacht in der Küche Töpfe geschrubbt und gebürstet hatte, fiel sie todmüde auf ihre neue Schlafstatt. Doch mit der Ruhe war es vorbei, als einige Zeit später Gerlinde und Ruth auftauchten, mit zwei Männern im Schlepptau. Catharina hielt sich die Ohren zu und stellte sich schlafend, als Kichern und Gestöhn einsetzten. Gütiger Himmel, lasst mich bloß in Ruhe, dachte sie. Und dann, fast ein wenig schadenfroh: Wenn Tante Marthe wüsste, wie es hier zugeht, dann würde sie sich die Haare raufen darüber, dass sie Christoph und mich aus-einander gebracht hat.

Die ersten zwei, drei Tage waren eine Qual. Gerlinde und Ruth, die, wie Catharina schnell begriff, tatsächlich für Geld mit Männern schliefen, waren ihr von Anfang an feindselig gesonnen. Nachts fand sie kaum Schlaf, ihre Arme und Beine waren von Ungeziefer zerstochen, und von den Gästen hatte sie noch keinen einzigen Pfennig zugesteckt bekommen. Doch erstaunli-cherweise gewöhnte sie sich trotz allem an ihre neue Umgebung, sie störte sich immer weniger an dem Schmutz und Unrat, an den ständigen Raufereien und daran, dass sie bei den Gästen als Zicke verschrien war. Mochten die doch mit ihren dreckigen Pfoten die anderen Frauen betatschen. Und der Rappenwirt, das war ihr nicht entgangen, schätzte ihre Arbeitskraft. Ja, sie war stolz, dass sie es hier aushielt. Sie brauchte niemanden, der sich um sie kümmerte.

Nach etwa einer Woche bemerkte sie, dass ihr Vorrat an Tro-ckenwurst verschwunden war. Erbost stellte sie ihre beiden Kammergenossinnen zur Rede.

Ruth lachte laut auf. «Was bist du nur für ein Häschen! Hast du nicht gewusst, dass wir hier alles teilen? Das Zimmer, die Wurst, sogar die Männer.»

«Ich glaube, unsere Catharina treibt's lieber mit Frauen. Hab ich Recht?» Bei diesen Worten griff Gerlinde ihr zwischen die Beine. Catharina gab ihr einen harten Schlag auf die Hand.

«Wenn ihr mir nochmal was klaut, sage ich es dem Wirt.»

Die beiden schüttelten sich vor Lachen. «Du bist so dumm! Weißt du, was den Wirt das kümmert? Einen Scheißdreck!»

Am selben Abend nahm der Wirt sie beiseite.

«Du bist das flinkste und zuverlässigste Mädchen, das ich je hatte. Aber wenn du dich weiter so anstellst mit den Männern hier, wirst du nicht lange bleiben können.»

«Was soll das heißen?»

«Menschenskind, die Männer müssen bei Laune gehalten werden. Je mehr Spaß sie mit den Mädchen haben, desto mehr trinken sie. Will das nicht in deinen Kopf, verdammt nochmal?»

Sie sollte sich also als Dirne verdingen.

«Nein, das nicht», murmelte sie und ließ ihn stehen.

Fortan gab sie sich noch mehr Mühe bei der Arbeit, versuchte auch, freundlicher zu den Gästen zu sein – alles in der Hoffnung, nicht eines Tages ihre Stellung zu verlieren. Meist fühlte sie sich abends so erschöpft, dass sie nicht wusste, wie sie den morgigen Tag durchstehen sollte.

Da tauchte eines Abends Berthold auf. Sie bemerkte ihn zunächst gar nicht, denn er hatte sich unter die Gäste gemischt und sie unbemerkt beobachtet. Einer der Stammgäste griff gerade nach Catharinas Arm und wollte sie küssen. Als sie sich wehrte, stieg der Mann auf den Tisch, hob sein Glas und rief:

«Hiermit trinke ich auf Catharina, ein Mädchen, kalt wie ein Eiszapfen. Möge sie einmal so richtig durchgevögelt werden von uns allen!» Dabei fasste er sich an den Hosenlatz und machte eine unzüchtige Bewegung.

Die Umstehenden schrien und klatschten. Wütend wollte Catharina sich auf ihn stürzen, da flüsterte eine bekannte Stimme an ihrem Ohr: «Das lohnt nicht. Lass uns gehen.»

Stumm ließ sie sich von Berthold auf die Gasse führen. Scham hatte jetzt ihre Wut abgelöst, Scham darüber, dass ein Freund ihrer Familie sie in dieser unwürdigen Situation erlebt hatte.

«Was soll jetzt werden?», fragte sie leise.

«Wir holen deine Sachen und gehen zu uns.»

«Und dann?»

«Ab morgen arbeitest du bei uns im Schneckenwirtshaus – wenn du noch willst.»

Schweigend gingen sie nebeneinander her. Schließlich räusperte sich Berthold.

«Lene hat zu Hause erzählt, in was für eine Spelunke es dich verschlagen hat. Was waren wir nur für Dummköpfe, Marthe und ich. Hätte ich geahnt, was es dir bedeutete, aus Lehen wegzukommen – du hättest auf jeden Fall bei mir eine Arbeit gefunden. Zumal ich inzwischen nicht nur Christophs Vormund bin, sondern auch deiner.»

Berthold besaß bei der Mehlwaage, wo sich das Wirtshaus befand, noch ein winziges zweistöckiges Häuschen, dessen Bewohner an der Pest gestorben waren. Dort wohnte jetzt Bertholds neue Köchin, und Catharina zog noch am selben Abend ein.

«Meine Güte, hast du jetzt viel Platz für dich allein», stellte Lene fest, als sie Catharinas neues Zuhause im Obergeschoss des Häuschens besichtigte. «Da kann man ja neidisch werden. Was meinst du, wie eng es inzwischen bei uns geworden ist.»

Auch Catharina fühlte sich nach den Wochen im Rappen wie in einem Palast. Berthold hatte das kleine helle Zimmer großzügig eingerichtet, denn gebrauchte Möbel waren jetzt, nach der Seuche, überall billig zu haben. Neben dem Bett stand ein Waschtisch mit einer irdenen Schüssel und einem Krug, an der Wand gegenüber Tisch und Stuhl sowie eine Kommode mit vier wuchtigen Schubladen. Sogar eine kleine Abstellkammer gehörte dazu.

Zwar war auch das Schneckenwirtshaus eine einfache Schenke, denn es gab nur einen einzigen großen Gastraum, und die meisten Gäste waren Handwerker und Arbeiter aus der Nachbarschaft, doch Berthold kannte fast alle seine Kunden und hatte sie fest im Griff. Fingen die Raufbolde unter ihnen zu händeln an, packte er sie am Kragen und setzte sie freundlich, aber bestimmt vor die Tür. Wirklich böse wurde er nur, wenn «seine Frauen», wie er sie nannte, unflätig angesprochen oder gar angefasst wurden. Da konnte ihm die Hand ausrutschen. So brauchte sich Catharina denn auch nicht mehr mit Belästigungen herumzuschlagen, selbst wenn es an manchen Abenden, vor allem an Feiertagen, ziemlich derb und laut herging. Einmal saß eine Gruppe Weißgerber aus der nahen Fischerau beisammen. Ihr Wortführer, ein untersetzter Kerl mit roten, rissigen Händen, machte Catharina immer wieder zweideutige Komplimente. Ganz offensichtlich wollte er sich vor den anderen großtun, und da Catharina ihn nicht beachtete, fasste er ihr, als sie ihm frisches Bier brachte, mit seiner dicken Hand unter den Rock. In aller Ruhe goss Catharina ihm den halben Liter Bier in den Schoß.

«Du Hurenbalg», brüllte er, während seine Tischgenossen in Gelächter ausbrachen. «Ich werde mich beim Wirt über dich beschweren.»

Doch Berthold, der die Szene beobachtet hatte, stand längst hinter ihm. Ohne ein Wort zu sagen, drehte er dem Mann den Arm auf den Rücken und stieß ihn hinaus.

Ein einziges Mal nur ging sie in den nächsten Jahren nach Lehen. Es kostete sie große Überwindung, den Hof zu betreten. Moses war halb verrückt vor Freude über das Wiedersehen und ließ sie den ganzen Tag nicht aus den Augen. Von Sofie wurde sie freundlich begrüßt. Sie sah noch zarter und zerbrechlicher aus als bei ihrer letzten Begegnung. An der Hand hatte sie ein kleines Mädchen mit seidigen hellblonden Haaren, das gerade seine ersten Schritte übte. Catharina stellte fest, wie sehr sie die Tatsache, dass Christoph jetzt seine eigene Familie hatte, immer noch schmerzte. Da kam er aus dem Stall und umarmte sie.

«Gut siehst du aus», sagte er und betrachtete verstohlen ihre schlanke Gestalt. «Was für eine schöne Frau du geworden bist.»

Catharina ließ ihn wortlos stehen. Ihr war, als schnürte ihr ein eisernes Mieder die Luft ab. Ohne sich etwas anmerken zu lassen, half sie bei der Hausarbeit mit, tobte mit Moses und den Zwillingen im Hof herum und stattete Schorsch, der inzwischen verlobt war, einen kurzen Besuch ab. Bis zum Abend wurde ihr klar, dass dies ihr erster und letzter Besuch gewesen war.

Alles in allem hatte Catharina keinen Grund zu klagen. Auch mit Bertholds Frau Mechtild, einer kleinen, drahtigen Person voller Energie, und den anderen Angestellten verstand sie sich gut. Einzig mit der Köchin konnte sie nichts anfangen, und ausgerechnet mit ihr wohnte sie zusammen. Sie war sicher schon über vierzig. Für jede Gelegenheit hatte sie einen Bibelspruch parat, bekreuzigte sich dabei und jammerte über die Gottlosigkeit der Zeit. Catharina hatte sie noch nie lachen sehen und ging ihr möglichst aus dem Weg.

Hin und wieder kam Lene zu Besuch. Zu Catharinas Freude brachte sie meistens Moses mit. Alles, was Christoph betraf, wurde bei ihren Gesprächen sorgfältig ausgeklammert. Wenn Catharina allein war, blätterte sie in den Büchern, die sie vom Vater geerbt hatte, oder ging am Stadtgraben spazieren. Sie fand sich damit ab, dass sie wohl als ledige Schankfrau alt werden würde. Bis der Tag kam, an dem sie Michael Bantzer kennen lernte.

II

Der hoch gewachsene dunkle Mann fiel Catharina sofort auf. Er passte nicht zu den einfachen Leuten, die hier sonst ihr Bier oder ihren Wein tranken. Nach spanischer Mode war er ganz in Schwarz gekleidet: Unter der offenen hüftlangen Schaube sah man ein samtenes Wams mit vorgewölbtem Gänsbauch, auf dem eine schwere silberne Kette funkelte. Zu den pludrigen Hosen, die gerade die Oberschenkel bedeckten, trug er spitze Schnallenschuhe. Selbst die kurz geschnittenen Haare und der sorgfältig gestutzte Spitzbart schimmerten tiefschwarz. Einzig die gestärkte Halskrause war von blendendem Weiß. Doch nicht nur in der Kleidung unterschied er sich von den anderen Gästen, auch in der Art, wie er sich bewegte und sprach. Catharina glaubte kaum, dass sich ein Edelmann in ihre Schenke verirren würde, aber vielleicht war er ein Wissenschaftler von der Universität? Mit Handschlag begrüßte er den Wirt und setzte sich dann zu einer größeren Gruppe an den Tisch, die sofort verstummte. Bei Annemarie, der anderen Magd, bestellte er einen Krug Rotwein.

Catharina räumte das schmutzige Geschirr vom Nebentisch und trug es in die Küche. Neugierig fragte sie Berthold, ob er den neuen Gast kenne.

«Das ist Michael Bantzer, ein Schlossermeister. Er hat vor kurzem von seinem Vater die größte Schlosserei in der Stadt übernommen. Die Männer, bei denen er sitzt, arbeiten in seiner Werkstatt, sie haben seit letzter Woche hier ihren Stammtisch. Man sagt, er lege großen Wert auf einen freundlichen Umgang mit seinen Leuten, wohl um ihre schlechte Bezahlung auszugleichen. Genau wie bei uns», lachte er und legte freundschaftlich den Arm um ihre Schultern.

Immer wieder ertappte sich Catharina dabei, wie sie den Schlossermeister beobachtete. Ein wenig kühl wirkte er, nur selten verzog er die vollen Lippen zu einem Lächeln. Mit seiner ausgeprägten, etwas gebogenen Nase und dem schmalen Gesicht hatte er etwas Aristokratisches. Er trank einen Krug Wein nach dem anderen, ohne im Geringsten betrunken zu wirken. Die Stimmung an seinem Tisch wurde ausgelassener, und man merkte, wie die Männer langsam die Scheu vor ihrem Brotgeber verloren.

Als es ans Bezahlen ging, hörte sie, dass es irgendwelche Unstimmigkeiten gab, und sah Annemaries verlegenes Gesicht. Sie näherte sich dem Tisch.

«Junge Frau», rief Bantzer sie zu sich heran, «vielleicht könnt Ihr uns die richtige Summe nennen. Meiner Meinung nach sollen wir nämlich zu viel bezahlen.»

«Was hattet Ihr denn bestellt?», fragte Catharina.

«Neunzehn Krüge Bier, vier Krüge Wein. Dazu einen Laib Brot und einen Käse.»

«Das macht achtzehn Weißpfennige.» Catharinas Antwort kam ohne Zögern. Sie sah das Erstaunen auf Bantzers Gesicht.

«Wie der Blitz», murmelte er, und zu Catharina gewandt: «Genau das hatte ich auch ausgerechnet. Und ich dachte schon, hier will man uns übers Ohr hauen.»

Während Annemarie sich stotternd entschuldigte, legte er das Geld auf den Tisch. Catharina wusste genau, dass der Irrtum nicht auf die Kappe des Mädchens ging, denn sie bekam die Höhe der Zeche immer von den Wirtsleuten genannt. Die Männer standen auf, bedankten sich bei ihrem Meister für die Einladung und gingen hinaus. Währenddessen räumte Catharina die leeren Krüge in die Küche. Als sie zurückkam, saß Bantzer zu ihrer Überraschung immer noch da.

«Einen Krug Wein würde ich noch zu mir nehmen», sagte er und lächelte sie an. «Aber nur, wenn das gnädige Fräulein wohlgesinnt wäre, mir Gesellschaft zu leisten.»

Seine geschwollene Redeweise ärgerte sie, und schnippisch

gab sie zurück: «Wie gütig von Euch, mir Eure Gesellschaft anzubieten, aber Ihr habt Eure Arbeit und ich meine. Und die meine muss ich jetzt zu Ende führen.»

Damit drehte sie sich um und wandte sich zur Abrechnung den anderen Gästen zu. Bantzer zuckte mit den Schultern und erhob sich. Auf dem Weg hinaus ging er an ihr vorbei und berührte kurz ihren Arm.

«Ich weiß aber auch», sagte er leise, «dass du nicht Tag und Nacht arbeitest. Also ein andermal.»

Eine Woche später erschien er wieder zum Stammtisch. Es war ganz deutlich, dass die Männer davon nicht sehr erbaut waren. Catharina war froh, dass die Wirtin selbst an diesem Tisch bediente, denn sie spürte seine Blicke. Was bildete sich der Kerl eigentlich ein? Dabei musste sie, wenn sie ehrlich war, zugeben, das er irgendetwas in ihr berührte. War es dieser durchdringende, fast schon unverschämte Blick unter seinen buschigen Augenbrauen? Wie dem auch sei, sie beschloss, sich auf kein Gespräch mit ihm einzulassen.

Kurz vor Schankschluss nahm Berthold sie in der Küche beiseite.

«Ich habe unserem hohen Gast versprochen, dass ich dir jetzt freigebe, damit du mit ihm einen Krug Wein trinken kannst.»

«Wenn ich aber gar nicht will?»

«Dann hast du jetzt Gelegenheit, ihm zu sagen, dass du ihn aufdringlich, ungehobelt und dumm findest. Aber ich würde mir das überlegen, denn er ist noch ledig und wäre doch ein schöner Mann für dich.»

«Ich pfeife auf ledige Männer», sagte sie, zog dann aber doch die Schürze aus.

Als sie mit einem vollen Krug Wein und zwei Bechern zu seinem Tisch ging, waren fast alle Gäste gegangen, auch die Männer aus der Schlosserei. Sie setzte sich ihm gegenüber auf die Bank.

«Also gut, Ihr habt gewonnen. Ich heiße Catharina, arbeite gern hier, bin ledig, aber nicht zu haben.»

Sie kam sich vor wie Lene. Woher hatte sie plötzlich den Mut, so frech zu sein? Da lachte er aus vollem Hals, und in diesem Moment wusste sie, dass er ihr gefiel.

«Liebe Catharina», antwortete er immer noch lachend und goss die beiden Becher voll, «ich heiße Michael, mir gefällt meine Arbeit als Schlossermeister, bin ebenfalls ledig und für dich wäre ich gern ein bisschen zu haben. Zum Wohl!»

Er hob sein Glas und trank. Dann sah er sie wieder mit diesem durchdringenden Blick an.

«Du findest mich aufdringlich, nicht wahr?»

«Etwas. Dabei müsst Ihr nicht denken, dass mich das beeindruckt.»

«Ich kann auch sehr zurückhaltend sein, ganz wie du willst, Catharina.»

Er bat sie, von sich zu erzählen. Catharina verspürte keine Lust, die Dinge preiszugeben, die in ihrem Leben wirklich wichtig gewesen waren, und so beschrieb sie ihren Alltag und berichtete, dass sie lange Zeit in Lehen gelebt hatte. Sie fand das, was sie von sich gab, langweilig, aber er hörte aufmerksam zu.

«Ich habe den Eindruck, du bist ein sehr selbständiger Mensch. Fühlst du dich nicht manchmal allein?»

Sie empfand diese Frage als viel zu freiheraus.

«Ich möchte lieber etwas von Euch wissen.»

Bantzer schüttelte den Kopf. «Das nächste Mal. Trinken wir noch einen Krug?»

Catharina stand auf. «Nein, wir haben schon geschlossen.»

«Dann bringe ich dich jetzt nach Hause.»

Wieder merkte Catharina, dass sie ihn reichlich unverschämt fand, aber gleichzeitig beeindruckt war. Sie erklärte ihm, dass sie noch in der Küche helfen müsse, ließ sich aber schließlich auf eine Verabredung für den nächsten Sonntag ein. Er würde sie zu einem Spaziergang abholen.

Zum Abschied gab er ihr fast ein wenig förmlich die Hand.

Die wenigen Tage bis Sonntag vergingen ihr unendlich langsam. Nicht, dass ihr Michael Bantzer als Mann gefallen würde – sie war einfach neugierig geworden. Das redete sie sich jedenfalls ein, wenn sie bei der Arbeit oder abends beim Einschlafen sein Gesicht mit der geschwungenen Nase und den dunklen Augen vor sich sah. Bantzer war keiner dieser jungen Burschen aus dem Dorf, die man zurechtstutzen konnte, sondern ein gestandener Mann, mindestens zehn Jahre älter als sie. Und dass er früher oder später mehr als nur Spaziergänge und Unterhaltungen wollte, dessen war sie sich sicher. Wollte sie denn mehr? Sie hatte schon lange nicht mehr an das schreckliche Erlebnis in der Lehmgrube gedacht, und es wurde allmählich von den Erinnerungen an Christophs Zärtlichkeiten überlagert. Sie merkte, wie sehr sie sich nach der Berührung eines Mannes sehnte.

Am Vorabend zum Sonntag konnte sie vor Aufregung kaum einschlafen. In der Nacht träumte sie, sie stünde in jener Hütte in der Lehmgrube und versuchte vergeblich, Moses ein blutendes Kaninchen aus dem Maul zu reißen. Da kam Michael Bantzer herein, nahm dem Hund das verletzte Kaninchen weg und legte ihm einen Verband an. Wortlos hob er dann Catharina auf die Werkbank, und sie musste sich rücklings ausstrecken. Plötzlich war sie nackt und bekam es mit der Angst zu tun. Aber hinter Michael Bantzer sah sie Lene, Tante Marthe und die alte Gysel stehen, die ihr beruhigend zulächelten. Gysel reichte Michael ein Schälchen Johanniskrautöl. Mit kreisenden Bewegungen salbte er sie von oben bis unten ein. Ihr Körper wurde wärmer und wärmer, bis er zu glühen begann wie Eisen im Feuer. Als sie aufwachte, sah sie, dass ihre Decke zu Boden gerutscht war und die Morgensonne warm auf das Bett schien. Verwirrt stand sie auf und ging zum Waschtisch hinüber. Was für ein seltsamer Traum.

Nachdem sie sich gründlicher als sonst gewaschen hatte, kämmte sie ihre langen schwarzen Haare, bis sie seidig glänzten, und knotete sie im Nacken zusammen. Sie würde heute zum ersten Mal ihr neues Sommerkleid anziehen, denn der Tag versprach sehr warm zu werden.

Ob er schon da war? Sie hatten ausgemacht, sich nach dem Frühstück vor dem Wirtshaus zu treffen. Dabei hatte sie ganz vergessen zu fragen, um welche Zeit er morgens aufstand. Sie eilte hinüber in die Abstellkammer, die ein winziges Fenster zum Holzmarkt hin hatte, und sah hinaus. Unten ging er mit großen Schritten auf und ab. Wahrscheinlich rechnete auch er mit einem heißen Tag, denn er war barhäuptig und ohne Überrock. Als sie das Haus verließ, sah sie gerade noch, wie sich ihre Mitbewohnerin im Erdgeschoss die Nase am Fenster platt drückte.

Michael Bantzer legte ihr zur Begrüßung die Hand auf den Arm und lächelte.

«Wohin gehen wir?», fragte er.

«In den Stadtgraben.» Das war ein beliebter Ort für Kinder, Spaziergänger und Verliebte. Der innere Graben war bis auf ein schmales Rinnsal direkt an der Mauer trockengelegt worden, und auf dem saftigen Gras weideten Schafe und Schweine. Catharina konnte sich noch erinnern, dass sie als Kind oft mit ihrem Vater hier gewesen war. Damals gab es noch ein riesiges Gehege mit Rotwild.

Schweigend schlenderten sie durch die Vorstadt bis zum Martinstor. Links davon führte ein steiler Trampelpfad zum Graben hinab. Michael nahm ihre Hand und half ihr hinunter. Als sie weitergingen, ließ er ihre Hand nicht los. Catharina blieb stehen.

«Wenn uns jemand sieht?»

«Sag bloß, es ist dir unangenehm mit mir!», sagte er gespielt entrüstet. Aber er ließ ihre Hand los, und Catharina bereute ihre Bemerkung bereits.

Dort, wo das Rinnsal zu einem breiten Bach gestaut wurde und sich Enten und Haubentaucher drängten, setzten sie sich auf einen lang gestreckten Stein. Die Sonne stand schon hoch am Himmel und trocknete das morgenfeuchte Gras. Da tauchte eine Gruppe Halbwüchsiger auf. Lärmend und lachend zogen sie sich splitternackt aus und tobten im Wasser herum. Sicherlich Studenten. Ein paar Spaziergänger blieben mit missbilligenden Blicken stehen.

«Stört dich dieser Anblick?», fragte Michael und deutete auf die Jungen.

Catharina lachte verlegen. «Glaubst du, ich bin im Kloster aufgewachsen?» Sie war, ohne es zu merken, zum Du übergegangen.

Michael blieb ernst. «Nein, ich habe nur mitunter den Eindruck, dass dir menschliche Nähe, vor allem von Männern, unangenehm ist.»

«Wie kannst du so etwas sagen, du kennst mich doch kaum.»

«Ich habe dich oft beobachtet.»

Nicht nur seine Blicke, auch seine Fragen und Bemerkungen hatten etwas Bohrendes, und Catharina fühlte sich entblößt. Verärgert stand sie auf und beobachtete, wie sich drei Männer der Stadtwache im Laufschritt den Badenden näherten und lange Holzknüppel schwangen. Bis die Stadtwache heran war, hatten die Burschen längst ihre Kleider gepackt und machten im Davonlaufen ihren Verfolgern eine lange Nase. Catharina musste lachen. Da spürte sie Michaels Lippen auf ihrem Nacken. Als sie sich umdrehte, wich er zurück.

«Lass uns noch ein Stück spazieren gehen, und dann lade ich dich zum Essen ein.»

Sie gingen in den «Roten Bären», von dem Catharina wusste, dass er zu den teuersten Gasthäusern in der Stadt gehörte. Michael schien dort allseits bekannt zu sein und wurde vom Wirt persönlich begrüßt. Catharina hatte keinen Hunger, und obwohl sie selten Gelegenheit zu solch erlesenen Speisen hatte, aß Michael den Lendenbraten in saurer Soße und das gefüllte Brathuhn fast allein.

Als alle Platten und Teller leer waren, wischte er sich den Mund ab.

«Was machen wir jetzt?»

«Ich muss nach Hause und mich umziehen. Ich soll heute noch arbeiten.»

Vor ihrem Haus verabschiedeten sie sich. Er sah sie lange aus seinen dunklen Augen an, bis sie sich verlegen abwandte. Da nahm er ihre Hand.

«Ich kann es nicht glauben», sagte er leise, «immer habe ich von einer blonden Frau mit blauen Augen geträumt, und jetzt bin ich in ein Mädchen vernarrt, das genauso dunkel ist wie ich.»

Catharina glaubte, nicht recht gehört zu haben. Hatte er wirklich vernarrt gesagt? Sie drückte ihm kurz die Hand und eilte ins Haus.

An diesem Abend verrichtete sie ihre Arbeit fahrig und unaufmerksam. Unaufhörlich spukte das Wort ‹vernarrt› in ihrem Kopf herum. Berthold beobachtete sie belustigt, und Catharina fragte sich, ob die Köchin ihm erzählt hatte, mit wem sie den halben Tag zusammen gewesen war.

Am nächsten Sonntag musste Catharina nicht arbeiten. Sie hatte Michael beim letzten Mal gebeten, nicht mehr in der Gaststube aufzutauchen, im Gegenzug musste sie versprechen, sich den ganzen Sonntag für ihn freizuhalten.

Er holte sie zu Hause ab, und in der Tür stieß er mit der Köchin zusammen. Deutlich war ihr die Empörung darüber anzusehen, dass ein Mann so mir nichts, dir nichts in das Haus zweier lediger Frauen eindrang.

«Wohin wollt Ihr?», fragte sie eine Spur zu laut.

«Zu dem schönsten Mädchen Freiburgs, wenn Ihr erlaubt.» Er küsste ihr galant die Hand.

Mit einer heftigen Bewegung zog sie ihre Hand zurück und sagte barsch: «Als ein geringes Häuflein werdet Ihr übrig bleiben, weil Ihr der Stimme des Herrn nicht gehorcht habt.» Dann verschwand sie in der Küche. Mit einem Lachen versuchte Catharina, die die Szene von der Stiege aus beobachtet hatte, ihre Anspannung zu überspielen.

«Diese fette Kröte», sagte sie und wurde rot, als Michael sie auf die Wange küsste. «Schnell, lass uns gehen, sie steht bestimmt hinter der Tür und lauscht.»

Er küsste sie ein zweites Mal, diesmal auf den Mund.

«Lass sie doch, sie soll ruhig etwas zu tratschen haben. Außerdem gefällt es mir, wenn du rot wirst.»

Eilig drängte Catharina ihn zur Tür hinaus. Sie beschlossen, die Dreisam flussaufwärts zu wandern in der Hoffnung, dass es dort ein wenig kühler sein würde, denn seit zwei Tagen herrschte eine schwüle Hitze. Hinter dem Katzentor, das die südliche Vorstadt abschloss, bogen sie auf den Schutzrain ein, eine große vertrocknete Wiese, auf der kein Baum oder Strauch Schatten spendete.

«Wusstest du, dass hier vor über zwanzig Jahren eine Hexe verbrannt wurde?», fragte Michael.

«Nicht, dass es hier war, aber ich weiß davon. Anna Schweizerin hieß sie, und es war im Jahr meiner Geburt.» Schlagartig wurde ihr dieser Ort unheimlich. «Die arme Frau.»

«Na ja, irgendetwas wird sie schon auf dem Kerbholz gehabt haben. Schließlich ist sie von einem ordentlichen Gericht verurteilt worden.»

«Ach, was wissen wir heute schon davon», brauste Catharina auf.

Erstaunt sah er sie an. «Ich habe das nur so dahergesagt, Catharina. Was machst du am liebsten, wenn du nicht arbeitest?»

Aber dieses Mal bestand Catharina darauf, dass Michael endlich von sich erzählte, und sie erfuhr, dass seine Familie ursprünglich aus Solothurn stammte, inzwischen aber seit Generationen als Schlosser in Freiburg ansässig war. Seine jüngere Schwester war in Basel verheiratet, Brüder hatte er keine. Nachdem im letzten Jahr seine Mutter gestorben war, hatte sich sein Vater aus der Werkstatt zurückgezogen und war nur noch im Magistrat tätig. Sie besaßen ein schönes Haus am Fischmarkt, das jetzt allerdings fast zu groß sei für ihn und seinen Vater. Zumal er sich sowieso den ganzen Tag in der Schlosserei aufhalte. Im Moment sei er nämlich gerade dabei, sie zu erneuern.

«Und in spätestens fünf Jahren werde ich Zunftmeister sein», schloss er seinen Bericht.

Er ist sehr ehrgeizig, dachte Catharina. Laut sagte sie: «Das heißt, jetzt fehlt dir eigentlich nur noch eine standesgemäße Frau.»

«Was heißt standesgemäß?», lachte er. «Ich suche mir selbstverständlich keine dumme Magd. Ein bisschen gescheit muss sie schon sein, eine Handwerkerstochter vielleicht, und schön soll sie sein. Kurzum: so wie du.»

Catharina tat so, als habe sie sein Kompliment überhört. Sie waren am Sägewerk angekommen, und sie war nahe daran, ihm von ihrem nächtlichen Ausflug damals zu erzählen. Aber dann nahm sie sich vor, dass er von zwei Dingen nie erfahren sollte: ihren Gefühlen zu Christoph und Johanns Überfall.

Mittlerweile war es unerträglich heiß geworden. Von Westen her türmten sich schwarze Wolkenberge auf.

«Wir gehen besser zurück», sagte Catharina mit einem Blick zum Himmel. Sie hatte Schwierigkeiten, Gesprächsstoff zu finden, denn die Spannung zwischen ihnen war genauso gestiegen wie die Hitze der Luft. Immer wieder hatten sie sich während des Spaziergangs wie zufällig berührt, immer wieder war er stehen geblieben, um sie eindringlich anzusehen.

Zurück nahmen sie den Weg durch die Stadt. Hinter dem Schwabstor fielen die ersten dicken Tropfen auf den staubigen Weg. Sie gingen schneller. Dann krachte ein Donnerschlag, ein zweiter und dritter, und plötzlich goss es wie aus Bottichen. Er nahm ihre Hand, und sie rannten los. Die Kanäle in der Straßenmitte konnten die Wassermassen nicht mehr fassen, und binnen kurzer Zeit bildeten sich tiefe Pfützen auf der ausgedörrten Gasse. Keine Faser ihrer Kleider war mehr trocken, als sie den Holzmarkt erreichten.

Catharina stieß die Haustür auf, und sie eilten die Stiege hinauf. Vor der Tür zu ihrer Kammer zögerte sie. Wenn sie ihn jetzt einließ, gab es kein Zurück mehr. Michael sah sie bittend an. Schließlich schloss sie die Tür auf und zog ihn ins Zimmer. Aus der Kommode suchte sie zwei große Tücher heraus und wandte sich wieder Michael zu. Ganz selbstverständlich zog er sich vor ihren Augen bis auf die Hose aus. Sprachlos sah Catharina ihn an. Auch halb nackt war er ein schöner Mann, mit breiten Schultern und muskulösem Oberkörper. Sie reichte ihm eins der Tücher.

«Ich gehe nach nebenan und ziehe mich um», stotterte sie und ging mit dem anderen Tuch und einem trockenen Kleid in die Abstellkammer. Hastig warf sie die nassen Kleider auf den Boden und trocknete sich ab. Da hörte sie die Tür aufgehen. Ohne sich umzudrehen, wusste sie, dass er auf sie zukam. Sanft legte er ihr von hinten die Arme um die Schultern und küsste sie auf den Nacken.

«Zieh dich nicht an», flüsterte er und nahm ihr das Handtuch weg. Sie spürte, dass er die Hose ausgezogen hatte. Dann drehte er sie um, hob sie hoch und trug sie auf das Bett. Sein Glied ragte steil in die Höhe. Langsam legte er sich neben sie, schob einen Arm unter ihren Hals, mit dem anderen umschlang er ihre Hüfte und drückte sie an sich.

«Wie sehr habe ich auf diesen Moment gewartet», flüsterte er.

Trotz der stickigen Wärme, die im Haus herrschte, begann Catharina zu frösteln. Beruhigend strich er ihr über den Rücken und küsste sie zärtlich. Lange Zeit lagen sie so. Seine Wärme ging auf Catharinas Körper über, und sie entspannte sich. Vorsichtig streichelte er ihre Schenkel und ihren Schoß. Mit geschlossenen Augen überließ sie sich seinen Zärtlichkeiten und begann sie zu genießen. Doch als er in sie eindringen wollte, durchfuhr sie der gefürchtete Schmerz. Sie stieß einen Schrei aus.

Michael richtete sich auf.

«Es ist das erste Mal, nicht wahr?» Er strich ihr die Haare aus dem Gesicht. Sie antwortete nicht.

«Hast du Melkfett oder etwas Ähnliches im Haus?», fragte er.

«Ich glaube schon, in der Küche. Aber wozu brauchst du das?»

«Du wirst sehen.»

Sie stand auf und wickelte schnell das Badetuch um den Körper.

«Sag der Köchin einen Gruß», rief Michael ihr nach, als sie die Stiege hinunterging. Catharina war sich sicher, dass die alte Klatschbase schon bei der Arbeit im Wirtshaus sein musste, aber zu ihrem Schrecken saß sie in der Küche und schälte einen Apfel. Als sich Catharina in ihrem Tuch an ihr vorbeidrückte, um das Fett aus dem Regal zu holen, sah sie nicht auf, sondern murmelte: «Und sie trieben Unzucht, und Gott der Herr strafte sie dafür.»

Michael lag auf dem Bauch, die Arme unter dem Kopf verschränkt, und lächelte sie an, als sie zurückkam. Befangen setzte sie sich auf den Rand des Bettes und erzählte von der Köchin.

«Wenn sie das Unzucht nennt, dann kann sie mir Leid tun», lachte er und zog sie zu sich herunter. Sie küssten sich wieder und wieder, bis sie gewahr wurde, dass er ihren Schoß mit Fett einrieb. Er fühlte sich heiß an, und der Traum von letzter Woche fiel ihr ein. Sachte, mit langsamen Stößen, drang er tiefer in sie ein. Sie verspürte keinen Schmerz. Erleichtert schlang sie die Arme um seinen Rücken. Da wurde sein Atem schneller, und mit einem tiefen Seufzer blieb er regungslos auf ihr liegen. Nach einer Weile hob er den Kopf.

«Es tut mir Leid, Catharina, das ging viel zu schnell.»

Sie küsste ihn. Wie froh war sie, dass sie vor diesem Moment keine Angst mehr zu haben brauchte. Hand in Hand mit Michael fiel sie in einen leichten Dämmerschlaf.

Als sie wieder zu sich kam, lag er eng an sie gepresst und schlief tief und fest. Sein Körper glänzte vor Schweiß. Vorsichtig, um ihn nicht zu wecken, strich sie ihm über den Rücken bis zur Spalte seines Hinterns und wieder zurück. Er stöhnte leise. Sie wiederholte dieses Spiel, bis sie sah, dass er die Augen geöffnet hatte.

«Weißt du eigentlich, wie schön du bist?», fragte er und betrachtete sie von oben bis unten.

Sie fanden ein zweites Mal zueinander. Catharina folgte seinem Rhythmus und genoss die Nähe und Schwere seines Körpers. Doch zu ihrem Erstaunen fand sie nicht dieselbe Erfüllung wie er. Vielleicht braucht das ja einfach seine Zeit, sagte sie sich, als sie erschöpft nebeneinander lagen.

Draußen hatte es inzwischen aufgehört zu regnen.

«Ich hole uns etwas Brot und Wein, und dann essen wir zusammen, hier bei dir, ja?»

Michael stand auf und zwängte sich in seine nassen Sachen. Auch Catharina zog sich an. Kurze Zeit später kehrte er mit Wein, Brot und einem großen Stück Hartkäse zurück. Sie rückten den Tisch an das Bett und begannen zu essen. Als würden sie sich seit Monaten kennen, begannen sie Zukunftspläne zu schmieden.

«Reisen – ich möchte reisen», schwärmte Catharina. «Warst du schon einmal am Meer?»

Michael schüttelte den Kopf.

«Dann würde ich gern mit dir ans Meer fahren. Und nach Italien, nach Florenz und Venedig.»

«Ich bringe dich überall hin, wohin du willst.» Er strich sich die Krümel aus dem Bart. Dann sah er die Bücher mit den abgegriffenen Ledereinbänden auf ihrer Kommode stehen. Neben der Bibel ihres Vaters stand eine Ausgabe des Tyl Ulenspiegel, eine Sammlung Schwänke von Hans Sachs und Valentin Schumanns «Nachtbüchlein». Verblüfft schaute er sie an.

«Du kannst lesen?»

«Mein Vater hat es mir beigebracht, und später war ich für kurze Zeit bei einer Lehrerin. Die Bücher habe ich von meinem Vater geerbt.»

Er ging zur Kommode hinüber und blätterte im «Nachtbüchlein».

«Was ist das?»

«Eine Sammlung von Schwänken. Aber längst nicht so schön wie die von Hans Sachs.»

«Du überraschst mich immer wieder. Wahrscheinlich bist du sogar, ohne dass ich es weiß, eine reiche Frau.»

«Reich nicht, aber ich leide keine Not», gab sie schroff zurück. Er sollte bloß nicht denken, sie sei mit ihm des Geldes wegen zusammen. «Ich habe gespart und durch den Tod meines Vaters ein wenig geerbt.»

Er sah sie lange an. «Mein Gott, eine Frau wie du arbeitet in solch einer Spelunke.»

Bei diesen Worten streifte er sich die Hosen vom Leib, ging zu Catharina hinüber und schob ihr das Hemd über die Hüften. Dann setzte er sie mitten auf den Tisch. Die leeren Becher fielen zu Boden.

«Du bist viel zu gescheit für dieses Leben», flüsterte er und schob sich zwischen ihre Schenkel. Catharina wunderte sich über seine Manneskraft, ließ sie sich aber gern gefallen. Diesmal hatte sie den Eindruck, dass er die Herrschaft über sich verlor. Bei jeder seiner Bewegungen stöhnte er tief auf, bis er sie mit einem lauten Schrei so heftig an sich presste, dass ihr die Luft wegblieb.

Dann sank er vor ihr auf den Boden.

«Catharina, ich will eine angesehene Frau aus dir machen. Wir müssen so bald wie möglich heiraten.»

12

Lene erfuhr als Erste von Catharinas Glück. Sie kam am übernächsten Morgen zu Besuch und sagte ihr, kaum dass eine halbe Stunde vergangen war, auf den Kopf zu:

«Du hast einen Mann kennen gelernt.»

Catharina strahlte und erzählte von Michael. Überschwänglich nahm Lene sie in den Arm und rief:

«Wie ich mich für dich freue! Ich dachte schon, du bleibst eine alte Jungfer.»

Wenige Tage später wusste rund um den Holzmarkt jeder, dass sich das hübsche Schankmädchen vom Schneckenwirtshaus einen gut betuchten Bürgerssohn geangelt hatte. Dafür hatte die Köchin gesorgt und dabei in der Darstellung der Ereignisse maßlos übertrieben.

«Ich werde mir wohl ein neues Heim suchen müssen, wenn das so weitergeht», erzählte sie jedem, der es hören wollte. «Nacht für Nacht geht es über mir so laut her, dass man glauben könnte, eine ganze Zunftversammlung bricht ins Frauenhaus ein. Ich kann kein Auge mehr zutun. Und das alles ohne Gottes Segen.»

Dabei trafen sich die beiden höchstens ein-, zweimal die Woche. Eines Abends suchte Mechtild, die Wirtin, das Gespräch mit Catharina.

«Du musst auf die Hochzeit drängen, das geht sonst nicht gut.»

Ganz offensichtlich traute sie dem Schlossermeister nicht ganz. Doch Catharina war längst dabei, Druck auf ihren Bräutigam auszuüben, denn sie hatte Angst, schwanger zu werden. Was Michael jedoch vor sich herschob, war weniger der Zeitpunkt der Hochzeit als vielmehr der Moment, in dem er Catharina seinem Vater vorstellen musste. Mal war dieser angeblich krank, mal ließ ihm ein wichtiger Auftrag keine Zeit für eine Zusammenkunft.

«Wahrscheinlich hast du Angst, dass er mich für ein zu kleines Licht hält, unwürdig für seinen viel versprechenden Sohn», warf sie ihm eines Abends vor. Ihr war längst aufgefallen, welch große Stücke er auf seinen Vater hielt. Bei jeder Gelegenheit kam die Rede auf den alten Bantzer, während über seine Mutter nie ein Wort fiel.

«Was redest du für einen Unsinn. Ich hab keineswegs Angst vor meinem Vater.»

Zum ersten Mal stritten sie. Schließlich drohte sie, dass er sie nicht mehr besuchen dürfe.

Zwei Tage später holte er sie ab, um sie in sein Elternhaus zu führen. Catharina hatte sich den ganzen Tag freigenommen und war schon am frühen Morgen im Schwabsbad gewesen, um ein heißes Bad zu nehmen und sich die Haare waschen und schneiden zu lassen. Sie ging ungern in die öffentliche Badestube, und wenn, dann am frühen Morgen, wo sie hauptsächlich von Frauen und Kindern besucht wurde. Denn sie mochte die oft schlüpfrige Ausgelassenheit der Badegäste nicht, auch wenn in letzter Zeit die Obrigkeit verstärkt ein Auge darauf hielt, dass in den Bädern Anstand und Sitte gewahrt blieben.

«Du siehst schön aus», sagte Michael zur Begrüßung und küsste sie auf das duftende Haar. Als sie die Große Gasse hinuntergingen, vorbei an den hölzernen Lauben der Metzger und

Bäcker, grüßte er nach rechts und links. Jeder hier schien ihn zu kennen. Vor dem Haus zum Kehrhaken, einem dreistöckigen Fachwerkbau mit einem mächtigen Erdgeschoss aus Stein, blieb er stehen.

«Mein Vater ist manchmal etwas bärbeißig, lass dich davon nicht beirren. Halte dich am besten ein bisschen zurück und sei nicht so kratzbürstig wie mit mir», versuchte er zu scherzen, doch seine Unruhe war ihm deutlich anzumerken.

Ein älteres Dienstmädchen öffnete ihnen die schwere eisenbeschlagene Tür.

«Ihr Herr Vater wartet schon oben im Essraum», sagte sie zu Michael. Catharina nickte sie kühlen Blickes zu.

Als Catharina hinter Michael die knarrenden Stufen hinaufstieg, spürte sie, wie ihr Herz klopfte. Noch nie war sie in einem so vornehmen Haus gewesen. Zwar war das Anwesen in Lehen auch großzügig und in ihren Augen fast schon herrschaftlich, doch wurde dort jede Kleinigkeit von Zweckmäßigkeit bestimmt. Hier aber gab es Schmuck und Verzierung. Entlang der Tannenholztreppe führte ein kunstvoll geschnitztes Geländer, die Fensternischen in der Diele waren mit kostbaren Kacheln besetzt, und die Türen trugen Klinken aus blitzblankem Messing.

Catharina blinzelte, als sie das helle Esszimmer betrat. Dann sah sie die Umrisse eines großen, kräftigen Mannes am Fenster stehen.

«Vater, das ist Catharina Stadellmenin.»

Catharina deutete einen Knicks an, als der alte Bantzer auf sie zukam. Bis auf seine Größe und die gebogene Nase hatte er keinerlei Ähnlichkeit mit seinem Sohn. Seine Gesichtszüge waren viel grober, beinahe aufgeschwemmt, und die tief liegenden Augen waren von wässrigem Hellgrau. Die Haare, graubraun und schütter, reichten ihm bis in den Nacken, ein Spitzbart bedeckte sein breites Kinn und betonte unvorteilhaft seine hängende Unterlippe, die eine gelbe Zahnreihe den Blicken preisgab.

«Schön, dass ich dein Mädchen endlich kennen lerne.» Ein Vorwurf schien in dieser Bemerkung mitzuschwingen, doch Catharina kümmerte sich nicht darum, schließlich war es nicht ihre Schuld, dass sie sich jetzt erst begegneten. Der Alte betrachtete sie eine Weile von oben bis unten, dann deutete er zum Tisch.

«Nehmt Platz, das Essen wird gleich aufgetragen.»

Sie setzten sich an die riesige Tischplatte aus poliertem Nussbaum, die auf zierlichen gedrechselten Säulen ruhte: der Vater am Kopfende, Catharina und Michael mit etwas Abstand zu seiner Rechten und Linken. Eine dicke Frau erschien mit einem Kessel Fischsuppe und füllte die zinnernen Teller. Catharina staunte, denn auch die zierlichen Löffel waren aus kostbarem Zinn.

«Du bist also die Tochter des Marienmalers, der vor ein paar Jahren gestorben ist», begann der alte Bantzer das Gespräch. «Ich habe deinen Vater ein paar Mal getroffen, er hat im Auftrag unserer Zunft einen Bildstock gefertigt. Ein begabter Mann.» Er schenkte ihnen Rotwein ein. «Ich habe gehört, dass du einige Jahre in diesem großen Gasthaus in Lehen gewohnt hast. Dann kennst du dich ja mit Haushaltsführung aus.»

«Ich weiß nicht recht, was Ihr mit Haushaltsführung meint, ich habe vor allem in der Gaststube bedient und abgerechnet. Und dann habe ich mich mit meiner Tante um Bestellungen und Einkäufe gekümmert.»

«Auch gut, auch gut. Falls ihr heiratet, wirst du natürlich in dieser Vorstadtschenke kündigen. Was bringst du mit in die Ehe?»

«Aber Vater», mischte sich Michael Bantzer ein, «ich habe dir doch bereits erzählt, dass …»

«Nein, Michael, lass nur.» Catharina sah dem Alten offen ins Gesicht. «An Hausrat besitze ich so gut wie nichts, aber von dem Erbe meines Vaters und durch meine Arbeit habe ich über zweihundert Gulden gespart.»

Catharina war stolz auf ihren Reichtum, doch Michaels Vater schien diese Summe nicht zu beeindrucken. Mehr wollte er von ihr nicht wissen, stattdessen erzählte er, während eine silberne Platte mit Braten, Fisch und Geflügel nach der anderen aufgetragen wurde, in aller Breite von seiner Familie und der Schlosserei. Jedes Gedeck brachte neue Köstlichkeiten, und als Catharina schließlich keinen Bissen mehr herunterbrachte und sich den Mund am Ärmel abwischen wollte, fing sie einen warnenden Blick von Michael auf. Sie entdeckte die Stoffservietten, die in der Mitte der Tafel lagen, und säuberte sich das Gesicht. Hoffentlich habe ich mich bisher nicht allzu sehr danebenbenommen, dachte sie. In jeder anderen Situation wäre ihr das gleichgültig gewesen, doch jetzt hing ihre Zukunft von dem Eindruck ab, den sie bei diesem selbstzufriedenen alten Mann hinterließ.

Beim Nachtisch fragte Bantzer seinen Sohn: «Wann wollt ihr heiraten?»

«Wenn Ihr einverstanden seid, Vater, so bald wie möglich.»

«Du kannst es wohl kaum erwarten, deine schöne Braut zu Bett zu führen», entgegnete er und lächelte anzüglich.

Catharina mochte seine Art nicht. Sie hatte einmal gehört, dass im Alter die Söhne ihren Vätern ähnelten, und hoffte inständig, dass Michael eine Ausnahme bilden möge.

Der Alte erhob sich.

«Gut, dann gebe ich euch meinen Segen für eure künftige Ehe. Das müssen wir mit einem besonders guten Tropfen begießen.»

Aus einem abschließbaren Eichenschrank holte er drei zierliche Gläser und eine Flasche.

«Portwein, direkt aus Portugal. Schaut euch diese Farbe an, wie Bernstein. Das verrät sein Alter und seine Qualität.»

Catharina hatte noch nie Bernstein gesehen. Sie nahm das gefüllte Glas entgegen, das er ihr reichte, und gab es an Michael weiter.

«So ist es recht, immer erst an die anderen denken», sagte der Alte wohlwollend. «Catharina, du gefällst mir. Hier, nimm das andere Glas. Auf eure Verlobung.»

Schmatzend nahm er einen Schluck, verdrehte verzückt die Augen und küsste Catharina auf beide Wangen. Seinem Sohn schlug er auf die Schultern. Dann legte er die Hände der Brautleute zusammen, murmelte etwas auf Lateinisch und trank sein Glas aus. Damit schien die Angelegenheit für ihn erledigt.

Erleichtert wandte sich Catharina zur Tür, nachdem er sich von ihnen verabschiedet hatte. Michael brachte sie hinaus. Er war in bester Stimmung.

«Du hast dich großartig verhalten», lächelte er. «Sei mir nicht böse, wenn ich dich nicht heimbegleite. Vater und ich werden gleich alles Notwendige für die Hochzeit besprechen.»

Dämmerung legte sich über den lauen Septemberabend. Langsam ging das Hochzeitsfest dem Ende zu. An der langen Tafel saßen nur noch Michaels engste Freunde, sein Vater und Catharinas Lehener Verwandtschaft. Der Priester, für den man einen Lehnstuhl unter den einzigen mickrigen Baum im Hof gestellt hatte, schnarchte mit offenem Mund vor sich hin, Spuren von eingetrocknetem Bratensaft auf dem fleischigen Doppelkinn. Überall waren Essensreste und Knochen über den Boden verstreut, von den beiden Wildschweinen am Spieß hing nur noch ein kümmerlicher Rest über der erloschenen Glut. Das Dienstmädchen steckte die Fackeln an, die an den Hauswänden befestigt waren. Für Marthe und ihre Familie war dies das Zeichen zum Aufbruch, denn die Tore schlossen bei Dunkelheit. Der alte Bantzer überredete sie jedoch mit einem Seitenblick auf Lene, die mit einem der Gesellen kokettierte, noch zu bleiben. Er habe mit dem Stadtwächter gesprochen, der ließe sie auch später noch hinaus.

Catharina, der der Kopf schwirrte, schloss für einen Moment

die Augen. Was war das für ein aufregender Tag gewesen! In der Nacht zuvor hatte sie ein letztes Mal in ihrem Häuschen an der Mehlwaage geschlafen. Früh am Morgen hatten ihr dann die Wirtsleute geholfen, ihre Sachen ins Haus zum Kehrhaken zu schaffen. Dort waren die Vorbereitungen schon in vollem Gange, und der sonst so schmucklose weiträumige Hinterhof war bald nicht mehr wieder zu erkennen. Etliche Holztische und Bänke standen aneinander gereiht, und darüber errichteten die Schlosser eine girlandengeschmückte Laube aus Holz und Sacktuch. Die Wände und Mauern rund um den Hof wurden mit bunten Bändern und Papierblumen geschmückt.

Für Catharina stand in der kleinen Badstube im Erdgeschoss eine Wanne mit heißem Wasser bereit. Der Kirchgang war zum Mittagsläuten vorgesehen, sie musste sich also beeilen. Das Dienstmädchen rieb sie mit herrlich duftendem Rosenöl ein und half ihr, das hellblaue hochgeschlossene Samtkleid mit der kleinen Halskrause und den weit gebauschten Ärmeln anzulegen, das sie sich letzte Woche hatte schneidern lassen. Dann holte Michael sie ab. Wie immer war er ganz in Schwarz gekleidet, hatte aber zur Feier des Tages weiße Seidenstrümpfe und eine weit ausladende gestärkte Halskrause angelegt. Als sie vor das Haus traten, wartete schon eine fröhliche Menschenmenge, um sie zum Münster zu begleiten. Die Trauung im Seitenschiff, die ein fetter, kurzatmiger Priester vornahm, verging erstaunlich schnell, und Catharina konnte kaum den Worten folgen. Sie warf einen Blick auf Marthe, die zusammen mit dem Zunftmeister der Schmiede Trauzeuge war: Dicke Tränen der Rührung liefen ihr über die Wangen.

Unter dem verwitterten Relief vom Gottvater, der Adam und Eva die Hände ineinander legt, gelobten sich Catharina Stadellmenin und Michael Bantzer ewige Treue, und der Priester erklärte sie mit dem Segen der Kirche und den Worten «Quod Deus conjunxit homo non separet» zu Mann und Frau. Es folgte eine kurze lateinische Messe, dann traten sie Arm in Arm aus der Kirche auf den sonnenbeschienenen Vorplatz. Lene fiel ihr um den Hals, die ausgelassene Menge bewarf sie mit Getreidekörnern, dem Symbol der Fruchtbarkeit, und die Schlosser hatten einen dicken Holzstamm und eine Säge bereitgestellt. Jetzt musste Michael seine Muskelkraft beweisen und den Stamm, ohne abzusetzen, zersägen. Mühelos gelang ihm das, und die Leute klatschten.

«Pass auf, Catharina, vor dem Mann hast du keine Nacht Ruhe», rief einer von ihnen. Vater Bantzer lächelte stolz.

Da entdeckte Catharina etwas abseits in der Menge Christoph mit Frau und Kind. Ihr Herz klopfte schneller. Bis gestern hatte es so ausgesehen, als würden nur Lene, die Zwillinge und ihre Tante kommen, aber dann hatten sie es sich offensichtlich anders überlegt und das Gasthaus geschlossen. Catharina wusste nicht, ob sie sich darüber freuen sollte. Seit ihrem letzten Besuch in Lehen vor drei Jahren hatte sie Christoph nicht mehr gesehen. Die kleine Sofie musste demnach schon vier Jahre alt sein. Von Lene wusste sie, dass Christophs Frau vor ein oder zwei Jahren eine Fehlgeburt gehabt hatte, ein Junge wäre es geworden, und heute sah man deutlich die Rundung ihres Bauches unter dem glatten Stoff. Die Vorstellung, dass diese Frau immer wieder von Christoph schwanger wurde, versetzte Catharina einen Stich. Unsicher ging sie auf die beiden zu. Sofie umarmte sie auf ihre behutsame Art, und Christoph drückte ihr zwei flüchtige Küsse auf die Wangen. Das kleine Mädchen überreichte ihr Feldblumen, die sie auf dem Weg in die Stadt gepflückt hatte, und Catharina nahm es zum Dank herzlich in den Arm. Wie zerbrechlich war dieses Kind, es hatte so gar nichts von seinem Vater.

«Ich soll dich von Schorsch grüßen», sagte Christoph und vermied ihre Augen. «Er ist gerade Vater geworden.»

Catharina freute sich aufrichtig über diese Nachricht. Eine große Familie, das hatte sich Schorsch immer gewünscht.

Der alte Bantzer rief zum Aufbruch. An die hundert Menschen fanden sich im Hinterhof ein, darunter auch Mechtild und Berthold vom Schneckenwirtshaus, etliche Nachbarn, Zunftangehörige und die gesamte Mannschaft der Schlosserei. Der alte Bantzer scherte sich, wie übrigens die meisten Ratsmitglieder, einen Kehricht um die neue Polizei-Ordnung, die jegliche Feierlichkeiten streng reglementierte und Verstöße mit teilweise empfindlichen Geldstrafen ahndete. So hätten zu einer Meisterhochzeit wie im Hause Bantzer höchstens siebzig Gäste geladen werden und die Menüfolge sechs Gänge nicht übersteigen dürfen, doch die zu erwartenden Strafgulden hatte der Alte von vornherein einkalkuliert.

Unmengen von Wein, Starkbier und Branntwein flossen die durstigen Kehlen hinunter, und die Dienstmädchen und Lehrlinge hatten alle Hände voll zu tun, bei den Speisen für Nachschub zu sorgen. Michael führte seine frisch getraute Ehefrau herum und stellte sie jedem seiner Bekannten vor, bis Catharina sich schließlich keinen einzigen Namen mehr merken konnte. Dann spielte die Musik auf, und Catharina durfte keinen Tanz auslassen. Rundum wurde die Stimmung ausgelassener, und zur Gaudi der Kinder beteiligten sich immer mehr Erwachsene an ihren übermütigen Spielen wie Sackhüpfen und Bockspringen. Selbst der alte Bantzer gab sein vornehmes Gehabe auf, balancierte ein Glas Wein auf dem Kopf, hüpfte wie ein Tanzbär herum, rülpste und rotzte sich in den Ärmel wie seine Gesellen. Zu fortgeschrittener Stunde kamen die unvermeidlichen Pfänderspiele an die Reihe, und Michael musste zur Auslösung seines Pfands auf dem Tisch tanzen. Er packte Lene bei den Hüften, hob sie auf den Tisch und legte einen so stürmischen Tanz mit ihr hin, dass etliche Gläser zu Bruch gingen.

Catharina kam ein kleiner Seufzer über die Lippen. Erschöpft und fast ein wenig schwermütig betrachtete sie das Flackern der Fackeln in der zunehmenden Dunkelheit. Jetzt also war dieser

Tag, der vielleicht wichtigste ihres Lebens, beinahe vorüber. Vom Bestellen des Aufgebots bis zur kirchlichen Trauung, vom Verpflichten der Spielleute bis zur Festlegung der Speisenfolge – alles hatten Michael und sein Vater in die Wege geleitet. Wie sie selbst sich diesen Festtag gewünscht hätte, danach hatte niemand gefragt. Eine große Überraschung sollte es werden, hatte Michael vorher zu ihr gesagt, und sie musste zugeben, dass er und sein Vater sich nicht mehr Mühe hätten geben können. Aber das unbefriedigende Gefühl, von allem ausgeschlossen worden zu sein, bestand fort. Catharina beschlich eine leise Ahnung, wie ihr Leben an der Seite dieses Mannes verlaufen würde.

In der Gruppe um Michael ging es inzwischen laut her. Einer seiner Freunde hob das Glas.

«Lieber Michael, darf ich dir noch einen guten Rat für deine Ehe geben? Also hör zu:

Wer seine Frau lässt gehen zu jedem Fest,
sein Pferd aus jeder Pfütze trinken lässt,
hat bald eine Mähr' im Stall
und eine Hur' im Nest!»

Die Männer brachen in Gelächter aus, auch Michael. Catharina fand diesen Spruch so unpassend wie einen Schweinsfuß in Seidenpantoffeln. Da stand Michael auf.

«Ich weiß auch eine gute Geschichte: Am spanischen Hof sagte ein Edelmann zu seiner angebeteten Dame zur Begrüßung: ‹Ich küsse Ihre Hände und Füße, Madame.› Da erwiderte sie: ‹Mein Herr, in der Mitte finden Sie das Beste. Warum nicht dort?›»

Mit einer anzüglichen Gebärde deutete er bei dem letzten Satz auf seinen Hosenlatz.

Wieder großes Gelächter. Nun also ging die Zotenreißerei los. Catharina fing einen Blick von Christoph auf. Er nickte ihr unmerklich zu, erhob sich und ging Richtung Vorderhaus davon. Nach einem kurzen Moment folgte sie ihm. Als sie den Hof durchquert hatte, stieß sie auf Wilhelm, Christophs jüngeren Bruder. Er grinste, ein allwissender Ausdruck lag auf seinem hübschen Gesicht.

«Christoph steht in der Hofeinfahrt.»

Catharina legte den Zeigefinger auf ihre Lippen, und Wilhelm nickte verständnisvoll. Wie ähnlich Wilhelm seinem älteren Bruder sah. War er nicht genauso alt wie Christoph damals, als sie sich in ihn verliebt hatte?

Sie huschte in die dunkle Hofeinfahrt, wo Christoph unruhig hin und her schritt.

«Ich wollte dich noch einmal allein sehen», sagte er leise. «Du bist mir so fremd in dem schönen Kleid, in dieser Umgebung, neben diesem stattlichen Mann. Bist du glücklich?»

Sie zögerte mit einer Antwort und dachte an die düsteren Gedanken, die ihr eben noch durch den Kopf gegangen waren.

«Ich weiß nicht, es ist alles so anders. Ich glaube, meine glücklichste Zeit war bei euch in Lehen, und die ist jetzt eben vorbei. Andererseits –», sie schob mit der Schuhspitze einen Stein weg, «bis in alle Ewigkeit als Schankfrau arbeiten?» Und dir ein Leben lang nachtrauern, dachte sie bei sich. «Nein», sagte sie laut, «so ist es schon besser, ich bin zufrieden.»

Sie kickte den Stein weg. «Und du? Du bist sicher glücklich mit deiner Familie. Wo ihr doch bald euer zweites Kind erwartet.»

«Ach, Cathi, was weißt du schon. Sofie ist ein herzensguter Mensch, aber so zart. Wie ein Windhauch oder eine Eisblume, so ganz anders als du. Mit dir konnte ich lachen und albern sein, wir hatten immer so viel Spaß miteinander.»

Da näherten sich Schritte. Christoph zog sie ins Treppenhaus. Regungslos warteten sie, bis die Schritte vorüber waren. Dann zog er sie heftig an sich und küsste sie. Als würde sie aus einem langen düsteren Traum erwachen, spürte sie die alte Leidenschaft für ihn wieder aufflammen. Nur war sie jetzt kein kleines Mädchen mehr, und so erwiderte sie bereitwillig seine ungestümen Zärtlichkeiten. Christoph hatte schon die Hand unter ihr Mieder geschoben, als ihr plötzlich die Unmöglichkeit dieser Situation vor Augen trat. Jederzeit konnten sie hier im Treppenhaus überrascht werden – unvorstellbar, was dann geschehen würde! Sie trat einen Schritt zurück und glättete ihr Kleid.

«Wir sind verrückt geworden. Wir müssen sofort zu den anderen.»

«Du hast Recht.» Unglücklich sah er sie an. «Weißt du, was ich immer wieder denke? Dass mein Leben verpfuscht ist. Wäre ich damals, als ich nach Villingen ging, nur geduldiger gewesen und hätte auf die Rückkehr nach Lehen, auf die Rückkehr zu dir gewartet! Wären wir nur hartnäckig genug gewesen – meine Mutter hätte bestimmt in unsere Heirat eingewilligt. Aber es war einzig und allein meine Schuld: Ich wollte mir unbedingt beweisen, dass ich ein richtiger Mann bin und eine Frau erobern kann. Jetzt habe ich eine Familie, die mich liebt und die mich braucht und die ich nicht mehr verlassen kann. Wenn du wüsstest, wie oft ich davon geträumt habe, in deinen Armen zu liegen und –» Er stockte und wandte sich ab. Mit hängenden Schultern ging er in den Hof zurück.

Catharina sah ihm nach. Am liebsten hätte sie sich in einen stillen Winkel verkrochen und geheult wie ein kleines Kind. Aber was nützte das alles, jetzt war es zu spät, um zu jammern. Sie riss sich zusammen und ging ein paar Schritte in der Einfahrt auf und ab. Als sie in den Hof zurückkam, hatte sich inmitten der lärmenden Hochzeitsgesellschaft die Gruppe um Marthe zum Aufbruch fertig gemacht. Nachdem Catharina von allen Seiten herzlich umarmt worden war, küsste auch Christoph sie auf die Stirn, nahm seine schlafende Tochter auf den Arm und ging voraus, ohne sich noch einmal nach ihr umzudrehen.

Marthe nahm sie auf die Seite.

«Pass auf dich auf, meine Kleine. Und denk nicht immer zurück, was hätte sein können. Das hat uns Menschen noch nie weitergebracht.»

Der alte Trotz stieg in Catharina auf. Ihre Tante hatte gut reden, schließlich war sie es gewesen, die sich in ihr Schicksal eingemischt hatte. Oder hatte Christoph doch Recht, wenn er die Schuld bei sich suchte? Nachdenklich begleitete sie ihre Verwandten auf die menschenleere Gasse hinaus und sah ihnen nach. Da legte sich eine schwere Hand auf ihre Schulter.

«Was schaust du so traurig, meine liebe Tochter», sagte der alte Bantzer mit vom Alkohol schwerer Zunge. «Das ist doch kein Abschied, das ist ein Anfang. Komm, trink noch einen Krug Wein mit mir.»

Eingezwängt zwischen Michael und seinen Vater versuchte sie, keine Spielverderberin zu sein, und hielt, so gut es ging, mit bei der nächtlichen Zecherei. Schließlich hatte sie selbst diese Hochzeit gewollt. Als die ersten Vögel mit lautem Zwitschern den Morgen ankündigten, waren sämtliche Männer und die wenigen Frauen, die noch ausgeharrt hatten, betrunken. Michael stand schwankend auf.

«Jetzt schreiten wir zur Tat, meine wunderschöne Frau und ich.»

«Los, Bantzer, du musst sie über die Schwelle tragen, wenn du das noch schaffst.»

«Ich schaff noch ganz andere Sachen heute Nacht», lachte Michael dröhnend und hob seine Frau auf die Arme. Wie eine Kuhherde folgten ihm die Gäste ins Treppenhaus bis vor die Schlafzimmertür. Ein paar Männer huschten durch die Tür und nahmen Aufstellung neben dem Bett.

«Raus hier», brüllte Michael. «Die Zeiten sind Gott sei Dank vorbei, wo man Zeugen brauchte für die erste Liebesnacht.»

Nachdem er mit sanfter Gewalt die letzten Gäste hinausgeschoben und die Tür hinter sich verriegelt hatte, ließ er sich mit einem wohligen Seufzer auf das prächtigste Federbett fallen, das Catharina je gesehen hatte.

«War das ein herrliches Fest!» Er wandte ihr den Kopf zu. «Na, wie gefällt dir unser nächtliches Reich?»

Die kunstvoll geschnitzten Eichenholzpfosten trugen einen mit rotem Leinen bezogenen Himmel, von dem schwere Brokatvorhänge herabfielen, die ebenfalls tiefrot schimmerten. Vor dem Bett bedeckten zwei weiche Schaffelle den groben Dielenboden. An weiteren Möbeln befanden sich nur noch eine eisenbeschlagene Truhe, die sehr wertvoll aussah, und ein zierlicher Waschtisch im Raum. Für ihre Kleider gab es eine eigene kleine Kammer, die durch einen nachtblauen Vorhang abgetrennt war. Die Einrichtung zeugte sicher von erlesenem Geschmack, doch Catharina wäre in diesem Moment lieber in ihrem bescheidenen Schlafzimmer an der Mehlwaage schlafen gegangen. Sosehr sie bisher die Stunden im Bett mit Michael genossen hatte, so wünschte sie sich jetzt nichts sehnlicher, als dass er sie heute Nacht nicht berührte. Wie selbstgefällig er sich den ganzen Abend über benommen hatte! Aber wahrscheinlich tat sie ihm unrecht, wieso sollte er anders sein als die meisten Männer, die sie bei solchen Festen beobachtet hatte? Je mehr sie getrunken hatten, desto törichter wurden sie und ergossen sich mit Vorliebe in anstößigen Reden über Frauen oder Geschichten über sich selbst.

Tiefes Schnarchen riss sie aus ihren Gedanken. Michael war tatsächlich eingeschlafen. Vorsichtig zog sie ihm die Schuhe aus und legte sich neben ihn. Als sie die gemeinsame Decke über sich zog, wälzte er sich auf die Seite und drehte ihr den Rücken zu. In ihre anfängliche Erleichterung über Michaels tiefen Schlaf mischte sich ein leiser Hauch von Enttäuschung.

13

Ihr Kopf schmerzte, als sie erwachte. Hätte sie nur nicht so viel getrunken, wo sie Alkohol nicht gewohnt war. Widerwillig öffnete sie die Augen. Die Bettseite neben ihr war leer. Wie spät mochte es sein? Die Schlafkammer musste nach Norden oder Westen hinausgehen, denn trotz des wolkenlosen Himmels, den sie durch das kleine Fenster sehen konnte, herrschte noch düsteres Licht im Raum. Sie ließ sich wieder in die Kissen fallen. Nur langsam kamen ihre Gedanken in Schwung, und wie aus milchigem Morgennebel tauchten Bilder des vergangenen Tages auf: der letzte Moment in ihrer leer geräumten Kammer am Holzmarkt, die ausgelassene Menschenmenge vor der Kirche, der betrunkene Priester, der schnarchend im Lehnstuhl lag, johlende Männer, die sie ins Schlafzimmer begleiteten, und dann plötzlich ein gestochen scharfes Bild: Christoph, der sie mit hastigen Zärtlichkeiten bestürmte. Sie schüttelte den Kopf und sprang auf. Nein, sie war nicht mehr das kleine Mädchen, das sich in Tagträumen verlor. Wo war Michael? Fast kam ein wenig Schadenfreude in ihr auf, dass dieser vermeintliche Stier von einem Mann seine Hochzeitsnacht verschlafen hatte.

Nachdem sie sich gewaschen und angezogen hatte, ging sie in den Esssaal, wo ein üppiges Frühstücksmahl mit frischem Weißbrot, Käse und Obst auf sie wartete. Vor ihrem Gedeck stand eine Vase aus Rauchglas mit einem Strauß roter Rosen. Gertrud, das Hausmädchen, brachte ihr warme Milch.

«Der gnädige Herr lässt Ihnen ausrichten, dass er in der Werkstatt ist. Wenn Ihr fertig seid, werde ich ihn holen.»

Catharina nickte und ließ es sich schmecken. Freundlich schien die Sonne durch die drei Fenster, die die ganze Längsseite des Raums einnahmen. Sie gingen zur Straße hinaus, leise konnte man Stimmen und das Rumpeln der Wagen auf der Großen Gasse hören. Dieser Raum war ganz offensichtlich zum Repräsentieren gedacht, so kunstvoll, wie er eingerichtet war. In der Ecke sorgte ein lindgrüner Kachelofen im Winter für Wärme. Die mächtigen Deckenbalken waren mit Blattwerk bemalt, die Wände von oben bis unten holzgetäfelt, der Fußboden mit rötlich schimmernden Tonfliesen bedeckt. Wie leicht musste so ein Boden zu pflegen sein. Wenn sie da an die Dielenbretter der Gasträume in Lehen dachte, in deren Ritzen sich immer Schmutz und Essensreste festsetzten! Ganz abgesehen von den Estrichböden in den anderen Zimmern, die kaum sauber zu halten waren. Sie wollte gerade das Geschirr zusammenräumen, als Gertrud sie aufhielt.

«Lasst nur, lasst, ich mache das schon.»

Dies war keineswegs freundlich gemeint, und Catharina betrachtete erstaunt Gertruds zusammengekniffene Mundwinkel. Da sah sie Michael im Türrahmen stehen. Etwas verlegen kam er auf sie zu und küsste sie.

«Ich dachte, ich lass dich noch etwas schlafen», sagte er, und etwas leiser, mit einem Seitenblick auf die Magd, die das Geschirr hinaustrug: «Du musst dich daran gewöhnen, dass du hier Herrin bist.»

Catharina zuckte die Schultern. «Soll ich denn jetzt den ganzen Tag herumsitzen?»

«Kannst du es nicht einfach genießen, dein neues Leben als meine Ehefrau?»

Sie konnte sich nicht verkneifen, wegen der vergangenen Nacht zu sticheln. «In unserer Hochzeitsnacht hast du mir jedenfalls nicht viel Gelegenheit zum Genießen gegeben.»

Sie spürte seinen Unwillen.

«Gütiger Gott», brummte er. «Bist du etwa bisher nicht auf deine Kosten gekommen?»

War sie das? Versöhnlich nahm sie seine Hand.

«Sei nicht böse, es war nicht so gemeint. Zeigst du mir jetzt das Haus?»

Bisher hatte sie nur einen Bruchteil des Bantzer'schen Anwesens kennen gelernt, und sie kam aus dem Staunen über den Platz und die Bequemlichkeit des Hauses nicht mehr heraus. Im Erdgeschoss befanden sich gleich neben dem Durchgang zum Hof ein Lager- und ein Verkaufsraum. Durch den Verkaufsraum gelangte man in eine Art Kontor, ein winziges Zimmer, das voll gestopft war mit Papieren und schweren Büchern. Am Stehpult stand ein hagerer, etwas krumm gewachsener Mann mittleren Alters, dem die strähnigen Haare fettig ins Gesicht hingen.

«Das ist Hartmann Siferlin», stellte Michael ihr den Mann vor, der zu ihrer Begrüßung stumm mit dem Kopf nickte und sich dann wieder in seine Schreibarbeit vertiefte. «Er war gestern nur kurze Zeit auf dem Fest, wahrscheinlich erinnerst du dich nicht. Er führt nicht nur die Rechnungs- und Haushaltsbücher, sondern hat auch den Umbau in der Werkstatt mitgeplant. Er ist sozusagen meine rechte Hand, ohne ihn geht nichts.» Obwohl der letzte Satz ein großes Lob bedeutete, zeigte Siferlin keine Regung.

Sie verließen das Kontor durch eine Hintertür und standen in einem schmalen Stiegenhaus, in das nur wenig Licht durch kleine unverglaste Luken fiel.

«Das ist die Stiege für das Personal. Als junger Bursche hab ich sie häufiger benutzt als die Haupttreppe.»

«Und was ist das für eine niedrige Tür dort?»

Michael öffnete die Tür. «Die Badstube. Die kennst du bereits.»

Catharina schaute noch einmal kurz in den ganz mit Holz verkleideten Raum, von dem sie am Vortag so begeistert gewesen war. Bis zu ihrer Hochzeit hatte sie nicht gewusst, dass es Häuser mit eigenem Baderaum gab. In dem in die Mauer eingelassenen Kamin wurde das Wasser erhitzt und dann in den kreisrunden Holzbottich gefüllt. Von ihrem gestrigen Bad strömte die Stube immer noch Feuchtigkeit und Wärme aus.

Sie gingen die enge Stiege hinauf und gelangten von dort in die Küche. An einem riesigen klobigen Tisch saß die Köchin und schnitt Gemüse. Sie hatte ein gutmütiges Gesicht mit Grübchen in den dicken Wangen und lächelte erfreut, als sie eintraten.

«Barbara ist die beste Köchin Freiburgs. Sie verdient es eigentlich, im Roten Bären zu kochen statt in unserem bescheidenen Haushalt.» Michael kniff sie in den fleischigen Unterarm.

«Na, na», sagte sie nur, und es war unklar, ob sie damit Michaels Kompliment oder seine Berührung meinte. Neben dem Herdfeuer stand eine Anrichte mit Kesseln, Töpfen und Pfannen, alles aus bestem Gusseisen, darüber hingen von einem Wandbord die verschiedensten Koch- und Backwerkzeuge. Catharina erkannte auf den ersten Blick, dass diese Küche besser ausgestattet war als die des Lehener Gasthauses.

«Komm, ich zeige dir den ganzen Stolz meines Vaters.» Er nahm Catharina beim Arm und führte sie durch den Esssaal zu einer prächtigen messingbeschlagenen Tür, die ihr bisher noch gar nicht aufgefallen war. Sie betraten einen gemütlichen holzgetäfelten Raum. In einem Lehnstuhl, demselben, den man gestern für den Priester in den Hof geschleppt hatte, saß der alte Bantzer und las. Er erhob sich langsam und legte den Arm um Catharina.

«Guten Morgen, meine Liebe, oder besser: guten Tag, denn es ist schon reichlich spät. Ich hoffe, du hattest eine wunderbare Hochzeitsnacht in deinem neuen Heim.»

Dabei zwinkerte er albern seinem Sohn zu.

«Danke, ich habe herrlich geschlafen», gab Catharina ernst zurück.

Michael sah aus dem Fenster und beobachtete die Aufräumarbeiten im Hof.

«Meine Güte, die Kerle da unten bewegen sich, als würden sie schlafwandeln. Ich muss gleich nochmal hinunter.»

«Schick doch Hartmann», lächelte Michaels Vater. «Kümmere du dich lieber noch ein bisschen um deine hübsche Frau.»

Das Verhalten des Alten ihr gegenüber missfiel Catharina zusehends. Sie wandte sich zur Seite. Vor ihr erhob sich ein breites Regal, das vom Boden bis zur Decke mit Büchern bestückt war. So viele Bücher auf einmal hatte sie noch nie gesehen.

«Darf ich mir die einmal in Ruhe ansehen?» Sie strich vorsichtig über die prächtigen Ledereinbände.

Der alte Bantzer stellte sich neben sie. «Natürlich – solange du keine Seiten herausreißt.»

«Vater, Catharina kann lesen.»

«Ach ja? Umso besser, schadet schließlich nichts, wenn Frauen ein bisschen Bildung haben. Solange die anderen Fähigkeiten nicht darunter leiden.»

Dann setzte er sich mit seinem Buch wieder in den Lehnstuhl.

Sie gingen weiter das Treppenhaus nach oben, wo sich die Schlafkammern befanden.

«Neben unserem Zimmer ist die ehemalige Kammer meiner Schwester. Sie steht jetzt leer. Dahinter schläft mein Vater, und hinter unserer Kammer ist noch ein Raum, wo manchmal Gäste übernachten.» Sie durchquerten die kleinen Kammern, wo die Hochzeitsgeschenke gestapelt waren, und standen schließlich wieder auf der dunklen Holzstiege für das Dienstpersonal.

«Bleib hier», sagte er und hielt sie am Arm fest, als sie die Stiege zum Dachboden hinaufklettern wollte. «Da oben gibt es nichts zu sehen, nur Gerümpel und die Kammern von Gertrud und Barbara.»

Sie zeigte auf die Aborttür neben dem Aufgang zum Dachboden. «Stimmt es, dass die beiden Frauen den Abort im Hof benutzen müssen?»

Statt einer Antwort küsste er sie in den Nacken.

«Was für ein unnütz weiter Weg. Ehrlich, Michael, mich würde es nicht stören, wenn …»

Er küsste sie auf den Mund und ließ seine Hand unter ihren Rock gleiten.

«Kümmere dich nicht so viel um das Dienstpersonal, es gibt Wichtigeres.»

Er hob sie hoch und trug sie auf das Bett ihres Schlafzimmers. Ein wohliger Schauer durchfuhr Catharina, als er ihr das Kleid hochschob und die Innenseite ihrer Schenkel küsste, erst sanft, dann immer nachdrücklicher. Das Spiel seiner Lippen und seiner Finger entfachten eine Lust, die ihren ganzen Körper zum Glühen brachte. Bitte lass ihn nicht aufhören damit, dachte sie und stöhnte auf, als sich ihr Unterleib plötzlich in heftigen Wellen wieder und wieder zusammenzog. Erst nachdem Michael längst in sie eingedrungen war und seine Stöße schneller wurden, ebbte dieses berauschende Gefühl ab. Dann kam auch er, und mit einem heftigen Aufschrei sank er auf sie nieder.

«Es war wunderschön», flüsterte sie und küsste seine Hand, die ihr eben noch so viel Vergnügen bereitet hatte.

«Du sollst doch zufrieden sein mit deinem Mann», gab er lächelnd zurück. Dann stand er auf und ging an den Waschtisch, wo er sorgfältig Hände und Geschlecht reinigte.

«Führst du mich gleich noch durch die Werkstatt?»

«Ein andermal. Dort herrscht noch solch ein Durcheinander, du würdest einen ganz falschen Eindruck bekommen. Schau dir erst einmal die Geschenke an. Du wirst staunen, es sind richtige Schätze dabei.»

«Ach, daran liegt mir nicht viel. Versprichst du mir, dass wir bald einmal nach Italien reisen?»

«Versprochen!»

Sie kuschelte sich wohlig in das warme Kissen. «Was für ein riesiges Haus wir bewohnen.»

Er grinste breit. «Ich gebe mir alle Mühe, es mit vielen Kindern zu bevölkern.»

Trotz gelegentlicher Anfälle von Dickköpfigkeit war Anpassungsfähigkeit eine von Catharinas hervorstechendsten Eigenschaften. Immer, wenn sich ihre Lebenssituation grundlegend geändert hatte, fand sie sich ohne große Mühe in die neuen Gegebenheiten ein. Zumindest war das bisher so gewesen, doch jetzt beschlichen sie Zweifel, ob sie sich jemals an dieses neue Leben gewöhnen würde. Der Alltag in dieser angesehenen und wohlhabenden Bürgersfamilie erschien ihr fremdartiger, als es das Leben einer Magd auf einem Einödhof im Schwarzwald gewesen wäre. Jedenfalls dachte sie das, als sie in den ersten Tagen Haus und Hof noch einmal auf eigene Faust erkundete. Der alte Bantzer war für eine Woche verreist, und Michael arbeitete ohne Unterlass, da die Umbauarbeiten in der Werkstatt bis Monatsende abgeschlossen sein sollten. So schlenderte sie durch die blank geputzten Zimmer und Kammern, zog Schubladen auf und öffnete Schranktüren. Sie bemerkte, wie sie bei ihren Erkundigungen von den misstrauischen Blicken des Hausmädchens verfolgt wurde.

«Hat eigentlich mal jemand gezählt, wie viele Zinnteller und Leuchter und Schüsseln es hier im Haus gibt?»

Nur widerwillig, das spürte Catharina, gab Gertrud Auskunft.

«Als die werte Herrin, Gott hab sie selig, gestorben war, wurde ein Inventar erstellt. Aber jetzt ist durch Eure Hochzeit ja wieder einiges hinzugekommen.»

«Dann werden wir uns nächste Woche einmal zusammensetzen und ein neues erstellen.»

Kaum hatte Catharina den Satz ausgesprochen, wunderte sie sich selbst über ihren Vorschlag. Ihre neuen Besitztümer interessierten sie eigentlich überhaupt nicht, nur verspürte sie plötzlich den Drang, irgendeine Aufgabe zu übernehmen und nicht alles dieser mürrischen Frau zu überlassen. Sie ließ Gertrud ohne ein weiteres Wort stehen und beschloss, sich Bantzers Bücher anzusehen. Enttäuscht stellte sie fest, dass die Tür zum Bücherkabinett verschlossen war. Vielleicht hatte Michael einen Schlüssel.

Als sie das Tor zur Werkstatt öffnete, schlug ihr beißende Hitze entgegen. Etwa zehn Männer standen an den Werkbänken oder an einer der beiden offenen Feuerstellen. Sie arbeiteten an einem zweiflügeligen Eisentor. Catharina wusste von Michael, dass es sich um einen großen Auftrag für das Archiv des Kaufhauses handelte. Das leise metallische Hämmern, das man im Haus den ganzen Tag über hörte, wurde hier zu ohrenbetäubendem Lärm, und die Männer konnten sich nur schreiend verständigen. Michael war nicht zu sehen. Sie ging nach nebenan in das Material- und Werkzeuglager, wo es etwas ruhiger zuging. Ein junger Mann, schlank und nur wenig älter als sie, packte eine Kiste mit Eisenplatten aus.

«Ihr sucht sicher Euren Mann. Er ist drüben im Kaufhaus.» Der Mann wischte sich die Hände an der Lederschürze ab und reichte ihr seine Rechte, an der der Zeigefinger fehlte. Er hatte ein offenes Gesicht mit strahlenden Augen, von denen eines braun, eines tiefblau war.

«Wir haben uns zwar beim Hochzeitsfest schon kurz gesehen, aber ich denke, ich sollte mich noch einmal vorstellen. Ich bin Benedikt Hofer, seit vielen Jahren Bantzers Geselle.»

Catharina war völlig gebannt von seinen Augen.

«Wisst Ihr, ob mein Mann länger ausbleibt?»

«Ich denke, er wird gegen Mittag zurück sein.»

Sie bedankte sich und ging hinaus in den Hof, wo sie sich für einen Moment an den Brunnenrand lehnte. Nach der Hitze in der Werkstatt musste sie erst einmal Luft schnappen. Plötzlich hatte sie das Gefühl, beobachtet zu werden. Verunsichert sah sie sich um, aber der Hof war leer. Dann sah sie einen Schatten am Fenster des Kontors, der gleich wieder verschwand. Sie ging ins Haus zurück.

«Ihr solltet als Frau nicht allein in die Werkstatt. Das ist zu gefährlich.»

Catharina fuhr herum. Sie hatte Hartmann Siferlin nicht kommen hören. Für einen Mann hatte er eine unangenehm hohe und dünne Stimme. Doch mehr noch überraschte sie die Kälte, die von ihm ausging, eine spürbare Kälte, die sie frösteln ließ, als hätte sie einen Keller betreten.

«Danke für den Hinweis, aber ich denke, es gibt gefährlichere Orte für eine Frau», sagte sie und ging die Treppe hinauf.

Beim Mittagessen fragte Catharina Michael nach dem Schlüssel für die Bibliothek, doch er hatte auch keinen.

«Ich finde es unerhört, dass dein Vater die Bibliothek abschließt, wenn er weg ist.»

«Du musst ihn verstehen. Es sind sehr wertvolle Bände darunter.»

«Und ich könnte sie stehlen?»

«Unsinn, du natürlich nicht. Wenn du willst, frage ich ihn, ob wir einen Schlüssel nachmachen können.»

Catharina ärgerte sich ein wenig, dass Michael nicht allein darüber entscheiden konnte. So ehrgeizig und erfolgreich er sonst war, benahm er sich seinem Vater gegenüber wie ein Kind.

Catharina stellte bald fest, dass ihrer Selbständigkeit Schranken gesetzt wurden. Sie deutete nach der Hochzeit an, dass sie wieder im Gasthaus helfen wollte, zumindest so lange, bis die Wirtsleute einen Ersatz für sie gefunden hätten. Als Michael das hörte, wurde er so wütend, wie sie ihn noch nie erlebt hatte.

«Meinst du, ich mache mich zum Gespött der Leute? Eine Bantzerin als Schankfrau – ich glaube, du bist vollkommen verrückt geworden!»

Sie erfuhr, dass er schon Tage vor der Hochzeit mit Berthold und Mechtild alles Nötige abgesprochen und ihnen eine Abfindung für ihr Ausscheiden gezahlt hatte. Auch davon hatte sie wieder einmal nichts gewusst.

Als Nächstes geriet sie mit dem Hausmädchen aneinander. Catharina war es nicht gewohnt, bedient zu werden, und so war es für sie nur selbstverständlich, ihr Zimmer selbst in Ordnung zu halten oder das Geschirr in die Küche zu tragen. Einmal verschüttete sie beim Frühstück Milch auf den Boden und kroch unter den Tisch, um die Lache aufzuwischen.

«Ich sehe», hörte sie Gertruds Stimme über sich, «dass ich hier langsam überflüssig werde. Dann kann ich ja meine Stellung aufkündigen.»

Catharina entschuldigte sich und versuchte ihr zu erklären, dass sie sich keineswegs in ihren Zuständigkeitsbereich einmischen wolle, aber es half nichts: Von diesem Moment an wurde ihr Verhältnis noch frostiger.

Abends im Bett beklagte sie sich bei Michael.

«Ich wohne hier in einem goldenen Käfig. Diese Gertrud behandelt mich wie einen hergelaufenen Eindringling, du hast Arbeit bis zum Hals und ich soll den ganzen Tag Däumchen drehen.»

«Warte nur ab, bis wir Kinder bekommen. Dann hast du genug Aufgaben.» Er drehte sich zur Seite und gähnte. «Und mit Gertrud werde ich morgen reden.»

Doch Michael schob das Gespräch mit dem Hausmädchen immer wieder hinaus, und es änderte sich zunächst nichts. Catharina machte eine völlig neue Erfahrung: Sie langweilte sich und fühlte sich oft allein. Manchmal war sie nahe daran, Moses zu sich zu holen, verwarf den Gedanken aber wieder, denn der Hund wäre den ganzen Tag im Hof eingesperrt. Die einzigen Lichtblicke waren Lenes Besuche und der tägliche Gang über den Markt. Das Einkaufen der Lebensmittel ließ sie sich von

Gertrud nicht nehmen: Sie liebte es, zwischen den Buden und Ständen zu schlendern, die je nach Jahreszeit mit dem ganzen Reichtum aus den Flüssen, Feldern und Gärten der Umgebung bestückt waren, zwischen den Gerüchen nach Fisch, frischem Brot oder Gewürzen, hier ein Schwätzchen, dort ein Schwätzchen haltend und ganz nach eigenem Gutdünken zu entscheiden, welches Obst oder Gemüse oder Fleisch im Hause Bantzer auf dem Küchentisch landen würde. Was daraus letztlich zubereitet wurde, überließ sie nach wie vor der Köchin.

Gleich bei ihrem zweiten oder dritten Marktgang traf sie Mechtild vom Schneckenwirtshaus. Sie sah müde aus, strahlte aber, als sie Catharina erblickte.

«Schön, dich zu sehen, du fehlst uns sehr.»

Catharina seufzte. «Ich würde so gern bei euch weiter arbeiten, wenigstens ab und zu. Aber mein Mann ist dagegen, wie ihr wisst. Er hat mich euch ja regelrecht abgekauft.»

«Na ja, ein bisschen kann ich ihn verstehen. Eine Schankstube ist nicht mehr die rechte Umgebung für dich.»

Als Catharina nach Berthold fragte, stieg der Wirtsfrau eine leichte Röte ins Gesicht.

«Stell dir vor, er ist seit vorgestern im Turm, für fünf Tage ‹gefänglich eingesetzt›, wie es in der Amtssprache heißt. Das war eine schöne Aufregung!»

Sie erzählte, dass Berthold einen Stammgast, der in der Predigervorstadt wohnte, in der Schankstube hatte übernachten lassen, weil er nach einem Streit mit seiner Frau sturzbetrunken gewesen war. Irgendwer hatte diesen Gast dann zu früher Morgenstunde angeblich mit einem Mädchen herauskommen sehen und das sofort an die Stadtwächter weitergetragen. Ob das der Wahrheit entsprach, war nicht zu beweisen, in jedem Fall aber hatte Berthold Unrecht begangen, denn ein Erlass zum Schutz vor Kuppelei verbot es den Wirtsleuten, Bürger, die eine eigene Wohnung in der Stadt hatten, zu beherbergen.

«Und wie geht es ihm jetzt?»

Mechtild musste lachen. «Weißt du, er kennt den Turmwärter gut, und sie sind den ganzen Tag am Würfeln und Kartenspielen. Erzähl das aber nicht weiter.»

Beim Abschied versprach Catharina, sie bald einmal zu besuchen.

Lenes Besuche hingegen wurden im Laufe des Herbstes immer seltener. Erst nach Wochen erfuhr Catharina den Grund dafür: Ihre Base hatte einen Mann gefunden. Dieses Mal war es wohl keine Spielerei. Dass der Auserwählte kein Bursche aus dem Dorf war, sondern ein Hauptmann in habsburgischen Diensten, passte zu Lene.

«Raimund ist einfach ein Wunder von einem Mann», schwärmte sie. «Er sieht nicht nur gut aus – du müsstest ihn mal in seiner Festtagsuniform sehen –, sondern hat auch Hirn im Kopf. Und er weiß, was er will. Er ist gerade erst zum Truppenführer ernannt worden. Dummerweise ist er in Ensisheim stationiert.»

«Werdet ihr heiraten?»

«Ja natürlich. In zwei Wochen schon.»

«Und dann?» Eigentlich war diese Frage überflüssig, denn Catharina ahnte die Antwort.

«Dann werde ich zu ihm nach Ensisheim ziehen.»

Ensisheim war Sitz der vorderösterreichischen Regierung und für Catharina so weit weg wie die Neue Welt, von der ihr Vater immer erzählt hatte. Sie kämpfte mit den Tränen. Wenn sie auch längst nicht mehr so viel zusammen waren wie zu Lehener Zeiten, so war Lene doch ihre einzige Freundin und Vertraute.

«Bist du denn schwanger, dass ihr so schnell heiratet?»

«Bis jetzt hoffentlich noch nicht. Aber er ist ein richtiger Bock, und wann immer es geht –» Sie unterbrach sich und lachte. «Das kennst du ja sicher, dein Mann wirkt auch nicht gerade wie ein Siebenschläfer.»

Catharina zuckte zusammen. Lene lag mit ihrer Vermutung völlig falsch. Fast drei Monate war sie schon verheiratet, und es schien, dass Michael jetzt, wo sie seine Frau war, kein Interesse mehr an ihr hatte. Seit jenem Morgen nach der Hochzeit hatten sie erst zweimal miteinander geschlafen, und für Catharina war es keine Erfüllung gewesen, denn er hatte anscheinend vergessen, welche Berührungen ihr Lust bereiteten. Zunächst hatte sie es seiner Erschöpfung durch die viele Arbeit zugeschrieben, aber inzwischen war der Umbau in der Werkstatt abgeschlossen, und Michael fand wieder Zeit, sich mit Bekannten zu treffen oder Zunftversammlungen zu besuchen. Catharina fühlte sich vernachlässigt, obwohl sie ansonsten keinen Grund zum Klagen hatte: Er behandelte sie, von kleinen Streitereien hin und wieder abgesehen, liebevoll und zuvorkommend und machte ihr keine Vorschriften über die täglichen Ausgaben und Einkäufe. Manchmal, vor allem wenn Gäste da waren und er ein bisschen getrunken hatte, konnte er sogar richtig verliebt wirken. An solchen Abenden hoffte sie darauf, dass er sich ihr näherte, aber nach dem üblichen Gutenachtkuss legte er sich auf die Seite und schlief sofort ein. Danach blieb sie oft lange wach und überlegte, was sie womöglich falsch machte.

Catharina überwand ihre alte Schüchternheit in diesen Dingen und fragte Lene um Rat.

«Ach, Cathi.» Sie schien sichtlich enttäuscht über Catharinas Schilderung. «Und ich dachte, dieser Mann macht dich glücklich.»

Dann fragte sie in ihrer direkten Art, ob Michael vielleicht eine Geliebte habe.

Catharina schüttelte den Kopf.

«Ich glaube nicht. Das hätte ich gemerkt.»

«Vielleicht solltest du ihn im Bett ein bisschen mehr reizen.

Manche Männer mögen es, wenn die Frau die Zügel in die Hand nimmt.»

Catharina war der Meinung, dass sich der Reiz zwischen Mann und Frau in geschlechtlichen Dingen von ganz allein entwickeln sollte, und der Gedanke, einen Mann willentlich zu verführen, war ihr fast peinlich. Dennoch machte sie sich an diesem Abend besonders hübsch, zog ein frisches, mit Spitzen besetztes Nachthemd an und kuschelte sich von hinten an Michael, nachdem sich dieser wie gewohnt zum Einschlafen auf die Seite gedreht hatte. Vorsichtig strich sie ihm über Schenkel und Bauch und nahm dann sein Glied in die Hand, das unter ihren Berührungen rasch größer wurde.

«Dich hat ja heute der Hafer gestochen», lachte er – ein Lachen, das sie eher befremdete als freute. Aber sie hatte Erfolg: Er drehte sich zu ihr um, fasste ihre beiden Handgelenke und legte sich der Länge nach auf sie.

«So gefällt mir das», stöhnte er und drang in sie ein. Nach wenigen Stößen kam er. Mit einem befriedigten Grunzen rutschte er von ihr herunter und schlief ein.

Catharina schlüpfte unter die Decke. Zweifelnd fragte sie sich, ob es wirklich das war, was sie wollte. Aber vielleicht war sie in diesen Dingen einfach zu ungeduldig.

14

Der Winter schien endlos, und Catharina vermisste ihre Base sehr. Kurz vor Weihnachten heiratete Lene wie angekündigt ihren Hauptmann in Ensisheim, von ihrer Familie hatten nur Christoph und Marthe den weiten Weg ins Elsass auf sich genommen. Die Reise musste eine einzige Strapaze gewesen sein, mit Wolkenbrüchen und Erdrutschen, aber dafür hatten sie ein prachtvolles Hochzeitsfest und eine strahlende, ausgelassene Lene erlebt. Catharina wünschte ihr von ganzem Herzen, dass sie glücklich werden möge, glücklicher, als sie es mit Michael war.

Ihre Taktik der Annäherung abends im Bett hatte nicht lange Früchte getragen. Schon nach wenigen Wochen erlahmte Michaels Interesse an ihr wieder, und es kam sogar vor, dass er, wenn er spät zu Bett ging, in der ehemaligen Kammer seiner Schwester schlief. Er wolle sie nicht wecken, hatte er ihr beim ersten Mal erklärt.

Eines Abends im Januar hatten sie im Kreise der Gesellen ein kleines Festessen gegeben, da die Männer einen wichtigen Auftrag rechtzeitig zu Ende gebracht und dafür einen unvorhergesehen hohen Erlös erzielt hatten. Der alte Bantzer und Michael waren bester Laune, was sich im Laufe des Abends auf Catharina übertrug. Lustige Schwänke machten die Runde, Neckereien flogen hin und her, bis Catharina feststellte, dass es Benedikt Hofer war, mit dem sie die meiste Zeit scherzte. Benedikt erinnerte sie immer häufiger an Christoph, auch in seiner Art von Humor. Als sie zu Bett gingen, bekam Catharina große Lust, mit Michael zu schlafen, doch er reagierte nicht auf ihre Umarmung. Plötzlich schob er ihre tastende Hand fast gewaltsam zur Seite und herrschte sie an, sie solle ihn gefälligst schlafen lassen. Catharina war entsetzt. Obwohl er sich am nächsten Morgen entschuldigte – «Tut mir Leid, ich war wohl ein wenig betrunken» –, hatte sein Verhalten ihrer Seele einen Riss versetzt. Sie kam sich vor wie eine zurückgewiesene Dirne und war froh, als er die nächsten Tage in der Nachbarkammer schlief.

Trotz der Wärme, die die Kamine und der Kachelofen verbreiteten, erschien Catharina das Haus kalt und freudlos. Sie langweilte sich mehr denn je und dachte mit Wehmut an die Wintertage in Lehen zurück, an denen die Bäume ihre kahlen Arme in den blauen Himmel gereckt hatten und die Sonne die verschneiten Flächen wie Kristall glitzern ließ. Hier in der Stadt verwandelte sich der Schnee binnen kürzester Zeit in schmutzigen Matsch, der ihr jeden Gang durch die Gassen verleidete.

Die langen Abende verbrachte sie jetzt oft im Bücherkabinett. Der Alte hatte ihr anstandslos einen Schlüssel machen lassen mit der Bitte, den Raum immer abzuschließen und die Bücher wieder an ihren Standort zurückzustellen. Mit einer Öllampe neben sich machte sie es sich in dem schweren Lehnstuhl bequem und blätterte in den Büchern.

Gleich in Augenhöhe standen ein paar lateinische Schriften, und sie fragte sich, wer in dieser Familie so gut Latein konnte. Sie selbst verstand davon kein Wort, und auch die Namen der Schreiber sagten ihr nichts, bis auf Erasmus von Rotterdam, von dem sie wusste, dass er ein berühmter Gelehrter war und einige Jahre in Freiburg gewohnt hatte. Abgesehen von Meisterliedern der Singschulen in Mainz und Nürnberg, einer ziemlich neuen Fassung von Reineke Fuchs sowie zwei Bänden mit Fastnachtsspielen von Hans Sachs waren die übrigen Regale in der Hauptsache mit Ratgebern für Haus, Familie und Gesundheit besetzt.

Die Fastnachtsspiele las sie als Erstes, besser gesagt: verschlang sie, und sie musste sich dazu zwingen, nicht schon vormittags das Bücherkabinett aufzuschließen. Anschließend durchstöberte sie die braven Ratgeber für Hausväter. Neben ihrer Meinung nach ziemlich dummen Sprüchen wie «Weiberregiment nimmt kein gutes End» und ärgerlichen Charakterisierungen des weiblichen Wesens fand sie auch bemerkenswerte Ausführungen zur Aufgabenverteilung im Haushalt und zu Liebe und Partnerschaft. Natürlich waren alle diese Schriften von Männern verfasst, die allein das Recht für sich in Anspruch nahmen, die Aufgaben der einzelnen Familienmitglieder und des Gesindes festzulegen, und umso mehr wunderte sie sich, dass der Frau hin und wieder Eigenständigkeit und Verstand zugebilligt wurden.

Wie gern hätte sie sich mit jemandem über das Gelesene unterhalten, aber Lene war weit weg, Michael konnte nicht verstehen, dass eine Frau sich stundenlang mit Büchern beschäftigte, und dem alten Bantzer ging sie, soweit es möglich war, aus dem Weg. Und Christoph? Sie redete sich ein, dass er keine Bedeutung mehr für sie besaß.

An Ostern kam es zum endgültigen Bruch mit dem Hausmädchen, und damit sollte sich für Catharina einiges verändern. Für Sonntag waren wichtige Gäste aus der Zunft und dem Magistrat zum Essen geladen, und Catharina stand in der Küche, um mit der Köchin Barbara die Speisenfolge zu besprechen. Da fiel ihr Blick auf das aufgeschlagene Haushaltsbuch, in dem Gertrud die täglichen Ausgaben festhielt. Das Hausmädchen erhielt von Michael wöchentlich eine feste Summe für ihre und Barbaras Einkäufe und rechnete am Ende der Woche mit ihm ab. Catharina führte ihrerseits ein eigenes Ausgabenbuch, was sie unsinnig fand, da am Monatsende beide Bücher zusammen geführt werden mussten.

«Wo gibt's denn so was, dass ein Dienstmädchen selbst Buch darüber führt, was sie ausgibt?», schimpfte sie irgendwann. Achselzuckend hatte Michael ihr daraufhin erklärt, dass das früher Aufgabe seiner Mutter gewesen war, die aber dazu, nachdem sie krank wurde, nicht mehr in der Lage war. Weder er noch sein Vater hätten Zeit für solche Dinge, und so schien ihnen Gertrud am geeignetsten. «Sie ist schließlich keine gemeine Magd, sondern hat ein bisschen lesen und schreiben gelernt und steht schon ihr Leben lang in unseren Diensten.»

Neugierig schaute sie sich jetzt Gertruds letzte Eintragungen an und sah sofort, dass der letzte Posten nicht stimmen konnte. Unter dem gestrigen Tag stand mit ungelenken Buchstaben: «Fisch, 15 PF». Zufällig war Catharina aber an diesem Morgen beim Fischhändler vorbeigekommen und hatte einen begehrlichen Blick auf die riesigen Forellen geworfen. Der Händler hatte gelacht: «Da habt Ihr wohl dieselbe Idee wie Eure Köchin. Vor gerade einer Stunde habe ich ihr ein Prachtexemplar für nur zehn Pfennige verkauft.»

Catharina schaute der Köchin fest ins Gesicht und fragte: «Wie viel hast du heute Morgen für die Forelle bezahlt?»

«Na, zehn Pfennige, ein sehr günstiges Angebot.»

«Hast du sonst noch etwas beim Fischhändler gekauft?»

«Nein, das war alles.»

«Und warum hat Gertrud dann fünfzehn Pfennige eingetragen?»

Catharina glaubte nicht, dass die Köchin in die eigene Tasche wirtschaftete, obwohl Barbara jetzt rot anlief, denn sie begann zu ahnen, worum es ging. Gertrud wurde hereingerufen, und Catharina zeigte auf die Eintragung.

«Wieso stehen hier fünfzehn Pfennige, wenn die Forelle nur zehn gekostet hat?»

«Wenn Barbara Einkäufe macht, schreibe ich genau den Betrag auf, den sie mir nennt», erwiderte Gertrud patzig. Und nach einer kurzen Pause: «Ich will ihr ja nichts unterstellen – vielleicht hat sie sich versprochen.»

Die Köchin ballte die Fäuste vor Wut, versuchte aber, sich zu beherrschen.

«Ich weiß, dass mein Wort weniger gilt als deins, aber ich schwöre bei Gott, unserem Herrn, dass ich dir noch nie einen falschen Betrag genannt habe.»

«Ach», Gertrud lachte höhnisch auf und tippte der Köchin mit ihrem Zeigefinger auf die Brust. Ihre Hand war behaart wie die eines Mannes. «Wieso kannst du dir dann dieses vornehme rote Seidentuch leisten, mit dem du neuerdings ausgehst?»

Bevor Barbara etwas erwidern konnte, stellte sich Catharina dicht vor dem Hausmädchen auf. Sie hatte jetzt endgültig die Nase voll von Gertruds hochnäsigem und herrschsüchtigem Wesen.

«Es steht Aussage gegen Aussage, keinem von euch beiden ist etwas zu beweisen. Mag sein, dass es sich tatsächlich nur um einen Irrtum handelt, aber dass du Barbara beschuldigst – und du weißt genau, wie hart Betrug bestraft wird –, ist eine Unverschämtheit. Das Seidentuch hat sie im Übrigen von mir geschenkt bekommen.»

Das stimmte nicht, aber Catharina war sich sicher, dass die Köchin es von einem Verehrer geschenkt bekommen hatte. Gertrud war bei ihren Worten kreidebleich geworden.

«Ich lasse mich von Euch nicht beleidigen, von einer – einer ehemaligen Schankfrau!»

«Jetzt reicht's. Du bist entlassen.»

«Ich wollte sowieso gehen.» Sie band ihre Schürze ab und warf sie wütend auf den Boden.

Beim Mittagsessen tadelte der alte Bantzer Catharina.

«Kind, was hast du da angerichtet? Getrud war immer eine zuverlässige Kraft. Du hättest es nicht zu einem Streit kommen lassen dürfen, das ist unter der Würde einer Hausherrin, wenn du verstehst, was ich meine.» Er hatte Gertrud mit viel Mühe und einer großzügigen Abfindung überreden können, wegen des bevorstehenden Festessens erst nach Ostern zu gehen.

Zum ersten Mal erlebte Catharina, dass Michael Stellung gegen seinen Vater bezog.

«Ich glaube, dass Catharina recht gehandelt hat. Es geht nicht, dass ein Dienstmädchen seinen Herrschaften auf der Nase herumtanzt. Und das tut Gertrud seit geraumer Zeit. Wir werden uns eben nach einem neuen Mädchen umsehen.»

Gleich am Morgen nach Ostern verschwand Gertrud, ohne sich zu verabschieden. Catharina hatte nun alle Hände voll zu tun, mit Hilfe der Köchin das große Haus in Schuss zu halten. Dabei blühte sie regelrecht auf und fand zu ihrer alten Tatkraft zurück. Auch Barbara arbeitete ohne Murren von frühmorgens bis spät in die Nacht.

Zwei Wochen nach Gertruds Kündigung – Michael war zu einer längeren Unterredung in der Ratskanzlei – ließ die Köchin Catharina ausrichten, der alte Herr erwarte sie zu einem Gespräch im Bücherkabinett. Catharina runzelte die Stirn. Was hatte das zu bedeuten?

Bantzer stand am Lehnstuhl, auf dem Tischchen neben sich eine offene Flasche Portwein mit zwei Gläsern.

«Liebe Catharina, setz dich doch und trink einen Schluck mit mir. Ich habe etwas mit dir zu besprechen.»

Dankend winkte Catharina ab, als er ihr ein gefülltes Glas reichte. Daraufhin leerte er es selbst in einem Zug.

«Wir sollten jetzt endlich ein Mädchen einstellen, spätestens diese Woche. Es geht nicht, dass du dich den ganzen Tag so abrackerst. Ich weiß zwar deinen Einsatz zu schätzen, aber auf dich warten andere Aufgaben.»

Catharina wurde misstrauisch. Der Alte wollte doch sicherlich nicht über Dienstmädchen mit ihr reden, das waren Dinge, die sie offen bei Tisch besprachen. Er füllte sich Wein nach.

«Wie lange seid ihr nun schon verheiratet?»

Catharina musste nachrechnen, denn es kam ihr unendlich lange vor.

«Sieben Monate sind es.»

«Sieben Monate, so, so.» Er nahm einen tiefen Schluck. «Ich will ja nicht wissen, wie euer Eheleben nachts verläuft, das geht mich nichts an, aber es wundert mich doch, dass du noch nicht guter Hoffnung bist. Oder bist du es gar?»

Jetzt war die Katze aus dem Sack.

«Nein, bin ich nicht. Hat sich Michael etwa bei Euch beschwert?»

«Natürlich nicht, meine Liebe.» Dann dozierte er in aller Ausführlichkeit über die Rolle einer Ehefrau im Allgemeinen und insbesondere in einer Familie wie der seinen. Catharina sah gelangweilt aus dem Fenster. Unten lief Benedikt über den Hof.

Als er sie am Fenster stehen sah, winkte er ihr fröhlich zu. Da erstarrte sie. Der Alte stand dicht hinter ihr und drückte ihr einen Kuss auf den Nacken. Sie fuhr herum.

«Er vernachlässigt dich, nicht wahr? Dabei bist du so eine schöne Frau. Diese Brüste –»

Mit bebenden Händen strich er über ihre Brüste. Auf seiner hängenden Unterlippe sammelte sich Speichel.

O Gott, was sollte sie bloß tun? Ihr Verstand sagte ihr, dass dieser tattrige alte Mann ihr nichts anhaben konnte, aber die alte Angst stieg in ihr hoch und lähmte sie. Er drückte sie an sich. Entsetzt beobachtete sie, wie er mit einer Hand seine Hose öffnete. Angeekelt schloss sie die Augen. Ihr schwindelte. Sie sah die Bretterwände der alten Hütte in der Lehmgrube vor sich, draußen bellte wütend Moses. Jemand hämmerte gegen die Hütte – Lene! Lene, bitte hilf mir! Es klopfte wieder, und sie kam erst wieder zu sich, als Bantzer «Einen Moment» rief und hastig seine Hose zunestelte. Dann öffnete er die Tür. Benedikt stand draußen. Sie ließ sich in den Lehnstuhl sinken.

«Ihr Sohn bittet Sie, in die Ratskanzlei zu kommen, es gibt Unstimmigkeiten bei den Verhandlungen über den neuen Auftrag.»

«Danke, Benedikt. Kümmere dich bitte um Catharina, es geht ihr nicht gut.» Dann tätschelte er ihre Wange. «Du solltest nicht so viel arbeiten, mein Kind.»

Mit festen Schritten ging er hinaus.

«Soll ich Euch einen Becher Wasser holen?», fragte der Geselle.

Catharina nickte, und als Benedikt zurückkam, hatte sie sich wieder gefasst.

«Ist alles in Ordnung?», fragte er besorgt, mit einem Blick auf die halb volle Weinflasche.

«Ja, Benedikt, vielen Dank. Ihr könnt jetzt gehen.»

In der Tür drehte er sich noch einmal um.

«Wenn ich Euch irgendwie helfen kann – ich habe den Eindruck, dass ich gerade rechtzeitig gekommen bin.»

Dann ging er hinaus. Catharina starrte auf das Bücherregal. Eine Mischung aus Hass und Scham überflutete sie, und sie fragte sich, ob es nicht das Beste sei, ihre Sachen zu packen und dieses Haus zu verlassen. Was hatte Benedikt mitbekommen? Wie lange hatte er schon vor der Tür gestanden?

Sie machte sich in ihrem Zimmer ein wenig frisch und ging hinunter in die Werkstatt. Benedikt war allein im Lager, er schien sie erwartet zu haben. Mit seinen verschiedenfarbenen Augen sah er sie ernst an.

«Er hat sich Euch genähert, nicht wahr?»

Sie nickte: «Ich weiß nicht, was ich machen soll.»

«Es ist nicht das erste Mal, dass der Alte sich nicht beherrschen konnte. Barbaras Vorgängerin ist gegangen, weil er sie sich wieder und wieder gepackt hat – diesen geilen Bock sollte man an den Eiern aufhängen», fluchte er so leise, dass es Catharina eben noch verstehen konnte. Dann sah er sie fast flehentlich an: «Ihr müsst ihm klar machen, dass er nie wieder in Eure Nähe kommen darf, sonst …»

«Was sonst? Ich kann doch meinem Mann nicht davon erzählen. Sein eigener Vater!»

Benedikt überlegte.

«Wenn er Euch noch einmal anfassen will, sagt ihm, dass ich an der Tür gelauscht habe. Ich würde das auch vor Gericht bezeugen.»

«Dann verliert Ihr Eure Stellung.»

Er lächelte. «Wahrscheinlich. Aber das würde ich auf mich nehmen.»

Sie sah ihn forschend an. «Warum? Warum würdet Ihr das tun?»

«Um der Wahrheit willen. Und nicht nur deshalb.» Er zögerte. «Ich bin ein lediger Mann, ohne Familie. Ich kann jederzeit eine neue Stellung finden, wenn es sein muss, in einer anderen Stadt. Ihr aber seid fest eingebunden in dieses Haus, Ihr könnt nicht einfach davonlaufen. Der Alte muss wissen, dass er zu weit gegangen ist, und er soll Euch gefälligst in Ruhe lassen. Dafür würde ich meinen Kopf hinhalten, das verspreche ich Euch.»

Als sie den Lagerraum verließ, stieß sie beinahe mit Siferlin zusammen. Ärgerlich schob sie ihn zur Seite. Schnüffelte er etwa hinter ihr her?

Rechtzeitig zum Abendessen kamen die beiden Männer zurück. Michaels Vater tat, als sei nichts geschehen. Geiler, alter Bock, dachte Catharina mit Benedikts Worten. Als Michael kurz in der Küche verschwand, starrte sie den alten Bantzer verächtlich an, bis seine wässrigen Augen ihrem Blick auswichen und seine Hände zu zittern begannen. Da nahm sie sein Weinglas und schmetterte es zu Boden. Wie Blut breitete sich der Rotwein zwischen den Scherben aus.

«Nie wieder», zischte sie. «Habt Ihr verstanden?» Und als Michael eintrat: «Ich glaube, deinem Vater geht es nicht gut. Er sollte nicht so viel arbeiten.»

Dann erklärte sie den beiden Männern, dass sie selbst das künftige Hausmädchen aussuchen werde, da sie, Catharina, schließlich am meisten mit ihr zu tun haben werde. Zu ihrer Überraschung hatten weder Vater noch Sohn Einwände gegen diese Entscheidung, und was den Alten betraf, war sie sich jetzt sicher, dass sie Benedikts Hilfe nicht würde in Anspruch nehmen müssen. Sie hatte gewonnen.

Catharina stellte ein Mädchen namens Elsbeth ein. Sie war schon etwas älter, aber Catharina hatte ein sehr gutes Gefühl mit dieser Frau.

Barbara nahm Elsbeth in ihrer mütterlichen Art gleich unter die Fittiche, und die beiden verstanden sich auf Anhieb gut. Sie hatten dieselbe gutmütige Art, wenn auch Barbara um einiges temperamentvoller war. Michael und sein Vater schienen nicht so begeistert von Catharinas Wahl, aber der Alte wagte nichts mehr gegen Catharina zu sagen, und Michael wusste inzwischen, dass gegen manche Entscheidungen seiner Frau nur schwer anzugehen war.

Jetzt erst begann Catharina, sich zu Hause zu fühlen. In Absprache mit den Hausmägden übernahm sie bestimmte Bereiche wie Einkaufen, Erstellen des wöchentlichen Speiseplans oder die Führung des Haushaltsbuches und füllte damit ihre Tage aus. Sie kaufte einen Hahn und zehn Legehennen und errichtete ein Gehege in der Hofecke beim Waschhaus. Dabei entdeckte sie an der Rückfront des Waschhauses einen kleinen, halb verfallenen Lehmofen, den sie mit Hilfe von Benedikt und ein paar Arbeitern wieder instand setzte.

«Demnächst wirst du uns noch ein paar Kühe in die Werkstatt stellen, so wie du hier herumwirbelst», zog Michael sie auf. Er war froh, dass der Hausfrieden wieder hergestellt war und Catharina zu ihrer guten Laune zurückgefunden hatte. Ab und an kam er sogar abends in ihr Bett.

Nachdem der alte Ofen wieder funktionierte, backte sie zweimal die Woche Brot, Kuchen und Gebäck, wobei sie immer neue Rezepte ausprobierte. Manchmal brachte sie einen Teil des frischen, duftenden Backwerks in die Werkstatt hinunter, plauderte mit den Männern und lernte auf diese Weise nach und nach die Angestellten ihres Mannes kennen. Am liebsten unterhielt sie sich mit Benedikt. Sie erfuhr, dass er aus einer alten Schlosserfamilie stammte, aber schon mit sieben Jahren Vollwaise geworden und bei einem Zunftbruder seines Vaters aufgewachsen war. Er träumte von einer großen Familie mit vielen Kindern, konnte aber, wie es für Gesellen üblich war, erst heiraten, wenn er eine Meisterstelle hatte.

«Habt Ihr denn schon eine Frau im Auge?», fragte Catharina ihn neugierig.

«Ich wüsste schon eine, sie ist die wunderbarste Frau Freiburgs, aber leider vergeben. Außerdem schaut sie mehr nach ihren Hühnern als nach den Männern.»

Was für ein bezauberndes Lächeln er hat, dachte sie und spürte, wie sie verlegen wurde.

Mit Lesen verbrachte sie nur noch wenig Zeit. Zum einen saß meist der alte Bantzer in der Bibliothek, und sie vermied nach wie vor, ihm allein zu begegnen, zum anderen liebte sie es, mit Barbara und Elsbeth in der Küche zu sitzen und zu tratschen. Zum ersten Mal seit langem verspürte sie Zufriedenheit.

15

Im Herbst des Jahres 1570, zwei Jahre nach Catharinas Hochzeit, begann die große Teuerung. Vorangegangen war ein außergewöhnlich nasser Sommer mit heftigen Wolkenbrüchen im Juli und August, die fast die gesamte Getreideernte in der Freiburger Gegend zerstört hatten. Die Ähren lagen platt gedrückt auf den überschwemmten Feldern, die tobende Dreisam hatte ihr Bett verlassen, die angrenzenden Weidegründe überflutet und dabei manche Fischer- und Schäferhütte mitgerissen. Das Getreide musste aus dem Sundgau und dem Elsass herangeschafft werden. Ein Sester Korn war nirgends mehr unter 10 Gulden zu bekommen, und die Preise für Brot stiegen kurzzeitig um das Drei- bis Vierfache. Der Freiburger Rat war gezwungen, an die Armen verbilligtes Korn aus den Beständen des Spitals auszugeben.

Michael stöhnte: «Wenn die Getreidepreise nicht bald wieder fallen, wird in der Folge alles teurer werden.»

Doch nach und nach stabilisierte sich der Markt ein wenig, auch wenn die Preise spürbar höher lagen als im Vorjahr, und die Obsternte fiel zwar mäßig, aber besser als erwartet aus. Dann kam es Anfang Dezember von einem Tag zum anderen erneut zu Überschwemmungen. Das Wasser der Gewerbekanäle in der Schneckenvorstadt und auf der Insel stieg bis vor die Haustüren, die Bewohner mussten ihre Eingänge mit Sandsäcken schützen. Wer seine Vorräte im Keller gelagert und nicht rechtzeitig nach oben geschafft hatte, konnte alles den Schweinen zum Fraß vorwerfen. Auf den Feldern verfaulte das Wintergemüse.

Es dauerte nicht lange, und Armut verbreitete sich in der Stadt wie ein Geschwür. Zuerst traf es die Feldarbeiter und Tagelöhner, die schon seit dem Sommer kaum noch Gelegenheit hatten, ihr Brot zu verdienen. Dann folgten Hausierer, Fuhrleute, Kleinkrämer, entlassene Dienstboten und allein stehende Frauen. Das Heer der Bitterarmen, die um Brot und Suppe bettelten und die Tore der städtischen Almosenstiftung im Kaufhaus, der Pfarrhäuser und Klöster stürmten, wurde jede Woche größer. Die Stadt verstärkte das Kontingent ihrer Wächter, um die Bürger vor Diebstahl und Einbrüchen besser zu schützen. Die Gefängnisse waren überfüllt, und es verging kaum ein Tag, an dem nicht jemand an den Pranger gestellt oder zu noch schlimmeren Strafen verurteilt wurde.

Catharina war entsetzt über das Bild, das sich ihr in den verschlammten Gassen bot. Überall saßen in Lumpen gehüllte Gestalten im Dreck, oft Frauen mit einer Horde Kinder, und streckten ihr die flehenden Hände entgegen. Sie ging nur noch in Begleitung einkaufen, da einem selbst am helllichten Tag Gefahr drohte, überfallen und ausgeraubt zu werden.

Zunächst war im Hause Bantzer von diesem wirtschaftlichen Niedergang wenig zu spüren. Das Geschäft lief weiterhin nicht schlecht, im Gegenteil: Die wichtigsten Auftraggeber waren die Stadt und reiche Kaufleute, die aus den steigenden Preisen Gewinn zogen, indem sie zu spekulieren begannen und ihre vollen Lager jetzt erst recht mit schweren Schlössern und Eisentüren schützen mussten. Doch mit der zweiten Teuerungswelle im

Winter merkte Catharina, wie ihr das Haushaltsgeld zwischen den Fingern zerrann. Also kaufte sie noch umsichtiger ein als früher und verbrachte Stunden damit, Preise zu vergleichen oder das günstigste Angebot für eine bestimmte Ware ausfindig zu machen. Im Februar kürzte Michael ihr das Haushaltsgeld. Die meisten der kleineren Kunden hätten Zahlungsschwierigkeiten, begründete er die Sparmaßnahmen und sah dabei so zerknirscht aus, dass Catharina das Gefühl hatte, ihn beruhigen zu müssen.

«Mach dir keine Sorgen, damit kommen wir aus.»

Nun kam eben nur noch an Samstagen und Sonntagen Fleisch auf den Tisch, stattdessen gab es häufiger Fisch und Eierspeisen. Ohnehin würde bald die Fastenzeit beginnen. Catharina war froh um ihre Hühner und ihren Lehmofen, denn frisches Brot war in manchen Wochen fast unerschwinglich geworden. Für sich selbst gab sie nichts mehr aus, ihre Wünsche sparte sie sich für bessere Zeiten auf.

So lebten sie jetzt zwar bescheidener, aber sie hatten nicht an Mangel zu leiden wie so manch andere Handwerkerfamilie. Michael arbeitete von früh bis spätabends. Oft war er außer Haus, um bei seinen Schuldnern das Geld einzufordern. Dabei nahm er meist Hartmann Siferlin mit, und Catharina konnte sich lebhaft vorstellen, wie dieser hagere Mann auf seine verschlagene und hinterhältige Art bei den Kunden die Forderungen eintrieb. Wenn Michael an solchen Tagen erst sehr spät nach Hause kam, aß sie mit Barbara und Elsbeth in der Küche zu Abend und genoss die Harmonie zwischen den beiden Frauen, denn Michael war jetzt oft gereizt und schlechter Laune. Catharina machte ihm daraus keinen Vorwurf, wusste sie doch, wie viel Arbeit und Ärger er täglich um die Ohren hatte. Trotzdem ging sie ihm dann am liebsten aus dem Weg und war froh, dass er inzwischen regelmäßig in der Nachbarkammer schlief.

Im Grunde lebten sie friedlich nebeneinanderher, ohne Zank und Streit, aber auch ohne Liebe. Es gab keine Zärtlichkeiten zwischen ihnen, und auch von der geplanten Reise war nie wieder die Rede. Doch Catharina gewöhnte sich an diese Art der Ehe, und in den seltenen Momenten, wo sie über ihre Lebensweise nachdachte, konnte sie sich eine andere Art von Zusammenleben kaum noch vorstellen. Hatte nicht auch Christoph an ihrer Hochzeit darüber geklagt, dass er mit Sofie nicht glücklich sei? Wahrscheinlich wäre es selbst zwischen ihnen irgendwann fad geworden. Barbara hatte einmal zu ihr gesagt, einen Mann brauche man sowieso nur, um versorgt zu sein.

Angesichts der Not, die überall in der Gegend herrschte, war Catharina dankbar für ihr vergleichsweise sorgenfreies Leben. Mechtild und Berthold hatten bis auf die Köchin und eine Putzhilfe alle Angestellten entlassen müssen. Wo stünde sie jetzt, wenn sie nicht Michael kennen gelernt hätte? Nein, sie war zufrieden, und sie hätte sich kein anderes Leben gewünscht, wäre es nicht im März zu einem hässlichen Vorfall gekommen.

Alle Welt wartete auf einen trockenen, sonnigen Frühling. Stattdessen brach eine Kältewelle herein, als wollte der Winter ein letztes Mal seine eisige Macht beweisen. An jenem Abend saßen sie alle dicht beim Kachelofen, der aus voller Kraft heizte, obwohl Brennholz inzwischen knapp geworden war. Michael war außer sich vor Wut. Er hatte eben erfahren, dass der Auftrag für neue Gitter im Kornhaus wider Erwarten an die Konkurrenz gegangen war.

«Die haben uns einfach unterboten, mit einem Angebot, bei dem sie nicht mal das Material bezahlen können, geschweige denn ihre Arbeiter.»

Catharina wollte ihn beruhigen, aber er fuhr ihr über den Mund.

«Du verstehst davon nichts. Du hast keine Ahnung, wie hart das Geschäft inzwischen geworden ist.»

Sein Vater saß in der Ecke und schaute nicht einmal von seinem Buch auf. Er wurde immer gleichgültiger, was die Schlosserei betraf. Manchmal fragte sich Catharina, ob nicht sein Verstand langsam litt, denn er vergaß oder verlor unablässig wichtige Dinge. Catharina verabschiedete sich, um ins Bett zu gehen, denn sie hatte einen anstrengenden Tag hinter sich.

Als sie in ihrer eisigen Kammer die Bettdecke zurückschlug, musste sie lächeln: Elsbeth hatte ihr einen heißen Ziegel unter die Decke gelegt. Behaglich kuschelte sie sich in das vorgewärmte Bett. Sie fand Michaels Aufregung übertrieben. Wenn das Geschäft schlechter ging, würden sie eben noch mehr sparen müssen, sie hatten noch längst nicht alle Möglichkeiten ausgeschöpft. Außerdem besaßen sie genügend Rücklagen. Sie hörte, wie Michael mit schweren, wütenden Schritten unter ihr hin und her ging. Sie versuchte einzuschlafen, doch ein zunehmender Druck auf die Blase zwang sie, aufzustehen und den eisigen Abort aufzusuchen. Als sie wieder herauskam, stand Michael vor der Tür.

«Bist du endlich so weit», herrschte er sie an.

«Sei doch nicht so schlecht gelaunt, das ändert auch nichts. Komm lieber in mein Bett, Elsbeth hat es vorgewärmt.»

«Lass mich bloß damit in Ruhe. Das ist doch alles verlorene Liebesmüh.»

«Wie meinst du das?»

«Du wirst ja nicht einmal schwanger!»

Catharina starrte ihn an. «Was sagst du da? Vielleicht solltest du dich selbst einmal nach den Ursachen fragen. Wie soll ich schwanger werden, wenn du nicht mehr bei mir liegst?»

Er schob sie zur Seite und trat in den Abort. Dann drehte er sich nochmal um.

«Da kann ich ja gleich mit einer Strohpuppe ins Bett. Lass dir mal von anderen Frauen sagen, wie man richtig vögelt.»

«Wie gemein du sein kannst!» Catharinas dunkle Augen funkelten schwarz vor Zorn. «Du weißt ja selber nicht, wie man eine Frau befriedigt.»

Da holte Michael aus und schlug ihr mit voller Wucht ins Gesicht, dass ihre Wange wie Feuer brannte. Sekundenlang blieb sie wie versteinert stehen, dann rannte sie in ihre Kammer und knallte die Tür hinter sich zu. Sie bebte vor Wut. Dieser eingebildete, selbstsüchtige Hundsfott! Dabei war er ein Versager als Mann, alles nur leere Luft, dieses männliche Geprotze vor anderen!

Am nächsten Morgen war ihre Wange unterhalb des rechten Auges geschwollen, und sie blieb den ganzen Vormittag im Bett. Dieses Mal entschuldigte Michael sich nicht für sein Verhalten, sondern blieb tagelang mürrisch. In ihr erlosch der letzte Funken Liebe zu diesem Mann. Sie spürte eine Mauer zwischen sich und ihm, die er nie wieder würde einreißen können.

Statt des lang ersehnten Frühjahrs hielt gleich der Sommer Einzug. Ende April verwandelte sich das schmuddelige Winterwetter übergangslos in trockene Hitze. Die Bauern, die eben erst ihre Felder bestellt hatten, freuten sich zunächst über die Wärme, die die Saat schneller als sonst sprießen ließ. Die Gassen Freiburgs verloren ihren modrigen Geruch, und mit der warmen Sommersonne besserte sich die Stimmung der Bürger spürbar. Selbst die Preise für Nahrungsmittel sanken etwas, und ein Großteil der Stadtbewohner hielt ein Ende der Not für schon in Sicht.

Die Bauern aus dem Umland beobachteten die anhaltende trockene Witterung allerdings bald mit Stirnrunzeln. Sie sahen, dass die Dreisam Niedrigwasser führte, was völlig ungewöhnlich für diese Jahreszeit war. Sie fürchteten eine neue Missernte, diesmal wegen Wassermangels. Auch die Flugblätter des Bauernkalenders sagten eine lange Trockenheit voraus. Und es sollte sich bewahrheiten.

Als eine Mühle nach der anderen wegen des geringen Wasserstandes die Arbeit einstellen musste, hatte der Magistrat den glänzenden Einfall, die Dreisam an geeigneter Stelle zu sperren und das kostbare Wasser in den städtischen Mühlbach zu leiten. Das Ergebnis war, dass die Dörfer am unteren Flusslauf nun buchstäblich auf dem Trockenen saßen. Aufgebracht stürmten die Bewohner, mit Äxten und Mistgabeln bewaffnet, das Rathaus und drohten, alles kurz und klein zu schlagen. Zähneknirschend machten die Ratsherren ihre Maßnahme rückgängig.

Ungeachtet der Ängste vor einer erneuten Hungersnot genoss Catharina den plötzlichen Sommer. Um das Beste aus ihrer Situation zu machen, konzentrierte sie sich auf ihre täglichen Aufgaben und freute sich über Komplimente der Männer oder ihre Wortgeplänkel, die fast an keinem Tag ausblieben und ihr das Gefühl gaben, trotz allem eine begehrenswerte Frau zu sein. Im Innersten blieb sie unberührt von diesen Schmeicheleien, außer bei Benedikt. Je länger sie ihn kannte, desto eingenommener war sie von seinem strahlenden Blick, seinem offenen Wesen, seinem verschmitzten Humor. Da sie keine Dummheit begehen wollte, hielt sie sich ihm gegenüber mit Bedacht zurück.

Eines Morgens Ende Mai wachte sie auf und beschloss, nach Lehen zu wandern. Sie verspürte ganz plötzlich Lust, ihre alte Heimat wiederzusehen, und dieses Mal wollte sie Christoph nicht aus dem Weg gehen. Im Gegenteil, sie wollte mit ihm sprechen und erfahren, wie es ihm wirklich ging. Und vielleicht gab es auch Neuigkeiten von Lene.

Fast sechs Jahre war sie nicht mehr im Gasthaus ihrer Tante gewesen, und als sie beim Morgenmahl Michael von ihrem Plan erzählte, wurde sie immer aufgeregter.

«Du weißt, dass es zurzeit nicht ungefährlich ist, allein unterwegs zu sein», meinte er dazu.

Sie wehrte ab. «Wie oft bin ich diesen Weg schon gegangen! Außerdem hat man seit Wochen von keinen Überfällen mehr gehört.»

Er redete ihr nicht weiter drein, gab ihr aber einen kleinen Beutel mit ein paar Münzen darin, für den Fall, dass sie auf einen Wegelagerer stieß.

«Gib ihm den Beutel, dann wird er dich in Ruhe lassen.»

Catharina war erstaunt über die Fürsorge ihres Mannes, und jetzt erst fiel ihr auf, dass er seit ein paar Tagen ihr gegenüber sehr aufmerksam war. Ein bisschen spät für Reue, dachte sie, freute sich aber trotzdem.

Sie packte einen frisch gebackenen Gewürzkuchen ein und machte sich auf den Weg. Keine Wolke war am Himmel zu sehen, die Sonne brannte zu dieser frühen Stunde wie sonst nur im Hochsommer. Auf den Feldern, deren trockener Boden schon Risse zeigte, standen überall gebückte Gestalten mit riesigen Strohhüten: Bauern und Landarbeiter, meist von Frau und Kindern unterstützt, hackten die harte Krume auf, um den Boden mühselig mit dem Wasser der Dreisam und kleinerer Bäche zu bewässern.

Um die staubige Landstraße zu meiden, schlug Catharina den schattigeren Pfad am Fluss entlang ein. Obwohl es ein Umweg war, ließ sie Betzenhausen rechts liegen und durchquerte den Buchenhain, in dem sie als Mädchen so oft Zuflucht gesucht hatte. Sie fand die Stelle wieder, wo sie mit Christoph ihre unbeholfenen Zärtlichkeiten ausgetauscht hatte. Die Erinnerung an jene Zeit versetzte ihr einen Stich.

Mit einem Mal wusste sie, was sie nach Lehen trieb. Sie wollte Ordnung schaffen in ihrem Herzen und in ihrem Leben, endgültig und ohne Wehmut. Ihr war der Platz als Meistersfrau an der Seite von Michael Bantzer beschieden, Christoph musste seine Aufgaben als Familienoberhaupt erfüllen. Nie wieder wollte sie daran rütteln.

«Was für eine Überraschung!» Marthe kam ihr mit Moses im Obstgarten entgegen, in ihrem Gesicht stand die blanke Freude. «Wie schön, dass du endlich einmal zu uns herauskommst!»

Der Hund warf sich Catharina zu Füßen, und sie kraulte seinen zottigen Bauch. «Es ist viel zu trocken für die Jahreszeit, nicht wahr?», fragte sie mit einem Blick auf den Wassereimer in Marthes Hand.

Ihre Tante seufzte. «Ich hab kein gutes Gefühl. Seit letztem Herbst sitzt den Leuten das Geld nicht mehr so locker in der Tasche, und wir haben weniger Gäste. Aber ich fürchte, es wird noch viel schlimmer. Es gab bereits zwei Flurprozessionen, und letzte Woche ist hier der erste Wettermacher aufgetaucht und hat auf Hübners Acker sein Hexenmesser in die Luft geschleudert, obwohl die Gemeinde diesen Hokuspokus verboten hat.» Sie goss das Wasser an die Johannisbeersträucher. «Dort drüben in den Kräutern steht übrigens Sofie. Sag ihr doch eben guten Tag, und danach kannst du mir beim Vorbereiten des Mittagstischs helfen. Da haben wir dann genug Zeit zum Reden.»

«Ist Christoph auch da?»

«Ja, irgendwo im Haus.»

Sofie war dabei, mit ihrer Tochter Schnittlauch und Petersilie zu schneiden. Auf dem Rücken hatte sie ihren Säugling festgebunden. Fast zaghaft begrüßten sich die beiden Frauen. Catharina erkundigte sich nach der Geburt, und Sofie erzählte, wie schmerzhaft und langwierig sie gewesen sei.

«Ich scheine fürs Kinderkriegen nicht geschaffen», lächelte sie, «aber dafür war Andreas von Anfang an ein ganz schöner Brocken.»

Catharina betrachtete das schlafende Kind. Für seine sechs Monate war es tatsächlich ungewöhnlich kräftig. Es hatte dunkles Haar und zwei lustige Grübchen in den dicken Wangen. Angestrengt überlegte Catharina, worüber sie sich mit dieser zurückhaltenden Frau unterhalten könnte, als ihre Tante kam und sie bei der Hand nahm.

«Gehen wir ins Haus. Höchste Zeit, um mit dem Mittagessen anzufangen. Die Köchin muss ich immer ein bisschen antreiben, aber dafür macht sie den besten Braten in der ganzen Gegend.»

In der großen Stube stand Christoph und unterhielt sich mit einem Gast. Als seine Mutter ihm zurief, dass Besuch da sei, drehte er sich um und sah seine Base im Türrahmen stehen.

«Cathi», sagte er freudig, «bist du's wirklich?»

Er zog sie an sich. Für Catharinas Empfinden hielt er sie viel zu lange in den Armen. Dann trat er einen Schritt zurück.

«Du bist schmaler geworden. Dabei habe ich gehört, dass das Bantzer'sche Geschäft immer noch ganz gut läuft.»

Sein Gesicht war von der Sonne gebräunt, doch es stand ihm gut. Was Catharina erst auf den zweiten Blick auffiel, waren die tiefen Falten, die sich um seine Mundwinkel eingegraben hatten. Er wirkte um einiges älter als an ihrem Hochzeitsfest.

«Tante Marthe hat erzählt, dass ihr jetzt weniger Gäste habt.»

«Das stimmt, aber sie sieht immer gleich alles so schwarz. Wir nehmen zwar weniger Geld ein, aber wir können uns immer noch satt essen. Hast du gesehen, wie dick unser kleiner Sohn ist?»

Catharina nickte. «Aber dafür wirkt Sofie ziemlich ausgezehrt.»

Christoph ging auf diese Bemerkung nicht ein. Mit einem Blick auf die eintretenden Gäste fragte er sie, ob sie über Mittag bleibe.

«Ja. Ich will am frühen Abend zurück sein.»

«Fein, dann bleibt uns ja nachher noch genug Zeit», sagte er und kehrte zurück in die Gaststube.

Nachdem die letzten Mittagsgäste gegangen waren, setzten sie sich alle zusammen zum Essen. Nur Lene fehlte, und Catharina vermisste sie wieder einmal schmerzlich. Wilhelm kam zu spät.

«Wie immer», sagte Christoph und gab seinem jüngeren Bruder eine Kopfnuss, als er sich setzte. «Er treibt sich überall herum, nur dort nicht, wo es Arbeit für ihn geben könnte. Dabei hat er Kraft für zwei.»

Wilhelm grinste und löffelte gierig seine Suppe, während Catharina von der schlechten Versorgungslage in der Stadt berichtete. Dieses Mal war ihr, als sei sie zu Hause angekommen. Wie herrlich könnte es sein, immer in einer so großen Familie zu leben. Dann erfuhr sie, dass Lene, wie jedermann erwartet hatte, schwanger war.

«Wie ich meine Schwester kenne, bekommt sie gleich Zwillinge», meinte Christoph.

«Und wann ist es bei dir so weit?», fragte Wilhelm.

Catharina zögerte. «Ich hab's nicht so eilig.»

Christoph warf ihr einen prüfenden Blick zu, dem sie auswich.

Nach dem Essen machte sie mit ihrer Tante einen Rundgang durch Haus und Hof, Moses immer dicht auf den Fersen. Sie musste versprechen, bald wieder vorbeizukommen. Als sie sich von Christoph verabschieden wollte, eröffnete er ihr, dass er sie ein Stück begleiten würde. Sie schüttelte den Kopf. Nein, das wollte sie nicht, aber er ließ nicht locker.

«Mutter hat es befohlen, da gibt's keinen Widerspruch.»

Ohne Eile schlenderten sie Seite an Seite über die heiße Landstraße. Christoph wollte mehr über ihre Ehe mit Michael erfahren, das spürte sie, aber sie lenkte ab. So redeten sie über dies und jenes, bis die Sprache auf Sofie kam.

«Du hast vorhin gesagt, sie würde ausgezehrt aussehen – ich mache mir auch langsam Sorgen um sie. Irgendwas stimmt nicht mit ihr, wir waren schon bei zwei Baderchirurgen und sogar bei einem Arzt. Aber keiner weiß so recht, was es ist. Mal heißt es, sie hätte zu dünnes Blut, dann wieder, sie leide an inwendigen Geschwüren. Aderlass hilft auch nicht, da verliert sie jedes Mal das Bewusstsein und erholt sich nur ganz schwer wieder. Jetzt soll sie, wenn die Hitze endlich nachlässt, eine Badekur machen.»

Er blieb stehen. «Hör mal, würdest du sie begleiten? Von uns kann niemand mit, wir haben zu viel Arbeit, und allein möchte ich sie nicht fahren lassen.»

Catharina schwieg. Das Angebot kam zu überraschend.

«Nun sag schon ja. Wo du doch so gern auf Reisen gehst!» Er boxte sie fast übermütig in die Seite.

«Ich werde es mir überlegen.»

Sie waren fast am Bischofskreuz angekommen. Catharina hielt an und kniff die Augen zusammen. Was, wenn hinter dem Stein der rote Zwerg auftauchen würde? Sie hatte plötzlich genau im Ohr, was er ihr damals prophezeit hatte. Ja, sie lebte neben einem stattlichen Mann und verwelkte dabei – wie Recht er gehabt hatte. Aber da war doch noch etwas anderes gewesen? Ein leichter Schauer lief ihr trotz der Hitze über den Rücken.

«Komm», sagte sie zu Christoph. «Lass uns hier zum Fluss abbiegen. Der Weg dort ist viel schöner.»

«Du hast wohl Angst vor dem toten Bischof!», stichelte er.

Sie schüttelte den Kopf und erzählte ihm, wie sie sich als Kind vor diesem Ort gefürchtet hatte, erst recht, nachdem der alte Bartholo hier aufgetaucht war.

Es tat gut, so offen mit Christoph zu reden, sie fühlte sich leicht und ausgeglichen wie schon lange nicht mehr. Sie würden Freunde bleiben. Das Zusammensein mit ihm, mit Tante Marthe und den anderen war so viel heiterer, so viel ungezwungener als der Alltag in ihrem großen, vornehmen, kalten Haus am Fischmarkt. Ja, sie würde von nun an öfters nach Lehen kommen.

An der äußeren Stadtmauer verabschiedeten sie sich. Catharina tauchte in den Schatten des Torbogens ein, als Christoph sie zurückrief.

«Warte.» Er berührte sachte ihren Arm. «Ich weiß, dass ich das nicht sagen sollte, aber – mein Herz gehört noch immer dir.»

Dann drehte er sich um und ging mit schnellen Schritten davon.

Sein letzter Satz hallte noch lange in ihr nach. In der kühlen Hofeinfahrt ihres Hauses blieb sie stehen und holte tief Luft. Hätte er nur geschwiegen – anstatt alte Sehnsüchte und Wünsche in ihr anzufachen. Sehnsüchte und Wünsche, die sich niemals erfüllen konnten.

Aus der Küche drang lautes Gelächter. Die Tür öffnete sich, und Michael, immer noch lachend, kam heraus.

«Da bist du ja, mein Schatz. War's schön bei deinen Verwandten?» Er küsste sie auf die Wange.

«Ja, es war sehr schön. Und hier? Mir scheint, ihr seid alle bester Stimmung.»

«Ach, diese Barbara – sie hat eben erzählt, wie der alte Fischhändler Streit mit einem Kunden hatte und wie sich die beiden schließlich vor lauter Wut die toten Fische um die Ohren geklatscht haben. Es war dermaßen komisch, wie sie das erzählt hat. Ich muss nochmal in die Werkstatt, wir sehen uns dann beim Abendessen.»

Nach dem Essen ging Catharina in die Küche, um die Ausgaben der beiden Frauen in ihr Buch einzutragen. Als Elsbeth ihr einen hohen Betrag für einen Kerzenleuchter nannte, sah Catharina erstaunt auf.

«Was soll das? Wozu brauchen wir einen Kerzenleuchter?»

Elsbeth deutete auf einen zierlichen dreiarmigen Leuchter aus Zinn, der auf dem Küchenbord stand.

«Euer Mann hatte mich beauftragt, den Leuchter aus der Zinngießerei abzuholen, er hatte ihn dort bestellt. Ich glaube, es ist ein Geschenk.»

Jetzt wurde Catharina misstrauisch. Ein Geschenk? Es kam zwar hin und wieder vor, dass bestimmte Kunden zu besonderen Anlässen ein Präsent erhielten, aber einen Zinnleuchter? Sie wurde ärgerlich. Da sparte und sparte sie, und ihr Mann warf das Geld zum Fenster hinaus, indem er kleine Kostbarkeiten an ohnehin reiche Leute verschenkte. Plötzlich kam ihr ein ganz anderer Gedanke: Steckte vielleicht eine Frau dahinter? War Michael deshalb in letzter Zeit so gut gelaunt? Ach was, am besten fragte sie ihn, für wen der Leuchter gedacht war.

«Schau doch nicht so misstrauisch, der Leuchter ist für einen Kaufmann aus Waldkirch», sagte Michael und lächelte sie an. «Gerade in schlechten Zeiten muss man zu besonderen Mitteln greifen. Es ist ein ganz großer Auftrag, den ich da im Auge habe. Aber sag Vater nichts davon, du weißt doch, wie geizig er sein kann», fügte er hinzu und blinzelte ihr verschwörerisch zu.

Catharina wusste nicht, ob sie ihm glauben sollte. Andererseits: Könnte Michael ihr so offen ins Gesicht lügen?

16

Marthes Ahnungen bestätigten sich: Die Zeiten wurden noch schlechter. Bis Juli war kaum ein Tropfen Regen gefallen, die spärliche Ernte drohte zu verdorren. Da stürmten, von einem Tag auf den anderen, ausgehungerte Stadtbewohner wie Heuschrecken auf die Felder und plünderten sie. Die Dorfgemeinden stellten in aller Eile bewaffnete Wachen auf. Es kam zu grausamen Gemetzeln mit Toten und Verletzten. Danach brachen die Unwetter los. Tagelang zuckten Blitze am nachtschwarzen Himmel, aus dem sich die Wassermassen wie aus Kübeln auf die steinharte Erde ergossen und alles, was nicht fest verwurzelt war, wegschwemmten. In den Flussauen ertranken Kühe und Schweine, drei Bauern aus der Wiehre wurden bei ihrem Versuch, das Vieh heimzutreiben, von den Fluten mitgerissen und nie mehr gefunden. Die Menschen strömten in die Gottesdienste, um zu beten, oder wandten sich der Magie zu, um mit Hilfe von Amuletten, Tieropfern und Zaubersprüchen die tobende Natur zu besänftigen.

Als sich das Wetter endlich beruhigte, standen die Vorstädte wieder unter Wasser, und die Gassen der Innenstadt waren voller Schlamm und Dreck. Myriaden von Stechmücken tauchten auf und plagten die Einwohner. Eine Fieberwelle ging um, nicht nur Kinder und Greise starben, sondern auch viele der von den monatelangen Entbehrungen geschwächten Erwachsenen.

Den schrecklichen Tagen zum Trotz gab es im Hause Bantzer einen Grund zum Feiern: Michael war Zunftmeister der Schmiede geworden. Gleich nach der Wahlversammlung eilte er nach Hause, außer sich vor Freude, nahm zwei Treppenstufen auf einmal, stürzte in die Küche, küsste Elsbeth und Barbara, nahm seine Frau um die Hüften und wirbelte sie herum, rannte wieder hinunter und durchquerte den Hof, indem er wie ein kleiner Junge mitten in die Pfützen sprang. Er rief seine Leute zusammen und sagte ihnen, dass sie ihre Werkzeuge aufräumen sollten.

«Elsbeth bringt euch ein Fass Bier, und dann habt ihr für heute frei.»

Atemlos und glücklich stand er gleich darauf wieder in der Wohnung. Sein größter Wunsch war endlich in Erfüllung gegangen. Er war jetzt Meister der Schmiedezunft zum Ross und damit nicht nur Zunftmeister der Schlosser, sondern aller anderen Zünfte dieses Gewerbes: der Huf- und Messerschmiede, der Kannen- und Glockengießer, der Blechner und Schleifer, der Goldschmiede, der Sägen-, Sichel- und Degenschmiede. Jetzt war es nur noch eine Frage der Zeit, bis er als Vertreter all dieser Handwerker in den Rat der Stadt gewählt werden würde.

Er nahm seinen Vater um die Schulter. «Komm, du musst dich umziehen. In einer halben Stunde beginnt die offizielle Feier in der Zunftstube. Und danach», wandte er sich an Catharina, «machen wir hier ein richtig schönes Fest. Sag den Gesellen und Hartmann Bescheid, dass sie kommen sollen, und wenn du willst, kannst du ja noch deine Tante einladen. Ja, das machen wir, ich schicke einen Boten von der Zunft nach Lehen, um ihr Bescheid zu geben. Noch besser: Er soll sie gleich mitbringen.»

Dann gab er ihr eine hübsche Summe Geldes. «Kauft was Schönes zum Essen, heute soll nicht gespart werden.» Und damit war er wieder draußen.

Seine Freude steckte an. Voller Eifer berieten sich die Frauen über die Speisenfolge. Elsbeth und Catharina gingen einkaufen, nicht ohne einen Abstecher ins Schneckenwirtshaus zu machen, um Mechtild und Berthold für den Nachmittag einzuladen.

Am frühen Nachmittag kamen die beiden Männer zurück, sichtlich angetrunken. Kurz darauf erschien zu Catharinas großer Freude tatsächlich Marthe.

«Jetzt hab ich mich mit meinem alten Hintern doch tatsächlich noch auf den Ackergaul dieses Boten gewagt», lachte sie.

Eine so große Runde hatte bei Bantzers lange nicht mehr beisammengesessen. Mit Mechtild und den Männern aus der Schlosserei waren sie zu neunt, und Elsbeth kam kaum nach mit dem Auftragen der Speisen und Getränke. Der alte Bantzer strahlte vor Stolz auf seinen erfolgreichen Sohn. Irgendwann stand er auf, klopfte an sein Glas und setzte zu salbungsvollen Worten an.

«So bin ich sicher», schloss er, «dass Michael Bantzer eines Tages als Obristzunftmeister an der Spitze aller Freiburger Zünfte stehen wird. Prosit!»

Mit einem kräftigen Rülpser setzte er sich wieder. Daraufhin erhob sich Michael, blickte selbstzufrieden in die Runde und sprach mit schwerer Zunge:

«Vielen Dank für deine guten Wünsche, Vater. Ich will keine große Rede halten, nur so viel: Ich bin glücklich über den heutigen Tag, aber es ist auch eine große Verantwortung, die ich als Zunftmeister übernehme. Umso mehr», dabei wandte er sich den drei Gesellen und Hartmann Siferlin zu, «muss ich mich auf euch verlassen können, denn ich werde jetzt oft außer Haus sein. Dir, lieber Hartmann, übertrage ich hiermit volle Entscheidungsgewalt in allen Geschäften.» Krachend ließ er sich auf seinen Stuhl fallen.

Siferlin, der als Einziger nur Wasser trank, verzog wie üblich keine Miene. Catharina biss sich auf die Lippen. Dieser Siferlin ist kalt wie ein Fisch, dachte sie und bezweifelte, dass Michaels Entscheidung richtig war. Nicht für einen halben Pfennig traute sie diesem Mann. Benedikt, der ihr gegenübersaß, schien genauso zu denken. Er verdrehte die Augen.

Nach dem Essen holte Michael die Köchin und die Hausmagd an den Tisch. Der gute Wein brachte Barbara in Stimmung, und sie trug ihre komischen Geschichten vor, die großes Gelächter ernteten. Alle wunderten sich, als Michael auf einmal aufstand und verkündete, dass er noch einmal wegmüsse.

«Ich habe etwas im Zunfthaus vergessen. Feiert nur weiter, ich bin bald wieder da.» Er schwankte hinaus.

Doch für die Gäste war dies das Zeichen zum Aufbruch. Marthe half noch beim Abräumen der Tafel, dann brachte Catharina sie zur Tür.

«Ich soll dich herzlich von Christoph grüßen», sagte Marthe. «Und dir ausrichten, dass Sofie Anfang September für zwei Wochen zur Kur geht. Willst du sie nicht doch begleiten? Dir täte es sicher auch gut, und ich glaube, Sofie mag dich. Besprich es doch mit deinem Mann und gib uns dann Bescheid, ja?»

Catharina versprach es.

Als sie sich zum Schlafengehen richtete, kehrte Michael zurück. Er war verschwitzt, und seine Augen funkelten. Wahrscheinlich ist er jetzt völlig betrunken, dachte sie, konnte es ihm heute aber nachsehen. Er machte sich ein wenig frisch, schlüpfte dann unter ihre Bettdecke und schlief mit ihr. Es sollte das letzte Mal sein.

Am nächsten Morgen erwachte Elsbeth mit Gliederschmerzen und glühender Stirn. Das Fieber, das in der Stadt umging, hatte sie befallen. Catharina bekam es mit der Angst zu tun und wollte nach dem Bader schicken.

«Nein, nur das nicht.» Elsbeth schüttelte matt den Kopf. «Es wird schon wieder, ich bin zäh.»

Abwechselnd machten Catharina und die Köchin ihr frische Wadenwickel und flößten ihr heißes Dünnbier ein. Gegen Mittag wollte Elsbeth aufstehen, um sich an die Hausarbeit zu machen.

«Du bleibst im Bett, bis du ganz gesund bist», sagte Catharina und drückte sie sanft, aber nachdrücklich in ihr Kissen zurück. «Barbara und ich werden die Zimmer aufräumen, und was wir nicht schaffen, bleibt eben liegen.»

Catharina wartete, bis die Kranke in einen unruhigen Schlaf gefallen war, und machte sich dann an die Schlafzimmer. Als sie in Michaels Kammer trat, schüttelte sie den Kopf. Seine Kleider lagen wie Kraut und Rüben herum. Sie sortierte die schmutzige Wäsche aus und legte die sauberen Sachen in seine Kommode. Die oberste Schublade klemmte, so voll gestopft war sie. Catharina nahm ein paar Kleidungsstücke heraus und entdeckte dabei ein kleines, in Seide gewickeltes Päckchen. Was war das?

Unruhe beschlich sie, als sie das Päckchen öffnete. In dem Papier lag eine fein ziselierte silberne Brosche. So selten sie bisher Schmuck in der Hand gehalten hatte, sah sie doch auf den ersten Blick, dass es sich um beste Goldschmiedearbeit handelte. Als sie die Brosche umdrehte, stockte ihr der Atem: «In Liebe für R. – Michael», war dort in winzigen Buchstaben eingraviert. Zitternd wickelte sie das Schmuckstück wieder ein. Wie Schuppen fiel ihr von den Augen, woher Michael gestern Abend so erhitzt zurückgekommen war. Und die Geschichte mit dem Kerzenleuchter war auch eine Lüge gewesen.

Müde setzte sie sich auf den Bettrand. Was hatte das alles

noch für einen Sinn? Diese Ehe, die wohl immer kinderlos bleiben würde, Christophs Liebe zu ihr, die sich nie erfüllen durfte, sie selbst eingesperrt in diesem öden Haus, während ihr Mann sich in den Armen einer Geliebten wälzte.

Als Michael zum Mittagessen kam, fing Catharina ihn in der Diele ab.

«Wer ist R.?» Sie warf ihm die Brosche vor die Füße.

Michael erbleichte, und seine Augen wurden zu schmalen Schlitzen.

«So, du schnüffelst mir nach? Meine eigene Frau wühlt in meinen Sachen wie eine billige Dienstmagd!»

«Du gibst es also zu?» Catharina versuchte ruhig zu bleiben, aber innerlich kochte sie vor Wut. «Von mir aus geh doch zu deinen Huren, aber schmeiß dabei nicht unser Geld zum Fenster hinaus.»

«Unser Geld!» Er prustete verächtlich. «Wer verdient denn das Geld? Wer geht denn von früh bis spät arbeiten? Du etwa?» Dann brüllte er sie plötzlich an: «Du hast überhaupt kein Recht, mir Vorschriften zu machen!»

«Was ist denn hier los?» Michaels Vater stand in der Tür und sah sie verwirrt an.

Wortlos nahm Michael die Brosche vom Boden auf und ging die Treppe hinunter. Der Alte machte einen Schritt auf Catharina zu und streckte unbeholfen die Arme nach ihr aus.

«Bleibt mir vom Leib, oder ich schreie», fauchte Catharina. Mit offenem Mund starrte der Alte sie an. Dann drehte er sich um und schlurfte in sein Bücherkabinett. Alles ist hier aus den Fugen geraten, dachte Catharina, als sie sich ihren Umhang über die Schultern warf. Mit schnellen Schritten lief sie aus dem Haus, eilte, ohne nach rechts und links zu sehen, durch die stickigen, nach Kot und Abfällen stinkenden Gassen und erreichte endlich das offene Land. Nur weg aus der Stadt, aus diesem Haus, wo sie sich wie ein Tier fühlte, das in eine Falle geraten war.

17

Der Wagen rumpelte über die steinige Straße. Vergnügt saßen Carl und Wilhelm auf dem Kutschbock und stießen bei jedem Schlagloch gegeneinander. Endlich konnten sie einmal dem Einerlei des Dorfes entfliehen. Es war ihr Einfall gewesen, Sofie und Catharina in den kleinen Badeort in die Berge zu fahren. Übermütig trieben sie das Pferd an.

«Au», stöhnte Catharina, als das linke Hinterrad in ein tiefes Loch sackte und der Stoß sie aus ihren düsteren Gedanken riss. «Passt doch auf, wo ihr hinfahrt!»

Sie teilte sich den Platz auf der Ladefläche mit Sofie und einer dicken Bäuerin, die sie unterwegs aufgelesen hatten. Auf deren Schoß saß ein riesiger Hahn mit zusammengebundenen Füßen und einer Kapuze über dem Kopf. «So bleibt er ruhig und hackt nicht», hatte die Bäuerin die seltsame Vermummung erklärt, woraufhin Sofie ängstlich von der Frau weggerückt war.

Catharina hielt ihr Gesicht in die Sonne. Freiburg schien unendlich weit hinter ihr zu liegen, und sie begann, sich auf die Wochen mit Sofie zu freuen. Seit ihrem Streit vor zehn Tagen hatten Michael und sie nur das Nötigste gesprochen. Anstandslos hatte er ihr erlaubt, Sofie zu begleiten, und ihr bei der Abfahrt einen prallen Beutel Geld überreicht. Wahrscheinlich ist er froh, mich eine Zeit lang los zu sein, dachte sie grimmig. Es war keine Eifersucht, die sie bewegte, vielmehr Wut und Enttäuschung darüber, dass es sich ihr Mann so einfach machte. Dem Himmel sei Dank, dass sich Elsbeth so schnell erholt hat, dachte sie. Sie hätte es nicht übers Herz gebracht, die Köchin mit dem großen Haushalt allein zu lassen.

Kurz vor Günterstal zog der Himmel zu. Sie ließen die Klosteranlage rechter Hand liegen und durchquerten das ärmlichste Dorf, das Catharina je gesehen hatte. Düstere, halb verfallene Hütten säumten den Weg, in dessen Mitte der Sturzregen des

Sommers eine tiefe Rinne ausgewaschen hatte. Niemand schien sich hier die Arbeit zu machen, die Straßen in Ordnung zu halten, und Wilhelm hatte Mühe, die Räder neben der Rinne zu halten. Ein Horde halb nackter Kinder mit aufgeblähten Bäuchen lief neben dem Wagen her und streckte ihnen bettelnd die Hände entgegen. Die Frauen pressten ihre Bündel fester an sich.

Am Ende der Dorfstraße sahen sie einen Menschenauflauf. Als sie näher kamen, erkannten sie mit Entsetzen, dass ein Mann an einen verkrüppelten Baum gebunden war und die aufgebrachte Menge mit Steinen nach ihm warf. Blut lief ihm über Stirn und Brust.

«Die bringen den Mann um», rief Wilhelm und hielt an.

«Seid Ihr verrückt geworden», schrie ihn die Bäuerin an. «Fahrt um Gottes willen weiter.»

Doch ein halbwüchsiger Bursche hatte bereits die Gelegenheit genutzt und war am Wagenrad hochgeklettert. Er zerrte an dem aufgeregt kreischenden Hahn. Da sprang Wilhelm auf, schlug dem Jungen die Peitsche ins Gesicht und trieb das Pferd in Galopp. Mit einem Aufschrei fiel der Angreifer hintenüber vom Wagen.

Der Schreck saß allen noch in den Knochen, als sie ein gutes Stück hinter dem Dorf das Pferd zum Stehen brachten.

«Ich kann das nicht glauben», sagte Catharina. «Wie kann direkt vor den Toren dieses reichen Klosters solch ein Elend herrschen?» Sie legte der zitternden Sofie ihren Umhang um die Schultern. Die Bäuerin untersuchte sorgfältig ihren Hahn, doch bis auf ein paar ausgerissene Federn hatte das Tier keinen Schaden genommen. Dann sah sie etwas betreten auf.

«Ich hätte es wissen müssen. Dieses Dorf ist berüchtigt für seine Wegelagerer. Auf dem Rückweg nehmt Ihr besser eine andere Straße.»

Sie erklärte den Zwillingen, wie sie auf einem Waldweg das Dorf umfahren konnten.

Eine gute halbe Stunde später zügelte Wilhelm das Pferd, und Carl wandte sich an die Bäuerin. «Nach unserer Wegbeschreibung müsste es hier abgehen – ist das richtig?»

«Ja. Ihr könnt mich absteigen lassen, ich habe es nicht mehr weit.»

Nachdem sich die Frau verabschiedet und überschwänglich bedankt hatte, bogen sie in das enge, dicht bewaldete Seitental ein. Die Berggipfel ringsum waren in graue Wolkenschleier gehüllt. Das Pferd wurde langsamer, denn es ging jetzt spürbar bergauf.

«Besonders freundlich sieht es hier ja nicht aus», murmelte Catharina. Doch bald mündete das Tal in einen weiten, größtenteils gerodeten Kessel. Rechts am Wegrand sahen sie zwei hübsche Gasthäuser aus Fachwerk stehen, links davon die Badeanlagen, an denen ein breiter Bach vorbeiführte. Die Uferwiesen waren voll von Ochsen- und Pferdekarren und einfach gekleideten Menschen, die sich im Freien ihr Mittagsmahl zubereiteten, während im Bach die Kinder tobten. Einige Männer und Frauen wuschen ungeniert ihre entblößten Körper.

Sie hielten vor dem kleineren der beiden Gasthäuser. Sofie kramte in ihrem Beutel nach ihren Papieren. Sie hatte zwei Schreiben dabei: eines von Christoph mit Grüßen von seiner Mutter an den Wirt, den Marthe flüchtig kannte, und eines von ihrem Baderchirurgen, in dem er bestimmte Behandlungsmethoden empfahl. Während Carl das Pferd tränkte und fütterte, ging Wilhelm mit den beiden Frauen hinein.

«So, so, die gute alte Marthe hat sich noch immer nicht zur Ruhe gesetzt», lächelte der Wirt, ein freundlicher kleiner Mann, nachdem er den Brief gelesen hatte. Dann wandte er sich an die Frauen. «Ihr habt Glück: Gerade heute Morgen ist ein Zimmer mit vier Betten frei geworden. Falls noch mehr Gäste kommen, müsst Ihr es allerdings mit anderen Frauen teilen.»

Catharina wunderte sich, dass in diesen Zeiten wirtschaftlicher Not so viele Leute noch das Geld für eine Badekur erübrigen konnten. Als sie den Wirt danach fragte, nickte er.

«Ja, beide Gasthäuser sind voll. Es liegt daran, dass viele, die sonst in die vornehmeren Badeorte ins Elsass oder nach Bad Boll reisen, jetzt hierher kommen. Bei uns ist zwar alles bescheidener, aber dafür auch billiger.»

Er führte sie in ihr Zimmer. Der Raum war einfach eingerichtet, aber sauber und geräumig. Außer den vier Betten befanden sich noch ein Waschtisch und zwei Kommoden darin. Sofie sah aus dem Fenster auf die Berge. Oben am Waldrand ballten sich die Wolken dunkelgrau zusammen.

«Hoffentlich kommt ihr noch trocken zurück», sagte sie zu Carl, der eben eintrat. Sie verabschiedeten sich eilig. Als die Zwillinge gegangen waren, setzte Catharina sich auf ihr Bett und bat Sofie um das Schreiben des Baderchirurgen. Sofie wusste zwar ungefähr, was darin stand, aber da sie nicht lesen konnte, musste Catharina ihr laut vorlesen.

«Täglich je ein heißes Wannenbad und ein Schwefelbad. Täglich einmal Schröpfköpfe oder Blutegel setzen, einmal Purgieren.» Catharina sah auf. «Was ist denn Purgieren?», fragte sie.

«Da wird dir irgendwas eingegeben, bis du dir die Seele aus dem Leib würgst. Oder sie machen einen Einlauf.»

«Brrr», Catharina schüttelte sich. Dann las sie weiter.

«Purgieren und Schröpfen empfehlen sich bei abnehmendem Mond. Kräftiges Essen, dabei Fleisch und Wein nur mäßig. Vor jeder Mahlzeit fünf Gläser Wasser trinken. Viel Bewegung an der frischen Luft.»

Catharina legte das Blatt weg. «Da bin ich ja heilfroh, dass ich hier machen kann, was ich will.»

Nach dem Mittagessen in dem riesigen überfüllten Speisesaal machten sie einen Rundgang über das Gelände. Das Hauptbad, das schon aus der Ferne nach Schwefel roch, war etwa dreißig Schritt lang und fünfzehn Schritt breit. An den Längsseiten befanden sich unter dem grünlichen Wasserspiegel Sitzplätze, die durch Schranken getrennt waren. Eine hölzerne Laube über der Sitzreihe schützte vor Regen und Sonne. An drei Seiten des Bads zogen sich breite Steinstufen zum Ausruhen den Hang hinauf. Jetzt zur Mittagszeit lagen nur ein knappes Dutzend Gäste im Wasser, die Männer mit kurzen Badehosen, die Frauen in losen Hemden. Catharina deutete auf ein Schild mit dem Hinweis, dass Nacktbaden im Hauptbad verboten sei.

«Das sollten sie in Freiburg im Schwabsbad auch endlich durchsetzen», sagte sie. «Dort wird ja mehr kopuliert als gebadet.»

Sofie lächelte schüchtern. «Ich war noch nie in einem öffentlichen Bad.»

Sie gingen über eine kleine, hübsch angelegte Promenade hinüber zu den Badehäusern. Die Holzbottiche befanden sich in voneinander abgetrennten Zellen, sodass man ungestört für sich allein baden konnte. Sofie hatte, zu einem geringen Aufpreis, eine eigene Zelle gemietet, die für die Zeit ihres Aufenthalts von niemand anderem benutzt wurde. Die Zellen gingen auf eine weitläufige Holzveranda hinaus, auf der Ruhebänke und kleine Tische aufgestellt waren. Ein Spaßvogel hatte mit großen Buchstaben auf eine Bank geschrieben: «Für unfruchtbare Frauen ist das Bad das Beste – was das Bad nicht tut, das tun die Gäste.»

«Mir gefällt's hier», sagte Catharina und legte den Arm um Sofie, die seit der Abreise von Wilhelm und Carl ein wenig verloren wirkte. «Ich glaube, wir werden zwei schöne Wochen haben. Auch wenn ich auf die Gäste hier wenig Wert lege.»

Gerade als sie noch ein Stück bachaufwärts wandern wollten, begannen dicke Tropfen zu fallen. Eilig rannten sie zurück ins Gasthaus. Als sie ankamen, waren sie nass bis auf die Haut.

«Das fängt ja gut an.» Sofie rieb sich mit einem Tuch trocken. Verstohlen musterte Catharina ihren mageren Körper: Unterhalb der winzigen Brüste waren die Rippen zu sehen, und die Hüftknochen ragten wie Schaufeln hervor. Nachdem sie umgezogen waren, überlegten sie, was sie bei diesem Regen anfangen könnten, und beschlossen, zum Würfelspielen in den Speisesaal zu gehen.

Die Tage vergingen rasch. Außer zum Purgieren begleitete Catharina Sofie zu allen Behandlungen und Bädern, sie gingen viel spazieren oder lagen faul in der Sonne. An den wenigen Regentagen saßen sie im Speisesaal und spielten oder beobachteten die anderen Gäste. Sie stellten bald fest, dass die wenigen Frauen, die ohne männliche Begleitung hier waren, nach kürzester Zeit einen Liebhaber hatten. Oder auch zwei, und nicht selten kam es dann zu hässlichen Streitereien. Oft lästerten sie noch abends im Bett über die Szenen, bei denen die Männer wie aufgeblasene Puter aneinander gerieten und die Frauen empört ihre vermeintliche Tugend herausstellten. Sie verspürten beide keine Lust, sich in diesen Reigen der Geschlechter einzureihen, und hatten daher bald den Spitznamen «eiserne Jungfrauen». Andere böse Zungen behaupteten, sie seien ein Liebespaar.

Längst hatte die zurückhaltende Sofie Vertrauen zu Catharina gefasst und ihr einiges aus ihrer Kindheit und ihrem Alltag erzählt.

«Schon als kleines Mädchen war ich schwächer als andere und musste oft das Bett hüten. Manchmal macht es mich fast verrückt, dass ich nicht weiß, was mit mir los ist, vor allem nachts, wenn wieder diese Schmerzen und Schwindelanfälle kommen und ich nicht schlafen kann. Dann halte ich mir immer vor Augen, was für ein Glück ich trotz allem habe: Ich habe eine große, liebevolle Familie. Und für dieses Glück nehme ich auch in Kauf, dass ich nicht mehr allzu lange leben werde.»

Catharina sah sie erschrocken an. «Wieso solltest du nicht mehr lange leben?»

Sofie zuckte die Schultern. «Ich weiß es eben. Mit Christoph habe ich darüber nie geredet, ich will ihm nicht noch mehr Sorgen bereiten. Versprich mir, Catharina, dass du ihm nichts davon erzählst.»

Catharina nickte.

«Ich will die Zeit, die mir mit ihm bleibt, bis zum letzten Augenblick genießen. Und wenn Gott will, sehe ich noch meine Kinder heranwachsen.» Sie sah Catharina an. «Christoph und du – ihr wart einmal sehr verliebt, nicht wahr?»

Catharina stellte die Schale mit den Nüssen auf den Boden. Sie hatte auf diese Frage schon lange gewartet, doch jetzt, wo sie im Raum stand, wusste sie nicht, was sie antworten sollte.

«Das ist lange her», sagte sie schließlich. «Wir waren beide noch Kinder. Er war wohl zu sehr ein Bruder für mich, als dass er hätte mein Mann werden können.» Dann wiederholte sie: «Es ist sehr lange her.»

Am nächsten Tag machten sie vor dem Abendessen einen ausgedehnten Spaziergang in die Berge. Als sie in der Dämmerung zurückkehrten, stellte Sofie fest, dass sie ihre Kräfte ein bisschen überschätzt hatte.

«Ich möchte noch einen Moment auf den Stufen dort ausruhen, bevor wir ins Haus gehen.»

Sie setzten sich auf die Steintreppe beim Hauptbad, und Sofie versuchte, tief und ruhig durchzuatmen. Da spürte Catharina, dass hinter ihrem Rücken sie jemand beobachtete. Sie drehte sich um. Oben auf dem Hügel stand unter einer Baumgruppe die halbwüchsige Tochter ihrer neuen Zimmergenossin und unterhielt sich mit einem hoch gewachsenen, hageren Mann, der im Halbdunkel des Schattens nur schemenhaft zu erkennen war. Dann verabschiedeten sich die beiden. Das Mädchen kam den Hügel herunter, während der Mann in die andere Richtung davonging. Als er eilig über die helle Wiese schritt, konnte man deutlich sehen, wie er hinkte. Catharina sprang auf und erstarrte: Hatte sie richtig gesehen? Das war doch Siferlin, ganz bestimmt war er es. Ihr Herz klopfte. Michael hatte ihn geschickt, um auszukundschaften, was sie trieb! Sie trat dem Mädchen in den Weg und hielt es am Arm fest.

«Mit wem hast du dich da unterhalten?»

«Lasst mich los.» Das Mädchen schüttelte ihre Hand ab. «Ich wüsste nicht, was Euch das angeht.»

Catharina riss sich zusammen. «Entschuldige bitte. Ich dachte eben nur, das sei ein Onkel von mir gewesen, der hier in der Nähe wohnt», log sie.

«Onkel», kicherte das Mädchen. «Dann hättet Ihr aber einen aufdringlichen Onkel. Nein, das war der Kammerdiener eines badischen Edelmanns, der heute Mittag abgereist ist. Jetzt hat er es ziemlich eilig, seinem Herrn hinterherzukommen. Dem Himmel sei Dank – so ein brünstiger Bock.» Sie schritt davon, wobei sie übertrieben mit der Hüfte schwang.

Nachdenklich setzte sich Catharina wieder neben Sofie. Da stimmte doch etwas nicht. Sie hatte hier nie einen hageren Mann mit verwachsenem Rücken gesehen.

«Was ist los?», fragte Sofie.

«Ich dachte, der Mann, den wir eben gesehen haben, sei der Kompagnon meines Mannes gewesen. Aber ich habe mich wohl geirrt.»

«Bestimmt. Was sollte der hier schon wollen. Und wenn er es gewesen wäre, hätte er dich doch begrüßt.»

«Nein, das hätte er bestimmt nicht. Ich denke oft, dass dieser Mann, Siferlin heißt er, hinter mir herschnüffelt.»

«Und jetzt glaubst du, dass dein Mann ihn hierher geschickt hat?»

Catharina nickte.

«Aber Catharina, warum sollte Michael so etwas Unsinniges tun?»

«Ach, Sofie, wenn du wüsstest.» Zögernd erzählte sie Sofie,

wie schlecht ihr Verhältnis zu Michael geworden war, dass sie längst nicht mehr zusammen schliefen und er eine Geliebte hatte. Zum ersten Mal offenbarte sie jemandem, wie es um ihre Ehe stand, und es war ihr eine unendliche Erleichterung, davon zu sprechen.

Tröstend nahm Sofie ihre Hand. «Das tut mir Leid für dich. Wir haben zu Hause oft über dich und Michael gesprochen und immer gehofft, dass ihr euch gut versteht und ein zufriedenes Leben führt.» Sie zögerte. «Ich weiß, dass viele Paare sich belügen und betrügen, das siehst du ja hier jeden Tag. Ich weiß auch, dass ich Christoph nicht immer das geben kann, was ein Mann von seiner Frau erwartet, aber trotzdem: Wenn Christoph eine andere Frau lieben würde – ich könnte das nicht ertragen.»

Bei Sofies letztem Satz zuckte Catharina zusammen.

In dieser Nacht hatte sie einen schrecklichen Traum. Sie lag allein in ihrer Kammer im Gasthaus, als es klopfte. Da niemand eintrat, öffnete sie die Tür und sah im dunklen Flur Siferlin stehen. Mit seiner Fistelstimme verkündete er, dass er jetzt im Besitz aller Vollmachten sei, auch was ihr Privatleben betreffe. Da erst sah Catharina, dass Siferlin splitternackt war. Sie wollte fliehen, doch er drängte sie in die Kammer zurück und verriegelte die Tür. Dann riss er ihre Kleider vom Leib und band sie mit einem Strick auf das Bett. Sie konnte kaum den Kopf heben, so brutal hatte er sie gefesselt. Zitternd vor Angst hörte sie seine Schritte und das leise Knacken von trockenem Laub und Zweigen. «Du hast mich getötet, jetzt wirst du dafür büßen.» Das war gar nicht Siferlins Stimme, das war Johann. Grinsend beugte er sich über ihr Gesicht, und sie konnte deutlich die klaffende Wunde oberhalb seiner Schläfe sehen, durch die hell die Schädeldecke schimmerte. Der Kopf verschwand. Sie hörte, wie das Knistern lauter wurde, und bemerkte entsetzt die Flammen, die an den Bettpfosten heraufzüngelten. Mit letzter Kraft schrie sie um Hilfe.

«Bindet mich los! Bindet mich los!»

«Beruhige dich, Catharina, es ist alles in Ordnung.»

Schweißnass erwachte sie und sah Sofie an ihrem Bett sitzen. «Wir müssen weg hier», stammelte Catharina. «Es brennt. Das Gasthaus brennt.»

«Du hast nur geträumt. Versuch wieder zu schlafen.»

Der Morgen graute schon, als Catharina endlich in den Schlaf fand. Sofie blieb die ganze Zeit an ihrer Seite. «Was für eine feine Frau», war Catharinas letzter Gedanke.

Viel schlauer war er nicht geworden bei seinen Nachforschungen, dazu hätte er länger verweilen müssen, und die Gefahr, entdeckt zu werden, wäre zu groß geworden. Aber wenigstens wusste er nun, womit diese Frau seinen Brotherrn betört und geblendet hatte. Durch die Astlöcher der Badehäuser hatte er alles genau gesehen: diese runden weißen Brüste, die zarte Haut der Schenkel, dieser fleischige und doch straffe Hintern – Siferlin stöhnte auf und schloss schmerzvoll die Augen. Zur Hölle mit diesen Weibern. Aufgebracht gab er seinem Pferd die Sporen und preschte durch den Wald.

Warum war sein Herr so mit Blindheit geschlagen? Listige Tücke und Betrug, was sonst sollte diese Frau im Sinn gehabt haben, als sie darum bat, ihre Freundin begleiten zu dürfen. Und dann auch noch zu einer Badekur. Waren diese Badeorte doch für ihre Sittenlosigkeit und Unzucht bekannt. Er, Hartmann Siferlin, hätte dazu niemals seine Einwilligung gegeben. Doch Bantzer hatte nur mit den Schultern gezuckt und dankend abgewehrt, als er ihn fragte, ob er im Kurhaus für ihn nach dem Rechten sehen solle. Was war ihm anders übrig geblieben, als ihr auf eigene Faust hinterherzureisen? Er war sich sicher, dass die Gier nach einem Buhlen oder nach noch schlimmeren Ausschweifungen sie aus dem Haus getrieben hatte.

Wie arglos sein Herr war, er wusste so gar nichts von der Bosheit der Weiber. Warum nur war Bantzer nicht ledig geblieben?

Wie hieß es im Buch der Prediger: Mit einem Löwen oder Drachen zusammen zu sein wird nicht mehr frommen, als zu wohnen bei einem nichtsnutzigen Weibe. Gering ist jede Bosheit gegen die Bosheit des Weibes. Und in einer anderen Schrift hatte er gelesen: Es frommt nicht zu heiraten. Was ist das Weib anders als die Feindin der Freundschaft, eine unentrinnbare Strafe, eine häusliche Gefahr, ein ergötzlicher Schaden, ein Mangel der Natur, mit schöner Farbe gemalt …

Siferlin spürte die Enttäuschung in sich nagen. Nun musste er ohne Beweise für die Verderbtheit dieser Frau heimkehren. Hätte er nur die Möglichkeit gehabt, sie auch nachts zu beobachten – da hätte er gewiss entdeckt, was er suchte. Doch ihre Kammer lag weit oben unterm Dach, niemals hätte er unbemerkt dorthin gelangen können. Und was das gemeinsame Bad der beiden Frauen im Holzzuber betraf – von seinem heimlichen Posten aus hatte er nichts Abwegiges bemerken können. Wenn man von der Hingabe einmal absah, mit der sich die beiden Frauen einseiften. Oh, wie die nassen Leiber geglänzt hatten, wie hier ein paar Brüste, dort ein unbedecktes Geschlecht durch die dampfende Hitze zu sehen gewesen waren. Nein, nein, nein, ihn würde die Stadellmenin nicht hintergehen, er würde jegliche Unkeuschheit dieser Frau aufdecken und sie eines Tages ihrer gerechten Strafe zuführen. Und Michael Bantzer würde endlich erkennen, was für einen ergebenen Diener er in ihm besaß.

18

Michael sah sie ernst an. «Ich habe dich vermisst. Wirklich.»

Catharina antwortete nicht. Sie saßen allein beim Abendessen. Der alte Bantzer lag, wie zumeist in letzter Zeit, tagsüber im Bett und geisterte dafür nachts ruhelos durchs Haus.

«Nun komm schon, Catharina, so etwas kann doch vorkommen. Es war nur ein Geplänkel mit dieser Frau. Ich schwöre dir, das ist jetzt vorbei.»

Was erwartete Michael eigentlich von ihr? Dass sie aufsprang und ihm dankbar um den Hals fiel?

«Ich gehe zu Bett», sagte sie. «Ich bin müde von der Heimreise.»

In der Tür drehte sie sich noch einmal um. «Ich hoffe, du hast nichts dagegen, wenn ich meine Verwandten ab und zu hierher einlade.»

Er schüttelte beflissen den Kopf.

In der nächsten Zeit spürte sie deutlich, wie sich Michael um sie bemühte. Er war zwar nach wie vor oft den ganzen Tag außer Haus oder kam abends erst spät wieder, aber er wurde offener und ließ sie viel mehr als früher an seinem Leben und seinen Aufgaben teilhaben. Im Laufe der Monate entwickelte sich fast so etwas wie eine Freundschaft zwischen ihnen, eine Freundschaft allerdings, die ohne jede Zärtlichkeit oder Begehren war.

Ihre Lehener Verwandtschaft traf sie jetzt fast jede Woche. Entweder kam Sofie in Begleitung von Christoph oder Marthe in das Bantzer'sche Haus, oder Catharina machte sich auf nach Lehen.

Das Verhältnis zwischen ihr und Sofie war durch die gemeinsame Kur sehr herzlich geworden, erreichte aber nie die Innigkeit, die zwischen Lene und ihr bestanden hatte. Durch ihre offene, temperamentvolle Art hatte es Lene immer wieder geschafft, ihre ruhigere Freundin aus der Reserve zu locken. Wie albern, ausgelassen und voller verrückter Einfälle sie beide oft gewesen waren. Christoph hatte ebenfalls etwas von dieser lebenslustigen Art, die auf Catharina ansteckend wirkte.

Mit ihrer neuen Freundin verband sie etwas anderes: Sie konnten stundenlang ernsthafte Gespräche führen. Dabei kam ihr Sofie viel reifer und erwachsener vor als sie selbst. Sofie war ein sehr verstandesbezogener Mensch und vermied es, Dinge wie Gefühle auch nur anzusprechen. Seltsamerweise übertrug sich diese Scheu auf Catharina, und irgendwann fragte sie sich, was an ihrem Wesen eigentlich sie selbst war und was das Spiegelbild der Menschen, die sie umgaben: Bei Tante Marthe war sie das ewige Kind, in den Gesprächen mit Sofie die kluge, nachdenkliche Freundin, bei den wenigen Begegnungen mit Benedikt, dem Gesellen, regte sich die sinnliche Frau in ihr, im Hause Bantzer war sie die umsichtige, etwas kühle Gattin, und Siferlin rief zornige und patzige Züge in ihr hervor. Lediglich mit Christoph fühlte sie sich als Ganzes, und die schmerzliche Überzeugung nahm von ihr Besitz, dass sie an seiner Seite eine ganz andere Frau geworden wäre.

Sie beobachtete, wie hingebungsvoll er sich um seine schwache Frau und seine Familie kümmerte, und liebte ihn mehr denn je. Christoph machte es ihr nicht gerade leicht, denn obwohl er nie wieder auf sein Liebesbekenntnis damals am Peterstor zu sprechen kam, suchte er ihre Nähe und ihren Blick. In solchen Momenten hatte sie Sofies Bemerkung im Ohr, dass sie es nicht ertragen würde, wenn Christoph eine andere Frau liebte. Catharina beschloss, diesem Schwebezustand der Gefühle ein für alle Mal ein Ende zu setzen.

Als Christoph sie wieder einmal in seinem alten Pferdekarren in die Stadt zurückbrachte, sah Catharina die Gelegenheit gekommen. Sie saßen nebeneinander auf dem engen Kutschbock, ihre Leiber berührten sich bei jedem Rütteln. In Catharina flammte die fast schmerzhafte Begierde auf, diesen Mann zu umarmen und nie wieder loszulassen. Sie spürte, wie ihr Körper brannte. In Gedanken zählte sie bis zehn und sprang dann von dem rumpelnden Karren.

Christoph hielt das Pferd an.

«Was ist los, Cathi? Ist dir nicht gut?»

«Wir müssen miteinander reden.» Sie setze sich auf einen Stein am Wegrand. «Ich kann so nicht weitermachen.»

Stirnrunzelnd sah er sie an und stieg vom Wagen. Plötzlich sank er vor ihr auf die Knie.

«Ich weiß, was du sagen willst», murmelte er und bettete seinen Kopf in ihren Schoß.

Wie gern hätte Catharina ihren Gefühlen nachgegeben, aber sie musste jetzt stark sein. Sie musste die Kraft finden, Abstand zwischen sich und ihm zu schaffen.

«Wir werden nie zusammenkommen können, Christoph. Sofie liebt dich, und sie braucht dich sehr. Sie ist krank, und ich habe kein Recht, nur weil ich dich auch liebe, ihr alles zu nehmen, was sie hat.»

Christoph sah auf. «Ich komme nicht dagegen an, Catharina, ich kann nicht aufhören, von dir zu träumen. Die seltenen Male, wenn Sofie und ich im Bett beieinander liegen, denke ich immer an dich. Das ist die einzige Möglichkeit, die mir bleibt, mit dir vereint zu sein. Ist das ein Frevel?»

Catharina fand darauf keine Antwort. Vorsichtig schob sie Christoph von sich und stand auf.

«Und du, Catharina? Wenn du bei deinem Mann liegst – kannst du dann mit ihm schlafen, ohne an mich zu denken?»

«Wir schlafen nicht miteinander.»

«Was?» Ungläubig sah er sie an.

«Schon seit einem Jahr nicht mehr. Er will nicht.»

«Das kann nicht wahr sein. Ich – ich vergehe vor Sehnsucht nach dir, während dieser Mann dich links liegen lässt.» Er fasste sie hart bei den Schultern. «Lass uns zusammen weggehen, in eine andere Stadt, wo uns niemand kennt.»

«Du bist verrückt geworden. Willst du dich dein ganzes Leben lang verstecken? Wir wären ehrlos, alle beide, du weißt doch, was das heißt. Und deine Kinder? Und Sofie?» Sie stockte. Nein, sie hatte Sofie versprochen, ihm nichts von ihren Todesgedanken zu erzählen. Flehend sah sie ihn an. «Nein, Christoph, ich glaube, du hast nicht verstanden, worum es mir geht. Falls wir es nicht schaffen, unsere Liebe aufzugeben, dürfen wir uns nicht mehr sehen. Und damit würde ich nicht nur dich verlieren, sondern auch deine Familie, die mir fast so viel bedeutet wie du. Ich will weiterhin bei euch ein und aus gehen können.»

Christophs Gesicht verdüsterte sich. Er nickte. «Ich werde versuchen, vernünftig zu sein. Wir müssen wenigstens Freunde bleiben.»

Für den Rest des Weges schwieg er.

Müde und niedergeschlagen kam Catharina nach Hause. In einer ähnlich düsteren Stimmung saß Michael am Esstisch. Es war Anfang Juni, und wie jedes Jahr um diese Zeit hatten die Wahlen zum Magistrat stattgefunden.

Catharina setzte sich neben ihren Mann.

«Du bist nicht gewählt worden, nicht wahr?»

Er nickte. «Zwei Stimmen nur haben mir gefehlt.»

Er tat ihr Leid, wie er da so zusammengesunken auf seinem Stuhl saß. Tröstend legte sie den Arm um ihn.

«Nächstes Jahr wirst du es schaffen, ganz bestimmt.»

Wenige Wochen später bat Elsbeth Catharina um ein Gespräch unter vier Augen. Die Hausmagd sah sehr ernst aus.

«Du willst uns doch nicht etwa verlassen?», fragte Catharina besorgt.

«Nein, nein, das ist es nicht. Dem Himmel sei Dank, wenn Ihr mit mir zufrieden seid.» Verlegen sah sie Catharina an. «Es geht um Euch.»

«Um mich?»

«Ihr wisst, dass mich der Klatsch anderer Leute nicht kümmert. Aber auf dem Markt habe ich in letzter Zeit verschiedentlich gehört, wie über Eure Ehe geredet wird. Ich denke, dass Ihr das wissen solltet.»

«Und was reden die Leute über uns?»

«Dass Ihr – nun ja, dass es in Eurer Ehe nicht zum Besten steht, dass Ihr wohl unfruchtbar oder kalt wäret, sonst würde Euer Mann nicht sein Glück bei einer anderen suchen.»

Zornesröte stieg Catharina ins Gesicht. «Was sagst du da? Eine andere Frau?»

«Ich weiß nicht genau, was an dem Geschwätz dran ist, aber ich hab neulich mit eigenen Augen beobachtet, wie Euer Mann mit dieser Frau zusammentraf.»

«Mit welcher Frau?»

«Ich glaube, sie heißt Rebecca, die junge Frau vom Tuchhändler, dem alten Bosch. Man sagt, er sei schon fast blind und seine Angestellten und seine Frau würden ihm auf der Nase herumtanzen.»

Catharina ließ sich auf die Küchenbank sinken. In Liebe für R., dachte sie. Was war Michael doch für ein Lügner! Die ganze Zeit also hatte er sie angelogen und sich weiterhin mit dieser Frau getroffen. Sie musste jetzt genau überlegen, was zu tun war. Sie war nicht wagemutig genug, um davonzulaufen. Sie wusste genau, dass sie hier bleiben und bis zum Schluss an der Seite dieses Mannes verharren würde, denn sie hatte ihm vor Gott, vor der Kirche und vor Zeugen die Ehe versprochen, in guten wie in schlechten Zeiten, bis dass der Tod sie scheide.

Einen kurzen Augenblick lang ging ihr durch den Kopf, in ein Kloster einzutreten. «Keusch lebe ich ja schon», dachte sie bitter. Ihr fiel Hildegard von Bingen ein, von der sie eine kleine Schrift über Heilwissen gelesen hatte. Diese außergewöhnliche Frau hatte sich in der Ruhe des Klosterlebens ganz ihrer Bestimmung widmen können, sie forschte, schrieb Bücher, komponierte und stand im Briefwechsel mit den berühmtesten Männern ihrer Zeit. Sie war eine anerkannte Gelehrte, und das als Frau.

Catharina seufzte. Was für ein Unsinn. Sie war weder so klug wie Hildegard von Bingen, noch hatte sie göttliche Visionen – allenfalls Albträume. Und sie würde sich nie den strengen Regeln des Konvents unterwerfen können. Außerdem waren das andere Zeiten gewesen. Sie wusste, dass in den großen Handelsstädten wie Köln oder Frankfurt vor Jahrhunderten reiche Kauffrauen gelebt hatten und Meisterinnen, die Lehrlinge ausbilden durften. Auch in anderen Städten hatte es reine Frauenzünfte gegeben. Was war dagegen heute eine Frau wert, wenn sie nicht an der Seite eines Mannes stand?

Nein, sie hatte keine andere Wahl, als sich – wie es die Köchin ausdrücken würde – an dem für sie bestimmten Plätzchen, so gut es ging, einzurichten. Aber sie würde Michael Bedingungen stellen.

«Weißt du eigentlich, was über mich geredet wird?»

Michael sah sie überrascht an. «Nein, was denn?»

«Dass ich unfruchtbar sei, zum Beispiel.»

Er zuckte die Schultern. «Tatsache ist, dass wir nun mal keine Kinder haben.»

«Dann pass nur auf, dass nicht Rebecca, die Frau des Tuchhändlers, Kinder von dir bekommt.»

Michael wurde rot. «Was redest du da?»

«Ich rede gar nichts. Die Leute auf dem Markt posaunen herum, dass du eine Geliebte hast.»

«Geliebte, Geliebte – was soll das? Vielleicht unterhalte ich mich mit ihr ein bisschen öfter und länger als mit den Frauen anderer Kunden. Sie hat mir von Anfang an Leid getan, weil sie mit diesem Tattergreis verheiratet ist.»

«Und aus lauter Mitleid gehst du ab und zu mit ihr ins Bett?»

Michael sagte nichts dazu. Das Gespräch schien ihm sichtlich unangenehm.

«Jetzt hör mir mal gut zu.» Catharina ging mit großen Schritten auf und ab. «Ich weiß, dass es zwischen uns nicht so ist, wie es zwischen Eheleuten sein sollte, und ich kann nicht sagen, ob es an dir oder mir liegt. Aber eins weiß ich: Ich will nicht zum Gegenstand irgendwelcher Tratschgeschichten werden. Ich habe die Nase voll von diesen Lügen. Mach, was du willst mit deinen Weibern, aber mache es heimlich und sorge dafür, dass die Gerüchte aufhören – egal wie. Du kannst ja Siferlin damit beauftragen, er scheint mir für solche Dinge bestens geeignet.» Sie blieb stehen und sah ihn an, doch er entgegnete immer noch nichts.

«Du schweigst? Weißt du was? Wenn mir solches Geschwätz nochmal zu Ohren kommt, werde ich ganz andere Gerüchte über dich in die Welt setzen.»

Michael lachte verächtlich. «Du drohst mir also. Du, Catharina Stadellmenin, Tochter eines kleinen Marienmalers, drohst mir!»

«Du weißt doch nichts Besseres, als mich immer wieder klein zu machen. Ich bin vielleicht von geringerem Stand als du, aber ich bin nicht dumm. Du weißt genau, dass du im Unrecht bist. Jeder geistliche und weltliche Richter würde bestätigen, dass du kein Recht hast, mich zu betrügen, da ich dir keinen Anlass dazu gebe. Also halt dich besser zurück – oder willst du, dass wir vor Gericht weiterreden? Und jetzt sage ich dir noch etwas: Geh deiner Wege, geh täglich zu deiner Rebecca, aber mache mir keine Vorschriften mehr über mein Leben.»

Bei ihren letzten Worten ging sie hinaus und warf die Tür hinter sich zu. Sie hatte sich die ganze Zeit beherrscht, aber jetzt, wo sie in ihrer Kammer auf dem Bett saß, sackte sie in sich zusammen und schluchzte wie ein kleines Mädchen. Diesen Zwist mochte sie gewonnen haben, aber sie wusste auch, dass es mit Michael auf Dauer nicht gut gehen würde.

Der Sommer verlief ohne weitere Zwischenfälle oder Streitereien. Michael schien großen Wert darauf zu legen, dass der

Hausfrieden gewahrt blieb. Er verhielt sich Catharina gegenüber zurückhaltend, aber höflich. An manchen Abenden erkundigte er sich sogar, wie sie ihren Tag verbracht hatte. Ansonsten jedoch konnte von Familienleben keine Rede sein.

«Ich weiß gar nicht, für wen ich den ganzen Tag in der Küche stehe», murrte Barbara. «Der alte Herr liegt nur im Bett herum und hat keinen Appetit, Euer Mann ist ständig außer Haus, und Ihr rührt von dem, was ich Euch hinstelle, kaum etwas an. Wenigstens verschmähen die Männer in der Werkstatt mein Essen nicht.»

Catharina gab ihr Recht und nahm von nun an, wenn sich nicht gerade Besuch ankündigte, die Mahlzeiten mit den beiden Frauen in der Küche ein. Die belanglosen, fröhlichen Gespräche mit ihnen taten ihr gut, und bald ließ Barbara durchblicken, dass sie in die Verhältnisse in Catharinas Ehe eingeweiht war.

«Ich bin zwar nur Eure Köchin», sagte sie. «Aber wollt Ihr trotzdem meine Meinung wissen?»

«Ja», erwiderte Catharina. «Sprich nur.»

«Also: Ich sehe, wie Euer schönes Gesicht grauer und faltiger wird, und jünger werdet Ihr auch nicht. Seht Euch nach einem netten Mann um. Gott fordert von der Ehe, dass sich Mann und Frau achten und sich vereinigen. Er kann aber nicht erwarten, dass die Frau einsam ist und verkümmert, während ihr Mann seinen Spaß mit anderen Frauen hat. In diesem Fall braucht die Frau, wenn sie noch jung ist, einen Geliebten, sonst wird sie irgendwann krank.»

«Dann würde die Frau in den Augen Gottes aber dasselbe Unrecht begehen», sagte Catharina.

«Nein, denn Gott ist gütig und würde erkennen, dass es so etwas wie Notwehr ist. Das ist jedenfalls meine Ansicht. Ihr braucht jemanden, der zärtlich mit Euch ist und Euch schätzt.»

Sie sah zu Elsbeth und räusperte sich.

«Nun ja», sagte Elsbeth daraufhin in ihrer bedächtigen Art.

«Es steht uns nicht zu, dass wir uns in Eure Angelegenheiten mischen. Wir möchten Euch nur wissen lassen, dass Ihr auf uns zählen könnt. Falls Ihr also jemanden kennen lernt – wir würden kein Sterbenswörtchen verraten.»

Als habe dieses Gespräch etwas in ihr ausgelöst, suchte Catharina nun öfters die Begegnung mit Benedikt. Sie war vorsichtig, denn sie wusste, dass Hartmann Siferlin jeden ihrer Schritte beobachtete.

Nach wie vor ging sie gern in den frühen Abendstunden spazieren. Da die häufigen Überfälle infolge der Teuerung und Missernten anhielten, war es für eine Frau allein nicht ratsam, sich unbewaffnet auf das Land zu wagen. Catharina zog daher den Stadtgraben vor, den sie zwar längst in- und auswendig kannte, der ihr aber immer noch angenehmer war als die engen Gassen. An jenem lauen Abend Ende September, der ihr Leben für die nächsten Jahre entscheidend verändern sollte, saß sie in der Abendsonne und beobachtete ein paar Kinder beim Ballspiel. Als die Sonne hinter der Stadtmauer verschwand, begann sie zu frösteln, und sie beschloss, heimzugehen. Da sah sie Benedikt auf sich zukommen. Mit einem unsicheren Lächeln begrüßte er sie.

«Wie schön, Euch zu treffen», sagte Catharina. «Was für ein Zufall.»

«Ja», entgegnete Benedikt. «Das heißt, nein. Um ehrlich zu sein: Es ist kein Zufall, dass ich hier bin. Ich weiß, dass Ihr oft im Stadtgraben spazieren geht. Und heute war ich mit der Arbeit früher fertig.»

Sie schwiegen beide. Benedikt setzte sich ihr gegenüber auf die Wiese und rupfte Grashalme aus.

Er hat schöne Hände, dachte Catharina. Schmal und fein, wie ein Künstler. Ihre innere Ruhe war verflogen. Sie spürte, wie ihr Herz schneller pochte. Dann ging ihr durch den Kopf, dass sie hier, genau an dieser Stelle, zum ersten Mal mit Michael zusammen gewesen war.

«Wohnt Ihr hier in der Nähe?», fragte sie.

«In der Predigervorstadt, direkt beim Lehener Tor. Ich hab ein kleines Zimmer dort.»

Catharina wusste selbst nicht, woher sie plötzlich die Kühnheit nahm, ihn zu fragen, ob er ihr sein Zimmer zeigen würde. Benedikt nickte nur, und sie gingen wortlos das kleine Stück bis zum Tor. Schräg gegenüber stand ein schmales heruntergekommenes Fachwerkhaus. Durch eine verwitterte Holztür, die schief in den Angeln hing, traten sie in einen dunklen Flur. Es roch nach Schimmel und Urin.

Wie ärmlich es hier aussieht, dachte Catharina, als sich ihre Augen an das Dämmerlicht gewöhnt hatten. Dann folgte sie Benedikt in sein Zimmer, das gleich im Erdgeschoss nach hinten hinaus lag. Sie war überrascht: Die Wände waren frisch geweißelt, auf den Dielenbrettern fand sich kein Krümchen, auf zwei Strohsäcken lagen ordentlich zusammengelegte Decken, und aus dem geöffneten Fenster drang der süße Duft verblühender Rosen, die in hohen Büschen im Hinterhof wuchsen.

«Mit wem teilt Ihr das Zimmer?», fragte sie.

«Mit einem Messerschmied. Ein sehr ruhiger und freundlicher Zimmergenosse.»

Benedikt beugte sich aus dem Fenster und brach eine rote Blüte ab. Immer noch verlegen, überreichte er sie Catharina.

«Ihr wisst, wie sehr ich Euch verehre, nicht wahr?»

Catharina legte die Rose auf die Kommode und nahm seine Hände in ihre. Beider Hände waren feucht vor Aufregung. «Und Ihr wisst, dass ich eine verheiratete Frau bin.»

Fast traurig betrachtete Benedikt sie und nickte. «Ja, ich weiß. Und beides geht nicht gut zusammen.»

Dann zog er sie neben sich auf die Schlafstatt. Catharina beugte sich vor und küsste ihn vorsichtig auf den Mund. Wie lange schon hatte sie keinen Mann mehr geküsst! Benedikt öffnete seine Lippen, wie um sie einzuladen, mehr zu fordern. Ihre

Zunge erforschte seine Lippen, seinen Mund, sein Gesicht, und eng umschlungen streckten sie sich auf dem schmalen Strohsack aus.

Es war so überraschend einfach mit Benedikt. Er gab ihr alles, was sie als Frau so lange Zeit vermisst hatte. Nicht nur körperlich begehrte er sie – und dabei war er ein leidenschaftlicher Liebhaber, der zugleich zärtlich und stürmisch auf ihre Bedürfnisse einging –, sondern auch geistig: Über Gott und die Welt suchte er das Gespräch mit ihr und schätzte ihre Meinung. Er bedauerte oft, dass er so wenig wusste und in seinem Leben so wenig Gelegenheit zum Lernen gehabt hatte, doch für Catharina war er einer der klügsten Männer, die ihr je begegnet waren. Sie genossen jeden Augenblick miteinander. Dennoch sprachen sie nie über eine gemeinsame Zukunft, denn sie wussten: Sie hatten keine.

In den ersten Tagen ihrer Liebschaft vermieden sie es, sich im Hof oder der Werkstatt zu begegnen. Doch ihnen wurde schnell bewusst, dass die geringste Verhaltensänderung den Argwohn der anderen Männer oder Hartmann Siferlins auf sich ziehen konnte. So versuchten sie, zu ihrem unbekümmerten Umgangston zurückzufinden.

Catharina musste sich zusammenreißen, nicht häufiger als bisher in die Werkstatt zu gehen, denn sie sehnte sich täglich mehr nach seiner Nähe. Sie liebte ihn nicht, doch sie genoss diese Freundschaft wie ein warmes Bad, und die heimlichen Zusammenkünfte in seinem kleinen Zimmer waren ihr viel zu selten.

Inzwischen besuchte sie einmal in der Woche, jeden Samstag, ihre Familie in Lehen. Es war zur Gewohnheit geworden, dass Christoph oder einer der Zwillinge am Morgen in der Stadt Erledigungen machte, anschließend Catharina abholte und sie mit nach Lehen nahm. Am frühen Abend kehrte sie zurück, sicherheitshalber brachte einer der Männer sie bis zum Stadttor. Von dort schlich sie sich dann, das Kopftuch tief ins Gesicht gezogen, zu Benedikt, der an den Samstagabenden in der Regel allein war, da sein Mitbewohner an diesem Tag gleich nach Feierabend seine zukünftige Frau zu besuchen pflegte. Sie liebten sich, ohne dass ihr Zusammensein an Reiz verlor.

Der einzige Schatten, der sich über diese Zeit legte, war Catharinas schlechtes Gewissen. Nicht Michael gegenüber, der noch nie das geringste Anzeichen von Eifersucht gezeigt hatte – nicht einmal dazu ist er fähig, dachte Catharina voller Grimm –, nein, sie hatte vielmehr das Gefühl, Christoph zu betrügen. Besonders schlimm waren die Augenblicke, wenn er sie bis zum Lehener Tor begleitete und sich mit einem brüderlichen Kuss von ihr verabschiedete.

«Ich freue mich auf nächsten Samstag», sagte er dann jedes Mal und winkte ihr nach, bis sie durch das Tor verschwunden war. Er ahnte nicht einmal, dass sie wenige Augenblicke später in den Armen ihres Liebhabers lag. Sie fragte sich später oft, ob sie nicht von Anfang an hätte offen zu ihm sein sollen. Aber für sie selbst war alles noch so neu, und sie wusste auch, wie sehr ihn ihre Beziehung zu Benedikt verletzt hätte.

Wen sie nicht täuschen konnte, waren Barbara und Elsbeth.

«Wie glücklich Ihr ausseht», sagte Elsbeth, als sie an einem stürmischen Oktoberabend in der Küche beim Essen saßen. Verlegen wie ein ertapptes Kind löffelte Catharina ihre Suppe.

«Ja, es geht mir gut.»

«Ihr habt eine gute Wahl getroffen», fügte Barbara hinzu.

«Woher wisst ihr, wer –» Catharina stockte.

«Wir haben doch Augen im Kopf», entgegnete Barbara. «Aber keine Angst: Euer Mann weiß mit Sicherheit nichts. Er ist viel zu beschäftigt.»

«Es freut mich, dass Catharina in letzter Zeit so fröhlich und ausgeglichen ist.» Bantzer schlug Siferlin freundschaftlich auf die Schulter. «Jede andere Frau würde jammern und klagen, wenn ihr Gemahl so wenig Zeit hätte wie ich. Aber dafür laufen die Geschäfte auch märchenhaft, nicht wahr, mein lieber Hartmann?»

Siferlin nickte, ohne von den Büchern aufzusehen. Vielleicht hat sie gute Gründe für ihre strahlende Laune, dachte er.

«Hin und wieder braucht es eben einen deftigen Streit, das reinigt die Luft. Weißt du, Hartmann, es ist manchmal eine Last mit den Frauen, und du tust gut daran, Junggeselle zu bleiben. Dennoch glaube ich, mit meiner Catharina kein schlechtes Los gezogen zu haben. Mit ihrer klugen Zurückhaltung lässt sich zurechtkommen.»

Bantzer streckte sich genüsslich, nur um im nächsten Moment mit einem Aufschrei zusammenzuzucken.

Siferlin kniff die Augen zusammen. «Was ist?»

«Der verdammte Rücken – seit meinem Sturz neulich vom Pferd wollen die Striemen nicht heilen. Schick bitte den Lehrbuben nach einem Tiegel Ringelblumensalbe. Aber meine Frau soll davon nichts erfahren.»

«Selbstverständlich. Aber vielleicht sollte doch besser der Bader kommen.»

Bantzer hob abwehrend die Hände. «Nein, um Himmels willen. Wegen solch einer Lappalie.»

Lappalie. Siferlin konnte das Zittern seiner Hände kaum verbergen, als er sich wieder über das Auftragsbuch beugte. Von wegen Sturz vom Pferd. Er hatte mit eigenen Augen gesehen, wie das Blut den Rücken hinuntergelaufen war, hatte Bantzers Schmerzensschreie gehört, als diese Furie wieder auf ihn eingeschlagen hatte. Ihm schwindelte.

Durch Zufall hatte er das Liebesnest von Bantzer und der Frau des Tuchhändlers entdeckt. Er hatte nach einer Bestellung seine beste Schreibfeder in der Lagerhalle des Händlers vergessen und war zurückgeeilt, als er an dem alten Lagerschuppen vorbeikam, der halb in die Stadtmauer eingelassen war. Von dem alten Tuchhändler wusste er, dass diesen Schuppen seit Jahren kein Mensch mehr betreten hatte, seitdem darin ein grässlicher Mord geschehen war. Doch jetzt war der Riegel zurückgeschoben, die Tür nur angelehnt.

Fühlte sich Siferlin in seiner äußeren Gestalt von Gott und der Natur nicht gerade begünstigt, so besaß er doch eine Eigenschaft, auf die er stolz war: Ihm entging nicht die kleinste Veränderung in seiner Umgebung. Jeder andere wäre an dieser verwitterten Holztür vorübergegangen, doch Siferlin sah sofort, dass hier vor kurzem jemand eingetreten war. Seine Drang, alles auszukundschaften, trieb ihn dazu, so lautlos wie möglich in den dunklen Schuppen zu schlüpfen. Ein schmaler Gang führte tief in das Mauerwerk der Stadtbefestigung. Schon nach wenigen Schritten hörte er das klatschende Geräusch und die unterdrückten Schreie. Angst packte ihn, doch seine unersättliche Neugier trieb ihn vorwärts. Was er dann erblickte, ließ ihm den Atem stocken.

Im Schein zweier Fackeln kauerte sein Brotherr auf allen vieren, nackt, schweißglänzend, mit geschwollenem Glied. Hinter ihm stand Rebecca, eine Reitpeitsche in der erhobenen Hand. Ihr schönes Gesicht war zu einer hasserfüllten Fratze verzogen.

«Du denkst an andere Frauen, wenn du mit mir vögelst. Gibst du es endlich zu, du Schweinehund?»

Wieder knallte die Peitsche auf Bantzers Rücken. Siferlin zuckte zusammen. Wie gelähmt stand er da, konnte den Blick nicht losreißen von dieser grausamen Frau und dem winselnden Mann, blieb bebend und mit offenem Maul stehen, bis Bantzer in schmerzhafter Wonne um Gnade flehte und Rebecca sich endlich, endlich rittlings auf seiner Rute niederließ.

Siferlin verstand die Welt nicht mehr. Was ließ sich Bantzer nur antun von dieser Bestie? Wie unglücklich musste er mit der Stadellmenin sein, wenn es ihn zu diesen Schmerzen trieb. Tränen des Mitleids liefen über Siferlins Wangen, nachdem seine Erregung endlich abgeklungen war und er wieder ins Tageslicht trat.

Immer wieder zog es ihn fortan als heimlichen Zuschauer zu Bantzers Stelldichein. Wie sein Herr wurde er zu einem Gefangenen der grausamen Lust, und er vergaß dabei vollkommen seinen Vorsatz, Catharina Stadellmenin im Auge zu behalten.

Die Tage wurden kürzer. Inzwischen herrschte Nacht, wenn Catharina von ihren Besuchen bei Benedikt zurückkehrte. Sie wusste, dass es sich für eine Frau nicht schickte, bei Dunkelheit allein durch die Straßen zu gehen, doch sie wagte nicht, sich einen Fackelträger zu mieten, denn diese Leute waren für alles andere als für ihre Verschwiegenheit bekannt. So huschte sie jedes Mal wie ein verfolgtes Tier durch eine unbewachte Nebenpforte in die Innenstadt und dann auf dem kürzesten Weg nach Hause. Es war vorauszusehen gewesen, dass sie eines Abends von der Stadtwache gestellt würde.

«Halt! Stehen bleiben!»

Catharina zuckte zusammen. Vom Klosterhof St. Peter kam mit schnellen Schritten ein Wächter auf sie zugelaufen und leuchtete mit seiner Laterne in ihr Gesicht.

«Wer seid Ihr? Nehmt sofort das Tuch aus dem Gesicht.»

Gehorsam schob sie sich das Kopftuch zurück.

«Oh – die Bantzerin», stotterte der Stadtwächter. «Verzeiht, ich habe Euch nicht erkannt. Aber Ihr wisst ja selbst, dass ich in diesen gefährlichen Zeiten meine Pflicht tun muss. Darf ich Euch nach Hause begleiten?»

Catharina nickte seufzend. Ganz offensichtlich war sie stadtbekannt. Ihr wurde klar, dass sie, zumindest jetzt in den Wintermonaten, ihre abendlichen Besuche bei Benedikt einstellen musste, wenn sie nicht wollte, dass ihr Verhältnis ans Licht kam.

19

«Stell dir vor, der Bodensee ist zugefroren!»

Catharina stand am offenen Herdfeuer in der Küche, um sich die Hände zu wärmen, während sich Benedikt das Wams zuschnürte. Nach wochenlangem Schneefall hatte ein Frost eingesetzt, wie ihn die Menschen aus der Gegend noch nicht erlebt hatten. Die Welt bestand nur noch aus Schnee und Eis. Das Mehl wurde wieder einmal knapp, da die wassergetriebenen Mühlen stillstanden, und selbst im Hause Bantzer mussten Eicheln und Hafer ins Brot gemischt werden.

«Ist ein gefrorener See etwas Besonderes bei dieser Hundekälte?», fragte Benedikt.

«Weißt du denn nicht, wie riesig der Bodensee ist? Er ist so groß wie ein richtiges Meer, du kannst das andere Ufer nicht sehen, so weit weg ist es. Und jetzt kann man zu Fuß oder sogar mit dem Wagen in die Schweiz hinüber.»

«Aha», lachte er. «Da sieht man wieder, wie dumm ich bin. Ich dachte, der Bodensee sei ein Weiher draußen bei euch in Lehen.»

Catharina sah ihn prüfend an. Sie konnte manchmal nicht einschätzen, ob er sie auf den Arm nahm oder etwas tatsächlich nicht wusste.

Benedikt küsste sie. «Wenn es nicht so kalt wäre und du meine Frau wärst, würden wir uns gleich auf den Weg machen und quer über den See laufen. Aber leider ist alles ganz anders, und ich muss wieder in die Werkstatt hinunter.»

Er legte seine Lederschürze an, die sie als Unterlage auf dem Fußboden ausgebreitet hatten, und klopfte leise dreimal gegen die Tür zum Esszimmer. Barbara öffnete die Tür von außen: «Ihr könnt heraus, es ist niemand da.»

Catharina fand diese Zeremonie nach wie vor entwürdigend, aber das Stelldichein in der Küche unter der wachsamen Obhut von Barbara und Elsbeth war im Moment für sie die einzige Möglichkeit, sich allein und ungestört zu treffen. Catharina dachte mit Sehnsucht an den Frühling, wenn die Tage wieder länger sein würden und sie sich in Benedikts Zimmer sehen konnten.

Doch die bittere Kälte hielt noch lange an. Die Armen, die kein Obdach in den Spitälern und Armenhäusern fanden, liefen Gefahr, auf offener Straße zu erfrieren. Harmlose Erkältungskrankheiten ließen die Geschwächten wie Fliegen dahinsterben. Da die Erde eisenhart gefroren war, konnten die Leichen nicht bestattet werden und mussten in eigens dafür errichteten Hütten draußen vor der Stadt gelagert werden. Seit zweieinhalb Jahren spielte das Wetter nun schon verrückt, und inzwischen erreichte der lange Arm des wirtschaftlichen Niedergangs auch die reicheren Bürgerhäuser.

Wegen der schlechten Auftragslage war Michael jetzt häufiger als sonst in der Werkstatt oder im Haus. Von den wenigen Kundenbesuchen abgesehen, verließ er das Haus nur noch für die wöchentlichen Zunftversammlungen. Catharina vermutete, dass ihm seine Geliebte davongelaufen war, denn er wirkte unzufriedener und unruhiger denn je. Hinzu kamen seine Sorgen um die Werkstatt. Um niemanden entlassen zu müssen, zahlte er jetzt weniger Lohn aus, was alle ohne Murren hinnahmen. Aber wie lange konnte das gut gehen?

Auch Catharina hatte jetzt erheblich weniger Geld zur Verfügung, und Barbara und Elsbeth verzichteten freiwillig auf ihr Taschengeld. Michael suchte zunächst nach Auftraggebern in den Nachbarorten, reiste nach Breisach, Emmendingen und Waldkirch. Vergeblich. Außer einer Menge Unkosten kam nichts dabei heraus. Viele seiner Zunftgenossen suchten Hilfe bei Gott. Sie ließen Messen für sich lesen, unternahmen Wallfahrten oder spendeten großzügig an die Kirche. Doch obwohl Michael von einer streng katholischen Mutter aufgezogen worden war, hielt er ebenso wenig wie Catharina von den Ritualen und Heilsversprechungen der Kirche.

Er begann zu trinken. Um nicht seinen Ruf als Zunftmeister zu gefährden, trieb er sich in den unterschiedlichsten Vorstadtschenken herum, wo ihn, wie er hoffte, niemand kannte.

Michaels unregelmäßige Anwesenheit im Haus barg ein großes Risiko für Catharinas Verabredungen mit Benedikt. Bisher war es einfach gewesen: Catharina wusste immer mit ziemlicher Sicherheit, wann ihr Mann nach dem Mittagessen außer Haus zu tun hatte und wann in der Werkstatt. So konnte sie, wenn eine der Frauen den Angestellten das Essen hinüberbrachte, eine Nachricht mitgeben. Da die Gesellen auch hin und wieder im Lager- oder Verkaufsraum des Vorderhauses zu tun hatten, dachte sich wohl niemand etwas dabei, wenn Benedikt ab und zu über den Hof ging.

An diesem wolkenverhangenen Februartag hatte er es besonders eilig und stürmte, zwei Stufen auf einmal nehmend, die Treppe hinauf, wo Catharina in der Diele auf ihn wartete. Sie fielen sich in die Arme. Seit zwei Wochen schon waren sie nicht mehr zusammen gewesen, da Michael wegen eines verstauchten Fußes das Haus hatte hüten müssen. Heute sollte er mit Siferlin unterwegs sein, um Geld von säumigen Kunden einzutreiben.

«Endlich», murmelte Benedikt und zog Catharina in die Küche. Ungestüm nahm er sie in die Arme, als draußen plötzlich ein Tonteller zu Boden krachte. Das war das Zeichen für höchste Alarmbereitschaft. Hastig legte er seinen Schurz um, der zu Boden geglitten war, als sich auch schon die Tür öffnete und Michael mit Siferlin eintrat.

«Was machst du hier mitten in der Arbeitszeit? Habt ihr jetzt alle nichts mehr zu tun?», herrschte er Benedikt an und blickte dann misstrauisch zu Catharina, die sich am Herdfeuer zu schaffen machte und hoffte, dass Michael ihre zitternden Hände nicht bemerkte.

«Ich habe Barbara gefragt», entgegnete Benedikt ruhig, «ob sie uns nicht etwas heißen Kräutertee zubereiten kann. Die Hälfte der Männer ist stark erkältet.»

«So ist es. Und wenn Ihr erlaubt, werde ich einen großen Krug hinunterbringen.» Barbara war hinter den Männern in die Küche getreten und machte sich wie selbstverständlich daran, einen Topf mit Wasser aufzusetzen.

Michael brummte etwas Unverständliches und ging an den Vorratsschrank, dem er eine Flasche Selbstgebrannten entnahm. «Es wird spät heute, ihr braucht mit dem Abendessen nicht auf mich zu warten.»

Die ganze Zeit über hatte Siferlin Catharina durchdringend angesehen, und sie musste sich zwingen, ihren Blick nicht abzuwenden. Als die beiden Männer die Küche verließen, sagte Siferlin so laut, dass es alle hören konnten: «An Eurer Stelle würde ich auf Euren Haushalt ein wachsameres Auge werfen.»

«Diese Giftschlange», schimpfte die Köchin, nachdem sie die Tür zugeworfen hatte.

Catharina saß der Schreck noch in den Gliedern. «Eins ist klar: Im Haus dürfen wir uns nicht mehr treffen. Wobei ich mehr Angst vor Siferlin habe als vor meinem Mann. Benedikt, wir müssen warten, bis die Abende heller werden und ich wieder zu dir kommen kann.»

Stöhnend legte er seinen Kopf auf ihre Schulter. «Das halte ich nicht aus!»

Dann strich er Barbara unbeholfen über die rosigen Wangen. «Danke! Ich gehe jetzt besser. Bringst du mir dann den Kräutertee?»

Barbara nickte.

In den nächsten Wochen trafen sich Catharina und Benedikt nur noch zufällig im Hof oder im Haus. Anfang April, es hatte endlich Tauwetter eingesetzt, stellte Catharina fest, dass ihre

Blutungen schon zum zweiten Mal ausgesetzt hatten. Beim ersten Mal war Catharina nicht sonderlich beunruhigt gewesen, denn sie war fest davon überzeugt, dass sie unfruchtbar sei, seitdem sie sich damals als junges Mädchen von der Hebamme Gysel hatte behandeln lassen. Dabei war sie trotz allem immer vorsichtig mit Benedikt gewesen, denn sie wusste, dass es zwischen den Blutungen eine gefährliche Zeit gab, und an diesen Tagen hatten sie sich auf andere Weise Vergnügen bereitet. Jetzt aber spannten auch ihre Brüste, und es gab für sie keinen Zweifel mehr: Sie war schwanger.

Es dauerte Tage, bis sie wirklich begriff, was mit ihr geschah. Sie, die sich immer eine große Familie gewünscht hatte, trug ein Kind im Leib und durfte es nicht zur Welt bringen. Wenn sie wenigstens hin und wieder mit Michael geschlafen hätte – sie hätte keine Skrupel verspürt, es zu seinem Kind zu erklären. Aber so? Es gab keinen anderen Weg, als sich von diesem Wesen, das in ihr heranwuchs, zu trennen. Und niemand durfte etwas davon erfahren. Verzweifelt weinte sie sich nachts in den Schlaf.

Nachdem die Frühjahrssonne die verschlammten Wege einigermaßen getrocknet hatte, machte sie sich auf nach Lehen. Dem Wächter am Tor musste sie angeben, wohin sie gehen wolle. Es sei in letzter Zeit wieder zu Überfällen gekommen, erklärte er, und er habe dafür zu sorgen, dass sich niemand allein auf die Landstraße wagte. Sie wartete, bis sich eine Gruppe von Bauern und Trödlern zusammengefunden hatte, und marschierte mit ihnen los. Ihr war flau im Magen, und sie wusste nicht, ob das von der Schwangerschaft herrührte oder von der Angst vor dem, was auf sie zukam.

Marthe und Christoph waren glücklich, sie nach so vielen Wochen endlich wiederzusehen. Sie ließen ihre Arbeit liegen und führten sie in die Küche. Catharina fragte nach Moses, der nicht zur Begrüßung erschienen war.

«Er ist vor zwei Wochen gestorben», sagte Marthe. «Er war ja schon alt, und plötzlich konnte er kaum noch laufen.» Sie erzählte, wie er eines Abends unbedingt in die Küche wollte, was sonst nicht seine Art war, und sich dicht neben das Herdfeuer legte. Die Köchin wollte ihn hinausjagen, aber Marthe ahnte, dass er zum Sterben gekommen war. Sie bettete ihn auf einen alten Sack und streichelte ihn so lange, bis er mit einem kleinen Seufzer die Augen schloss.

«Ich glaube nicht, dass er Schmerzen hatte.»

Da fing Catharina an zu weinen. Es war nicht Moses' Tod, der sie die Fassung verlieren ließ, sondern alles zusammen. Sie fühlte sich unsagbar allein, konnte niemandem von ihren Sorgen und Ängsten erzählen.

Erschrocken legte Christoph den Arm um sie. «Aber Cathi, sei doch nicht traurig. Er hatte ein so schönes Leben wie kaum ein anderer Hund im Dorf.»

Sie wischte sich verstohlen die Tränen weg und versuchte zu lächeln. «Ist schon gut. Ich bin im Moment einfach ein bisschen schwach. Wahrscheinlich war ich in letzter Zeit zu wenig an der frischen Luft. Wie geht es Lene und ihrem kleinen Buben?»

«Gut. Stell dir vor, sie kommen diesen Sommer zu Besuch. Wir haben den Kleinen ja auch erst einmal gesehen, letztes Jahr. Da konnte er noch nicht einmal krabbeln.»

«Wie schön, dass sie kommt. Ich habe sie schon so lange nicht mehr gesehen. Wo ist eigentlich Sofie?»

Marthe zögerte und warf einen kurzen Blick auf ihren Sohn. «Der harte Winter hat sie ziemlich mitgenommen. Sie hat jetzt öfter so ein Schwächegefühl in den Beinen und muss dann im Bett bleiben. Geh doch nachher hinauf zu ihr, sie freut sich bestimmt.»

Sofie lag mit geschlossenen Augen im Bett, als Catharina eintrat. Ihre Tochter hockte auf den Dielen und spielte mit einer Stoffpuppe.

«Ich freue mich, dass du wieder einmal hier bist», sagte sie und richtete sich vorsichtig auf. «Habt ihr den Winter gut überstanden?»

«Mehr oder weniger. Das Geschäft läuft nicht mehr so gut, aber sonst ist alles in Ordnung.» Catharina hätte ihr gern mehr Einzelheiten erzählt, von ihrer Ehe, von Benedikt, vielleicht sogar von ihrer Schwangerschaft, aber sie war so erschrocken über Sofies Gebrechlichkeit, dass sie diese Gedanken von sich schob.

Sofie blickte zu ihrer Tochter.

«Mein kleiner Schatz, gehst du bitte hinunter und schaust ein wenig nach deinem Bruder?»

Das Mädchen nickte gehorsam, klemmte ihre Puppe unter den Arm und ging hinaus. Sofie sah ihr nach.

«Sie ist schon so verständig.» Sie ließ sich wieder auf ihr Kissen sinken. «Cathi, ich spüre, dass es jetzt bald so weit ist. Christoph glaubt immer noch, dass ich wieder gesund werde, aber ich weiß jetzt, dass ich es nicht schaffe.»

Catharina nahm ihre Hand. «Wie willst du das wissen, Sofie? Du darfst dich nicht einfach aufgeben.»

«Das hat nichts mit Aufgeben zu tun. Es ist nur sinnlos, sich gegen etwas zu wehren, was unausweichlich ist. Cathi, ich habe keine Angst vor dem Tod. Ich fühle jetzt schon einen großen Frieden in mir, und ich gehe gern. Aber ich mache mir Sorgen um Christoph und Marthe. Ich hatte schon einige Male einen bösen Traum, in dem Marthe verunglückte.»

Catharina bat sie, von diesem Traum zu erzählen, doch Sofie winkte ab. «Lass uns über schönere Dinge reden. Erzähl mir von dir – wie geht's zu Hause, was machst du den ganzen Tag?»

Ach, Sofie, dachte Catharina, wenn du wüsstest, was ich zu berichten habe. Sie gab ein paar Schwänke von Barbara zum Besten und brachte Sofie damit sogar zum Lachen. Nach einer Stunde merkte sie, wie die kranke Frau, die blass und ausgemergelt im Bett lag, wieder müde wurde, und sie verabschiedeten sich.

Traurig und niedergeschlagen ging sie zu ihrer Tante in die

Küche. Traurig wegen Sofie und niedergeschlagen, weil sie sich jetzt auf den Weg zu Gysel machen musste.

«Ich mache eben nochmal einen Spaziergang, Tante Marthe, und schau bei unserem Schäfer vorbei.»

«Eine gute Idee. Frag ihn doch dann, ob er bald wieder junge Hunde hat. Warte, ich hole Christoph, er hat sicher Lust mitzukommen. Er braucht auch ein bisschen Abwechslung.»

Catharina schüttelte heftig den Kopf. «Nein, lass nur, ich möchte lieber allein sein.»

Marthe sah sie an. «Ist mit dir wirklich alles in Ordnung?»

«Ja natürlich. Ich bin rechtzeitig zum Essen zurück.»

Dabei hatte sie keine Ahnung, was sie bei der alten Gysel erwarten würde. Eilig durchquerte sie das Dorf, ohne nach rechts und links zu schauen. Von St. Cyriak läutete die Kirchturmuhr zu Mittag. Sie bog in den von Brombeerhecken gesäumten Pfad unterhalb des Lehener Bergles ein. Dort oben hatte sie mit Christoph gesessen, als sie nach dem entlaufenen Ziegenbock suchen sollten. Jede Einzelheit jenes Nachmittags kam ihr plötzlich in den Sinn. Wie kindlich waren sie beide noch gewesen!

Sie verlangsamte ihre Schritte, als sie sich dem Häuschen am Waldrand näherte. Sie hätte nie gedacht, dass sie diesen Weg noch einmal würde gehen müssen. Und dieses Mal hatte sie keine Lene dabei, die ihr Mut machte. Beklommen klopfte sie an die Haustür. Als sich nichts rührte, klopfte sie stärker. Da kam eine Frau, ein wenig jünger als Marthe, durch den Garten auf sie zu und sah sie misstrauisch an.

«Wen sucht Ihr?»

«Ich möchte zu Gysel.»

«Das bin ich.»

Catharina schaute sie verwirrt an. «Das kann nicht sein. Die Frau, die ich suche, müsste viel älter sein.»

«Dann sucht Ihr meine Mutter. Die ist vor ein paar Jahren gestorben. Was wolltet Ihr denn von ihr?»

Catharina wusste nicht, ob sie dieser Frau trauen konnte. «Ach, nichts Wichtiges. Entschuldigt bitte die Störung.»

Alle Hoffnungen, die sie auf die alte Gysel gesetzt hatte, fielen in sich zusammen wie ein Kartenhaus. Enttäuscht wandte sie sich um und wollte schon gehen, als die Frau sie festhielt.

«Einen Moment, wartet. Wolltet Ihr meine Mutter um Hilfe bitten?»

Catharina nickte. «Sie hat mir schon einmal geholfen, als ich ein junges Mädchen war.»

Die Frau zog sie ins Haus. In dem karg eingerichteten Raum hing immer noch alles voller Kräuter, frischer und getrockneter, doch in der Ecke, in der sich damals der große Bottich befunden hatte, lagen jetzt große Bündel von Weidenruten und halb fertigen Körben.

«Seid Ihr auch Hebamme?», fragte Catharina.

«Nein. Ich lebe vom Kräutersammeln und Korbflechten. Setzt Euch dort auf die Bank und sagt mir, warum Ihr Hilfe braucht. Ihr müsst keine Angst haben, ich kann schweigen.»

Erleichtert erzählte sie der Frau, dass sie verheiratet und von einem anderen Mann schwanger sei. Sie versuchte sich so kurz wie möglich zu fassen, doch Gysel hakte immer wieder nach.

«Eure Blutungen sind also zweimal ausgeblieben, und Eure Brüste spannen. Ist Euch morgens schlecht?»

Catharina verneinte.

«Müsst Ihr oft pinkeln, habt Ihr Blähungen?»

«Ja, seit ein paar Tagen. Und ich habe Sodbrennen.»

Gysel schob ihre Hand unter Catharinas Hemd und legte sie auf ihren Bauch.

«Es sind schon Frauen hergekommen, deren Bauch war bereits rund wie eine Kugel. Dann ist es zu spät. Aber bei Euch habe ich den Eindruck, soweit ich das beurteilen kann, dass Ihr erst im zweiten Monat seid. Das ist gut.»

«Könnt Ihr mir helfen?»

«Nein. Ich kenne mich zwar in diesen Dingen aus, aber ich habe noch nie einen Abortus vorgenommen. Ich rate Euch, zur Seboltin zu gehen. Sie hat bei meiner Mutter gelernt und ist sehr erfahren. Sie wohnt wie Ihr in der Stadt, hat aber keine Zulassung mehr.»

Nachdem Gysel ihr erklärt hatte, wo Ursula Seboltin wohnte, brachte sie sie zur Tür.

«Seid vorsichtig. Ihr wisst, dass auf das, was Ihr vorhabt, die Todesstrafe steht.»

Bei diesen Worten zuckte Catharina zusammen, doch sie wusste, dass ihr kein anderer Ausweg blieb, und bat Gott inbrünstig um Verzeihung für das, was sie vorhatte.

«Nennt also niemals Euren Namen», fuhr die Kräuterfrau fort. «Ihr könnt der Seboltin zwar vertrauen, aber falls sie je einmal in Schwierigkeiten gerät, ist es besser, wenn sie Euch nie gekannt hat. Die verschwiegensten Frauen sind schon zum Sprechen gebracht worden. Da würde die Seboltin keine Ausnahme machen.»

20

Catharina krümmte sich vor Schmerzen. Bei jedem Krampf klammerte sie sich an die Holzbretter des Aborts und versuchte, nicht aufzuschreien. Es kam ihr vor wie eine Ewigkeit, bis sie endlich ein warmes Rinnsal an ihren Schenkeln spürte. Sie wusste nicht, was da unter ihrem Körper im Abfluss verschwand, wollte es auch nicht wissen. Ihr war schlecht und schwindlig, und sie betete, dass alles bald vorbei sein würde. Nachdem die Krämpfe und Blutungen spürbar nachgelassen hatten, legte sie sich eine Binde aus Leinen zwischen die Beine, reinigte den Abtritt und ging zu Bett, wo sie erschöpft den Rest des Tages verbrachte.

Ob die Leibesfrucht tatsächlich abgegangen war, würde sich nach den Worten der Seboltin erst in den nächsten Wochen herausstellen, aber Catharina war sich gar nicht mehr sicher, ob es das war, was sie wollte. Hatte sie tagelang ihre gesamte Willenskraft darauf verwandt, sich von dem Ungeborenen zu trennen, es aus ihrem Körper zu verbannen, ergriff sie mit einem Mal Angst, ihr Kind tatsächlich zu verlieren.

Noch am Tag ihres Besuchs in Lehen war sie bei Ursula Seboltin vorbeigegangen. Die heimliche Hebamme, eine ältere Witwe, lebte in einem windschiefen Hinterhaus in der Neuburger Vorstadt. Freundlich und ohne nach Catharinas Namen zu fragen, hatte sie ihr zugehört und sie anschließend untersucht.

«Nach allem, was ich sehe und was Ihr erzählt habt, schätze ich, dass Ihr schwanger seid, und zwar im Anfang des dritten Monats. Ihr müsst aber wissen, dass sich mit völliger Sicherheit eine Schwangerschaft erst im vierten Monat feststellen lässt. Da Ihr so frühzeitig zu mir gekommen seid, tut es jedoch nichts zur Sache, ob Ihr schwanger seid oder nicht, denn die Behandlung, die ich vorhabe, mit Bädern und Kräutern, wird Eurem Leib auf keinen Fall schaden. Manchmal allerdings hilft sie auch nicht, und dann müssen wir warten, bis die Schwangerschaft weiter fortgeschritten ist. Der Himmel möge das verhüten, denn dann wird der Eingriff schmerzhafter und auch gefährlicher für Euch.» Sie sah Catharina fest in die Augen. «Seid Ihr ganz sicher, dass Ihr das Kind nicht haben wollt?»

Als Catharina heftig nickte, fuhr die Hebamme fort: «Das ist wichtig, denn nur dann kann ich Euch helfen.»

Anschließend erklärte sie die Einzelheiten der Behandlung und bestellte sie für den nächsten Morgen zu sich.

Vor Angst tat Catharina in der Nacht kein Auge zu. Bereits das zweite Mal in ihrem Leben stand ihr der Abbruch einer möglichen Schwangerschaft bevor. Warum blieb ihr das nicht erspart? Ob es anderen Frauen auch so erging? Als sie bei der Hebamme eintraf, wartete schon ein dampfendes Kräuterbad auf sie. Catharina zog sich aus und setzte sich in das heiße Wasser.

«Die Hitze und die Kräutermischung lösen Blutungen aus, die die Leibesfrucht abführen. Außerdem massiere ich Euch jetzt den Unterleib. Schaut genau zu, Ihr müsst das nachher zu Hause wiederholen, wenn Ihr nochmals badet. Versucht, Eure ganze Kraft einzusetzen.»

Dabei drückte ihr die Seboltin so heftig auf den Bauch, dass Catharina aufstöhnte. Nach dem Bad musste sie sich mit angezogenen Knien auf eine Bank legen, und die Hebamme machte ihr einen Einlauf mit Kräuterextrakten.

«Gebt mir bitte Bescheid, wenn die Blutungen eingesetzt haben. Bei dieser Gelegenheit könnt Ihr mich dann auch auszahlen.»

Müde und auf schwankenden Beinen war Catharina nach Hause zurückgekehrt. Unter dem Vorwand, an Bauchschmerzen zu leiden, hatte sie Elsbeth gebeten, ein heißes Bad zu richten. Sie hielt sich genau an die Anweisungen der Hebamme: Sie schüttete die Kräuter ins Badewasser, legte sich hinein und massierte sich kräftig Bauch und Unterleib. Als das Wasser abkühlte, frottierte sie sich trocken, bis ihre Haut brannte. Am liebsten hätte sie sich ins Bett gelegt und geschlafen, tief und traumlos, aber sie sollte sich so lange bewegen, bis die Krämpfe einsetzten. Also machte sie Besorgungen in der Stadt und auf dem Markt und bemerkte kaum, wenn jemand sie grüßte.

Erst am Nachmittag setzten die Krämpfe ein, und jetzt, wo endlich alles vorüber war, fühlte sie sich zwar unendlich schwach, fand aber keinen Schlaf. Abwechselnd kamen Barbara und Elsbeth, um nach ihr zu sehen, und am Abend erschien sogar Michael.

«Soll ich nach einem Arzt schicken?»

«Um Gottes willen, nein. Du wirst sehen, morgen bin ich wieder auf den Beinen.»

Sie roch, dass er getrunken hatte, wie so häufig in letzter Zeit, doch sie fand nicht mehr die Kraft, um sich um ihren Mann Gedanken zu machen. Sollte er doch sein Leben führen, wie er wollte. Mit ihr hatte das nichts mehr zu tun. Plötzlich war ihr klar, dass sie das Kind auf die Welt bringen würde, dass sie einen Weg finden wollte, ihm ein Leben in Achtung und Würde zu ermöglichen.

Zwei Wochen später verabredete sie sich mit Benedikt, jetzt wieder wie früher in seiner kleinen Wohnung.

«Was war mit dir?» Er küsste sie. «Ich dachte schon, du willst mich nicht mehr sehen.»

Sanft schob er sie zu seiner Schlafstelle. Catharina fühlte, wie sich jeder ihrer Muskeln verspannte. Benedikt sah sie misstrauisch an.

«Wenn du nicht mehr mit mir zusammen sein willst, dann sag es mir gleich. Hast du einen anderen Mann?»

Catharina starrte auf die feinen Risse in der Zimmerdecke, die sich wie ein Spinnennetz ausbreiteten. Sie hatte beschlossen, die Folgen ihrer Entscheidung allein zu tragen. Denn sie kannte Benedikt inzwischen gut genug, um zu wissen, dass er vor aller Welt um seine Vaterschaft kämpfen würde. Und er würde damit alles zerstören: Nach ein paar Wochen Kerker würde man ihn des Landes verweisen, sie selbst würde man an den Pranger schleppen und ihr Kind ins Findelhaus stecken. Sie musste ihm sagen, dass es zu Ende war.

Benedikt stand auf.

«Catharina, ich weiß, dass wir in einer schwierigen Situation sind, aber in den letzten Monaten habe ich dich kaum zu Gesicht bekommen. Ohne Erklärung hast du dich zurückgezogen, und heute kommst du hier hereingeschneit und benimmst dich wie eine Klosterfrau.» Seine Stimme war laut geworden. «Was bedeutet das?»

Catharina brachte kein Wort heraus. Ihr war kalt, und sie begann am ganzen Körper zu zittern.

Kopfschüttelnd legte er ihr die Bettdecke um die Schultern und wärmte ihre eisigen Hände.

«Es tut mir Leid, wenn ich laut geworden bin. Egal, was es ist, bitte sag mir, was geschehen ist. Vielleicht kann ich dir helfen, und vielleicht betrifft es ja auch mich.»

«Du kannst mir nicht helfen», sagte sie leise. «Es ist vorbei. Wir dürfen uns nicht mehr sehen.»

Benedikt sah sie fassungslos an. Dann schlug er sich gegen die Stirn: «Du bist schwanger.»

«Nein!» Sie log ihm mit letzter Anstrengung offen ins Gesicht. «Ich will wieder ohne Versteckspiel leben können. Das ist alles.»

«Ist das dein letztes Wort?»

Sie nickte, und ihre Augen füllten sich mit Tränen. Schmerzhaft wurde ihr bewusst, wie sehr sie ihn vermissen würde, seinen Humor, seine Wissbegier, seinen jungenhaften Gerechtigkeitssinn. Und den strahlenden Blick seiner verschiedenfarbenen Augen.

Es wurde ein Jahr des Todes. Im Mai starb Michaels Vater, ohne Vorankündigung und ganz allein in seinem Bett. Catharina brachte ihm an jenem Morgen seine heiße Milchsuppe ans Bett. Er schien zu schlafen, denn er rührte sich nicht, als sie eintrat. Als sie ihn bei der Schulter fasste, um ihn zu wecken, erschrak sie, denn sein Körper war bereits erkaltet. Hastig lief sie in die Werkstatt und holte Michael.

Catharina hätte nie gedacht, dass ihm der Tod seines Vaters so nahe gehen würde. Hemmungslos brach er am Totenbett in Tränen aus. Als sie tröstend seine Hand nehmen wollte, wehrte er ab. Er wollte mit seinem Schmerz allein sein. Erst nachdem der Pfarrer eingetroffen war, beruhigte er sich ein wenig.

Sie selbst fühlte außer Mitleid für Michael nichts. Zwar hatte sie Bantzer seinen plumpen Annäherungsversuch längst verziehen, andererseits hatte der alte Mann die kühle Zurückhaltung, die seither zwischen ihnen geherrscht hatte, nie zu durchbrechen versucht.

Zudem war sie viel zu sehr mit sich selbst beschäftigt. Sie wusste nun mit Sicherheit, dass die Prozedur der Kräuterbäder, Massagen und Einläufe dem Wesen, das in ihr heranwuchs, nichts hatte anhaben können. Dazu war die morgendliche Übelkeit zu heftig, die sie mit allen Mitteln und eisernem Willen bekämpfte, um ihren Zustand nicht zu verraten. Fast hätte sie den plötzlichen Tod ihres Schwiegervaters als ein Glück bezeichnen mögen, denn der Haushalt war dadurch völlig durcheinander geraten, und niemand achtete auf sie.

Die Beerdigung wurde zu einer großen Feier mit viel Pomp und herzergreifenden Reden. Zum ersten Mal sah Catharina Michaels Schwester, die mit ihrem Mann aus Basel angereist kam. Zur Hochzeit ihres Bruders hatte sie sich wegen Krankheit entschuldigen lassen, doch das konnte auch eine Ausrede gewesen sein, denn es ging das Gerücht, dass sie ihren Vater hasste und nur um ihn zu kränken, einen Reformierten geheiratet hatte. Catharina versuchte, mit ihr ins Gespräch zu kommen, um vielleicht etwas über Michaels Kindheit und seine Mutter zu erfahren, doch die Frau blieb abweisend und hochmütig. Dann eben nicht, dachte Catharina.

Nach den Feierlichkeiten kehrte der Alltag zurück. Dass der alte Bantzer nicht mehr lebte, fiel außer Michael wohl niemandem auf. Er stürzte sich in Arbeit, trank zu viel und kümmerte sich wenig um Catharina und deren Befinden. Benedikt ging ihr aus dem Weg, und wenn sie sich doch einmal begegneten, verriet sein Gesicht Unverständnis und Niedergeschlagenheit.

Sie beschloss, noch einmal die Hebamme aufzusuchen und um Rat zu fragen, wie sie in Zukunft ihren dicker werdenden Bauch geschickt verbergen könne. Noch war nichts zu sehen, doch sie wollte nicht Gefahr laufen, eines Tages durch Elsbeths oder Barbaras aufmerksame Blicke entlarvt zu werden.

«Wenn Ihr diese elastischen Binden zusammen mit luftiger Kleidung tragt, könnt Ihr eine Menge verbergen.» Ursula Seboltin zeigt ihr, wie sie die Bauchbinde anzulegen hatte. «Und Ihr solltet gehaltvoll essen. Denn bei hageren Frauen fällt eine Schwangerschaft viel eher auf als bei fülligen. Allerdings nützt spätestens in den letzten drei Wochen alles nichts mehr.» Sie blickte Catharina prüfend an. «Was wollt Ihr eigentlich unternehmen, wenn das Kind auf die Welt kommt? Es in ein Kloster geben?»

«Vielleicht.» Catharina zögerte. Daran hatte sie anfangs gedacht, inzwischen dachte sie noch an eine andere Möglichkeit, wenn auch vorerst vage und unausgereift.

Im Juni wurde Michael in den Stadtrat gewählt. Anders als bei seiner ersten Wahl zum Zunftmeister hielt sich seine Freude jetzt in Grenzen, denn er bedauerte zutiefst, dass sein Vater diesen Erfolg nicht mehr erleben durfte. Wenn er nicht gerade ins Wirtshaus ging, saß er abends mit Catharina im Esszimmer und schilderte die teilweise unsinnigen Verordnungen, über die im Magistrat dreimal die Woche heftig disputiert wurde. Es ging um Tierhaltung innerhalb der Stadtmauern: Wer durfte sich Esel, wer Geißen und Schweine halten? Oder um eine neue Badeordnung: Sollte das Baden von Mann und Weib in einem gemeinsamen Zuber verboten werden, nachdem in den Nachbarstädten Fälle von «morbus gallicus», auch Franzosenkrankheit genannt, aufgetreten waren? Zur stärkeren Kontrolle der Bürger sollten bei Kinds- und Tauffesten nur noch Kuchen, Obst, Käse, Brot und einfacher Wein gereicht werden. Bei einer anderen Sitzung musste ein neuer Strafkatalog für Rüpeleien und Beschimpfungen erstellt werden, und die Stadtwache bedurfte strengerer Vorschriften, denn sie ging zu nachlässig gegen abendliche Tänzer und Musikanten auf der Straße vor.

«Heute haben wir entschieden, dass in den Sommermonaten nach neun Uhr abends niemand mehr außerhalb seines eigenen Hauses tanzend, spielend oder trinkend angetroffen werden darf.»

Catharina musste wider Willen lachen. «Da hast du dir ja selbst den Zapfhahn zugedreht!»

Michael grinste breit. «Ich habe dir doch erklärt, wie das mit manchen Verordnungen ist: Sie sind nicht für jeden Bürger gleich auszulegen.»

Anfangs, als alles noch neu war, machte er sich oft lustig über seine Tätigkeit im Magistrat. So setzte er sich eines Abends mit einer langen Liste an den Tisch.

«Du glaubst nicht, Catharina, wie viel überflüssige Zeit und wie viel Stroh im Kopf manche Leute haben. Schau her: Unser Pfarrherr im Münster, ein gelehrter Mann und Doktor, schickt uns mindestens einmal die Woche eine Liste mit Beschwerden ins Rathaus. Beschwerden über Vorkommnisse, die wir gefälligst umgehend durch neue Verbote aus der Welt schaffen sollen. Zum Beispiel beschwert er sich, dass Bräute mit geschwängertem Leib zur Trauung gehen. Oder dass die Krämerläden an Sonn- und Feiertagen geöffnet sind. Dass die Leute ihre Hunde mit in den Gottesdienst nehmen. Dass die Mönche vom Antoniterorden überall ihre Schweine herumlaufen lassen. Oder hier: Die öffentlichen Tänze zu den Marktzeiten und das Gassenstehen der Dienstboten seien umgehend zu verbieten.»

Er ließ das Blatt sinken und lachte: «Du solltest Elsbeth und Barbara Anweisung geben, ihre Einkäufe im Laufschritt zu erledigen.»

Catharina gefielen seine Schilderungen der Ratssitzungen, und sie freute sich, dass sie über diese Gespräche wieder zueinander fanden. Endlich schien sich im Haus zum Kehrhaken so etwas wie ein Familienleben zu entwickeln. Doch schon wenige

Wochen später merkte sie, wie er diese kleingeistigen Auseinandersetzungen immer ernster nahm.

Zur Zeit der Obsternte wollte Catharina ihrer Tante in Lehen beim Einkochen helfen. Sie war früh auf den Beinen. Da Christoph und die anderen alle Hände voll zu tun hatten, konnte niemand sie abholen, und so marschierte sie zusammen mit zwei Frauen und einem alten Bauern die Landstraße hinunter. Catharina war das recht, denn ihre Schwangerschaft näherte sich dem Ende. In der zweiten Oktoberhälfte sollte ihr Kind zur Welt kommen, und wer sie gut kannte, dem fielen die Veränderungen an ihrem Äußeren sofort auf. Zwar war ihr Bauch nicht übermäßig rund und unter viel Stoff verborgen, doch ihr Gesicht war voller geworden, ihr Gang schwerer, und sie geriet schnell außer Atem. Dazu trug auch die Bauchbinde bei, die sie außerhalb ihres Zimmers stets anlegte. All das würde Christoph, der sie schon einige Wochen nicht mehr gesehen hatte, sofort bemerken. Ihm gegenüber schmerzte sie das Lügen am meisten, doch war er der Letzte, dem sie hätte offenbaren können, dass sie ein Kind von Benedikt in sich trug.

So würde sie wieder Lügen und Ausflüchte erfinden müssen, wie schon so häufig in den letzten Wochen. Er hatte sie große Überwindung gekostet, dieser Marsch nach Lehen. Doch erstens konnte sie ihrer Tante und den anderen nicht ewig aus dem Weg gehen, und zweitens: Lene wollte am nächsten Tag mit ihrem kleinen Matthias zu Besuch kommen. In Lene setzte Catharina ihre ganze Hoffnung.

Am Himmel hingen regungslos schwere Wolken, die Vögel schwiegen, und außer der kleinen Gruppe von Reisenden war kein Mensch unterwegs. Catharina war diese Stille unheimlich. Da glaubte sie, in der Ferne einen lang gezogenen Schrei zu hören. Erschrocken sah sie sich um, doch sie konnte nichts Ungewöhnliches entdecken. Ihre Begleiter hatten wohl nichts gehört, schweigsam und müde trotteten sie vor sich hin. Wahrscheinlich hatte sie sich geirrt. Dann sah sie eine Staubwolke, wie von einem davongaloppierenden Pferd. Auf der Höhe des Bischofskreuzes musste das sein. Sie kniff die Augen zusammen: Irgendwas lag da am Straßenrand. Ein Holzstoß? Ein umgestürzter Karren? Da bewegte sich doch jemand.

Sie lief schneller. Als deutlich wurde, dass es eine menschliche Gestalt war, die vergeblich versuchte sich aufzurichten und immer wieder gegen den Karren sackte, rannte sie los. Sie bekam kaum noch Luft. Es traf sie wie ein Blitzschlag, als sie Marthe erkannte, ein Blitzschlag, der ihr fast die Besinnung raubte. Das musste ein Traum sein, ein schrecklicher Albtraum. Ihre Tante Marthe kauerte dort auf dem Boden, mit aufgerissenen Augen, das Kleid in Brusthöhe zerfetzt und durchnässt. Jetzt erst sah sie die Blutlache im Staub.

«Tante Marthe! Ich bin's, Cathi. Erkennst du mich?»

Fast unmerklich nickte ihre Tante und schloss stöhnend die Augen.

«Es wird alles gut, liebste Tante, glaub mir. Hab keine Angst, hab keine Angst.»

Catharina konnte vor Entsetzen kaum sprechen. Da sah sie die anderen, die inzwischen herangekommen waren und im Abstand von einigen Schritten die Szene beobachteten.

«So helft mir doch, um Gottes willen, sie stirbt!», schrie Catharina, und ihre Stimme überschlug sich. Der alte Bauer hob ratlos die Achseln, die beiden Frauen drehten sich um und wollten weitergehen. Wie eine Furie sprang Catharina auf und packte beide mit eisernem Griff am Arm.

«Seid Ihr des Teufels?», brüllte sie. «Verflucht sollt Ihr sein, wenn Ihr mir nicht helft.» Unwillig näherten sich die beiden Frauen der Verletzten, und auch der Bauer wagte nicht mehr, sich davonzustehlen. Catharina riss ihr Schultertuch in Streifen und umwickelte damit den blutenden Brustkorb. Dann legte sie sich Marthes linken Arm um ihre Schultern, der Bauer nahm den rechten, und gemeinsam hievten sie die stöhnende Frau in die Höhe. Die beiden Frauen griffen jeweils ein Bein und stützten mit ihrer Schulter die Hüfte ab, sodass Marthe, die inzwischen bewusstlos war, rücklings und fast waagrecht in der Luft lag.

Behutsam und im Gleichschritt trugen sie die alte Frau nach Hause. Es war nicht mehr weit zum Gasthof, doch für Catharina schien die Zeit stillzustehen. Sie ging unter Marthes Gewicht gebückt, obwohl ihre Tante keine schwere Person war – es war die Last des Todes, die Catharina auf ihren Schultern trug. Ununterbrochen murmelte sie vor sich hin, erzählte der Schwerverletzten eine Geschichte nach der anderen aus ihrer Lehener Kinderzeit.

«Hörst du mich, Tante Marthe? Bei euch habe ich die glücklichste Zeit meines Lebens verbracht. Du warst immer wie eine Mutter zu mir. Wie kann ich dir dafür nur danken? Du darfst jetzt nicht einfach sterben.» Tränen liefen ihr über das blutverschmierte Gesicht.

Sofies Tochter, die im Hof mit ihrem Bruder spielte, riss entsetzt Mund und Augen auf, als die schaurige Prozession durchs Tor trat.

«Schnell, meine Kleine, hol Christoph. Lauf schnell.» Sie legten Marthe auf eine Strohschütte an der Stallwand.

«Gott segne Euch für Eure Hilfe», sagte Catharina zu ihren Helfern und rang nach Atem. Ihre eigene Stimme kam ihr plötzlich fremd vor. «Holt bitte noch den Dorfchirurgen. Er wohnt am Kirchplatz.»

Sie kniete sich neben den Strohhaufen, hielt in der Linken Marthes kraftlose Hand und streichelte ihr Gesicht, das sich jetzt entspannt hatte. Sie blickte auf: Christoph stand vor ihr, kreidebleich trotz aller Sonnenbräune. Er sagte kein Wort. Sie erhob sich schwerfällig und überließ ihm ihren Platz an

Marthes Seite. Als sie sah, wie er niederkniete und neben seiner Mutter auf das Stroh sank, ging sie in die Küche, um sich die Hände zu waschen, nahm den kleinen Andreas auf den Arm und dessen Schwester an der Hand und ging hinauf zu Christophs Frau.

Sofie stieß einen Schrei aus, als sie Catharina sah. «Was ist passiert? Bist du verletzt? Du bist ja voller Blut!»

Catharina sah an sich herunter. Ihr weites hellbraunes Leinenkleid hatte überall dunkle Flecken. Ihr wurde schwarz vor Augen, und sie begann zu schwanken. Sofie reichte ihr eine Wolldecke. Im warmen Schutz der Decke beruhigte sich Catharina allmählich und berichtete, wie sie ihre Tante neben dem umgestürzten Pferdekarren gefunden hatte.

«Es muss ein Überfall gewesen sein. Das Pferd ist weg.»

Sofie starrte vor sich hin. «Sie wollte dir entgegenfahren. Die Männer wollten sie nicht bei der Obsternte mithelfen lassen, weil sie in letzter Zeit nach schwerer Arbeit Herzschmerzen bekam. Durch das offene Fenster hab' ich gehört, wie sie sagte: ‹Wenn es für mich nichts zu tun gibt, geh ich meine Cathi abholen.› Christoph wollte das nicht zulassen, wegen der vielen Überfälle in den letzten Jahren, aber Marthe lachte nur und meinte, sie würde die große Peitsche mitnehmen und jedem, der ihr zu nahe käme, eins über die Nase ziehen.»

Jetzt fing auch Sofie an zu weinen.

Catharina ergriff heftiger Schwindel. Wäre sie nicht nach Lehen gekommen, würde Tante Marthe jetzt in der Küche stehen und für ihre Familie und die Erntehelfer ein kräftiges Mahl zubereiten. Mühsam richtete sie sich auf und ging wieder in den Hof.

Eine Menschentraube stand um die Strohschütte. Catharina verschwamm alles vor Augen: Wie in einem dichten Nebel sah sie mal die Gestalt des Pfarrers und des Wundarztes, mal die von Christoph oder den Zwillingen auftauchen. Stand da nicht auch der alte Krämer aus Betzenhausen? Wieso lief ihm Blut über Stirn und Wange? Catharina trat näher.

«Es waren zwei kräftige Männer», hörte sie seine aufgeregten Worte, «beide mit langen Dolchen bewaffnet. Ich stand zufällig hinter einem Busch, um zu pinkeln. Die Stadellmenin schrie, sie sollten sich nehmen, was sie wollten, und sich dann zum Teufel scheren. Ich wollte schon weglaufen – na ja, der Kräftigste bin ich ja auch nicht mehr. Aber dann sah ich, wie der eine sie gegen den Karren stieß und auf sie einstach, nochmals und nochmals, bis das Blut spritzte. Dabei wehrte sich die arme Frau doch gar nicht! Da bin ich auf sie zugestürzt, um ihr zu helfen, aber ich bekam einen Schlag auf den Kopf und bin erst wieder in einem Graben zu mir gekommen. Ich schwöre euch, ich habe diese Kerle hier noch nie gesehen.»

Catharina wandte sich ab. Der Dorfchirurg hatte inzwischen die Wunden mit verdünntem Branntwein gereinigt und einen Druckverband angelegt. Marthe war wieder zu sich gekommen. Vorsichtig trugen die Männer sie hinauf in ihr Zimmer und legten sie ins Bett. Bis auf den Pfarrer verließen alle den Raum und warteten in der Diele.

«Sie hat mindestens fünf Stichwunden», sagte der Wundarzt. «Eine davon knapp unterhalb des Herzens. Sie hat viel Blut verloren, aber ein junger Mensch würde das überleben.» Dann schwieg er. Christoph sagte immer noch kein Wort, und so nahm Catharina alle Kraft zusammen und fragte: «Und Tante Marthe? Wird sie es überleben?»

«Sie hat ein schwaches Herz, und der Schreck war zu groß. Ich fürchte, der Herr Pfarrer muss jetzt seine Arbeit machen. Es tut mir sehr Leid.»

Christoph lehnte sich gegen die Wand, dann gaben seine Knie nach und er rutschte langsam zu Boden. Der Chirurg klopfte ihm ein paarmal mit dem Handrücken fest gegen die Wangen und flößte ihm Kräuterwein ein. Catharina nahm seine Hand.

«Christoph. Deine Mutter braucht dich jetzt.»

Er nickte. In diesem Moment ging die Tür auf, und der Pfarrer erschien. «Ihr könnt jetzt eintreten. Sie ist bei sich.»

Christoph ließ Catharinas Hand nicht los, als er sich auf den Bettrand setzte. Seine Brüder knieten sich auf die andere Seite. Marthe hatte jetzt wieder etwas Farbe im Gesicht und sah aus wie jemand, der nach harter Arbeit sehr erschöpft ist. Ihre Augen waren geschlossen.

«Sprich mit ihr, sie hört dich bestimmt», sagte Catharina. Da legte Christoph seine Wange an die seiner Mutter und redete leise auf sie ein. Der Pfarrer räumte seine Utensilien für die Letzte Ölung zusammen. Aus dem geöffneten Fenster hörte man schwere Regentropfen auf die Blätter der Obstbäume klatschen, ein kleiner Zeisig kam neugierig auf die Fensterbank geflogen und legte den Kopf schief, als ob er auf den Tod dieser Frau wartete.

Marthe bewegte die Lippen. «Kommt – Lene?»

«Bestimmt», sagte Christoph. «Sie muss jeden Moment hier sein.»

Noch vor Sonnenuntergang starb Tante Marthe. Catharina blieb über Nacht, um mit Christoph und seinen Brüdern Totenwache zu halten. Auch Sofie ließ es sich nicht nehmen, dabei zu sein. Man hatte sie in warme Decken gepackt und in einen Lehnstuhl gesetzt.

Marthes letzte Worte waren gewesen: «Bleibt zusammen.» Niemand wusste, wen sie damit gemeint hatte.

21

Meine Mutter wurde auf dem kleinen Kirchhof von St. Cyriak bestattet. Wunderschön sah sie aus, wie sie da auf dem weißen spitzenbesetzten Leinen aufgebahrt lag, zufrieden und sanft, aber auch stolz, so wie sie zu Lebzeiten gewesen war. Fast das gesamte Dorf nahm von ihr Abschied.

Ich danke Gott heute noch dafür, dass ich sie noch einmal sehen durfte, denn gerade als ich eintraf, wollten sie den Sarg schließen und der geweihten Erde übergeben.

Der erste Augenblick war schrecklich. Als mir die Leute vom Dorf entgegengelaufen kamen, weigerte ich mich, an Mutters Tod zu glauben, war es doch erst vier, fünf Wochen her, dass wir beide in der Küche gestanden, zusammen gelacht und mit meinem kleinen Matthias gespielt hatten. Sie schlief sicher nur. Doch als ich ihre Wange berührte, sie war kalt und wie Porzellan, stieß ich wohl einen Schrei aus und verlor für Sekunden das Bewusstsein. Ich erwachte in Raimunds Armen, neben meinem Mann stand Christoph. Er sagte leise:

«Wenn Catharina an diesem Morgen nicht gekommen wäre, wäre Mutter noch am Leben.»

Erschrocken sah ich mich um, ob Cathi seine Worte gehört hatte, doch sie stand weit weg von uns, den Blick abgewandt.

«Das darfst du nicht sagen.» Ich versuchte, meine Gedanken zu ordnen. «Du darfst ihr keine Schuld geben. Versprich mir das.»

Doch er drehte sich um und ging davon.

Später, bei der Totenfeier, hielt er Abstand von Catharina und mir. Vielleicht hätte ich den Dingen besser ihren Lauf gelassen, aber das ist nun mal nicht meine Art. Ich stand also auf, ging zu meinem Bruder und führte ihn hinaus.

«Hör auf, Cathi etwas vorzuwerfen. Ebenso gut könnte ich dich fragen, warum du Mutter nicht daran gehindert hast, allein loszufahren. Nein, Christoph, keinen von euch trifft Schuld. Du weißt doch, was für ein Dickkopf Mutter war, wie leichtsinnig sie sein konnte.»

«Du hast Recht.» Um seine Augen lagen tiefe Schatten. «Und weil ich das wusste, hätte ich allein das Unglück verhindern können. Eben am Grab habe ich Cathi Unrecht getan, und das tut mir Leid.»

Tränen liefen über sein Gesicht.

«Aber warum gehst du ihr dann aus dem Weg?»

«Ich weiß nicht – es schmerzt so furchtbar, dass Mutter nicht mehr da ist, und ich habe Angst, dass ich bald ganz allein sein könnte. Sofie hat nicht mehr lange zu leben, ich weiß es, auch wenn sie nicht mit mir darüber spricht. Und du lebst im fernen Elsass. Cathi hat sich von mir zurückgezogen. Was bleibt mir denn noch?»

«Warte hier. Rühr dich nicht von der Stelle. Ich hole Catharina, und dann sprecht ihr miteinander. Sie glaubt nämlich, dass du sie jetzt hasst.»

Die arme Catharina – was hatte sie in diesen Tagen durchmachen müssen. Und nur wenige Wochen später kamst du auf die Welt.

Lene war die Einzige gewesen, die trotz des furchtbaren Unglücks sofort erkannt hatte, was mit ihrer Base los war. Nach der Trauerfeier brachte sie Catharina zur Kutsche.

«Du erwartest ein Kind, und niemand darf es erfahren. Ist es so?»

Catharina nickte. Sie erzählte, dass sie es nicht übers Herz gebracht hatte, das Ungeborene wie ein Furunkel oder Geschwür wegmachen zu lassen. Dass sie daran gedacht habe, die Zeit vor der Geburt bei Lenes Familie im Elsass zu verbringen, das Kind dort auf die Welt zu bringen und dann den Dominikanerinnen in Colmar zu übergeben. Sie habe gehört, dass dort Neugeborene an unfruchtbare Frauen aus guten Familien vermittelt würden. Sie bete dafür, dass ihr Kind das Glück haben werde, eine liebevolle Familie zu finden.

An dieser Stelle hielt Catharina inne. Zu dreist erschien ihr plötzlich ihre Bitte. Schweigend betrachtete sie den kleinen Matthias auf Lenes Arm, dem vor Müdigkeit die Augen zufielen.

«Das kommt alles sehr überraschend.» Lene schien zu überlegen. «Du kannst auf jeden Fall zu uns kommen. Ich werde mit Raimund reden, und wir werden eine Lösung finden.»

Die Wochen, die nun folgten, hätte Catharina am liebsten aus ihrem Leben getilgt. Es ging ihr viel schlechter, als sie erwartet hatte, nicht nur körperlich. Unter dem Vorwand, sich von Marthes Tod erholen zu müssen, verbrachte sie den ganzen Oktober in Ensisheim. Michael schöpfte keinen Verdacht, bei Barbara war sie sich nicht so sicher, aber die Köchin war taktvoll genug, keine Fragen zu stellen. Lene und ihr Mann taten alles Erdenkliche, um ihr Geborgenheit zu vermitteln, doch Catharina wurde zusehends niedergeschlagener. Kurz vor der Niederkunft führte Lene ein langes Gespräch mit ihr. Sie hatte längst entschieden, das Kind bei sich aufzunehmen, war sich aber im Klaren, was das für die Zukunft bedeutete.

«Vielleicht wäre es besser, du würdest niemals erfahren, wo dein Kind aufwächst. Denn wenn es bei uns bleibt, wird es unser eigenes Kind sein, es wird zu mir Mutter sagen und zu dir Tante. Wirst du damit jemals zurechtkommen?»

«Ich weiß, dass es schwer wird, aber ich verspreche es. Lene, glaub mir, das ist es, was ich mir von ganzem Herzen gewünscht habe. Ich denke, ich sollte es die ersten Jahre so selten wie möglich sehen, dann wird es mir leichter fallen. Du wirst sehen, ich schaffe das.»

Die Geburt des kleinen Mädchens verlief ohne Schwierigkeiten. Catharina wollte es nur ein einziges Mal sehen, um Abschied zu nehmen. Nachdem sie ein paar Tage später wieder zu Kräften gekommen war, kehrte sie nach Freiburg zurück. Sie hatte sich in Ensisheim viele Nächte in den Schlaf geweint, nun verbot sie es sich, weiter zu trauern.

Seit Marthes Bestattung war Catharina nicht mehr in Lehen gewesen. Zu schwer lastete der grausame Tod ihrer Tante auf ihr, zu heftig berührte sie die Erinnerung an ihr verzweifeltes Gespräch mit Christoph bei der Trauerfeier und an die letzten Wochen ihrer Schwangerschaft, die ihr jetzt wie ein Trugbild erschien. Sie blieb den ganzen Tag über im Haus, betrat nicht einmal die Werkstatt, und fast jede Nacht suchte die blutige Szene am Straßenrand sie in Albträumen heim. Nur von der Geburt ihrer Tochter träumte sie nie. Immer wieder dachte sie über Marthes letzte Worte nach: Bleibt zusammen. Waren Christoph und sie gemeint? Hatte sie in ihrer Todesstunde vielleicht vergessen, dass ihr Sohn mit Sofie verheiratet war und nicht mit ihr? Oder hatte sie ausdrücken wollen, dass Christoph und sie immer Freunde bleiben sollten? In einem Punkt war sich Catharina jedenfalls sicher: Ihre Tante hatte von ihrer Liebe zueinander gewusst.

Genau zwei Wochen nach der Geburt von Marthe-Marie starb Sofie. Es war ein Sonntag. Am Vorabend hatte sich Benedikt Catharina im Hof in den Weg gestellt, als sie Eier aus dem Hühnerstall holen wollte.

«Ich werde weggehen, in eine andere Stadt.» Er hielt sie am Arm fest. «Aber vorher muss ich mit dir reden.»

Hinter Benedikts Rücken sah sie Siferlin aus dem Werkstatttor treten. Aufmerksam betrachtete er die beiden.

«Nicht hier», flüsterte Catharina.

«Dann komm morgen zu mir. Tu mir diesen letzten Gefallen.»

Ein ungutes Gefühl beschlich sie, als sie am Sonntagmorgen durch den kalten Herbstnebel hinüber in die Predigervorstadt ging. Sie hatte Benedikt verraten und betrogen, doch es gab kein Zurück mehr.

Er lehnte am Fenster, als sie eintrat.

«Nächste Woche räume ich meine Sachen aus der Werkstatt», sagte er mit belegter Stimme. «Dann bist du mich für immer los.»

«Es tut mir Leid.»

«Du hast mich belogen. Du warst schwanger und hast das Kind weggegeben. Unser gemeinsames Kind.»

«Es gibt kein gemeinsames Kind.» Catharina stand wie erstarrt.

Plötzlich füllten sich seine Augen mit Tränen. «Warum hast du kein Vertrauen zu mir?»

Dann geschah etwas, womit Catharina am wenigsten gerechnet hatte. Benedikt umklammerte sie schluchzend und zog sie zu Boden. In diesem Moment wurde die Tür aufgerissen und Christoph stand vor ihnen.

«Sofie liegt im Sterben. Sie möchte dich noch einmal sehen – falls dich das im Moment überhaupt interessiert», setzte er, ohne eine Miene zu verziehen, hinzu. Dann drehte er sich auf dem Absatz um und ging zur Tür.

«Warte, Christoph. Bitte warte auf mich», rief Catharina und sprang auf.

«Lass mich, ich habe keine Zeit zu verlieren. Du kannst ja deinen Freund fragen, ob er dich begleitet.» Er warf einen verächtlichen Blick auf Benedikt und schlug die Tür hinter sich zu.

Jetzt war alles zerstört. Sie lief hinaus, aber Christoph war längst verschwunden.

So schnell sie konnte, rannte sie nach Hause. Barbara kam aus der Küche und sah sie betreten an.

«Seid mir nicht böse, aber ich konnte nicht anders handeln, als Euren Vetter zu Benedikt zu schicken. Er kam hier hereingestürmt, völlig außer sich, und sagte gleich, dass seine Frau im Sterben liege und Ihr mitkommen müsstet. Als ich antwortete, dass Ihr außer Haus wäret, packte er mich an den Schultern und schüttelte mich. Es ist nicht mehr viel Zeit, rief er immer wieder. Ich hab's richtig mit der Angst bekommen. Hoffentlich ist er jetzt nicht –»

«Schon gut», murmelte Catharina. Eilig holte sie ihren Umhang und lief los. Sie wäre gern allein geblieben auf ihrem Weg nach Lehen, doch der Torwächter, der sie mittlerweile gut kannte, hielt sie auf.

«Nach allem, was in letzter Zeit passiert ist, könnt Ihr nicht allein gehen. Euer Mann würde mir den Kopf abschlagen, wenn Euch etwas zustoßen würde. Wartet, einer von den Stadtwachen wird Euch begleiten.»

Catharina kam zu spät. Wenige Minuten zuvor war Sofie im Beisein ihrer Familie gestorben. Christoph saß weinend am Bett und hielt ihre Hand. Er sah Catharina nicht einmal an, als sie eintrat. Neben ihm stand Sofies Vater mit seinen Enkeln. Catharina hatte davon gehört, dass Carl vor einigen Tagen aus geschäftlichen Gründen nach Freiburg gekommen war, gerade rechtzeitig, um die letzten Stunden bei seiner Tochter verbringen zu können.

In stummer Verzweiflung verabschiedete sich Catharina von der Toten. Sie war zu spät gekommen, und sie war selbst schuld daran. Jetzt bekam sie die Rechnung für alles, was sie in den letzten Jahren falsch gemacht hatte.

Nachdem sie Sofie auf die eingefallenen Wangen geküsst hatte, verließ sie leise das Zimmer. Christoph machte keine Anstalten, sie aufzuhalten. Unten im Hof wartete der Wächter und brachte sie in die Stadt zurück.

Am nächsten Morgen blieb sie im Bett. Fieber und heftige Kopfschmerzen quälten sie. Als am Nachmittag ein Bote einen Brief brachte, erkannte Catharina sofort Christophs Handschrift.

«Liebe Catharina, nach allem, was in letzter Zeit Schreckliches geschehen ist, brauche ich jetzt Zeit zum Nachdenken. Ich weiß nicht, was schlimmer für mich ist: der Tod von Mutter und Sofie oder die Enttäuschung darüber, dass ich dich in Sofies Sterbestunde, als nicht nur Sofie, sondern auch ich dich dringend gebraucht hätten, in den Armen eines anderen Mannes gefunden habe. Sicher, ich war mit Sofie verheiratet und habe immer versucht, ihr ein guter Mann zu sein, aber ich hätte nie eine andere Frau als dich lieben können. Du scheinst diese Schwierigkeiten nicht zu kennen, du

scheinst einen Mann einfach gegen einen anderen austauschen zu können. Ich werde das wohl nie verstehen. Darum bitte ich dich, nicht zu Sofies Beerdigung zu kommen. Du würdest mich nicht trösten können – im Gegenteil: Mein Schmerz wäre nur noch größer. Vernichte diesen Brief, wenn du ihn gelesen hast, damit er nicht in die Hände deines Mannes oder deines Geliebten fällt. Immer noch in Liebe, dein Christoph.»

Traurig und wütend zugleich ließ Catharina das Blatt sinken. Christoph hatte nichts begriffen, überhaupt nichts. Sie wollte den Brief schon zerreißen, als sie sah, dass auf der Rückseite noch etwas stand.

«Sobald hier alles geregelt ist, werde ich mit den Kindern nach Villingen ziehen und Carls Gasthof übernehmen. Ich habe mit meinem Schwiegervater bereits alles besprochen. Ich werde die Pacht des Lehener Gasthauses zurückgeben, denn es hält mich hier nichts mehr. Versuch bitte nicht, mich umzustimmen – ich brauche den Abstand zu dir. Es gibt noch etwas, das ich dir zum Abschied sagen möchte: Ich weiß, dass wir eines fernen Tages für immer zusammen sein werden. Es ist wie eine Vision. Vergiss mich nicht, Christoph.»

Zu Catharinas großem Erstaunen ging das Leben einfach weiter. Sie hatte erwartet, dass sie nach all diesen furchtbaren Ereignissen für immer an Körper und Seele erkranken würde, aber etwas in ihr war stärker und zwang sie wieder auf die Beine. Sie leitete den Haushalt, führte die Ausgabenbücher weiter und erstellte auf Michaels Wunsch hin ein Inventar aller Wertgegenstände. Hinzu kam, dass seit seiner Wahl in den Stadtrat immer häufiger Gäste zum Essen kamen, angesehene Freiburger Bürger und Ratsherren, und sie hatte alle Hände voll zu tun, mit Barbaras und Elsbeths Hilfe eine angemessene Speisenfolge auf den Tisch zu bringen. Inzwischen mangelte es im Hause Bantzer an nichts mehr, denn dank seiner Tätigkeit im Magistrat hatte Michael seine Geschäftsverbindungen beträchtlich ausweiten können und zog einen gewinnbringenden Auftrag nach dem anderen an Land.

Waren die Gäste erst einmal da, langweilte sich Catharina mit diesen Leuten und musste sich Mühe geben, es nicht offen zu zeigen. Manchmal wurden sie von ihren Gattinnen begleitet, mit denen Catharina noch weniger anfangen konnte: Aufgeplusterte Hennen waren das zumeist, die nichts anderes im Kopf hatten, als mit dem Geld und dem Ansehen ihrer Männer zu protzen.

Einmal, als es um die Besprechung eines neuen Auftrags ging, wurden Siferlin und die Gesellen dazugeladen. Es war zugleich die Abschiedsfeier von Benedikt. Catharina hatte ihn seit jenem Sonntag nicht mehr gesehen, und als er ihr jetzt gegenübersaß, konnte sie seinen Anblick kaum ertragen. Von Siferlin fühlte sie sich wie immer beobachtet. Erst gestern war sie wieder mit ihm aneinander geraten. Wie eine Ratte kam er immer aus irgendeinem Winkel des Hauses oder des Hofs hervorgehuscht und hatte offensichtlich seinen Spaß daran, wenn sie erschrak. Gestern hatte sie ihren Ärger nicht zurückgehalten und ihn angefaucht: «Hört endlich auf damit, mir hinterherzuschnüffeln!» «Hinterherschnüffeln – was für ein hässlicher Ausdruck», hatte er mit seiner Fistelstimme entgegnet. «Ihr habt doch nichts zu verbergen, oder? Übrigens schade, dass Ihr Euch nicht mehr in der Werkstatt blicken lasst, die Männer vermissen Euch schon.»

Jetzt, während des Essens, grinste er abwechselnd Benedikt und Catharina an. Plötzlich erkannte sie, was sie so abstoßend an Siferlin fand: Er hatte denselben unverschämten und unberechenbaren Blick wie ihr toter Stiefbruder Johann. Sie schob ihren Teller zurück und entschuldigte sich mit der Bemerkung, sie habe starke Kopfschmerzen.

Als die Gäste fort waren, kam Michael auf ihr Zimmer.

«Ich mache mir Gedanken um Benedikt», sagte er, ohne jeden Argwohn in der Stimme. «Er war immer einer meiner besten Männer, und auf einmal wirft er alles hin. Ich verstehe das nicht.»

«Wahrscheinlich hat er eine Frau gefunden», gab Catharina unwillig zurück.

«Vielleicht hast du Recht. Ach ja, und noch etwas: Es freut mich, wie gut du dich um das Wohl unserer Gäste kümmerst, aber du solltest ein wenig mehr auf dich achten.»

«Wie meinst du das?»

«Na ja, dich schöner zurechtmachen. Du kannst dir doch alles kaufen, was du brauchst.»

Catharina wollte ihm schon eine bissige Bemerkung entgegenschleudern, doch dann schwieg sie. Im Grunde hatte er Recht. Sie wusste selbst, wie wenig ihr in letzter Zeit daran lag, sich herauszuputzen. Für wen auch? Nun gut, dann würde sie die Rolle als ehrbare Bürgersfrau künftig eben noch besser spielen. Ein bisschen Putz, ein bisschen Schmuck, und schon wäre Michael stolz auf seine Frau. So einfach war das.

Michael selbst hingegen staffierte sich inzwischen aus wie ein Pfau. Seine Kleider waren aus feinstem Genter Tuch, die Strümpfe aus reiner Seide. Er behängte sich mit Silberketten und trug stets ein spitzenbesetztes Taschentüchlein bei sich.

Catharina vermutete, dass er wieder eine Geliebte hatte, denn an manchen Abenden roch er, wenn er nach Hause kam, nach Moschus oder Rosenwasser, und sie fand mehr als einmal blonde Haare auf seinem Wams. Es kümmerte sie wenig, denn sie sah in Michael längst nicht mehr den Mann, sondern eine Art geschlechtsloses Wesen. Sie selbst hatte jegliches Interesse an Männern verloren. In der wenigen freien Zeit, die ihr verblieb, traf sie sich hin und wieder mit Mechtild vom Schneckenwirtshaus oder widmete sich, um nicht in Grübeleien zu versinken, wie früher dem Lesen. Dazu hatte sie sich das Bücherkabinett gemütlich eingerichtet. Sie ließ sich ein Schreibpult fertigen, denn sie hatte eine neue Leidenschaft entdeckt: das Briefeschreiben.

Den Anstoß dazu hatte ihr Lene gegeben. Etliche Wochen nach ihrem Aufenthalt in Ensisheim war ein Brief eingetroffen, und zu Catharinas größter Überraschung war er von ihrer Base, die nie schreiben gelernt hatte.

«Da staunst du, was?», schrieb Lene in großen, ungelenken Buchstaben, die kaum zu entziffern waren. *«Um dir ein wenig näher zu sein, habe ich Schreibstunden genommen. Es strengt mich noch sehr an, aber es erscheint mir wie ein Wunder, dass ich jetzt über diese große Entfernung mit dir sprechen kann. Es geht uns allen gut, und die kleine Marthe-Marie entwickelt sich prächtig.»*

Catharina verspürte einen schmerzhaften Stich. Dann gab sie sich einen Ruck und las weiter.

«Matthias liebt sein Schwesterchen über alles. Stell dir vor, bald werden die beiden noch ein Geschwister bekommen. Ich habe geträumt, es wird ein Junge. Schreib mir gleich zurück, deine Lene.»

Nach und nach wurden ihre Briefe lesbarer und vor allem ausführlicher. Nachdem es Catharina geschafft hatte, so etwas wie Muttergefühle tief in ihrem Inneren zu verschließen, freute sie sich über jeden von Lenes Berichten, denn ihre Base beklagte sich nie, nicht einmal darüber, dass ihr Mann sie aus beruflichen Gründen so oft allein ließ – *«das hat auch sein Gutes, glaub mir»* –, sondern machte aus allem das Beste und nahm es mit dem ihr eigenen Humor. Christoph, mit dem Lene ebenfalls in Briefkontakt stand, erwähnte sie selten, und Catharina war erleichtert darüber.

Sie machte es sich zur Regel, ihrer Base einmal in der Woche einen Brief abzuschicken. Das war zwar eine teure Angelegenheit, denn die Boten verlangten inzwischen Unsummen für das Mitnehmen von Briefen, doch seitdem die Geschäfte so gut liefen, ließ Michael seiner Frau bei ihren Ausgaben wieder völlig freie Hand.

Im Frühjahr eröffnete ihr Michael, dass er aus geschäftlichen Gründen nach Villingen müsse.

«Sag mir doch eben, wie der Gasthof deines Vetters heißt.»

«Willst du etwa dort wohnen?»

«Ja natürlich, er macht mir sicher einen guten Preis oder lässt mich umsonst logieren. Schließlich sind wir ja verwandt.»

Catharina konnte den Gedanken kaum ertragen, dass ihr Mann Christoph wiedersehen würde. Am liebsten hätte sie sich sofort an ihr Pult gestellt und ein paar Zeilen an Christoph geschrieben. Aber sie war zu verunsichert, um die richtigen Worte zu finden. Wahrscheinlich würde er ihren Brief ungelesen zerreißen. So packte sie nur ein Holzpferdchen und eine kleine Stoffpuppe für die beiden Kinder ein.

Als ihr Mann ein paar Tage später zurückkehrte, fragte Catharina ihn: «Hat Christoph etwas gesagt? Lässt er mir etwas ausrichten?»

Michael schüttelte den Kopf. «Nein, nichts. Ich finde, er ist etwas sonderbar geworden. Mein Eindruck ist, dass er mit seiner alten Heimat nichts mehr zu tun haben will.»

Catharina war enttäuscht. Sie hatte so auf ein Lebenszeichen von Christoph gehofft. Es war wohl das Beste, ihn zu vergessen.

Im Juni lief Michaels Amtszeit im Magistrat ab. Der Freiburger Rat setzte sich aus sechs Adligen und vierundzwanzig zünftigen Bürgern zusammen, zwölf davon wurden, wie Michael, als Vertreter der Zünfte jedes Jahr neu gewählt. Ließ man sich nichts zuschulden kommen, wurde man üblicherweise alle zwei, drei Jahre wieder gewählt und hatte überdies gute Aussichten, eines Tages zu den so genannten «Zwölf Beständigen» zu gehören, die ihre Stellung als Ratsmitglied auf Lebenszeit innehatten. Dazu wurde von den Bürgern allerdings erwartet, dass sie sich auch in der Zeit, in der sie nicht zum Magistrat gehörten, für die Belange der Stadt einsetzten und kleinere Aufgaben übernahmen. So konnte sich Michael jetzt zwar verstärkt um den Ausbau seiner Werkstatt kümmern, hin und wieder jedoch wurde er als Beisitzer zu Gerichtsverhandlungen einberufen oder musste einen erkrankten Amtmann vertreten.

Eines Tages wurde er mit der Durchführung einer Versteigerung betraut. Das gesamte Eigentum einer Bürgerin sollte im Kaufhaus öffentlich ausgerufen und zugunsten der Stadt veräußert werden. Am Vorabend saß er Stunden über der endlos langen Inventarliste, die der Stadtschreiber angefertigt hatte. Michael musste entscheiden, welche Besitztümer vernichtet und welche versteigert werden sollten.

«Das meiste ist doch wertloser Plunder», stöhnte er. «Hier: 15 Säcklein getrockneter Kräuter und Wurzeln. Oder: Je 1 Exemplar, sehr abgegriffen, von Eucharius Rösslins ‹Der schwangeren Frauen und Hebammen Rosengarten› und Adami Loniceris Kräuterbuch. Außer ein paar Möbeln und Küchengegenständen wird da nicht viel zusammenkommen.»

Catharina hatte aufgehorcht. «Was ist das für eine Frau?»

«Eine Hebamme namens Ursula Seboltin. Ihr Fall wurde letzten Dienstag vor dem Schultheißengericht verhandelt.»

Der Schreck fuhr Catharina wie ein eisiger Windstoß in die Glieder. Es dauerte endlose Minuten, bis sie sich wieder gefasst hatte.

«Was wird ihr denn vorgeworfen?», fragte sie und versuchte, ihrer Stimme einen festen Klang zu geben.

«Sie hat sich angemaßt, ohne städtische Bewilligung als Hebamme zu arbeiten.»

«Und das reicht aus, um ihr den ganzen Besitz wegzunehmen?»

«Sie musste dafür sogar an den Pranger und wurde anschließend aus der Stadt verwiesen. Dabei hat sie noch Glück gehabt. Sie steht schon lange im Verdacht, schwangeren Frauen zum Abortus verholfen zu haben. Leider war ihr nichts nachzuweisen.

Ein Teil der Ratsmitglieder plädierte sogar auf Hexerei. Dann wäre sie auf dem Scheiterhaufen gelandet.»

Catharina schwindelte. Sie ging in die Küche, um sich ein Glas Wasser zu holen. Klar und deutlich sah sie das brave, gutmütige Gesicht der älteren Frau vor sich. Plötzlich durchzuckte sie ein Gedanke.

Sie ging zurück zu Michael, der wieder in das Studium seiner Liste vertieft war.

«Hat man sie gefoltert?»

«Unsinn. Sie stand ja nicht wegen Hexerei oder Kindstötung unter Anklage, sondern nur wegen Amtsmissbrauch. Wo kämen wir auch hin, wenn jede Hebamme, jeder Bader ohne Aufsicht vor sich hin doktern würde.»

«Glaubst du, dass es in unserer Stadt eines Tages wieder zu Hexenprozessen kommen könnte?»

Michael sah sie erstaunt an. «Was machst du dir bloß für seltsame Gedanken? Lass mich jetzt bitte die Liste durchgehen, und dann trinken wir noch gemütlich ein Glas Wein zusammen, ja?»

Doch Catharina war nicht nach einem behaglichen Abend mit ihrem Mann zumute, und sie zog sich mit der Ausrede, sie leide an heftigen Monatsbeschwerden, zurück.

22

Freiburg, im September anno 1579.

Liebste Lene! Du glaubst nicht, wie froh ich über die Nachricht bin, dass du die schwere Geburt gut überstanden hast und dass deine Jüngste und du wohlauf seid. Nun hast du vier Kinder – wie glücklich musst du sein.»

Sie legte den Stift zur Seite. Der längst überwunden geglaubte Schmerz stieg wieder in ihr auf. Sie sah Lene vor sich, wie sie

Marthe-Marie in den Armen hielt, ihre kleine Marthe-Marie, die sie seit der Geburt vor sechs Jahren nie mehr gesehen hatte. Inzwischen lebten sie im fernen Innsbruck, in schier unerreichbarer Entfernung, und wahrscheinlich war das am besten so. Schließlich hatte sie selbst es so gewollt, und sie musste sich nun ein für alle Mal frei machen von Zweifeln und Wehmut. Bei Lene wusste sie ihre Tochter in den allerbesten Händen, sie wuchs unter Geschwistern auf und in einem Haus, in dem viel mehr Freude und Fröhlichkeit herrschte als hier.

«Du fragst mich in deinem letzten Brief, ob ich trotz aller Widrigkeiten wenigstens zufrieden bin mit meinem Leben. Ja und nein – trotz der katastrophalen Ernte in diesem Sommer und den steigenden Preisen floriert unsere Schlosserei wieder einmal, und wir haben keine Geldsorgen. Auf der anderen Seite –»

Wieder zögerte Catharina und kaute auf dem Federkiel herum. Draußen stimmten die Vögel ihren Abendgesang an.

Nein, sie konnte von sich nicht behaupten, zufrieden zu sein. Im Gegenteil: Sie hatte längst wieder das Gefühl, ein Doppelleben zu führen, wenn auch aus anderen Gründen als damals mit Benedikt. Vor Gästen führte sich Michael als treu sorgender und liebevoller Ehemann auf. Waren sie hingegen allein, nörgelte er unentwegt an ihr herum.

Sie seufzte. Ob sie wohl jemals sie selbst sein durfte? An der Seite dieses Mannes bestimmt nicht. Sie setzte den Stift wieder an.

«Michael hat sich verändert. Ich kann nicht sagen, wann das angefangen hat, es kam schleichend. Früher saßen wir abends oft noch zusammen und führten richtige Gespräche. Jetzt erzählt er überhaupt nichts mehr, treibt sich stattdessen jeden Abend irgendwo herum. Was aber noch viel schlimmer ist: Er versucht mich bei jeder Gelegenheit klein zu machen. Er würde sich schämen, mit solch einem ‹Bücherwurm› verheiratet zu sein. Andere Frauen verbrächten ihre freie Zeit damit, das Haus wohnlich auszustatten, Zierdeck-

chen zu sticken oder zu musizieren. Ich hingegen hätte nur Bücher und meine Briefe an dich im Kopf. Vor allem wenn er getrunken hat, wirft er mir Beleidigungen an den Kopf: Ich sei eingebildet, unfruchtbar, keine richtige Frau und Ähnliches.

Gestern hat er mir verboten, weiterhin mit Barbara und Elsbeth in der Küche zu essen, was eine meiner wenigen Vergnügungen in diesem Haus ist. Dabei geht es ihn meiner Meinung nach gar nichts an, wo ich esse, solange keine Gäste da sind – aber was soll ich machen? Genug gejammert, andere Frauen sind noch viel elender dran.

Liebe Lene, hast du schon von den schrecklichen Verurteilungen gehört? Kürzlich sind nach vielen, vielen Jahren wieder Frauen als Hexen bei lebendigem Leib verbrannt worden. Es fing an mit der Tochter des alten Zöllners vom Schwabentor. Sie war wohl früher schon einmal wegen Zauberei angezeigt worden, der Prozess wurde aber eingestellt. Jetzt haben ihre Nachbarn bezeugt, dass sie mit dem Teufel im Bunde stand und ihren Gatten zu Tode verflucht habe. Tatsächlich war dieser von einem Tag auf den anderen gestorben, obwohl er noch jung war. Dass so etwas aber gleich als Beweis gewertet wird, zeigt mir, dass die Leute hier langsam ihren gesunden Menschenverstand verlieren. Überall in den Gassen spürt man die Angst der einfachen Menschen vor einer Hungersnot, ihre Angst davor, dass sich die schreckliche Zeit, wie wir sie vor ein paar Jahren erlebt haben, wiederholt. Und alle sind voller Misstrauen, Hass und Neid – ist das bei euch in Innsbruck genauso?

Doch jetzt bin ich abgeschweift. Die arme Zöllnerstochter wurde, nachdem sie vor Gericht geschwiegen hatte, erst in den Martinsturm, dann in den Christoffelsturm gebracht und der schrecklichsten Marter unterzogen. Dabei gestand sie und gab noch zwei weitere Frauen an, die dann ebenfalls der Hexerei beschuldigt und gemeinsam mit ihr zum Tod durch die Flammen verurteilt wurden. Mehr weiß ich auch nicht darüber, und als ich Michael nach Einzelheiten fragte – er war zwar bei dem Prozess nicht dabei, weiß

264

aber immer über alles Bescheid –, fuhr er mir dermaßen böse über den Mund. Das ginge mich nichts an, ich solle froh sein, dass ich das Glück habe, ein anständiges Leben zu führen. ‹Ich weiß doch, worauf deine Fragerei hinausläuft: In deinen Augen ist jeder Verurteilte ein Opfer und jeder Beschluss des Ehrsamen Rates lächerlich. Du bist nichts als ein rechthaberisches Weib.› So oder so ähnlich hat er mich angeschnauzt. Wir können einfach kein normales Wort mehr miteinander wechseln.

Liebe Lene, kannst du dir vorstellen, wie sehr mich dieses grausame Urteil bewegt? Weißt du noch, wie wir als Kinder meinen Stiefbruder Johann verwünscht haben? Das waren nur Albernheiten, aber wenn irgendjemand davon Wind bekommen hätte, wären auch wir womöglich im Hexenturm gelandet.»

Erschrocken hielt Catharina inne. Durfte sie Johann überhaupt erwähnen? Lene und sie hatten über seinen gewaltsamen Tod nie wieder gesprochen, und sie wollte ihre Freundin damit nicht belasten. Sie selbst hatte jenen Augustmorgen in der Lehmgrube weitgehend aus ihrem Bewusstsein verbannt, doch sie wusste nicht, wie Lene mit diesem Erlebnis fertig geworden war.

Kurzerhand strich sie den letzten Absatz durch. Jetzt erst merkte sie, wie ihr die Hand schmerzte und wie müde sie war. Sie würde den Brief morgen fertig schreiben.

Doch sie fand keinen Schlaf. In ihren Ohren gellten die Schmerzensschreie der gequälten Frauen. Vor genau zwei Wochen, an ihrem Namenstag, war sie auf dem Weg zum Schuhmacher am Christoffelstor vorbeigekommen und hatte ein Aufbrüllen wie von einem Tier vernommen. Erst dachte sie, in der Nähe würde ein Schwein geschlachtet, doch dann folgten weitere Schreie, und ihr wurde klar, dass sie aus den winzigen Luken des Stadttors drangen. Ein paar Menschen in ihrer Nähe bekreuzigten sich und gingen rasch weiter, und Catharina hatte Mühe, einen von ihnen aufzuhalten. «Was ist los im Turm?», fragte sie einen in Lumpen gehüllten Mann. «Das sind die Hexen», antwortete der mit schwerer Zunge. «Sie liegen wahrscheinlich auf der Streckbank, damit sie endlich ihre Verbrechen gestehen.»

Am Tag der Urteilsvollstreckung war fast die ganze Stadt auf den Beinen gewesen. Die Verurteilten, geschoren und aneinander gekettet, wurden auf einem Holzkarren vom Christoffelsturm quer durch die Stadt hinaus zum Radacker geführt, wo die Scheiterhaufen bereitstanden.

Catharina hatte aus dem Fenster auf die riesige Menschenmenge gesehen, die den Delinquentinnen folgte – Männer und Frauen jeden Alters, Mütter mit Säuglingen an der Brust und ausgelassene junge Burschen. In den vorderen Reihen ging Michael, Seite an Seite mit anderen Zunftvertretern und Ratsmitgliedern. Viele der Schaulustigen pfiffen oder trommelten auf Kochtöpfen, und die Stadtwache hatte Mühe, sie von den drei Frauen fern zu halten. Nur wenige Augenblicke später würden sie mit offenem Maul die Todesqualen der Verurteilten begaffen.

Um nichts in der Welt wäre Catharina in diesem Haufen mitgezogen. Was war nur in die Menschen gefahren? Wieso konnten sie nicht jetzt, wo die allgemeine Not ein Ende hatte, in Frieden mit sich und ihren Nachbarn leben? Catharina tat etwas, was ihr nur selten in den Sinn kam: Sie ließ sich auf die Knie sinken und betete still zu ihrem Gott.

Die Hexenverbrennung blieb noch auf lange Zeit Stadtgespräch. Die unglaublichsten Geschichten machten die Runde. Eine der Frauen, hieß es, habe allein durch einen lauten Fluch eine Scheune in Brand gesteckt. Andere Bürger wollten in einer Vollmondnacht am Fuße des Brombergs gesehen haben, wie die Tochter des Zöllners mit einer bunt gekleideten Gestalt getanzt habe, von deren nacktem Hinterteil ein mächtiger buschiger Schwanz hing. Die Köchin, die sonst ihren Spaß an überdrehten Geschichten hatte, hielt sich auffallend zurück, und Catharina war ihr dankbar dafür. Selbst Michael äußerte sich zu Hause niemals zu diesem Thema. Nur einmal, als eine große Männerrunde zum Abendessen bei Tisch saß, legte er seine Meinung in aller Ausführlichkeit dar.

«Was da auf den Gassen alles zusammenphantasiert wird, zeugt doch nur von der Dummheit des Volkes. Von diesen Leuten hat keiner begriffen, worum es bei den Prozessen wirklich ging. Dass es nämlich Menschen gibt, und zwar in der großen Mehrzahl Frauen, wie ich gleich erläutern will, die ihre Glaubens- und Willenskräfte nicht zum Wohl, sondern zum Unheil ihrer Mitmenschen einsetzen. Das haben wir doch alle schon erlebt. Zum Beispiel wird ein krankes Kind, das die Mutter mit ihrer ganzen Liebe umsorgt, schneller gesund als eines, um das sich nur der Baderchirurg kümmert. Und genauso kann man seine Kraft für das Böse einsetzen.»

Die Männer murmelten zustimmend vor sich hin.

«Und von den Frauen ist ja bekannt», fuhr er mit einem kurzen Seitenblick auf Catharina fort, «dass bei ihnen weniger der Verstand als vielmehr die seelische und körperliche Seite ausgeprägt ist. Nur mangelt es ihnen, durch die fehlende Kontrolle des Verstandes, oft an Gottesglauben. Zugleich ist ihre seelische Kraft meist stärker als bei uns Männern. Da braucht es nicht viel, und das Böse zieht sie in ihren Bann. Im Alltag sehen wir es doch täglich: Jede halbwegs hübsche Frau kann den bravsten Mann allein durch ihre Anwesenheit und durch ihre Blicke in die heilloseste Verwirrung stürzen.»

Einige Männer lachten laut auf. Der Zunftmeister der Weißbäcker, ein gedrungener Kerl mit blatternarbigem Gesicht, hob sein Glas:

«Ins Schwarze getroffen, Bantzer. Deshalb muss man auf seine Frau aufpassen. Kennt Ihr meinen Lieblingsspruch?

‹Hab fleißig Achtung auf dein Weib,
Zu Gottes Wort mit Ernst sie treib.
Behalt sie heim in deinem Haus,

Lass junge Buhler alle drauß,
Schaff, dass sie möge Arbeit han,
Wird ihr der Kitzel wohl vergan.›»

Doch Michael war noch nicht fertig. «Kennt Ihr den Ursprung des lateinischen Wortes ‹femina›? Es stammte von ‹fe›, Glauben, und ‹minus›, minder. Also ein Wesen minderen Glaubens. Wobei meine liebe Frau natürlich eine Ausnahme von dieser Regel darstellt.»

Angewidert schloss Catharina die Augen. Doch sie sagte nichts. Was hätte sie auch vor all diesen selbstgefälligen Mannsbildern hier am Tisch entgegnen sollen. Immer widersinniger wurden Michaels Ansichten, und wo es nur ging, musste er vor anderen Leuten seine Kenntnisse zur Schau tragen. So nannte er das Martinstor «Porta Sancti Martini» oder sprach von den Turmuhren der Stadt als «Horalogien». Sie fragte sich manchmal, wo er seine Halbbildung immer wieder aufschnappte.

Im folgenden Jahr wurde Michael zum dritten Mal in den Magistrat gewählt. Er veranstaltete ein großes Festessen, zu dem er fast alle Ratsmitglieder einlud. Bei dieser Gelegenheit lernte Catharina ihre neue Nachbarin kennen. Margaretha Mößmerin war vor kurzem mit ihrem Mann, dem Obristmeister und Zunftmeister der Schneider, Jacob Baur, und ihren beiden erwachsenen Kindern in das «Haus zum Gold» gezogen, ein stattliches Fachwerkhaus auf der gegenüberliegenden Seite des Fischmarkts. Die beiden Frauen mochten sich auf Anhieb, so verschieden sie auch waren. Der offensichtlichste Unterschied lag sicher darin, dass Catharina normalerweise mit ihrer Meinung nicht hinter dem Berg hielt und erst resignierte, wenn ihr eine Situation völlig aussichtslos erschien, während sich die Mößmerin durch ihr stilles und zurückhaltendes Wesen auszeichnete.

Schon bei ihrer ersten Begegnung war Catharina aufgefallen,

dass diese Frau in einer größeren Runde niemals von sich aus das Wort ergriff, und es sollte noch viele Wochen dauern, bis sie Catharina gegenüber offener wurde. Dennoch spürte Catharina von Anfang an, dass sie eine innere Kraft und Beharrlichkeit besaß, die ihr selbst weitgehend fehlte.

Margaretha Mößmerin war mindestens zehn Jahre älter als Catharina, und das sah man ihr auch an. Doch es schien nicht nur das fortgeschrittene Alter zu sein, das ihr Gesicht mit Kummerfalten gezeichnet hatte. Erst später erfuhr Catharina, dass ihre neue Freundin bittere Enttäuschungen mit ihren Kindern durchlebt hatte. Ihr Sohn Phillip war ein schwerfälliger junger Mann, der beruflich nicht auf die Beine kam, und ihre verheiratete Tochter Susanna, eine quirlige, etwas oberflächliche Frau, zog ungeniert einen Liebhaber nach dem anderen an Land, während Susannas Ehemann Schulden über Schulden anhäufte und deswegen immer wieder im Turm landete. Dies alles wäre schon für eine gewöhnliche Familie anstößig genug, doch für einen Mann in der Stellung, wie sie Jacob Baur innehatte, war es schier unerträglich. Er hatte das erreicht, was Michaels Ziel aller Träume war: Er gehörte zu den Zwölf Beständigen und war Obristmeister – höher konnte ein Bürgerlicher nicht aufsteigen.

So hatte Margaretha die undankbare Aufgabe, die ärgsten Vorkommnisse vor der Öffentlichkeit zu verbergen und eine Familie zusammenzuhalten, deren Mitglieder besser alle ihrer eigenen Wege gegangen wären.

«Werft doch die Susanna samt ihrem Mann aus dem Haus. Da wärt Ihr einen ganzen Sack voll Sorgen los», schlug Catharina vor.

«Nein, das würde Jacob das Herz brechen. Die Familie ist sein Ein und Alles.»

Die beiden Frauen saßen bei heißer Milch und frischem Zimtstrudel in Bantzers Esszimmer. Draußen tobten die ersten Winterstürme, und der Kachelofen verbreitete behagliche Wärme. Catharina war nur zweimal bei Margaretha drüben gewesen und hatte kaum ihren Augen getraut, so prachtvoll und kostbar war deren Haus eingerichtet. Die Zimmer waren voll gestopft mit fein geschnitzten Möbeln und erlesenem Geschirr, und fünf Bedienstete kümmerten sich um den Haushalt. Da aber so gut wie immer Zank und Streit zwischen Phillip, Susanna und deren Mann herrschte, zogen sie es vor, sich bei Bantzers zu treffen.

Michael konnte es inzwischen kaum mehr ertragen, wenn Catharina selbständig ihrer Wege ging. Am liebsten hätte er ihr den Umgang mit ihren Bekannten verboten. Doch bei Margaretha lagen die Dinge anders: Sie war die Gattin eines der angesehensten Bürger Freiburgs, und es erfüllte ihn fast mit Stolz, dass seine Frau im Hause Baur aus und ein ging. Catharina war es einerlei, was Michael dachte, sie war nur froh, dass er sich nicht, wie so oft bei ihren Verabredungen, einmischte oder ihr irgendwelche Steine in den Weg legte. Die Begegnungen mit Margaretha Mößmerin gaben ihr in diesen trüben Zeiten Auftrieb, und sie wusste, dass sie der Beginn einer neuen Freundschaft waren.

«Bist du dir ganz sicher, dass er dich nicht hintergeht?»

Catharina sah ihren Mann herausfordernd an.

«Hör endlich auf, Catharina. Ich habe mehr von der Welt gesehen als du und besitze deshalb auch ein bisschen mehr Menschenkenntnis. Seit Jahrzehnten arbeitet Siferlin an meiner Seite, und er hat mein Vertrauen nie missbraucht. Und du siehst doch, das Geschäft floriert.»

«Vielleicht könnte es noch besser laufen. Michael, früher hast du die Bücher noch regelmäßig kontrolliert – wann hast du denn das letzte Mal hineingeschaut?»

«Himmel, was geht dich das an?» Michael wurde ärgerlich. «Willst du mir etwa darüber Vorschriften machen, wie ich meine Werkstatt zu leiten habe?»

«Darum geht es doch nicht. Ich frage mich nur, wie Siferlin so plötzlich zu diesem Wohlstand gekommen ist.»

«Vielleicht hat er geerbt», murmelte Michael, doch es klang nicht sehr überzeugt.

Catharina, die sich schon seit langem darüber wunderte, dass Siferlin so viel Geld für Kleidung ausgab und sich inzwischen wie ein Edelmann herausputzte, hatte tags zuvor in einem Gespräch mit der Köchin erfahren, dass Siferlin in einem Stall in der Vorstadt Pferd und Wagen untergestellt hatte, genauer gesagt: einen nagelneuen leichten Einspänner, der ein Vermögen gekostet haben musste.

«Michael, glaub mir, er macht sich auf deine Kosten, auf unsere Kosten ein schönes Leben.»

«Jetzt hör mir mal gut zu.» Auf Michaels Stirn erschien eine Zornesfalte, und seine Stimme wurde lauter. «Das Geschäftliche ist meine Sache, das geht dich nichts, aber auch gar nichts an. Sieh du lieber zu, dass du mein Geld nicht für so unnütze Dinge wie zum Beispiel diese dämliche Briefeschreiberei verschleuderst.»

«Aber —»

«Halt endlich das Maul», schrie er sie an und verließ das Zimmer.

An diesem Abend kam er früher als gewöhnlich nach Hause. Catharina hatte bereits gegessen und saß plaudernd mit Barbara und Elsbeth am Esszimmertisch. Sie sah sofort, dass Michael betrunken war, als er eintrat. Mit einem wütenden Blick auf die beiden Frauen brüllte er los.

«Raus mit euch, in die Küche, wo ihr hingehört!»

Erschrocken zogen sich Barbara und Elsbeth zurück. In diesem Ton hatte ihr Dienstherr noch nie mit ihnen gesprochen.

«Was ist bloß los mit dir?», fragte Catharina ihn.

«Was mit mir los ist? Das frage ich dich!» Er schwankte ein wenig und hielt sich mit beiden Händen an der Tischkante fest.

«Du bringst mir Unglück. Du treibst einen Keil zwischen mich und meinen Kompagnon, mischst dich in alles ein und verdirbst mir sämtlichen Spaß. Weißt du, was du aus mir gemacht hast? Einen Trottel, einen lächerlichen Trottel. Du hast mich nie als Mann angenommen, aber wahrscheinlich brauchst du ja einen Stier oder einen Hengst, damit du zu deinem Vergnügen kommst.»

«Michael, bitte, hör auf. Du bist betrunken.»

«Im Gegenteil, ich fange jetzt erst an. Weißt du, was ich glaube? Weil du mit Männern keine Befriedigung findest, rächst du dich jetzt an mir. Du hast mich verflucht. Durch irgendeine Zauberei hast du mir meine Männlichkeit genommen, hast mich zum Schlappschwanz gemacht. Du bist eine Hexe, eine gottverdammte Hexe!»

Er nahm Catharinas Weinglas und zerschmetterte es auf dem Boden. Das Kristall zersprang in winzige Splitter, die wie Schnee auf dem Dielenboden glitzerten. Da räusperte sich jemand: Siferlin stand in der offenen Tür.

«Was machst du um diese Zeit noch hier», herrschte Michael ihn an.

«Der Lieferant mit den Eisenplatten ist unten. Es gibt Unstimmigkeiten wegen des Rechnungsbetrags.»

«Kannst du das nicht allein aushandeln? Wofür hast du deine Vollmachten?»

Mit hochrotem Kopf stampfte Michael die Treppe hinunter, gefolgt von Siferlin, der wie ein geprügelter Hund den Rücken krümmte.

Catharina starrte auf die Glasscherben. Was hatte ihr Mann ihr da eben vorgeworfen? War er von allen guten Geistern verlassen? Eine leise Angst beschlich sie. Wie unberechenbar war er geworden.

Eine Woche später sprach Elsbeth sie mit besorgtem Gesicht an.

«Heute Morgen habe ich zwei von diesen Fischweibern bei ihrem Tratsch belauscht. ‹Die Bantzerin hat ihren Mann verhext›, hieß es. ‹Er kann keine Frau mehr beschlafen.› Ich sage Euch, diese Gerüchte hat Siferlin in die Welt gesetzt, er hat doch den Streit mit angehört. Catharina, Ihr müsst Euch zur Wehr setzen, Ihr müsst Siferlin vor Gericht zur Rede stellen.»

«Unsinn. Das ist doch nur dummes Geschwätz. Die Leute auf der Straße zerreißen sich doch über alles und jeden das Maul.»

«Aber was da geredet wird, ist eine handfeste Beleidigung. Ihr wisst doch, was es bedeutet, wenn man sich gegen Ehrverletzungen nicht verteidigt. Dann bleibt etwas hängen. Und Hexerei ist in diesen Zeiten eine der schlimmsten Anschuldigungen.»

Catharina wurde nachdenklich. Elsbeth hatte Recht. Doch was konnte sie tun? Vor Gericht würde sie denselben Leuten gegenübersitzen, die sonst bei ihnen aus und ein gingen. Sie würde sich nur lächerlich machen. Wie gut konnte sie jetzt die Mößmerin verstehen, die sich nach jedem neuen Ärgernis mit ihren Kindern kaum noch auf die Straße traute. Sie fühlte sich plötzlich eingesperrt in dieser Stadt, in der jeder mit jedem auf irgendeine Weise verbandelt war.

Trotz Elsbeths beschwörender Worte unternahm Catharina nichts. Sie vertraute auf ihre Erfahrung, dass Gerüchte aufkamen und ebenso schnell wieder vergingen. Die Frage, wie sie an der Seite ihres Mannes weiterleben sollte, beschäftigte sie viel mehr. Michael entschuldigte sich schon längst nicht mehr für seine Ausfälle. Nach jedem Streit ging er ihr erst einmal aus dem Weg, näherte sich ihr dann langsam wieder in seiner unverbindlichen Freundlichkeit, bis es zur nächsten Auseinandersetzung kam. Das konnte doch nicht ewig so weitergehen.

Sie suchte das Gespräch mit ihrer neuen Freundin.

«Ach, Catharina, was soll ich dir nur raten?» Margaretha

Mößmerin sah sie aus ihren hellgrauen Augen bedrückt an. «Ich denke, wir Frauen haben größere Lasten zu tragen, als sich die Männer vorstellen können – ich mit meinen Kindern, du mit deinem Ehemann. Wir müssen uns fügen, sonst sind wir unser Leben lang unglücklich.» Sie dachte einen Moment lang nach. «Meine Lage ist anders als deine. Jacob und ich verstehen uns im Großen und Ganzen gut – wenn es Widerworte gibt, dann wegen der Kinder. Vielleicht solltest du ein wenig zurückhaltender sein. Ich bewundere zwar deine Offenheit, aber ich glaube auch, du bist zu aufbrausend. Ein Mann wie Michael verträgt das nicht. Versuch doch, im Alltag ein bisschen nett zu ihm zu sein, und wenn du merkst, er ist wieder betrunken oder sucht Streit, dann geh ihm aus dem Weg.»

Catharina fand diesen Ratschlag nicht besonders hilfreich. Warum sollte immer sie es sein, die nachgab und für Harmonie sorgte? Dennoch gab sie sich fortan Mühe, keinen Anlass mehr für Streitereien zu bieten. Leider machte Michael es ihr nicht eben leicht.

Er mischte sich mehr und mehr in ihren Alltag und schränkte durch teilweise lächerliche Vorschriften ihren Handlungsspielraum ein. Manchen seiner Anweisungen fügte sich Catharina um des lieben Friedens willen ohne Widerrede, wie beispielsweise seinem neuesten Einfall, dass er die Kleidung für seine Frau aussuchen wollte, wenn wichtige Gäste eingeladen waren.

«In meiner Position kann ich es mir nicht leisten, wenn sich die Leute darüber lustig machen, dass meine Frau wie ein Hirtenmädchen herumläuft.»

Das war natürlich maßlos übertrieben, doch Catharina ließ es achselzuckend geschehen, wenn er an Tagen, an denen Besuch angekündigt war, ihre Kleiderkammer inspizierte und ihr die seiner Meinung nach passende Kleidung zusammenstellte. Was soll's, dachte sie, dann kann er mir hinterher jedenfalls keine Vorwürfe machen.

Andere Dinge fand sie weitaus erniedrigender. So machte er es sich irgendwann zur Gewohnheit, sie beim Frühstück nach ihren Plänen für den kommenden Tag auszufragen. Was ihm nicht passte, versuchte er zu verhindern.

«Es kommt gar nicht infrage, dass du ins Schneckenwirtshaus gehst. Meine Frau in dieser Spelunke! Entweder kommt Mechtild hierher, oder ihr seht euch überhaupt nicht mehr.»

Ein andermal verbot er ihr, allein auf den Markt zu gehen.

«Dass das klar ist: Du nimmst Elsbeth mit. Andere Bürgersfrauen schleppen auch nicht ihre Einkaufskörbe selbst durch die Gegend. Du bist doch kein Packesel.»

Die Begründungen für seine Vorschriften waren immer dieselben: Eine Bantzerin tut dies nicht, eine Bantzerin tut das nicht. Dabei hatte er selbst keinerlei Hemmungen, sich dem Gerede der Leute auszusetzen. So besuchte er inzwischen regelmäßig die Hübschlerinnen im Frauenhaus oder lud die gesamte Mannschaft seiner Schlosserei ins Schwabsbad ein. Dort wurde nicht nur gebadet, sondern auch ausgiebig gezecht und gehurt.

Das alles nahm Catharina mit einem Gleichmut hin, der sie selbst überraschte. Doch eines Tages kam es zu einem Vorfall, der das Maß ihrer Geduld überstieg. Catharina hatte schon seit vielen Monaten nichts mehr von Lene gehört, und sie fragte sich, ob ihrer Base etwas zugestoßen sei. Sie beruhigte sich damit, dass Lene mit ihrer großen Familie sicher alle Hände voll zu tun hatte. Es war ein herrlicher Frühlingstag, als Elsbeth und Catharina gerade das Haus verlassen wollten und in der Tür auf einen Boten trafen. Zu Catharinas größter Freude brachte er einen Brief von Lene. Sie gab dem Jungen, den sie nie vorher gesehen hatte, ein großzügiges Trinkgeld und fragte ihn:

«Was ist denn mit dem älteren Mann, der sonst die Briefe gebracht hatte? Arbeitet er nicht mehr als Bote?»

«Das ist mein Onkel. Der Arme hat sich das Bein gebrochen bei einem Sturz vom Pferd. Aber es geht ihm schon besser.»

Ungeduldig, wie Catharina war, brach sie gleich an Ort und Stelle das Siegel auf und überflog die ersten Sätze.

«Liebe Catharina, geht es dir gut? Ich mache mir große Sorgen um dich, da du meine letzten Briefe nicht beantwortet hast ...»

Catharina ließ das Blatt sinken. Da stimmte doch etwas nicht. Sie hielt den Jungen zurück, der sich eben auf den Weg machen wollte.

«He, Bursche, warte. Kannst du uns zu deinem Onkel führen?»

Der Junge nickte. «Er wohnt ganz in der Nähe, neben der Glockenapotheke.»

Zunächst hatte der Mann auf Catharinas Fragen beharrlich geschwiegen, doch nachdem sie eine hübsche Summe Geldes auf den Tisch gelegt hatte, fand er die Sprache wieder und gab alles zu. Michael hatte ihn dafür bezahlt, dass er alle Briefe, die an Catharina gerichtet waren, bei ihm im Zunfthaus ablieferte.

«Ihr wisst doch, wie wenig ein Bote verdient», sagte er voller Scham. «Da war das Angebot Eures Mannes zu verführerisch.»

Catharina drohte, ihn bei Gericht anzuzeigen, wenn er weiterhin Nachrichten an sie unterschlagen würde.

«Ihr bringt von nun an alle Briefe an mich zur Wirtin des Schneckenwirtshauses, verstanden?»

Auf dem Heimweg fragte sie die Hausmagd, ob sie Michael zur Rede stellen sollte.

«An Eurer Stelle», sagte Elsbeth, «würde ich schweigen, sonst kommt es nur zu einem neuen Streit, und Euer Mann würde andere Mittel finden, um Eure Briefe abzufangen. So wird er denken, dass Lene Euch nicht mehr schreibt, und Euch in Ruhe lassen.»

So war es auch. Befriedigt stellte Michael fest, dass keine Briefe mehr von Lene kamen. Doch er ging noch einen Schritt weiter.

Eines Abends überraschte er Catharina an ihrem Schreibpult.

«Hast du denn noch nicht gemerkt, dass Lene kein Interesse mehr an dir hat?»

Wie hinterhältig du bist, dachte Catharina, doch sie schluckte ihren Zorn hinunter. Sollte er doch in seinem falschen Glauben bleiben.

Lächelnd nahm er ihr den Federkiel aus der Hand. «Was soll deine Schreiberei also noch? Das ist doch für die Katz. Um deutlicher zu werden: Ich bin nicht mehr bereit, die teuren Boten zu bezahlen. Du wirst künftig über jede Ausgabe Rechenschaft bei mir ablegen, und wenn da noch ein einziges Mal Geld für einen Boten dabei ist, wirst du mich von einer anderen Seite kennen lernen.»

«Dann bezahl ich es eben von meinem eigenen Geld», schrie sie ihn an und lief aus dem Zimmer.

Ihr war klar, dass sie fortan Lene nur noch zu ganz wichtigen Anlässen würde schreiben können, denn sie musste ihre wenigen Ersparnisse zusammenhalten.

Warum zerstörte Michael alles, was ihr Freude machte? Nicht zum ersten Mal ging ihr durch den Kopf, dass Michael Frauen hassen musste. Catharina hatte ihn anfangs oft und immer vergeblich gedrängt, mehr von seiner Kindheit und seiner Mutter zu erzählen, doch das wenige, was sie wusste, hatte sie letztendlich von anderen erfahren: dass die alte Bantzerin im Haus geherrscht habe wie eine selbstgerechte Prinzipalin und dass sich ihre Kinder den kleinsten Beweis von Zuneigung hart erarbeiten mussten. Eine einzige Episode nur hatte Michael ihr einmal anvertraut. Als kleiner Junge habe er sehr darunter gelitten, dass ihm seine Mutter nie zuhörte, wenn er ihr etwas erzählte. Wochenlang hatte er mit sich gekämpft, bis er schließlich den Mut gefunden hatte, sie danach zu fragen. «Wenn du willst, dass ich dir zuhöre wie einem erwachsenen Mann», war ihre Antwort gewesen, «dann erledige erst einmal deine Aufgaben wie ein erwachsener Mann.»

Catharina hielt in ihren Überlegungen inne. Zum ersten Mal in ihrem Leben dachte sie daran, dass selbst Johann einmal eine unbedarfte Seele gehabt haben musste, zerbrochen von einer kalten und lieblosen Kindheit.

23

Diesen Mann hat sie nicht verdient.» Catharina hörte deutlich das Bedauern in Elsbeths Stimme. «Hast du beobachtet, wie grau sie im Gesicht geworden ist? Ich hab sie seit Ewigkeiten nicht mehr lachen sehen.»

Catharina stand an der angelehnten Küchentür und wollte schon eintreten, als sie Barbara sagen hörte:

«Sie sieht auf einmal richtig alt aus, dabei hat sie noch keine vierzig Jahre auf dem Buckel. Ihr Mann wird sie so lange quälen, bis sie zusammenbricht. Dann erst ist er zufrieden.» Die Köchin senkte die Stimme: «Wenn du mich fragst: Der hat den Teufel im Leib. Ich wünsche niemandem den Tod, aber wenn Bantzer sterben würde, wäre das eine Erlösung für die Stadellmenin.»

Seufzend wandte sich Catharina ab und ging zurück in die Stube. War sie wirklich alt und grau geworden? Mehr denn je sehnte sie sich nach ihrer Jugend auf dem Land zurück. Wie viele Freiheiten hatte sie damals genossen, ohne dass sie sich dessen bewusst gewesen wäre. Jetzt, in ihrem vierzigsten Jahr, sah sie ihr Leben dem Ende zugehen, ohne dass sich ein einziger ihrer Träume erfüllt hätte: Weder zog sie Kinder groß, noch führte sie eine zufriedene Ehe. Ihre zahlreichen Fähigkeiten verkümmerten, ihr Alltag wurde immer stumpfsinniger, und sie fühlte sich oft genug einsam, denn einzig und allein Margaretha Mößmerin war ihr als Freundin geblieben. Zu Lene und Christoph hatte sie kaum oder keinen Kontakt, und von den Zwillingen Carl und

Wilhelm wusste sie nicht einmal, ob sie noch in der Gegend lebten.

In letzter Zeit wurde sie nachts von Albträumen heimgesucht, aus denen sie schweißgebadet erwachte. Die Szenen wiederholten sich: Tante Marthe mit aufgerissener Brust, Johann, der sie bedrohte, Christoph, der sie in Benedikts Bett überraschte. Nur von Michael oder Marthe-Marie träumte sie nie. In manchen dieser Albträume erschien der blinde rote Zwerg, dem sie als Kind beim Bischofskreuz begegnet war, und beobachtete schweigend ihre Leiden. Eines Morgens wusste sie plötzlich wieder, was der alte Bartholo ihr damals prophezeit hatte: dass sie nach einer unseligen Ehe wieder glücklich sein würde wie in ihren Kindertagen, dass dieses Glück jedoch bedroht sei. «Hüte dich vor den Nachbarn», waren seine letzten Worte gewesen, dessen war sie sich jetzt ganz sicher. Würde sich ihr Leben doch noch ändern? Und wieso sollten ihre Nachbarn eine Bedrohung darstellen?

Catharinas persönlicher Kummer schien sich in der Stimmung der Bürger widerzuspiegeln, die zunehmend trostloser wurde. Bei allem Auf und Ab waren die Freiburger immer ein lebenslustiges Volk gewesen, das zu jeder Gelegenheit ausgelassen zu feiern wusste. Doch jetzt verabschiedete der Stadtrat eine Verordnung nach der anderen und schränkte die Bürger in ihrer Freiheit ein. Auf den Straßen durfte nicht mehr getanzt oder musiziert werden, Gauklern und fahrendem Volk wurde der Eintritt in die Stadt verwehrt, und selbst auf Feiern im eigenen Haus erschienen die Stadtwächter, um nach dem Rechten zu sehen. Kein Fremder durfte sich mehr in der Stadt niederlassen. Die Bewohner waren angehalten, ihre Mitmenschen zu beobachten und Auffälligkeiten anzuzeigen, und die geringsten Vergehen wurden hart bestraft. Von den Kanzeln prasselten Drohungen von Fegefeuer und ewiger Verdammnis auf die eingeschüchterte Gemeinde nieder. Im Rahmen ihrer Erneuerung und ihres Kampfes gegen die Protestanten scheute die katholische Kirche keine Mittel, um ihre Schäfchen in ihre Schranken zu verweisen, und der Magistrat schien in seiner Härte mit der Kirche wetteifern zu wollen. Die Frauenhäuser wurden geschlossen, in den öffentlichen Bädern durften Frauen und Männer nur noch getrennt baden, Kupplerinnen und Huren standen mit geschorenen Köpfen am Pranger. Die städtischen Hebammen mussten jede Schwangerschaft melden, und einer Frau, deren Leibesfrucht vorzeitig abging, drohte der Prozess wegen Abtreibung oder Kindstötung. Erneut saß eine der Zauberei beschuldigte Frau im Christoffelsturm und wartete auf ihre Verurteilung – zum ersten Mal handelte es sich nicht um jemandem aus dem einfachen Volk, sondern um eine angesehene Kaufmannsfrau.

Jede öffentliche Bestrafung, jede Hinrichtung stellte eine willkommene Abwechslung dar, und die wenigen von der Kirche zugelassenen Feste wie Fastnacht oder die Passionszeit waren für die verdrossenen Bürger die einzige Möglichkeit, aus den engen Grenzen des Alltags auszubrechen. An solchen Tagen floss der Alkohol in Strömen, und die Menschen schüttelten ihre Hemmungen und Zwänge ab wie lästige Kleidungsstücke. Die weltlichen und geistlichen Herren der Stadt drückten dabei nicht nur beide Augen zu, sondern mischten kräftig mit.

Die Vorbereitungen zur Fronleichnamsprozession und den daran anschließenden Passionsspielen waren in vollem Gange. Jede der zwölf Freiburger Zünfte hatte eine Szene aus der Heilsgeschichte aufzuführen, etwa «Josef und Maria mit dem Kinde in Ägypten» oder «Pilatus führt Christus, gekrönt und gegeißelt». Wer bei diesen Darstellungen eine Rolle bekam, war von Stolz erfüllt und studierte in den Zunftstuben mit Feuereifer seinen Text ein. In den Werkstätten wurden die notwendigen Requisiten hergestellt und die vom Vorjahr vorhandenen ausgebessert.

Fast alle in der Stadt beteiligten sich auf irgendeine Weise an den Vorarbeiten.

Wie jedes Jahr war es im Vorfeld der Feierlichkeiten zu Streitereien gekommen. Die Rebleute, ohnehin die Zunft mit dem geringsten Ansehen und vom Magistrat längst als Sammelbecken für Knechte, Tagelöhner und Bettler benutzt, beschwerten sich, dass ihnen zum wiederholten Mal die undankbarste Szene zugeteilt worden sei, nämlich die Darstellung des Teufels mit den verdammten Seelen. Böses Blut löste auch wieder die Diskussion aus, ob an der Spitze der Prozession die Stadtoberen oder die Regenten der Universität marschieren sollten.

«Wieso lässt man sie nicht einfach nebeneinander gehen?», schlug Catharina vor.

«Was verstehst du schon davon», wies Michael sie zurecht. Er hatte mit den Vorbereitungen alle Hände voll zu tun, war kaum noch zu Hause, und Catharina genoss die Ruhe.

Schon in den Morgenstunden des Fronleichnamstages wurde an jeder Straßenecke Wein und Bier ausgeschenkt, und als zur Mittagsstunde die Spiele auf dem Münsterplatz begannen, war kaum einer der Mitspieler oder Zuschauer noch nüchtern. So nahm es nicht wunder, dass den meisten der notwendige heilige Ernst für die Aufführung fehlte. Bei dem geringsten Anlass brach die Menge in Gelächter aus: Da hatte der Darsteller der Maria Magdalena in der Eile vergessen, sich zu rasieren, und jetzt schimmerten unter weißer Schminke die dunklen Barthaare durch. Am Abendmahlstisch, der von einem Ochsengespann über den Platz gezogen wurde, kippten zwei der Apostel hintenüber und fielen vom Wagen. Als der Teufel dem Judas den Bauch aufschlitzte und Milch, Kutteln und rote Grütze auf das Pflaster spritzten, kam eine Horde Straßenköter angerannt und machte sich schwanzwedelnd über die unverhoffte Mahlzeit her. Einzig bei der Kreuzigungsszene, als Böllerschüsse von der Burghalde den Himmel donnern ließen, schwiegen die Leute andächtig.

Michael hatte Catharina gebeten, ihn zur Aufführung der Spiele und dem anschließenden Fest vor dem Münster zu begleiten. Besorgt beobachtete sie, wie er von Dünnbier zu Wein und schließlich zu Selbstgebranntem wechselte. Als die Schatten der umstehenden Häuser länger und die Luft kühler wurde, war er betrunken. Seinen rechten Arm hatte er um den Stadtschreiber gelegt, den linken um eine junge Frau, die Catharinas Vermutung nach seine neue Geliebte war, und grölte mit den anderen am Tisch lauthals Trinklieder. Er trank ein Glas ums andere, und seine Hand zitterte bereits. Auf seinem Wams breiteten sich Flecke von verschüttetem Branntwein aus.

Catharina zog sich ihr wollenes Tuch fester um die Schultern. Ihr war kalt, und sie wollte nach Hause. Außerdem ertrug sie kaum noch den Anblick ihres betrunkenen Mannes. Als er sich zu seiner Nebensitzerin hinüberbeugte und sie küsste, stand Catharina entschlossen auf und ging nach Hause. Sollte sie sich vor aller Augen von Michael demütigen lassen? Nein, dachte sie, einen kleinen Rest Stolz besitze ich noch.

Als sie den Fischmarkt erreichte, sah sie Marx Sattler, einen Studenten, vor dem Haus des Jacob Baur herumschleichen. Von Margaretha wusste sie, dass Marx der neue Liebhaber ihrer Tochter Susanna war und Jacob ihm verboten hatte, auch nur in die Nähe seines Hauses zu kommen. Dass er sich hier zur Abendstunde herumtrieb, würde dem Geschwätz der Leute wieder neue Nahrung geben. Vielleicht sollte sie ihn wegschicken?

Da ging ein Fenster im ersten Stockwerk auf, und Susanna beugte sich heraus. Als sich ihre und Catharinas Blicke trafen, streckte sie Catharina die Zunge heraus und schlug die Fensterflügel wieder zu. Kopfschüttelnd ging Catharina weiter. Margaretha war um ihre Familienverhältnisse auch nicht gerade zu beneiden.

Das Haus zum Kehrhaken wirkte wie ausgestorben. In der

Werkstatt arbeitete schon seit gestern niemand mehr, und die beiden Hausmägde hatten frei. Catharina war die Stille fast unheimlich. Sie ging im Bücherkabinett auf und ab und wusste nicht so recht, was sie mit sich anfangen sollte. Draußen verfärbte sich der Himmel glutrot. Sie setzte sich in den Lehnstuhl und starrte gedankenverloren in das dunkle Zimmer.

Plötzlich fuhr sie zusammen. Eine Tür knallte, dann rumpelte es, wieder knallte eine Tür. Einbrecher, dachte sie sofort, denn sie wusste, dass an Festtagen, wenn sich alle Welt auf den Straßen herumtrieb, die leer stehenden Häuser eine leichte Beute für Räuber und Tagediebe darstellten. Doch dann trampelte jemand die Treppe herauf. Das konnte nur Michael sein.

«Die gnädige Frau hat wohl keine Lust zu feiern.» Verschwitzt und mit schwerem Atem, der nach Branntwein stank, baute sich Michael vor ihr auf. Catharina schwieg.

«Antworte gefälligst, wenn ich mit dir rede», schnauzte er sie an und zog sie mit hartem Griff aus ihrem Sessel hoch.

«Lass mich los, du tust mir weh.»

«Jetzt hör gut zu, was ich dir zu sagen habe: Das machst du nicht nochmal, sonst vergesse ich mich.»

«Was soll ich nicht nochmal machen?» Catharina riss sich los.

Da fing er an zu brüllen. «Glaubst du, ich lasse mich von dir behandeln wie ein hergelaufener Hund? Ohne ein Wort aufzustehen und mich einfach sitzen zu lassen. Weißt du, was die Leute am Tisch gesagt haben? ‹Na, Bantzer, deine Frau sucht sich jetzt wohl ihr eigenes Vergnügen.› Nein, das machst du nicht nochmal.»

«Soll ich etwa in Ruhe mit ansehen, wie du dich zum Hurenbock machst?», entfuhr es Catharina. Im selben Moment bereute sie ihre Bemerkung, aber es war zu spät. Michael schlug zu. Einmal, zweimal und noch einmal. Ihre Unterlippe platzte auf, und sie stolperte mit der Stirn gegen die Pultkante. Dann sank sie zu Boden.

Ungerührt blickte er auf sie herunter. «Damit du Bescheid weißt: Ich komme heute Nacht nicht nach Hause.»

Catharina spürte keinen Schmerz, nicht einmal mehr Hass auf ihren Mann. Erschöpft schloss sie die Augen und wünschte sich einen kurzen Moment lang nichts sehnlicher, als zu sterben.

So fanden sie kurze Zeit später Elsbeth und Barbara.

«Heilige Notburga, die Stadellmenin ist überfallen worden», schrie Elsbeth entsetzt auf und kniete sich neben Catharina, unter deren Kopf sich eine Blutlache ausgebreitet hatte. Wie aus weiter Ferne hörte Catharina die Stimmen der beiden Frauen und richtete sich langsam auf.

«Schnell, wir müssen sie in die Küche bringen», sagte Barbara. Behutsam setzten sie Catharina auf die Küchenbank und legten ihre Beine auf einen Hocker. Während die Köchin die Platzwunden an Stirn und Lippe versorgte, flößte Elsbeth ihr einen Becher Zwetschgenwasser ein.

«Es geht schon wieder, vielen Dank.»

«Seid Ihr überfallen worden? Habt Ihr den Einbrecher erkannt?»

«Es war mein Mann.»

Barbara und Elsbeth sahen sich an.

«Wenn Euch Euer Mann noch einmal schlägt, müsst Ihr vor die Zunftversammlung gehen», sagte Barbara. Das Entsetzen war ihr deutlich anzusehen. «Und wenn Ihr es nicht tut, werde ich gehen, und wenn es mich meine Stellung kostet.»

Michael ließ sich erst am übernächsten Tag wieder blicken.

«Pass in Zukunft besser auf, was du tust oder sagst – dann muss ich nicht zu solchen Mitteln greifen», war alles, was ihm beim Anblick von Catharinas zerschundenem Gesicht einfiel. Hasserfüllt sah sie ihn an. Er wich ihrem Blick aus und wollte sich abwenden, da geschah etwas, womit sie niemals gerechnet hätte: Michael fiel vor ihr auf die Knie und verbarg sein Gesicht in den Händen. Sie verstand kaum, was er sagte.

«Was hab ich nur getan? Ich brauche dich doch, du bist der einzige Mensch auf der Welt, der zu mir gehört. Catharina, meine liebe Frau.»

Die restlichen Worte gingen in Schluchzen unter. Ein kleines Häufchen Elend war das, was da vor ihr auf dem Fußboden kauerte, doch Catharina hatte kein Mitleid mehr mit Michael. Ohne sich weiter um seinen Gefühlsausbruch zu kümmern, ließ sie ihn allein.

Wegen ihrer Verletzungen wagte sie sich tagelang nicht aus dem Haus, und als eines Nachmittags Margaretha Mößmerin vorbeischaute, fiel es Catharina schwer, ihrer Freundin zu erzählen, was vorgefallen war, denn sie schämte sich.

Margaretha streichelte ihre Hand. «Arme Catharina», murmelte sie. «Was sind das bloß für Zeiten.»

Catharina spürte sofort, dass auch Margaretha etwas auf dem Herzen hatte. So bedrückt hatte sie schon lange nicht mehr gewirkt. Auf Catharinas Drängen hin begann sie zu erzählen, was geschehen war.

«Ich weiß nicht mehr, wo mir der Kopf steht. Ein Unglück folgt dem nächsten. Du weißt doch, dass unser Sohn sich endlich entschlossen hat zu studieren. Dabei macht er uns aber nur Kummer, denn er treibt sich herum und wirft Jacobs Geld zum Fenster hinaus. Zudem ist Susannas Mann schon wieder im Schuldturm gelandet, und wir mussten ihn mit einer hohen Summe auslösen. Und vorgestern sind Susanna und der Sattler Marx wegen Buhlerei und Beleidigung verhaftet worden.»

Sie berichtete, wie ein Stadtknecht die beiden nach Einbruch der Dunkelheit in der Toreinfahrt bei eindeutigen Handlungen erwischt hatte. Er wollte sie zur Rede stellen, da drehte Susanna ihm den Rücken zu, hob den Rock und streckte ihm ihren nackten Hintern entgegen.

«Das ist aber noch nicht alles.» Verstohlen wischte sich Margaretha die Tränen aus den Augenwinkeln. «Jacob zieht sich immer mehr in sich zurück, seine Gesundheit ist angegriffen. Vielleicht hat dir dein Mann ja erzählt, dass er schon seit zwei Wochen nicht mehr im Stadtrat war.»

Catharina schüttelte den Kopf. Von Michael erfuhr sie überhaupt nichts mehr.

«Einerlei – jedenfalls erschien gestern eine Frau aus Herdern vor Gericht und sagte aus, Jacob Baur habe sich umgebracht, da er es nicht mehr ertragen habe, mit einer Hexe verheiratet zu sein. Sie habe mich und ein paar andere Bürgersfrauen, die sie mit Namen nannte, bei einem Hexensabbat beobachtet.»

«Wie bitte?» Catharina riss erschrocken die Augen auf. «Diese Behauptung ist doch völlig unsinnig!»

«Natürlich, aber als der Gerichtsbote bei uns zu Hause erschien, um zu sehen, was an dieser Behauptung von Jacobs Tod dran sei, brach Jacob vor Aufregung zusammen. Gott sei Dank geht es ihm wieder besser, aber heute Morgen hat er seinen Rücktritt vom Magistrat eingereicht.»

Catharina konnte das alles kaum glauben. «Und was geschieht mit dieser Frau?»

«Sie wird wohl wegen Verleumdung verurteilt werden. Aber verstehst du, Catharina, auch wenn das eine Verrückte war: Es wurde ein Protokoll aufgenommen, und jetzt steht mein Name im Zusammenhang mit Hexerei in den Gerichtsakten.»

«Mach dir deswegen keine Sorgen», versuchte Catharina sie zu beruhigen. «In den Akten wird schließlich auch vermerkt, dass es sich um eine bösartige Verleumdung handelt. Und dein Mann sollte sich das mit dem Rücktritt nochmal überlegen.»

Doch Jacob Baur blieb bei seinem Entschluss. Böswillige Zungen behaupteten, mit seinem Rückzug aus dem öffentlichen Leben gestehe er ein, dass es in seiner Familie tatsächlich nicht mit rechten Dingen zugehe. Obwohl zunächst nur wenige Bürger von den Vorfällen im Hause Baur wussten, dauerte es nicht lange, bis die übliche Gerüchteküche in Gang kam: Margaretha

Mößmerin und ihre Tochter Susanna hätten Baur in den Ruin getrieben, hieß es, und gewiss seien da böse Mächte mit im Spiel. Zwar wagte niemand, Beschuldigungen in dieser Richtung offen auszusprechen, doch die beiden Frauen wurden von aller Welt geschnitten. Erschienen sie auf dem Markt, verstummten sofort die Gespräche in ihrer Nähe, zu den Feierlichkeiten oder Festessen in den Bürgerhäusern wurden sie nicht mehr eingeladen.

Nur wenige Monate nach Baurs Rücktritt aus dem Stadtrat wurde Margaretha erneut als Hexe denunziert. Der Ballierer Friedlin Metzger, ein stadtbekannter Querulant, suchte das Gespräch mit dem Münsterpfleger Wetzel und eröffnete dem erstaunten Mann, er könne die Mößmerin jetzt endgültig der Hexerei überführen, er habe handfeste Beweise. Und als Folge müsse der Stadtrat neu besetzt werden, denn die Mößmerin habe fast alle Ehefrauen dieser ehrwürdigen Ratsherren in den Sumpf des Bösen hineingezogen.

Dummerweise war Friedlin an einen der wenigen Freunde geraten, die Jacob Baur noch geblieben waren, und so erfuhren Margaretha und ihr Mann umgehend von diesen infamen Anschuldigungen. Wetzel veranlasste sofort, dass Friedlin wegen Verleumdung verhaftet wurde, was weiter keine Schwierigkeiten bereitete, denn der Ballierer hatte wegen Diebstahl, Schulden und Sachbeschädigung schon etliche Male im Turm gesessen. Doch hartnäckig verbreitete er selbst im Gefängnis weitere Lügengeschichten über Margaretha. Über zwei Monate lang lag er angekettet im Martinstor, dann erst gab er auf. Nachdem er seine Anschuldigungen widerrufen hatte, wurde er entlassen und musste zum Zeichen seiner Sühne eine Pilgerreise nach St. Jakob de Compostela antreten.

24

Die letzten Jahre ihrer Ehe wurden Catharina zur Hölle. Sie konnte von Glück sagen, wenn Michael nach seinen Zechereien so betrunken war, dass er halb tot in sein Bett stolperte oder bei irgendeinem Weibsbild übernachtete. Voller Angst lauschte sie an diesen Abenden auf seine Schritte, ob sie sich auch nicht ihrer Kammer näherten, denn er schlug sie nun häufiger.

Der Ablauf war stets derselbe: In seiner Trunkenheit versuchte er einen Streit vom Zaun zu brechen. Wagte sie Widerworte, strafte er sie mit Schlägen, schwieg sie, wurde er erst recht wütend und fluchte, er werde ihr die «Bockigkeit», wie er es nannte, schon noch aus dem Leib prügeln.

Einmal wurde er deswegen vor das Collegium der Achter zitiert, einen Ausschuss von acht Meistern, die dem Zunftmeister zur Seite standen. Catharina hatte von seinem letzten Angriff ein blaues Auge und einen handtellergroßen Bluterguss auf der Wange davongetragen.

«Das muss ein Ende haben», hatte Barbara in der Küche geschimpft. Sie war außer sich. Mittlerweile war sie zwar schon an die sechzig, hatte aber keinen Deut ihres Temperaments eingebüßt. «Alle Welt soll sehen, was Euer Mann Euch antut.»

Und sie schleifte Catharina gegen deren Willen am helllichten Tag über den Markt. Die Wirkung ließ nicht lange auf sich warten. Da in der Nachbarschaft längst bekannt war, dass es in Bantzers Ehe nicht zum Besten stand, gab Catharinas zerschlagenes Gesicht Anlass zu neuem Gerede, das schließlich auch einigen Ratsherren zu Ohren kam. Wie es bei Familienangelegenheiten üblich war, wandten sie sich an die Zunft mit der Bitte, die Sachlage zu überprüfen. Nur unwillig kamen die Herren der Schmiedezunft diesem Anliegen nach, da es sich bei dem Beschuldigten nicht um irgendeinen Gesellen, sondern um ihren eigenen Zunftmeister handelte.

Obwohl die Vorladung, wie Catharina später erfuhr, eher den Charakter einer freundschaftlichen Ermahnung gehabt hatte – «Ihr müsst die Verhältnismäßigkeit der Mittel wahren und Schläge nur im äußersten Notfall anwenden, sonst verlieren sie ihre Wirksamkeit» –, kehrte Michael wutentbrannt nach Hause zurück. Er wollte seine Frau zur Rede stellen, denn er war davon überzeugt, dass sie ihn angezeigt hatte. Er eilte von Zimmer zu Zimmer, riss die Küchentür auf, wo Barbara und Elsbeth beim Gemüseputzen saßen, und brüllte: «Wo ist meine Frau?» Doch Catharina war nirgends zu finden.

Als er zornig das Haus verließ, um die nächstbeste Schenke aufzusuchen, wagte sich Catharina aus ihrem Versteck. Sie hatte den ganzen Vormittag voller Anspannung hinter Gerümpel auf dem Dachboden verbracht und klopfte sich nun erleichtert den Staub aus den Kleidern. Für diesen Moment konnte sie aufatmen, aber sie wusste genau, dass der nächste Angriff ihres Mannes nur eine Frage der Zeit war. Tatsächlich nahm sich Michael die Worte seiner Zunftbrüder nur insofern zu Herzen, als er darauf achtete, bei seinen Wutausbrüchen nicht mehr in Catharinas Gesicht zu schlagen.

Barbara, die mehr denn je davon überzeugt war, dass Dämonen von der Seele ihres Dienstherrn Besitz ergriffen hatten, versuchte auf ihre Art, Catharina beizustehen.

«Ich bitte Euch, nehmt dies zu Eurem Schutz.» Fast flehend hielt sie Catharina auf ihrer offenen Hand ein Amulett hin.

«Was ist das?», fragte Catharina erstaunt und betrachtete den in Messing gefassten, gebogenen Zahn.

«Ein Eberzahn. Ihr müsst ihn an Euren linken Arm binden, dann gibt er Euch Kraft und schützt vor Angriffen.»

Fast traurig schüttelte Catharina den Kopf. «Ach, Barbara, ich weiß, wie sehr du dich um mich sorgst, aber an meiner Situation können weder Zauber noch Gebete etwas ändern. Ich glaube zu wenig daran, als dass sie mir helfen könnten.»

Es mochte am Einfluss ihrer Tante liegen, dass sie, im Gegensatz zu den meisten ihrer Mitmenschen, nicht viel von Magie hielt. Marthe hatte immer behauptet, dass der Mensch nicht durch Hokuspokus, sondern allein durch Menschlichkeit und Willenskraft etwas bewirken könne. Wenn die Leute im Dorf etwas als Spuk oder Hexerei bezeichneten, hatte sie dafür oft eine verblüffend einfache Erklärung. Catharina klangen noch ihre Worte im Ohr: Für die Dinge, die ich nicht begreife, haben klügere Leute als ich längst eine Erklärung gefunden oder werden sie eines Tages finden. Was bleibt, sind die von Gott gewollten Geheimnisse, und wir Menschen sollten nicht so anmaßend sein, seine ganze Schöpfung durchschauen zu wollen.

Catharina hatte zwar das Amulett abgelehnt, doch so schnell gab die Köchin nicht auf. Wenige Tage später überraschte Catharina sie dabei, wie sie in den oberen Türbalken von Catharinas Schlafzimmer ein winziges Pentagramm ritzte. Als sie ihr Werk beendet hatte, stieg sie schnaufend von ihrem Schemel herunter und blinzelte ihr zu: «Wenn Ihr auch nicht daran glaubt – schaden wird es auf keinen Fall.»

«Wenn Michael das entdeckt, wird er dich wegen Zauberei anzeigen.»

«Er wird es nicht entdecken, denn erstens schaut der gnädige Herr nie nach oben, und zweitens betritt er Eure Kammer immer nur in trunkenem Zustand. Aber keine Sorge, ich kenne auch ganz unauffällige Mittel, um böse Kräfte abzuwehren.»

Dabei deutete sie auf einen Besen, der wie zufällig in der Diele stand, und auf eine Schere, scheinbar achtlos auf den Fenstersims geworfen.

Barbaras Bemühungen blieben erfolglos. Dabei waren es nicht nur die Prügel, die Catharina ihren letzten Funken Lebensfreude raubten. Sie fühlte sich wie ein Hund, der an die Kette gelegt worden ist. Michael verbot ihr den Zugang zur Werkstatt und das Verlassen des Hauses ohne seine Erlaubnis. In seinem Beisein durfte sie, von dienstlichen Anweisungen abgesehen, nicht mehr mit den Mägden sprechen. Die Tür zur Bibliothek hatte er verriegelt. Doch das Demütigendste war, dass Hartmann Siferlin fortan die Haushaltsbücher führte und sie sich jeden Pfennig bei ihm abholen musste. Sie hasste die Momente, wenn sie im muffigen Halbdunkel des Kontors stand und darauf wartete, bis dieser Mann mit einem mühsam unterdrückten Grinsen das Geld abgezählt und die Summe samt Angabe des Verwendungszwecks in sein Buch eingetragen hatte. Siferlin ließ sich viel Zeit dabei, und Catharina wusste, wie sehr er diese beschämende Szene genoss.

Sie konnte das Haus nur noch heimlich verlassen, wenn sie genau wusste, dass Michael für längere Zeit geschäftlich unterwegs war. Anfangs hatte sie diese Stunden kaum erwarten können, so sehr zog es sie nach draußen. Doch im Laufe der Zeit legten sich die Zwänge und Verbote, denen sie ausgesetzt war, wie ein unsichtbarer Panzer um ihre Seele und erstickten ihre Energie.

Immer häufiger saß sie den ganzen Tag über am Fenster ihrer Schlafkammer und starrte hinunter auf den verkrüppelten Birnbaum im Hof. Sie beobachtete die Krähen in den kahlen Ästen, die Hühner, die im Dreck scharrten, und ihr Kopf war dabei angenehm leer. Sie magerte ab, da halfen weder Barbaras Kochkünste noch Elsbeths gut gemeinte Ermahnungen. Catharina schien sich von der Außenwelt verabschieden zu wollen.

Siferlin rieb sich erwartungsvoll die Hände, als er Catharina eintreten sah. Ihre Geldgesuche stellten einen der wenigen Glanzpunkte seines Alltags dar. Er dachte an die Zeit, als sie selbst noch die Ausgabenbücher für den Haushalt geführt hatte und hin und wieder Einblick in seine Bücher verlangte, um zu erfahren, wie es um die Gewinne der Werkstatt stand. Was für

Schreckensmomente waren das jedes Mal für ihn gewesen, doch damit war es nun für immer vorbei. Nie wieder würde er vor ihr und ihrem scharfen Verstand zittern müssen, jetzt hatte er sie in der Hand.

Er bot ihr einen Platz vor seinem Schreibpult an, doch sie blieb mit trotziger Miene stehen. Befriedigt stellte er fest, wie grau und faltig ihr Gesicht geworden war. Ihre einstige Schönheit, diese ständige Versuchung der Männerwelt, verwelkte. Wahrscheinlich würde sie nicht einmal mehr das Verlangen eines Benedikt Hofer entfachen können.

O ja, er hatte schon nach kurzer Zeit über ihre Liebschaft mit dem Gesellen Bescheid gewusst. Wie konnte sie nur glauben, dass man so etwas vor ihm, Hartmann Siferlin, geheim halten könne. Nahe dran war er gewesen, sie zu verraten, doch in jener Zeit hätte sein Dienstherr kaum ein Ohr für diese Dinge gehabt, denn es trieb ihn fast täglich zu den Peitschenhieben seiner Geliebten. Außerdem gereichte ihm die Tatsache, dass die beiden Eheleute so vollkommen von ihren widerlichen Ausschweifungen beherrscht waren, zum Vorteil: Er konnte sich von den Erlösen der Werkstatt unbemerkt abzweigen, was ihm seiner Meinung nach zustand.

«Habt Ihr nicht gehört, Siferlin? Ich brauche Geld für neue Fleischtöpfe.»

«Ob Ihr das wirklich braucht, entscheide immer noch ich, falls Ihr das vergessen habt.»

Er lehnte sich zurück. Die Zeit, gegen diese Frau vorzugehen, war noch nicht gekommen. Leider hatte sein Gerücht, sie habe Bantzer verhext und ihm die Männlichkeit genommen, kaum gefruchtet. Offenbar genoss sie immer noch zu viel Ansehen in der Stadt. Doch eines Tages würde er sie vernichten.

Catharina schlug mit der flachen Hand auf den Schreibtisch. «Wenn Ihr Euch dumm anstellt, komme ich später wieder. Zusammen mit Barbara.»

«Schon gut, schon gut.»

Siferlin kramte den Schlüssel für die Geldkassette aus der Schublade. Niemals sollte dieses riesige, fleischige Weibsbild sein Kontor betreten. Wenn es jemanden gab, den er fürchtete, dann war es die Köchin Barbara.

Der einzige Mensch, mit dem Catharina sich noch hin und wieder traf, war Margaretha Mößmerin. Das Schicksal hatte diese Frau kaum weniger hart angepackt: Ihr Mann war wenige Monate nach seinem Rücktritt gestorben, ihr Schwiegersohn hatte sich mit einem Berg Schulden irgendwo ins Badische abgesetzt, und Susanna war mit einem neuen Liebhaber auf und davon – ihre dreijährige Tochter, die schwachsinnig auf die Welt gekommen war, hatte sie im Haus ihrer Mutter zurückgelassen. Margaretha verkaufte das vornehme Haus am Fischmarkt, zahlte die Schulden ihres Schwiegersohns zurück und zog mit der kleinen Anneli in ein bescheidenes Häuschen an der Mehlwaage.

Obwohl Catharina wusste, wie schwer es ihre Freundin hatte, beneidete sie sie manchmal um ihre Freiheit. Margaretha entschied über jeden ihrer Schritte selbst. Den Vormund, den die Schneiderzunft ihr zur Seite gestellt hatte, ignorierte sie einfach, was immer wieder zu Reibereien führte.

«Ich sehe nicht ein, dass ich mir in meinen letzten Lebensjahren noch von irgendeinem Fremden Vorschriften machen lasse», sagte sie einmal zu Catharina. «Wenn mir die Zunft und der Magistrat deswegen die Rente streichen wollen, dann werde ich eben den ganzen Tag arbeiten gehen, und sei es als Dienstmagd.»

So unterschiedlich die Lebenssituation der beiden Frauen war, in einer Beziehung erging es ihnen gleich: Sie waren einsam. Catharina, weil sie eingesperrt war wie ein Vogel in seinem Käfig, Margaretha, weil sie geächtet wurde. Ihre früheren Freunde und Bekannten schnitten sie, zum einen, weil sie ihr insgeheim die Schuld an den zerrütteten Familienverhältnissen der

Baurs gaben, zum anderen, weil der unselige Verdacht der Hexerei noch im Raum stand. Aus diesem Grund hatte auch Michael seiner Frau den Umgang mit der Mößmerin untersagt.

«Ich warne dich», hatte er verkündet. «Niemand weiß, ob nicht doch etwas dran ist an dieser alten Geschichte. Und selbst wenn sie nur eine harmlose Witwe ist, die nichts mit dem Leibhaftigen zu tun hat, so können diese Verdächtigungen doch auf dich abfärben. Ganz davon abgesehen, verbiete ich dir, diese Frau zu treffen: Durch ihr aufsässiges Verhalten ist sie beim Magistrat in Ungnade gefallen.»

Catharina hatte ihm kaum zugehört. Sie traf sich heimlich mit ihrer Freundin, wenn auch immer seltener. Einmal, als Michael unerwartet früh nach Hause kam, musste sich Margaretha wie ein überraschter Liebhaber in der Vorratskammer verstecken.

Ein andermal ertappte er die Freundin, wie sie sich gerade aus dem Haus schleichen wollte. Wütend packte er Catharina am Arm, schleppte sie die Stiege hinauf in ihre Kammer und schlug ihr mit seinem Gürtel blutige Striemen auf den Rücken. Catharina biss vor Schmerz die Zähne zusammen, als sie plötzlich ein heftiges Stöhnen hörte. Im ersten Moment dachte sie, sie selbst hätte aufgeschrien.

Das Stöhnen ging über in ein dumpfes Würgen: Michael lehnte, kalkweiß im Gesicht, an der Wand und presste sich die Hände auf den Brustkorb. Ganz offensichtlich bekam er keine Luft mehr. Catharina lockerte ihm Hemd und Kragen und ließ den Stadtarzt holen. Nur wenig später war der Medicus mit seinem Gesellen zur Stelle und untersuchte Michael sorgfältig, während sich Catharina in der Küche von Elsbeth den wunden Rücken behandeln ließ.

«Ihr hättet den Arzt nötiger als diese Furie von einem Mann», sagte Elsbeth leise.

Der Arzt bat Catharina um ein Gespräch unter vier Augen.

«Ich komme morgen wieder, er hatte eine Herzattacke. Er braucht ein paar Tage völlige Bettruhe. Gebt bitte der Köchin Anweisung, nur leichte, fettarme Speisen zuzubereiten.» Seine Stimme wurde leiser. «Ich will mich nicht in Eure Verhältnisse einmischen, aber als Arzt muss ich offen sein: Die Anfälle können sich wiederholen, wenn Ihr nicht besser auf die Lebensweise Eures Mannes achtet. Er muss sich schonen und mit dem Trinken aufhören. Sprecht mit ihm darüber.»

Catharina antwortete nicht. Soll er sich doch zu Tode saufen und huren, dachte sie.

Als Catharina weiterhin schwieg, zuckte der Arzt mit den Schultern. «Vielleicht ist es besser, wenn ich mit ihm rede.»

Funken sprühten aus dem offenen Feuer, als Michael Bantzer wütend den frisch geschmiedeten Türgriff hineinschleuderte.

«Das ist doch mieseste Lehrlingsarbeit, alles Pfusch!», brüllte er, und die Adern an seinen Schläfen schwollen an vor Zorn.

Er schwankte sichtlich, als er sich zu seinen Angestellten umdrehte. «Euch Anfängern werde ich zeigen, was richtige Schlosserkunst ist.»

Er griff nach dem mannshohen Eisengitter und zog es zu sich heran. Unter dem Gewicht begann er zu straucheln. Niemand wagte es, sich ihm zu nähern, um ihn zu stützen, und er kippte erst nach rechts gegen den Amboss, dann rücklings mitten in die riesige Feuerstelle, das schwere Gitter über sich. Ein markerschütternder Schrei entfuhr seiner Kehle, und sofort verbreitete sich der beißende Geruch von brennendem Haar im Raum.

Catharina, die die Szene von der Werkstatttür aus beobachtet hatte, kam ungerührt näher. Kopf und Arme des eingeklemmten Mannes zuckten verzweifelt zwischen den Eisenstreben hin und her, seine Schreie wurden schwächer und gingen in raues Stöhnen über. Vergeblich versuchten die Männer, das glühende Gitter, das sie nur mit Zangen packen konnten, anzuheben. Im flackernden Schein der Flammen sah Catharina, dass sich Michaels Gesichtshaut bereits verfärbte. Es roch süßlich nach verbranntem Fleisch.

«Löscht doch endlich das Feuer, ihr Hornochsen», schrie einer der Gesellen, doch Catharina stellte sich ihm in den Weg.

«Halt, bleibt stehen», sagte sie ruhig. «Seht ihr denn nicht, dass euer Meister nur noch ein verkohlter Klumpen ist?»

Die Männer wichen vor ihr zurück. Da kam langsamen Schrittes Christoph auf sie zu. Catharina wischte sich den Schweiß von der Stirn, ihr Mund wurde trocken. Sie musste unbedingt verhindern, dass Christoph sie berührte.

«Geh weg», rief sie ihm mit letzter Kraft zu. «Du kommst zu spät, viel zu spät.»

Ihr Bettlaken war durchgeschwitzt, als sie von einem lauten Klopfen an der Tür geweckt wurde. Was hatte sie da um Himmels willen nur geträumt? Es klopfte erneut, und Elsbeth steckte den Kopf herein.

«Entschuldigt, wenn ich Euch geweckt habe. Unten steht ein Fremder vor der Tür. Er sagt, es sei sehr wichtig.»

Catharina sprang aus dem Bett und warf sich hastig einen Umhang über.

«Ich habe hier ein Schreiben, dass ich nur an Catharina Stadellmenin aushändigen darf», sagte der Unbekannte.

«Das bin ich!»

Stirnrunzelnd nahm sie den Brief entgegen. Wer sollte ihr schreiben? Auf dem Umschlag standen weder ihr Name noch ein Absender.

Sie zog sich in ihre Kammer zurück und öffnete ohne Eile das Papier. Da erkannte sie Christophs Handschrift.

«Villingen, im April anno 1588.

Liebe Catharina! Jetzt, wo ich mich zum wiederholten Male zum Schreiben hinsetze, zittern mir vor Aufregung die Finger. Wie viele Briefe an dich habe ich schon angefangen und wieder zerris-

sen, doch dieses Mal, so habe ich mir vorgenommen, werde ich ihn zu Ende schreiben und einem Freund mitgeben, der nächste Woche nach Freiburg reitet. Er wird ihn dir entweder persönlich geben oder ihn mir wieder zurückbringen.

Vor etwa drei Jahren habe ich dir schon einmal einen Brief geschickt, mit einem Villinger Boten, doch du hast nie geantwortet. Von Lene erfuhr ich später, dass dein Mann alle Briefe an dich abgefangen hat und dich auch sonst wie eine Gefangene hält. Ich gehe also davon aus, dass du mein Schreiben nie erhalten hast, und so nehme ich jetzt einen neuen Anlauf.

Liebste Catharina, du glaubst nicht, wie sehr ich mich für mein Verhalten von damals schäme – heute noch, nach so vielen Jahren. Wie selbstsüchtig ich war. Ich habe nur meinen eigenen Schmerz, meine eigene Kränkung gespürt und nicht gesehen, wie sehr du selbst gelitten hast unter Mutters Tod. Zu alledem habe ich dich, als Sofie starb, brutal zurückgewiesen und bin Hals über Kopf nach Villingen geflohen. Dabei weiß ich heute, dass du dich, als ich dich an jenem Tag bei deinem Freund überraschte, von diesem Mann nur verabschieden wolltest. Lene hat mir das erzählt, obwohl du sie gebeten hast zu schweigen. Aber du kennst ja meine Schwester, in solchen Dingen hat sie ihren eigenen Kopf.

Es hat lange Zeit gedauert, bis ich aus meinem Selbstmitleid erwacht bin. Viel zu lange, und ich wage kaum zu hoffen, dass du jetzt, wo du diese Zeilen liest, für meine Worte noch ein offenes Herz hast. Ich habe immer nur an mich gedacht, Sofies Liebe zu mir wie ein selbstverständliches Geschenk angenommen und gleichzeitig gewollt, dass du mich liebst, und zwar mich allein. Ich war damals wie geblendet, ich war nicht bereit zu erkennen, dass auch du Zuwendung und Wärme brauchtest, ja, dass du sie viel nötiger hattest als ich, wo du doch mit diesem herzlosen Mann verheiratet bist. Und als ich sah, dass dir dieser Benedikt geben konnte, was du immer schon verdient hattest, wurde ich rasend vor Eifersucht. Dabei weiß ich jetzt, wie Recht du hattest, als du mir die leibliche Liebe verweigert hast, denn wir hätten Sofie damit verraten und uns alle unglücklich gemacht. Stattdessen warst du so vernünftig und hast mir deine Freundschaft angeboten, die ich wie ein trotziges kleines Kind mit Füßen getreten habe!

Jeden Tag frage ich mich, wie es dir geht und natürlich auch, ob du mich schon vergessen hast. Auch Lene denkt an dich, das soll ich dir unbedingt ausrichten, und sie wäre längst einmal nach Freiburg gekommen. Doch ihr Mann ist an den Hof von Kaiser Rudolf versetzt worden, und Wien ist kaum weniger weit als Afrika oder Indien. Die Zwillinge sind längst verheiratet und arbeiten beide im Elsass: Carl als Weinbauer und Wilhelm als Metzger. Und was mich betrifft: Ich habe mich nicht wieder vermählt. Mein Schwiegervater, der mittlerweile alt und sehr krank ist, hätte das auch nicht verwunden.

Aber nicht ihm zuliebe bin ich allein geblieben, auch nicht dir zuliebe – ich verspüre einfach kein Bedürfnis, mich an eine Frau zu binden. Stattdessen habe ich mich die letzten zehn, zwölf Jahre in Arbeit gestürzt, das Gasthaus vergrößert und neu ausgestattet, sodass es jetzt das erste Haus am Platz ist, wo Edelleute und Grafen absteigen. Ich könnte zufrieden sein, fühle aber immer häufiger eine große Leere in mir. Außerdem mache ich mir Sorgen um meine beiden Kinder: Aus der kleinen Sofie ist eine erwachsene Frau geworden, die ihrer Mutter aufs Haar gleicht. Leider zeigt sie dieselben Anzeichen von Schwäche und Gebrechlichkeit. Ich habe große Angst, dass es mit ihr das gleiche Ende nimmt wie mit ihrer Mutter. Andreas hingegen ist ein Bär von einem jungen Mann, aber ein Tunichtgut. Er hat jetzt zum zweiten Mal seine Stellung als Lehrling hingeworfen, und ich mache mir Vorwürfe, weil ich mich nie genügend um ihn gekümmert habe.

Doch was erzähle ich dir das alles? Ich fürchte, du hast noch viel größeren Kummer, und ich werde das schlimme Gefühl nicht los, dass ich dazu beigetragen habe. Wie gern wüsste ich mehr von dir, wie gern würde ich dich wiedersehen. Ich finde keine Ruhe, solange *ich nicht weiß, dass du mir verzeihst. Ich habe kein Recht mehr, etwas von dir zu fordern, dennoch: Selbst wenn du mir nicht zurückschreiben willst oder kannst, so lass mir doch bitte ein Zeichen zukommen, ob du diesen Brief erhalten hast. Du bist immer noch ein Teil meines Lebens. In Liebe, Christoph.»*

Fast zärtlich faltete Catharina die Blätter zusammen und wickelte sie sorgfältig wieder in das braune Papier ein. Lange Zeit blieb sie reglos auf dem Bett sitzen und dachte über das Gelesene nach. Dann musste sie an ihren schrecklichen Traum denken und schüttelte den Kopf.

Nein, Christoph, jetzt ist es zu spät.

25

Catharina sah aus dem Fenster. Auf die Große Gasse fielen dichte Schneeflocken. Es dämmerte bereits, und die Marktleute packten ihre Sachen zusammen.

Sie würde also bald Witwe sein. Der Stadtarzt hatte von zwei, drei Tagen gesprochen, die Michael nach seinem letzten Herzanfall noch zu leben hatte.

«Wasser ... Durst ...», hörte sie seine brüchige Stimme sagen. Sie drehte sich um. Wie er da so auf dem Bett lag und mit fiebrigen Augen an die Decke starrte, löste er keinerlei Mitgefühl in ihr aus. Sie fühlte überhaupt nichts mehr, seit der Arzt vor einigen Minuten das Haus verlassen hatte, weder Trauer noch Angst. Seltsamerweise auch keine Erleichterung, obwohl sie sich diesen Moment schon so häufig erhofft hatte.

Anstatt Elsbeth zu rufen, ging sie selbst in die Küche und füllte den Krug mit frischem Wasser. Als sie zurückkam, hatte er versucht, sich aufzurichten, und dabei war das Federbett zu Boden gerutscht. Sie deckte ihn wieder zu, gab ihm zu trinken und setzte sich auf den Stuhl neben seinem Bett. Er hustete und brummte etwas. Sie verstand ihn nicht, doch es klang so unwillig wie immer. Regungslos saß sie da und beobachtete die Schneeflocken, die ans Fenster schwebten, sich dort festsetzten und dabei langsam auflösten. Ihre Gedanken kreisten immerzu um dieselbe Gewissheit: dass die mühseligste Phase ihres Lebens bald zu Ende sein sollte. Was danach kam, konnte sie sich nicht vorstellen. Über zwanzig Jahre hatte sie an der Seite dieses Mannes gelebt, im Schatten seines Erfolgs, sich als Frau Magistrat anreden lassen. Wie viele Menschen hatten sie beneidet um dieses behäbige Leben, um diesen beeindruckenden Mann, dem jeder Respekt zollte, selbst dann noch, als er letztes Jahr wegen Unterschlagung in Untersuchungshaft saß. Angesichts seines hohen Alters und seiner Verdienste im Rat der Stadt war er begnadigt worden. Sein Wort besaß Gewicht, im Rat wie in der Zunft – davor aber, wie er sie, seine eigene Frau, immer wieder gedemütigt und gequält hatte, hatten alle die Augen verschlossen.

Der alte Zorn stieg wieder in ihr auf: Hatte sie denn zu viel gewollt? Durfte sie als Frau nicht erwarten, wichtige Schritte selbst bestimmen zu dürfen? Wie gespannt war sie als junges Mädchen auf ihre Zukunft gewesen – und wie hatte sie sich in den letzten zwanzig Jahren gestaltet?

Fremde Städte und Länder besuchen, einmal im Leben das Meer oder wenigstens den Bodensee sehen, andere Sprachen lernen, Bücher lesen, ohne deswegen gedemütigt zu werden, mit den Menschen zusammen sein, die man als Freunde betrachtet, ohne sich deswegen rechtfertigen zu müssen – waren das alles zu hohe Erwartungen gewesen?

Ach, diese Ehe bedeutete nur viele verlorene Jahre. Nicht das Geringste hatte dieser Mann, der da neben ihr röchelte, einlösen können, nicht einmal Kinder hatte er ihr machen können, geschweige denn ihre Lust befriedigen.

Sie starrte in die Dunkelheit und hörte dem eintönigen Singsang des Nachtwächters zu, der unten auf dem Fischmarkt die Lampen ansteckte.

Irgendwann musste sie eingeschlafen sein. Als sie am nächsten Morgen erwachte, kauerte sie halb auf dem unbequemen Stuhl, halb auf der Bettkante. Mit schmerzenden Gliedern richtete sie sich auf und sah zu ihrem Mann hinüber. Es gab keinen Zweifel: Michael lebte nicht mehr.

Der neue Zunftmeister stand schwerfällig auf und hob sein Glas.
«‹Der Tod macht alle Menschen gleich,
in allen Ständen, arm und reich.
Der Tod klopfet bei allen an,
beim Kaiser und beim Bettelmann.›
Michael Bantzer, du wirst uns allen fehlen. Nimm unsere innigsten Fürbitten mit auf deine letzte große Reise.»

Als er einen tiefen Schluck aus seinem Weinglas nahm, taten es ihm die anderen Trauergäste nach, und der trinkfreudige Teil der Totenfeier begann. Sie saßen im «Roten Bären», wo die Schmiedezunft zum Ross eine eigene Stube besaß. Kein weiterer Stuhl, kein weiterer Gast hätten mehr in den holzgetäfelten Raum mit der niedrigen Balkendecke gepasst.

Catharina wunderte sich, wie viele Menschen gekommen waren. Fast der gesamte Magistrat war versammelt, die Meister und einige Gesellen der Schmiedezunft und deren Unterzünfte und natürlich etliche Nachbarn. Dass ihr Mann besonders beliebt gewesen war, glaubte sie nicht. Geachtet, beneidet und manchmal auch gefürchtet wohl eher.

Die Beileidsbezeugungen und Umarmungen ließ sie ungerührt über sich ergehen, in diesem Kreis hatte sie keine Freunde. Bis auf ein paar wenige Handwerksleute mochte sie diese Menschen nicht besonders, und umgekehrt war sie bei den meisten angesehenen Bürgerfamilien als launisch und unnahbar verrufen.

Jedenfalls war sie froh, als der offizielle Teil der Feier vorüber war. Jetzt würde die übliche Zecherei losgehen, und sie konnte sich ihren Gedanken überlassen. Sie schenkte sich gerade Rotwein nach, als der Altobristmeister, der an der Spitze des Stadtrats stand, auf sie zukam.

«Liebe Catharina, ich habe Euch einen Vorschlag zu machen. Was die Werkstatt des seligen Bantzer betrifft, so werdet Ihr Euch ja wohl mit der Zunft beraten. Es sind aber noch andere Dinge zu klären, wie etwa ausstehende Gelder der Stadt oder die ganzen Erbschaftsangelegenheiten. Wenn Ihr erlaubt, würde ich Euch dabei gern zur Seite stehen. Unser Schreiber ist ein kluger Kopf und würde alles in Eurem Sinne in die Wege leiten.»

Catharina seufzte. Kaum lag ihr Mann unter der Erde, kümmerten sich andere Männer um ihre Angelegenheiten. Dann nickte sie. «Schickt den Schreiber in den nächsten Tagen vorbei.»

Der starke Wein stieg ihr zu Kopf.

Die Zunft hatte längst darauf gedrängt, dass sie die Werkstatt aufgeben und einem jungen Meister überlassen solle, denn Meisterstellen waren rar in dieser kleinen Stadt. Dabei hatte sie ganz andere Pläne. Als Erstes würde sie Siferlin entlassen, und dann würde sie das Geschäft ihres Mannes selbständig weiterführen, wie diese Frau, die sie vor so vielen Jahren auf der Fahrt nach Villingen kennen gelernt hatte. Hieß sie nicht Maria oder Marie? Dabei fiel ihr Christoph ein. Wie es ihm wohl ging, dort oben in Villingen? Sie hatte ihm niemals zurückgeschrieben. Und vielleicht, vielleicht konnte ihre Tochter sie einmal besuchen kommen? Sie spürte ihr Herz schneller schlagen. Doch nein, das wäre nicht gut. Nicht für Marthe-Marie, nicht für Lene, und auch nicht für sie selbst.

Müde schaute sie durch die kleinen, in Blei gefassten Scheiben nach draußen. Im Licht der Laterne tanzten die Schneeflocken durch die Dämmerung. Seit Tagen schneite es immer wieder.

Plötzlich erschrak sie bis ins Mark: Von draußen drückte sich ein winziges Gesicht unter einer roten Kapuze an das Fenster und starrte ihr aus leeren Augenhöhlen entgegen. Hastig zwängte sie sich durch die engen Stuhlreihen und stürzte hinaus auf die Gasse. Weit und breit war niemand zu sehen. Aber war da unter dem Fenster nicht der Schnee festgetreten? Was hatte das zu bedeuten? Was wollte der rote Zwerg von ihr? Ihr Kopf schmerzte. Sie versuchte sich zu beruhigen. Wahrscheinlich hatte sie zu viel getrunken und sich getäuscht. Der alte Bartholo musste doch längst tot sein.

Zitternd stand sie unter der schmalen Balustrade und starrte auf den zertretenen Schnee. Sie glaubte, Spuren von winzigen Schuhen zu entdecken. Da hörte sie jemanden ihren Namen rufen, eine Stimme, fremd und vertraut zugleich. Sie fuhr herum und glaubte zu träumen: Durch das Schneegestöber kam Christoph auf sie zu. Sie erkannte ihn auf Anhieb, obwohl das Alter seine Haare gelichtet hatte und seine Gesichtszüge männlicher und ernster geworden waren.

«Schnell, gehen wir hinein.» Er zog sie in die Diele des Gasthofs, wo er sich den Schnee von den Schultern klopfte. Vor Aufregung sprach er sehr schnell. «Ich war in Emmendingen, als ich durch Zufall von Michaels Tod erfuhr, und wollte schon zur Beerdigung hier sein, aber bei diesem Wetter war es fast unmöglich, vorwärts zu kommen. Und jetzt – solange es schneit, kann ich nicht nach Villingen zurück.»

Er blickte ihr fest in die Augen. «Ich habe also viel Zeit. Wenn du willst, bleibe ich ein paar Tage hier.»

Vor Überraschung konnte Catharina immer noch nicht sprechen, und sie nickte nur. Verlegen sahen sie sich an. Da ging Christoph einen Schritt auf sie zu und berührte vorsichtig ihre Schultern.

«Richtig zerbrechlich bist du geworden! Wie lange haben wir uns nicht gesehen?»

«Ich weiß es nicht», murmelte Catharina. «Viel zu lange jedenfalls.»

26

«Habt Ihr denn niemals Angst, so allein und ganz ohne Familie? Wollt Ihr nicht wieder heiraten, wo Ihr doch noch so jung seid?»

Anstelle einer Antwort lachte Catharina, erst leise und verhalten, dann schallend laut, bis ihr die Tränen die Wangen hinunterliefen.

«Entschuldige, Anselm.» Sie legte dem Jungen die Hand auf die Schulter. Seine sonst so vorwitzigen grünen Augen blickten sie verunsichert an.

«Habe ich etwas Dummes gesagt, Gevatterin?»

«Nein, nein. Ich habe nur schon lange kein so nettes Kompliment mehr bekommen – dabei musst du mich nur richtig anschauen: die grauen Strähnen in meinem Haar, die tiefen Falten um die Augen. Lieber Anselm, ich bin eine alte Frau, und du machst mich noch älter, wenn du mich Gevatterin nennst. Und jetzt zeige ich dir deine Kammer.»

In Wirklichkeit hatte Anselms erste Frage sie zum Lachen gebracht. Er konnte ja nicht wissen, dass sie sich wie neugeboren fühlte, dass sie zum ersten Mal seit Jahren morgens ohne Angst erwachte. Außerdem war sie nicht allein, sie hatte Barbara und Elsbeth, und jetzt war da auch noch Anselm, den sie vom ersten Moment an ins Herz geschlossen hatte.

Wie gut, dass sie sich für einen Neuanfang entschieden hatte. In den ersten Tagen nach Michaels Tod hatte sie immer wieder mit dem Gedanken gespielt, die Schlosserei und das Haus zum Kehrhaken weiterzuführen – auch gegen den Widerstand der Zunft.

«Seid vernünftig, Bantzerin.» Der neue Zunftmeister hatte sie nach der Beerdigungsfeier zur Seite genommen. «Wenn Ihr die Werkstatt ohne weitere Ansprüche abgebt, soll es Euer Schaden nicht sein. Unterzeichnet dieses Papier, und Ihr bekommt sofort eine hübsche Summe ausbezahlt.»

«Wenn ich aber weitermachen will?»

«Das geht nicht, Ihr habt kein Fortführungsrecht. Weder habt Ihr Söhne, noch hat Euch Euer Mann zu seinen Lebzeiten zur Meisterin gemacht. Ihr könnt natürlich auch einen unserer Schlossergesellen heiraten, allerdings innerhalb eines Jahres, sonst verliert Ihr alle Ansprüche auf das Meisteramt. Eine solche Heirat wäre ohnehin kein schlechter Gedanke, nicht wahr?»

Ohne auf diesen Vorschlag auch nur mit einem Wort einzugehen, nahm sie das Papier an sich und faltete es zusammen. Sie konnte nicht glauben, dass sie keinerlei Rechte an der Werkstatt haben sollte.

«Lasst mich eine Nacht darüber schlafen», sagte sie.

Durch das dichte Schneegestöber lief sie nach Hause, wo Christoph auf sie wartete. Er verbrachte nun schon die dritte Nacht in Freiburg, und es sah nicht danach aus, als würde sich das Wetter in absehbarer Zeit bessern. Der Himmel hat ihn mir geschickt, dachte sie zum wiederholten Male, als er sie zur Begrüßung umarmte. Er ging ihr zur Hand, wo er nur konnte, kontrollierte die Inventarliste des Stadtschreibers, nahm alle Bücher aus dem Kontor an sich, begleitete Catharina zur Unterzeichnung des Erbscheins ins Rathaus. Dabei spürte sie seine zunehmende Unsicherheit.

«Machst du mir noch Vorwürfe? Oder warum siehst du mich manchmal so an?», fragte er sie schließlich.

«Nein, ich bin längst nicht mehr böse – ich kann mich nur einfach noch nicht daran gewöhnen, dass du hier bist, bei mir, in diesem schrecklichen Haus.»

«Und daran, dass ich inzwischen ein zittriger Greis geworden bin!»

«Hör auf», Catharina boxte ihn in die Rippen. «Für mich

bist du immer noch der schönste Mann von ganz Vorderösterreich.»

«Für einen schönen Mann hältst du mich aber reichlich auf Abstand.» Damit spielte er auf ihren ersten gemeinsamen Abend an, als Catharina ihn zu später Stunde vor das Schneckenwirtshaus geführt hatte, mit dem Hinweis, hier stünde ein warmes Bett für ihn bereit.

«Bitte, Christoph, fang nicht davon an. Schau her, ich habe hier ein Dokument von der Zunft, das ich unterschreiben soll.»

Während Christoph das Papier durchlas, runzelte er die Stirn.

«Die wollen dich wohl auf den Arm nehmen. Dich mit solch einer lächerlichen Summe abzuspeisen.»

«Aber ich habe keine andere Wahl. Der Zunftmeister sagt, ich kann die Werkstatt nur einem Sohn übertragen oder sie als Meisterin fortführen. Da mich Michael aber nie zur Meister'schen gemacht hat, müsste ich schnellstens irgendeinen hergelaufenen Gesellen heiraten.»

«Der Mann hat dich angelogen. Es gibt noch eine andere Möglichkeit: Du kannst auf dem Amtsweg ein lebenslanges Witwenrecht erwerben. Das könnte allerdings eine langwierige und unter Umständen kostspielige Sache werden. Die Frage ist: Willst du das überhaupt? Du sagst doch selbst, dass dieses Haus schrecklich ist und dich jeder Blick auf die Schlosserei an deinen Mann erinnert.»

Catharina zuckte die Achseln. «Ich bin mir unsicher. Ich weiß nur, dass ich von irgendetwas leben muss und dass ich arbeiten will.»

«Ich an deiner Stelle würde, sobald geklärt ist, dass keine weiteren Erben auftauchen, den Kehrhaken verkaufen und die Werkstatt mit der Meisterstelle freigeben. Allerdings nicht zu den Bedingungen, wie dieser saubere Zunftmeister sie hier diktiert hat. Denn erstens ist die Abfindung zu niedrig, zweitens hast du Anspruch darauf, alle fertig gestellte Ware und alle Rohstoffe zu deinen Gunsten zu verkaufen. Und du musst nicht mal an den Erstbesten verkaufen, denn laut Gesetz hast du, wenn ich mich nicht täusche, dafür ein Jahr Zeit.»

«Das ist gut. Und in der Zwischenzeit werde ich sicher ein neues Haus gefunden haben. Vielleicht sogar eine anständige Arbeit.»

«Da ist noch etwas. Ich wollte es dir eigentlich zu einem späteren Zeitpunkt sagen, aber wo du gerade bei deiner Lebensplanung bist –» Christoph räusperte sich. «Ich habe dir vor unzähligen Jahren einmal die Ehe versprochen, und ich habe dich mit meiner großspurigen Versprechung schändlich betrogen.»

Catharina lächelte belustigt. «Sag bloß, du machst mir jetzt einen Heiratsantrag!»

«Ja, das heißt: nein, ich meine – noch nicht!» Eine fast komische Verzweiflung breitete sich über seine Gesichtszüge. «Mein Schwiegervater ist inzwischen ein steinalter Mann. Wir haben uns immer gut verstanden, in geschäftlichen Dingen hat er mir völlig freie Hand gelassen, und unser Gasthaus in Villingen ist inzwischen eine Goldgrube.»

«Und wenn er dann endlich stirbt», unterbrach ihn Catharina, «bist du ein freier Mann, reich dazu, und darfst mich ehelichen.»

«Bitte, Cathi, mach dich nicht lustig über mich. Es ist mir wirklich ernst. Du weißt, wie wenig mir am Geld liegt, aber Carl hat mir zur Bedingung für sein Erbe gemacht, dass ich mich zu seinen Lebzeiten nicht neu verheirate. Und ich kann ihn verstehen, denn er hing sehr an Sofie.»

«Wenn ich es von dir verlangen würde: Würdest du mich auf der Stelle heiraten?»

«Ja.» Seine Antwort kam ohne Zögern. «Aber überlege dir, was wir damit aufgeben würden. Wir sind beide nicht mehr die Jüngsten. Ich selbst hätte keinen Pfennig und müsste ganz von vorn anfangen, und das Vermögen, das dir als Witwe zusteht, wird dir zwar ein paar Jahre reichen, und wie ich dich kenne, wirst du auch eine Möglichkeit finden, Geld zu verdienen. Aber was ist in zehn, zwanzig Jahren? Was ist, wenn du schwer krank wirst? Ich wünsche meinem Schwiegervater weiß Gott nicht den Tod, aber ich schätze, er lebt höchstens noch ein, zwei Jahre. Und ich verspreche dir, dass ich in der Zwischenzeit, sooft ich kann, nach Freiburg komme.»

«Wahrscheinlich hast du Recht. Außerdem möchte ich erst zur Ruhe kommen. Wer weiß, vielleicht hast du dich ja auch so schrecklich verändert, dass ich dich gar nicht mehr zum Mann will?» Sie zog ihn am Ohr. «Lass uns ins Schneckenwirtshaus gehen. Mechtild und Berthold warten sicher schon. Und Hunger habe ich obendrein.»

Wie immer, wenn Catharina in der Schenke auftauchte, schickte Berthold die letzten Gäste früher als sonst nach Hause und setzte sich mit Mechtild an ihren Tisch.

«Du siehst zwanzig Jahre jünger aus, und das als Witwe», neckte er Catharina mit einem Seitenblick auf Christoph. Mechtild schenkte allen nach, nachdem Catharina von ihren Plänen erzählt hatte, und hob ihren Becher: «Auf dein neues Leben!»

Dann fragte sie Catharina, wann sie gedenke, das Haus zum Kehrhaken zu verkaufen.

«Lieber heute als morgen. Wieso? Wenn ihr wollt, dass ich wieder in mein altes Zimmer ziehe, müsst ihr erst diese bigotte Köchin rauswerfen.»

Mechtild lachte. «Die ist längst nicht mehr hier. Nein, mir ist ein anderer Gedanke gekommen. Unser alter Bierlieferant ist vor kurzem gestorben, und sein Haus steht zum Verkauf. Es ist zwar nichts Besonderes, aber in gutem Zustand. Wenn du willst, kümmere ich mich darum, ich kenne seinen ältesten Sohn recht gut. Und vielleicht ist seine Lizenz noch nicht vergeben, dann hättest du ein Auskommen.»

«Ich habe in meinem Leben noch nie Bier gebraut!»

«Das würde ich dir schon beibringen», beruhigte Berthold sie. Es wurde ein ausgelassener Abend. Christoph legte hin und wieder den Arm um seine Base, was sich Catharina gern gefallen ließ, aber sie ließ ihn auch in dieser Nacht nicht in ihr Haus.

Nachdem die Bestandsaufnahme in der Schlosserei abgeschlossen war und Tauwetter eingesetzt hatte, kehrte Christoph nach Villingen zurück. Der Abschied fiel beiden schwer, doch Catharina fand keine Zeit zum Grübeln, denn in den folgenden Wochen hatte sie bis über beide Ohren zu tun. In der Zunftversammlung hatte man zähneknirschend ihre Bedingungen zur Freigabe der Werkstatt und der Meisterstelle akzeptiert. Sie hatte sogar durchsetzen können, dass der gesamte Lagerbestand zu dem von ihr geforderten Preis in Zahlung genommen wurde. Damit war ihr eine große Last abgenommen, denn sie hatte noch genug Mühe damit, das Geld für die fertigen Tore, Gitter und Schlösser einzutreiben. Bei der Gelegenheit dachte sie einmal mehr an Siferlin, der diese unangenehme Aufgabe immer mit Bravour erledigt hatte. Wo steckte dieser Mensch bloß? Eigentlich hätte er, als Bantzers Bevollmächtigter, die Inventur beaufsichtigen müssen, doch seit dessen Tod war er nur noch einmal aufgetaucht, um seinen persönlichen Kram aus dem Kontor zu räumen. Zwar war sie froh, sein Fischgesicht nicht mehr vor Augen haben zu müssen, doch ihr Verdacht, dass er Geld auf die Seite geschafft hatte, verstärkte sich durch sein Verschwinden noch. So saß sie Abend für Abend mit müden Augen über seinen Büchern und prüfte jeden einzelnen Posten.

Mechtild hatte Wort gehalten und Hans Melzer, den Sohn des Bierbrauers, aufgesucht. An einem sonnigen Februartag holte sie Catharina ab, um mit ihr das zum Verkauf stehende Haus zu besichtigen. Es stand in der Schiffsgasse, einem stillen Gässchen in der Nähe des Predigerklosters, und trug den verheißungsvollen Namen «Haus zur guten Stund». Das schmale, dreigeschossige Fachwerkhaus war solide gebaut, mit dicken Steinmauern zwischen den Balken und einem ziegelgedeckten Dach. Melzer führte sie zunächst durch den riesigen Gewölbekeller und die beiden Räume im Erdgeschoss, die sein Vater als Sudhaus ausgebaut hatte. Stolz zeigte er auf die Bottiche und Pfannen in allen Größen und den riesigen Kupferkessel.

«Der Kessel und die Gerätschaften sind noch tadellos in Ordnung. Falls Ihr von der Zunft eine Braulizenz erhaltet, könntet Ihr mit der Produktion in kürzester Zeit beginnen. Doch überlegt nicht zu lange, Lizenzen für Nahrungsmittel sind begehrt, gerade von allein stehenden Frauen.»

Als sie die übrigen Stockwerke besichtigt hatten, war Catharina überzeugt, dass dieses Haus das Richtige für sie war. Über der Wohnstube und der Küche lagen drei kleine Zimmer, die durch den Küchenkamin alle beheizt werden konnten. Die Waschküche befand sich im Hof, an den ein kleiner, völlig verwahrloster Garten grenzte. Er würde genügend Platz für ihre Hühner bieten. Und unter den beiden Apfelbäumen rostete ein alter Kaninchenstall vor sich hin. Catharina war begeistert.

Die Verhandlungen, sowohl über den Kauf des neuen als auch über den Verkauf des alten Hauses, zogen sich in die Länge. Doch Catharina gab nicht auf, bis sie erreicht hatte, was sie wollte. Als die Verträge schließlich abgeschlossen waren und auch der letzte von Bantzers Kunden seine Ware bezahlt und abgeholt hatte, atmete sie auf. Sie hatte es geschafft. Selbst für die Braulizenz hatte sie den Zuschlag bekommen, wenn auch mit der strengen Auflage, kein Starkbier zu brauen und nur an das Schneckenwirtshaus sowie an eine weitere Vorstadtschenke zu liefern.

«Jetzt können wir endlich umziehen.» Freudig fasste sie Elsbeth und die alte Köchin bei den Händen.

«Wir?», fragte Barbara. «Wollt Ihr uns zwei alte Frauen denn mitnehmen? Wer weiß, wie lange wir noch arbeiten können. Wir werden jetzt schon immer schwerfälliger.»

Catharina war beinahe empört. «Habt ihr etwa gedacht, dass ich euch auszahle und auf die Straße setze? Ihr arbeitet einfach, soviel ihr könnt, der neue Haushalt ist ja viel kleiner. Wir teilen die Arbeit neu auf.»

Der einzige Wermutstropfen war Siferlin. Sie hatte tatsächlich entdeckt, dass er regelmäßig kleinere Summen unterschlagen und sich dadurch, wahrscheinlich seit Jahren, sein Einkommen eigenhändig aufgestockt hatte. Es war nicht ganz einfach herauszufinden, wo Siferlin inzwischen wohnte, und erst bei ihrem dritten Besuch traf sie ihn zu Hause an.

Ihr Herz schlug heftiger, vor Aufregung und vor Wut, als sie ihm die Auftragsbücher und Abrechnungen auf den Tisch warf.

«Was haltet Ihr davon, wenn ich das der Zunft vorlege?»

Siferlin lächelte. «Ich wusste, dass Ihr eines Tages hier auftauchen würdet.»

Er setzte sich in einen Lehnstuhl, schlug die dürren Beine übereinander und bohrte sich umständlich in der Nase.

«Ihr seid ein Betrüger!» Catharina hatte Mühe, nicht die Beherrschung zu verlieren.

«Und Bantzer war ein Geizhals.»

«Mehr fällt Euch nicht dazu ein? Wenn ich diese Unterschlagungen der Zunft melde, kommt Ihr vor Gericht!»

«Ihr werdet gar nichts melden, denn sonst sage ich aus, dass Ihr jahrelang für Benedikt Hofer die Beine breit gemacht habt. Und was dann mit Euch geschieht, könnt Ihr Euch selbst ausdenken.»

Catharina erstarrte. Siferlin erpresste sie. Wortlos nahm sie ihre Unterlagen an sich und ging zur Tür. Dort drehte sie sich noch einmal um.

«Ich hoffe, dass wir uns nie wiedersehen.»

«Mag sein, dass wir uns nicht mehr sehen, doch Ihr werdet noch von mir hören.»

Sie beschloss, niemandem etwas von diesem Gespräch zu erzählen. Mochte dieser Hund doch an seiner Gier und seiner Bosheit ersticken – sie jedenfalls wollte ein neues Leben anfangen.

Rechtzeitig zum Umzug kam Christoph für zwei Tage nach Freiburg. Anfangs hatte Catharina neben den Küchenutensilien nur das Notwendigste mitnehmen wollen, doch auf Barbaras Zureden hin suchten sie gemeinsam die schönsten Möbelstücke und Einrichtungsgegenstände aus. Nun türmten sich in der Essstube die Kisten, Bündel und Möbel bis zur Decke, und sie warteten auf Berthold, der Lastträger und Ochsenkarren mieten wollte.

«Seht einmal, wen ich Euch mitgebracht habe.»

Gut gelaunt schob Berthold Christoph durch die Tür. Mit den beiden Lastträgern waren sie nun zu siebt, und bis zum Abend hatten sie alles in das neue Haus hinübergeschafft.

«Ich denke, ans Auspacken machen wir uns morgen», sagte Catharina zu den beiden Mägden und ließ sich erschöpft, aber glücklich auf dem Rand einer offenen Kiste nieder. Christoph, der neben ihr stand, bückte sich und zog eine kleine geschnitzte Flöte aus den Sachen.

«Du hast sie also aufgehoben.» Er wirkte gerührt. Dann gab er Catharina vor aller Augen einen Kuss.

«Kommt jetzt.» Berthold klatschte in die Hände. «Mechtild wartet sicher schon mit dem Essen auf uns.»

Auf dem Weg in die Schenke fragte Christoph Catharina, ob sie schon einmal daran gedacht habe, eines der Zimmer zu vermieten.

«Das Haus hat doch drei Schlafkammern: eine für dich, eine für die beiden Mägde, und eine wäre noch frei.»

«Wie ich dich kenne, hast du auch schon einen Mieter im Kopf.»

Christoph nickte. «Er heißt Anselm und ist ein Vetter von Sofie. Seit letztem Herbst studiert er an der Freiburger Universität.

Er wohnt in einem jämmerlichen Verschlag in der Pfauenburse, da seine Eltern nicht viel für sein Studium ausgeben können. Da habe ich an dich gedacht. Außer Kostgeld kann er zwar nichts bezahlen, aber er könnte ja Botengänge erledigen oder beim Bierbrauen helfen.»

«Ach, Christoph, eigentlich bin ich im Augenblick ganz froh, keinen Mann im Haus zu haben.»

Christoph lachte. «Anselm ist doch kein Mann! Er ist ein lieber Kerl, aber noch ein richtiger Kindskopf. Und wenn er noch so sehr versuchen würde, dir den Kopf zu verdrehen: Auf ihn könnte nicht einmal ich eifersüchtig werden. Wenn du einverstanden bist, werden wir uns morgen mit ihm treffen.»

So quartierte sich also eine Woche später der Student Anselm im Haus zur guten Stund ein. Mit seinen roten Locken, die in flammendem Kontrast zu seiner knöchellangen mausgrauen Scholarenkutte standen, den neugierigen smaragdgrünen Augen und seinen liebenswürdigen Grübchen in den breiten Wangen verzauberte er nicht nur Catharina. Barbara und Elsbeth wetteiferten darum, bei ihm Mutterstelle einnehmen zu dürfen, und bald schien es, als gehörte er seit Jahren zu ihrem Haushalt.

Es dauerte nicht lange, und der neue Alltag spielte sich ein. Als Erste, in aller Herrgottsfrühe, stand Elsbeth auf, heizte ein und bereitete für Anselm eine Schüssel warmer Milch mit eingebrocktem Brot vor. Schlaftrunken löffelte der Junge die Suppe aus und machte sich auf den Weg zu seinen Vorlesungen oder in die Bibliothek. Catharina und Barbara, die etwas später in der Küche erschienen, bekamen ihn morgens meist gar nicht zu Gesicht. Während Elsbeth die Schlafkammern aufräumte und Barbara sich in der Küche zu schaffen machte, fütterte Catharina ihre Hühner und Kaninchen. Sie genoss diese Minuten allein in der kalten Morgenluft, umringt von ihrem hungrigen Kleinvieh, und fühlte sich wie eine Königin in einem unermesslich großen Reich.

Dann ging sie hinüber ins Sudhaus. In den ersten Wochen kam Berthold fast täglich für ein, zwei Stunden vorbei, um sie in die Kunst der Bierherstellung einzuführen. Geduldig erklärte er ihr, wie man aus gereinigter Braugerste Malz herstellt und worauf sie beim Maischen und bei der Gärung zu achten hatte.

Als es so weit war und Catharina ihr erstes selbst gebrautes Bier abfüllte und in die Küche brachte, saßen Barbara, Elsbeth und Anselm schon erwartungsvoll um den Tisch. Sie schenkte die Becher voll.

«Dann zum Wohl.»

Beherzt nahmen alle einen tiefen Schluck. Catharina sah in die Runde: Anselm grinste, Barbara starrte mit zusammengekniffenem Mund in die trübe braune Brühe, und Elsbeth murmelte so etwas wie: «Na ja, fürs erste Mal –»

Catharina seufzte.

«Nein, ihr braucht nicht auszutrinken. Ich gebe zu, es schmeckt wie Eselspisse.»

Dann nahm sie den Krug und schüttete das Bier in den Ausguss.

Doch schon eine Woche später brachte sie Berthold das erste Fässchen. Die Herstellung des Gerstensafts wurde schnell Routine, und sie begann sich an Geschmacksstoffe wie Lorbeer, Pilze und Kräuter zu wagen. Abends, wenn Anselm von der Universität heimkehrte, belud er den Handkarren mit zwei Fässern und lieferte eines beim «Storchen», das andere im Schneckenwirtshaus ab. Dort blieb er meist noch auf ein, zwei Becher Wein sitzen. Barbara schimpfte dann, wenn er zu spät zum Abendessen kam.

«Ihr fallt sowieso schon vom Fleisch, da könnt Ihr nicht einfach die Mahlzeiten ausfallen lassen.»

In Wirklichkeit war es seine Gesellschaft, an der ihr so viel lag, denn Anselm brachte Leben ins Haus. Er besaß das ungebändigte Wesen eines Fohlens, und alles, was ihm durch den Kopf ging, sprudelte ohne Hemmungen aus ihm heraus.

«Ihr glaubt nicht, wie heilfroh ich bin, aus dieser Burse herausgekommen zu sein», hatte er an einem der ersten Abende nach seinem Einzug gestöhnt. «Dort bin ich als Neuling nämlich kein Mensch, nicht mal ein Student, sondern nur ein lausiger Pennäler, der den älteren Semestern als Famulus dienen muss. Wisst ihr, was das bedeutet, von früh bis spät von diesen Laffen herumkommandiert zu werden? Da kann es sein, dass sie dich mitten in der Nacht wecken und du ihren verschissenen Pinkelpott auf die Straße leeren und anschließend mit der bloßen Hand säubern sollst. Oder dass sie dir das bisschen Sackgeld, das du von zu Hause bekommst, abnehmen, wenn sie es finden. Ach, ich könnte euch noch mehr erzählen, aber das ist nichts für Frauenohren.»

«Mein Ärmster», murmelte Barbara, und man konnte ihr die Enttäuschung darüber ansehen, dass er keine weiteren Beispiele aufführte.

«Könnt Ihr», fragte Elsbeth ihn, «Euch denn nicht bei Euern Lehrern oder bei der Universitätsleitung beschweren? Solche Ungerechtigkeiten müssen doch verhindert werden.»

Anselm lachte. «Aber das gehört doch seit Urzeiten dazu! Es gibt nur die eine goldene Regel, dass der Studienanfänger keinen dauerhaften Schaden davontragen soll. Und nach einem Jahr hat man es ja hinter sich: Man muss nur noch die Taufe in der Jauchegrube überstehen, dann gehört man zu den Älteren.»

«Und jetzt lassen Euch die anderen in Ruhe?», fragte Barbara besorgt.

«Mehr oder weniger. Da gibt es halt viel Neid auf Leute wie mich, die bei Verwandten oder bei Professoren wohnen dürfen. Neulich haben mir welche auf der Straße ‹Muttersöhnchen› nachgerufen, und dann kam es zu einer Prügelei, denn so was kann ich mir schließlich nicht gefallen lassen.»

Ein andermal klagte er über die langweiligen Lehrkräfte und Studieninhalte: «Hätte ich nur schon mein Bakkalaureat hinter mir. Diese stumpfsinnige Nachbeterei halte ich nicht mehr aus. Da kehre ich lieber zu meinem Vater zurück und mache eine Kaufmannslehre.»

«Was ist das, ein Bakkala-Dings?», fragte Catharina. Sie war fasziniert von diesen Einblicken in eine ihr gänzlich unbekannte Welt.

«Wenn man Recht, Medizin oder Theologie studieren möchte, muss man zuerst so eine Art Grundausbildung hinter sich bringen, die mit dem Bakkalaureat abgeschlossen wird. Das heißt, es studieren erst einmal alle Studenten dasselbe.» Er versuchte, mit einfachen Worten die Inhalte der «artes liberales» zu erklären.

«Rhetorik, Geometrie, Musik, Astronomie», wiederholte Catharina. «Das klingt doch alles sehr geheimnisvoll und interessant.»

«Könnte es vielleicht sein. Aber wir hocken wie eine Herde blöder Schafe vor unserem Professor, meist einer von diesen vertrockneten Jesuiten, der nach der ‹lectio› alles noch einmal mit anderen Worten erläutert und uns anschließend eine Zusammenfassung diktiert. Die müssen wir auswendig lernen, denn abends fragt uns der Repetitor ab. Und das alles noch auf Latein!»

«Auf Latein!», rief Barbara aus. «Bitte sagt doch einmal etwas auf Latein.»

«Initium sapientiae timor domini. Das bedeutet: Der Eingang zur Weisheit ist die Gottesfurcht. Diesen Spruch müssen wir uns jeden Morgen anhören.»

Die Köchin schien vom Wissen ihres Schützlings ganz hingerissen, und Anselm ließ sich ihre Bewunderung gern gefallen.

«Und was möchtest du später werden?», fragte Catharina ihn.

«Richter oder Advokat», kam ohne Zögern die Antwort.

Wie ein trockener Schwamm sog Catharina Anselms Berichte und Erlebnisse seines Studienalltags in sich auf. An Sonntagen allerdings, wenn er den ganzen Tag zu Hause war, oder an seinen vorlesungsfreien Donnerstagen konnte ihr die Gesprächigkeit des Jungen schon einmal zu viel werden. Dann flüchtete sie zu ihrer Freundin Margaretha Mößmerin, mit der sie sich seit Bantzers Tod wieder regelmäßig traf, und genoss die Ruhe und Behaglichkeit in ihrer kleinen rauchgebeizten Stube.

Margaretha lebte von der bescheidenen städtischen Rente, für die sie die ständigen Reibereien mit ihrem Vormund gleichmütig auf sich nahm, und besserte ihr Haushaltsgeld mit Näh- und Stopfarbeiten auf. Die kleine Anneli, ihre Enkelin, hatte ein sanftes, zärtliches Wesen und kuschelte sich, wenn Catharina zu Besuch kam, wie ein Kätzchen an sie. «Gott hat ihr wenig Verstand, aber dafür ein großes Herz mitgegeben», hatte Margaretha einmal gesagt. Hin und wieder kam sie mit Anneli auch bei Catharina vorbei, meist in den frühen Abendstunden, doch spätestens nach ein, zwei Stunden zog es sie zurück in ihre eigenen vier Wände. Mit den Worten «Schön war's bei euch» verabschiedete sie sich dann.

Christoph nannte das Haus zur guten Stund oft scherzhaft «Weiberburg», und Anselm, der sich durchaus als Mann fühlte, protestierte dann. Wie ein Gockel saß er in diesem Frauenhaushalt und ließ sich von allen Seiten umsorgen und verwöhnen. Amüsiert bemerkte Catharina die Eifersucht, die der Junge bei Christophs Besuchen jedes Mal an den Tag legte.

Wenn es irgend möglich war, kam ihr Vetter jeden Monat für zwei, drei Tage von Villingen heruntergeritten. Er hatte ein junges, ausdauerndes Pferd, und da er eine Abkürzung kannte, einen kleinen Köhlerpfad quer durch den Wald, brauchte er für den Hinweg nur einen Tag. Zurück, wenn es stetig bergauf ging, schaffte er es nicht ohne Übernachtung. Vor seinem Schwiegervater rechtfertigte er diese häufigen und nicht ungefährlichen

Reisen nach Freiburg damit, dass er hin und wieder nach Anselm sehen wolle und dass seine Base in ihrer neuen Situation als Witwe seiner Unterstützung bedurfte.

Catharina hätte nie gedacht, dass Christoph sein Versprechen wahr machen und regelmäßig diese beschwerlichen Ritte auf sich nehmen würde. Unruhe und Angst plagten sie jedes Mal, wenn er unterwegs war.

Es wurde Frühsommer, und sie genossen die warme Sonne hinter dem Haus. Catharina hatte in dem Garten eine wahre Meisterleistung vollbracht. Mit Anselms Hilfe hatte sie den Hasenstall instand gesetzt und einen Freilauf für die Hühner eingezäunt. An der hinteren Mauer rankten sich Bohnen empor, neben dem Holunderbusch, den Catharina im Februar beschnitten hatte, wuchsen in schnurgeraden Reihen Rüben und Rettich, Zwiebeln, Mangold und Knoblauch.

«Sag mal, hat Anselm schon eine Freundin?»

Catharina zuckte die Schultern. «Ich habe ihn noch nie mit einem Mädchen gesehen. Ich glaube, er hat nur seine Bücher im Kopf.»

«Dafür würde ich meine Hand nicht ins Feuer legen. So, wie er dich manchmal ansieht –»

«Jetzt hör aber auf», lachte sie. «Ich könnte seine Mutter sein.»

«Du bist immer noch sehr schön. Und klug obendrein.»

«Und du bist ein alter Schmeichler», gab Catharina zurück und legte ihren Kopf an seine Schulter.

Manchmal fragte sich Christoph, ob Catharina ihn noch liebte. Sicher, sie strahlte jedes Mal vor Freude, wenn sie sich wieder sahen, blieb immer in seiner Nähe und umarmte ihn hin und wieder. Doch wenn er sie berührte, spürte er eine innere Abwehr. Dies traf ihn umso schmerzhafter, als er selbst vollkommen überzeugt war, dass sie füreinander bestimmt waren.

Die Hoffnung auf ein gemeinsames Nachtlager hatte er fast aufgegeben, und diese erzwungene Enthaltsamkeit ließ ihn kaum noch schlafen. Ihre einzige gemeinsame Nacht kam ihm in den Sinn, damals in Lehen, als sie noch halbe Kinder waren und einander mit zitternden, unbeholfenen Händen gegenseitig erforscht hatten.

Er nahm seinen ganzen Mut zusammen.

«Cathi, wir sind einander wieder so vertraut geworden, und was ich für dich fühle, kann ich kaum in Worte fassen. Aber sobald ich dir näher komme, weichst du zurück. Als ob meine Berührung dich erschrecken würde. Wovor hast du Angst?»

Catharina sah zu Boden.

«Es ist nicht Angst, es ist eher – wie soll ich das erklären? Ich komme mir manchmal vor wie eine vertrocknete alte Jungfrau. Verstehst du, ich habe seit dem Jahr, in dem Tante Marthe starb, bei keinem Mann mehr gelegen, und wenn ich mir vorstelle, dir nahe zu sein, packt mich so etwas wie Scham.» Sie zögerte, und ihre Stimme wurde leiser. «Mein Körper ist mir fremd geworden. Und du – du hast mich zuletzt als junges Mädchen gesehen. Ich könnte deine Enttäuschung nicht ertragen.»

«Was redest du da für einen Unsinn.» Christoph war blass geworden.

Sie stand auf. «Komm, gehen wir noch ein bisschen am Fluss spazieren. Ich muss ab und zu raus aus dieser Stadt.»

Da kam Christoph ein Gedanke. Ein verrückter, zugegeben, aber damit würde er Catharina einen großen Traum erfüllen. Und wer weiß, vielleicht hätte er bei diesem Vorhaben endlich Gelegenheit, Catharina einmal vorbehaltlos umarmen zu dürfen und ihr zu beweisen, dass er sie so liebte und begehrte, wie sie war.

27

«Jetzt geht es wieder los!» Anselm ging in der Küche auf und ab und war außer sich. «Gestern haben sie die Witwe eines Fischers in den Turm gesteckt. Man sagt, der Scharfrichter bereite sich schon auf seine Arbeit vor, denn die alte Frau sei so gut wie sicher als Hexe überführt.»

Catharina sah ihn erschrocken an. Sie war jedes Mal aufs Neue erschüttert, wenn in Freiburg die Nachricht einer anstehenden Hexenverbrennung die Runde machte. Die letzten drei Jahre war in dieser Hinsicht allerdings Ruhe eingekehrt.

«Bist du sicher, dass es um Hexerei geht?»

«Ich habe doch meine Verbindungen zur juristischen Fakultät. Dort bereiten sie schon das Gutachten über die arme Frau vor. Und ich Esel hatte geglaubt, dass unsere Fakultät vernünftiger ist als andere.»

Er blieb vor Catharina stehen. «Wisst Ihr, was gegenwärtig im Erzstift Trier geschieht? Dort wird ein Scheiterhaufen nach dem anderen angesteckt. Wer sich der Stadt nähert, riecht schon von weitem das verbrannte Fleisch. Und in vorderster Reihe der Hexenjäger steht dieser saubere Weihbischof Binsfeld. Mit seiner Verfügung, dass eine einzige Anzeige die fortgesetzte Folter rechtfertige, verstößt er eindeutig gegen geltendes Reichsrecht. Und niemand wagt es, diesem Fanatiker Einhalt zu gebieten.»

Anselm hatte sich jetzt vollends in Rage geredet.

«Glaubst du denn, dass es Hexen gibt?», fragte Catharina.

«Hexen, Unholde – ich kann das bald nicht mehr hören. Die meisten Opfer sind doch arme, alte Frauen mit kranken Seelen, die einen Medicus oder meinetwegen auch Priester bräuchten. Ich kann nicht beurteilen, ob man tatsächlich mit Zauberei etwas bewirken kann, doch Magier gab es zu allen Zeiten und in allen Ländern. Wenn solche Leute Schaden anrichten, mag man sie meinetwegen dafür verurteilen. Aber was hier seit Jahren geschieht, ist doch etwas ganz anderes. Da kann jeder hergelaufene Trottel seine Nachbarin als Hexe denunzieren, und schon wird dieser Frau Buhlschaft mit dem Teufel, nächtlicher Flug zum Sabbat und was der unsinnigsten Dinge noch mehr sind angehängt. Wo sollen denn auf einmal die Abertausende von Hexen und Zauberinnen herkommen? Selbst die Pfaffen reden in ihren Predigten von nichts anderem mehr, und man könnte meinen, dass sie selber inzwischen mehr an den Satan und seine Gesellen als an Jesus Christus glauben.»

Barbara hatte ihm die ganze Zeit aufmerksam zugehört. «Ich hoffe, Ihr nehmt mir meine Frage nicht übel – aber seid Ihr Lutheraner?» Lutheraner war in Freiburg eine schlimmere Schmähung als Heide oder Gottloser.

«Lutheraner zu sein hieße den Teufel mit dem Beelzebub austreiben», gab Anselm mit bitterem Lächeln zurück. «Dieser Luther hat doch denselben Schwindel verbreitet wie unsere Kirche – dass es Frauen gebe, die Kühe und Kinder verhexten, und dass solche Frauen zu töten seien. Und seine Gefolgsleute waren es, die vor dreißig Jahren mit diesem Gemetzel angefangen haben. Über sechzig Frauen wurden damals in Wiesensteig auf der Alb in kürzester Zeit verbrannt. Und es waren ebenfalls die Protestanten, die in Kursachsen die Kriminalordnung verschärften. Zum ersten Mal in der Rechtsgeschichte wird dort seit Jahren Magie und Zauberei mit dem Feuertod bestraft, völlig unabhängig davon, ob einer Person Schaden zugefügt wurde oder nicht.»

Unwillkürlich warf Catharina bei den Worten Magie und Zauberei einen Blick auf Barbara, doch die Köchin zeigte keine Regung. Gebannt hing sie an Anselms Lippen.

«Obwohl ich zugeben muss», fuhr der Junge fort, «dass gerade unter den Calvinisten ein paar gescheite Köpfe sind, wie dieser Hofarzt Johann Weyer oder der Heidelberger Professor Hermann Witekind. Deren Traktate –»

«Aber irgendetwas muss doch an solchen Anschuldigungen sein», unterbrach Catharina Anselms Ausführungen.

«Darauf wollte ich ja gerade eingehen. Überlegt Euch nur einmal, welche Sorte von Frauen in den allermeisten Fällen angeklagt werden: Einfache Gemüter, die brav an Hölle, Teufel und Dämonen glauben, wie es unsere Kirche uns schon mit der Muttermilch eingibt. In ihrem Wahn bilden sie sich ein, dass der gestrige Hagelsturm oder die sterbende Kuh auf ihrem Mist gewachsen sei, phantasieren herum, dass sie nächtens auf gesalbtem Stecken zum Bromberg geflogen seien und dort mit dem Teufel Unzucht getrieben hätten.

Einzig dieser Wahn, den ich eher als seelische Krankheit bezeichnen würde, mag ein Werk des Teufels sein. Ich habe etliche Gutachten gelesen, aus denen hervorgeht, dass es zu gar keinen Schäden gekommen ist, und dennoch wurden die armen Frauen verbrannt, nur weil sie dummes Zeug gefaselt haben!»

«Aber alle Verurteilten haben doch Geständnisse abgelegt, die sich zudem fast im Wortlaut gleichen», warf Catharina ein. «Das kann doch nicht bloße Einbildung sein.»

«Wie würdet Ihr reagieren, wenn man Euch fragte: Habt Ihr dies getan, habt Ihr jenes getan, und dabei würde Euch jemand Daumenschrauben anlegen oder die Fußnägel ausreißen? Wie viel Wahrheitsgehalt kann in einem Geständnis stecken, das unter Folter erpresst wurde?»

Fast beschämt betrachtete Catharina diesen rot gelockten Burschen mit dem kindlichen Gesicht. Wie oft schon hatte sie angesichts der Hexenprozesse in Freiburg oder anderswo das blanke Grauen gepackt, jedes Mal wurde sie von Mitgefühl für die Opfer gequält, doch nicht ein einziges Mal hatte sie ihren Verstand benutzt und sich Gedanken über das Vorgehen der weltlichen und geistlichen Richter gemacht. Da musste erst dieser Anselm auftauchen, der gerade mal siebzehn Jahre zählte.

«Wisst Ihr, was ich glaube?», fuhr Anselm leise fort. «Ich glaube, dass all diese Menschen unschuldig hingerichtet werden. Ich will Euch ein paar Beispiele nennen: Im westfälischen Osnabrück hat ein Knecht kürzlich in einem Keller einen Mann und eine Frau schlafend aufgefunden. Er sah sofort, dass die beiden Einbrecher sturzbetrunken sein mussten, denn an die fünf Fuder Wein waren ausgesoffen. Er brachte sie zum Bürgermeister, der sie, noch im Zustand der Trunkenheit, peinlich befragen ließ. Die verwirrten Seelen berichteten, sie hätten an einem teuflischen Gelage auf dem Blocksberg teilgenommen, und gaben bereitwillig über hundertsechzig weitere Namen an. Jeder Richter mit halbwegs gesundem Verstand hätte die beiden wegen Trunkenheit, Diebstahls und Einbruchs verurteilt, stattdessen wurden sie und hundertdreißig weitere Bürger, größtenteils Frauen, wegen Hexerei verbrannt. Oder vor einigen Jahren in Waldkirch: Da haben vier Hebammen gestanden, dem Teufel zum Geschenk Neugeborene und Wöchnerinnen umgebracht zu haben. Dabei weiß doch jeder, an welch seidenem Faden das Leben in den ersten Stunden hängt. Welche Ohnmacht, vielleicht sogar Verzweiflung muss eine Hebamme bei jedem Todesfall erfassen. Da braucht es doch nicht viel, um in ihnen Schuldgefühle bis hin zur Selbstbezichtigung anzufachen. – Wenn ich doch nur endlich Jurist wäre und man mir bei diesen Prozessen Gehör schenken müsste.»

Anselm wirkte mit einem Mal niedergeschlagen und setzte sich zu den Frauen an den Tisch.

«Wenn es so wäre, wie Ihr sagt – wer könnte denn einen Vorteil daraus ziehen, Unschuldige zu verurteilen?», fragte Elsbeth, die scheinbar unbeteiligt Töpfe und Pfannen geschrubbt hatte.

In diesem Augenblick trat Christoph ein, staubig und verschwitzt von seinem langen Ritt.

«Hier wird ja richtig disputiert», sagte er gut gelaunt. Dann sah er die ernsten Gesichter. «Ist etwas passiert?»

«Man hat wieder eine Frau wegen Hexereiverdachts einge-sperrt.»

Anselm stand auf.

«Es ist alles so sinnlos», murmelte er. «Seid mir nicht böse, wenn ich mich aus dem Staub mache. Ich gehe noch auf einen Schluck hinüber ins Schneckenwirtshaus.»

Catharina sah ihm nach. «Manchmal ist es mir fast unheim-lich, dass er sich den ganzen Tag mit solch ernsten Dingen be-schäftigt.»

Christoph nickte nur. Er wirkte so, als würde er vor Unge-duld gleich platzen. Endlich zogen sich auch Barbara und Els-beth zurück.

«Du kannst doch kaum erwarten, mir etwas mitzuteilen. Hat dir dein Schwiegervater die Erlaubnis gegeben, mich zu heira-ten?», fragte Catharina mit ironischem Unterton.

Christoph schüttelte den Kopf. «Das nicht. Aber ich erfülle dir einen anderen Wunsch. Rate!»

Catharina überlegte, doch ihr fiel nichts ein. Hatten sich nicht all ihre Wünsche in letzter Zeit erfüllt?

«Ich gebe dir einen Hinweis. Worum beneidest du meine Schwester Lene am meisten?»

«Um ihre Familie. Aber ich bin zu alt, um jetzt noch Kinder zu bekommen.»

Christoph lachte. «Du lässt es uns ja nicht mal versuchen. Nein, rate weiter.»

«Gut – außerdem beneide ich sie darum, dass sie mit ihrem Hauptmann so weit in der Welt herumkommt.»

«Schon besser.»

Sie sah ihn ungläubig an. «Heißt das, du willst mit mir verrei-sen?»

«Ja. Ich weiß zwar, dass du am liebsten das Meer sehen wür-dest, aber das ist ein bisschen weit. Wie wäre es mit dem Boden-see?»

Mit einem kleinen Freudenschrei fiel Catharina ihm um den Hals. «Was sagst du da? Wir reisen an den Bodensee? Du und ich? Wie lange werden wir weg sein?»

Plötzlich wich sie zurück. «Nein, das geht gar nicht. Hast du vergessen, dass ich regelmäßig die beiden Schenken beliefern muss?»

«Hab ich nicht. Das ist alles schon vorbereitet. Im August finden keine Vorlesungen statt, und bei meinem letzten Besuch habe ich mit Anselm besprochen, dass er dich in dieser Zeit für eine Woche vertritt. Er ist schließlich ein gescheiter Bursche und wird wohl in vier Wochen lernen, wie man Bier braut. Außerdem kannst du ja ein bisschen auf Vorrat produzieren. Anselm jedenfalls war begeistert von dem Vorschlag.»

«Willst du damit sagen, dass es in vier Wochen schon losgeht? Wie kommt man überhaupt an den Bodensee?» Sie konnte es immer noch nicht fassen.

«Ich werde dir morgen eine Karte zeigen und die Wegstrecke erklären. Zuerst dachte ich daran, dir ein zuverlässiges Pferd zu besorgen, damit wäre das Reisen am einfachsten. Aber du bist es nicht gewohnt, den ganzen Tag im Sattel zu sitzen, und das könnte dir die Reise zur Qual werden lassen. Ich habe einen Fuhrunternehmer ausfindig gemacht, der uns den größten Teil der Strecke, nämlich bis Schaffhausen, mitnimmt. Von dort werden wir weitersehen. Auf dem Rückweg können wir rheinabwärts auf Flößen oder Lastkähnen mitfahren.»

«Das klingt alles wunderbar!» Sie dachte an ihre abenteuerliche Reise als junges Mädchen zu Christoph nach Villingen. «Und ich muss keine Angst haben, an einen zudringlichen Wollhändler zu geraten.»

Christoph sah zu Boden. Mit Anspielungen auf ihr Wiedersehen damals vor dem Gasthaus seines Schwiegervaters konnte Catharina ihn jedes Mal aufs Neue beschämen. Sie bereute ihre Bemerkung. Als er den Kopf hob und sie zaghaft auf den Mund küsste, erwiderte sie seinen Kuss – zum ersten Mal, seit sie wieder zusammengefunden hatten. Sie spürte, wie er erschauerte. Da schob sie ihn jäh von sich und stand auf.

«Was sagt dein Schwiegervater dazu, wenn du einfach eine Woche lang verschwindest?»

«Nun ja, halb musste ich flunkern, halb habe ich die Wahrheit gesagt. Unser Gewürzhändler hat uns ein paar Mal übers Ohr gehauen, und es ist längst an der Zeit, dass wir einen neuen finden. Vor einiger Zeit habe ich gehört, dass es in Konstanz einen Gewürzhändler gibt, der ein großes Sortiment zu günstigen Bedingungen anbietet. Und insofern dient unsere Reise jetzt geschäftlichen Zwecken.»

«Wozu braucht ihr einen Gewürzhändler?», fragte Catharina erstaunt. Sie dachte an Marthe und ihren liebevoll gepflegten Kräutergarten.

Christoph grinste. «Zu uns kommen Gäste, für die ist es mit Liebstöckel und Petersilie nicht getan. Die verlangen Speisen, die mit Pfeffer und Muskat, mit Ingwer, Safran und Zimt gewürzt sind.»

Als sie sich an diesem Abend vor ihren Schlafkammern verabschiedeten, schwankte Catharina für einen kurzen Moment, ob sie Christoph nicht bei der Hand nehmen und in ihr Bett führen sollte. Doch dann siegte ihre Furcht vor zu viel Nähe, und sie wandte sich ihrer Tür zu.

«Das ist die schönste Überraschung seit langem», flüsterte sie, um die anderen nicht zu wecken. «Du glaubst nicht, wie sehr ich mich auf unsere Reise freue. Schlaf gut, du verrückter Mann!»

Am Morgen der Abreise schien das ganze Haus Kopf zu stehen. Wie ein aufgescheuchtes Huhn rannte Catharina von einer Ecke in die andere, um ihren Regenumhang mit der Kapuze zu suchen. Elsbeth jammerte ununterbrochen, wie gefährlich dieses

Unternehmen sei, und das alles nur, um einen läppischen See anzugucken, Anselm stand jedem im Weg, und Barbara türmte ein Paket mit Reiseproviant nach dem anderen auf den Esstisch.

«Bitte, Barbara, das reicht längst. Du brauchst doch kein Heer zu versorgen. Hilf mir lieber, meinen Umhang zu finden. Wo bleibt Christoph nur?»

Die Turmuhr des nahen Franziskanerklosters hatte eben sieben geschlagen, und um halb acht waren sie mit dem Fuhrmann am Kaufhaus verabredet. Wieso musste es Christoph kurz vor der Abreise noch einfallen, seinen Dolch und sein Messer schärfen zu lassen – das hätte er doch wahrhaftig früher erledigen können. In diesem Moment trat er ein, und Catharina atmete auf.

«Gehen wir», sagte Christoph, der die Ruhe selbst war, und hob den großen Leinensack von der Bank, um ihn sich auf die Schulter zu wuchten.

«Da ist ja mein Umhang – welcher Trottel hat denn den Reisesack darauf gestellt.»

«Ich glaube, das wart Ihr selbst», kicherte Barbara und verstaute den Proviant. «Jetzt aber los mit Euch, Fuhrleute warten nicht. Und vergesst nicht den Wasserschlauch.»

Herzlich umarmten die beiden Mägde erst Catharina, dann Christoph. Beide hatten Tränen in den Augen. Dann trat Anselm auf Catharina zu und küsste sie fast zärtlich auf den Mund. Mit einem frechen Grinsen meinte er: «Bei so einer Gelegenheit darf ich das, ja?»

Christoph schlug ihm derb auf die Schulter. «Pass lieber auf, dass du nicht Catharinas guten Ruf als Bierbrauerin ruinierst, kleiner Vetter. Und wehe, Barbara erwischt dich besoffen im Sudhaus!»

Der Fuhrunternehmer, der sich als Max Sommerer vorstellte, stand schon am Kaufhaus bereit. Er war ein freundlicher und, wie sich bald herausstellte, redseliger Mann, dessen wettergegerbtes Gesicht fast völlig von Bart und Haaren zugewachsen war. Er räumte ihnen die schmale Bank hinter dem Kutschbock frei.

«Das ist Euer Platz. Ihr könnt Euch aber auch neben mich auf den Kutschbock setzen. Nur Euer Gepäck dürft Ihr niemals aus den Augen lassen. Meine Ware ist fest verschnürt in schweren Kisten verstaut, Eure beiden Reisesäcke jedoch wären eine leichte Beute für Strauchdiebe und bettelnde Kinder. Habt Ihr Waffen dabei?»

«Einen Dolch und ein Messer», antwortete Christoph.

«Gut. Gebt Eurer Frau das Messer – für alle Fälle.»

Christoph strahlte. «Eine gute Idee, meine liebe Frau.»

Nachdem sie den Fuhrmann ausbezahlt hatten, machten sie es sich auf der Bank bequem. Dann zogen die beiden Braunen an, und der behäbige Wagen beschrieb eine breite Kehre über das holprige Pflaster des Münsterplatzes. Catharina war begeistert von dem Fuhrwerk, das mit einer riesigen Plane aus Rindsleder überspannt war. Ein ausgewachsener Mann konnte darunter stehen, ohne mit dem Kopf die Decke zu berühren.

«Was für ein prächtiger Wagen», rief sie Max Sommerer zu. «Und so wunderbar gefedert.»

«Da hab ich auch erst im Frühjahr die Lederaufhängung erneuern lassen. Schließlich verbringe ich die meiste Zeit des Jahres auf diesem Wagen. Der einzige Nachteil ist seine Schwerfälligkeit, ich käme damit nie und nimmer das Höllental hinauf.»

«Habt Ihr eine feste Strecke?»

«Immer das Rheintal rauf und runter. Von Köln nach Basel oder, wie dieses Mal, nach Schaffhausen.»

Der Münsterplatz war an diesem Morgen wie ausgestorben. Catharinas Gesicht verdüsterte sich. Sie wusste, wo sich das Volk in diesem Moment versammelte: ein Teil vor dem Gefängnis am Christoffelstor, ein anderer am Hochgericht draußen vor der Stadt, denn heute sollte die Witwe des Fischers verbrannt werden. Sommerer lenkte den Wagen auf die Große Gasse in Richtung Martinstor, wo er die Zollpapiere vorzeigen musste.

«Ihr verpasst ein großes Spektakel heute», sagte der Wächter zu Sommerer.

«Auf solche Spektakel lege ich keinen Wert», brummte der Fuhrmann.

Als sie auf die Landstraße nach Basel einbogen, gab es kaum ein Durchkommen. Dichte Menschentrauben strömten zum Richtplatz am Radacker, um dem Henker bei seinen Vorbereitungen zuzusehen und sich für die Mittagszeit einen guten Platz zu sichern.

Sommerer lenkte sein Gefährt auf den Hof der Kronenwirtschaft, die auf halbem Weg zur Hinrichtungsstätte lag, um sich für die Reise mit Wasser- und Weinvorräten einzudecken, doch als er das Gedränge vor dem Ausschank sah, machte er kehrt.

«Elende Saufköpfe! Weg da, aus dem Weg!», schimpfte er und ließ die Peitsche knallen. Während sie sich der Wiese näherten, auf der eben der Scheiterhaufen errichtet wurde, schloss Catharina einen Moment lang die Augen. Dann sagte sie leise zu Christoph:

«Sieh dir diese Menschen an. Ist dir aufgefallen, wie viele Bettler und Obdachlose es wieder in der Stadt gibt? In ihrer Angst vor Hunger und Not schlagen sie auf jeden ein, von dem sie glauben, er sei schuld an ihrer Lage.»

Christoph schüttelte den Kopf. «Das allein kann es nicht sein. Erinnere dich: In den Zeiten der großen Teuerung, als die Leute wirklich wie die Fliegen starben, gab es hier keine einzige Hexenverbrennung. Und jetzt, in nur zehn Jahren, schon die achte Hinrichtung.»

«Die sollen arbeiten», zeterte Sommerer lautstark vom Kutschbock herab, «statt sich an den Qualen dieser armen Seelen zu ergötzen.»

«Aber was ist es dann? Was bringt diesen Wahnsinn hervor?»

«Ich weiß auch nicht.» Christoph betrachtete nachdenklich das geschäftige Treiben auf der Wiese. Selbst eine Gruppe Aussätziger aus dem nahen Gutleuthaus hatte sich eingefunden. In gebührendem Anstand zur Menge standen die ausgemergelten Gestalten unter einer Linde, Klapper und Stab, die Erkennungszeichen ihres Elends, fest an die Brust gepresst, und warteten auf die Frau, die das Schicksal noch grausamer getroffen hatte als sie selbst.

«Vielleicht hat es etwas damit zu tun, dass die Menschheit zwanghaft versucht, für jeden Vorgang, für jede Erscheinung eine Erklärung zu finden. Und das, was der Verstand nicht begreifen kann, wird irgendwelchen teuflischen Mächten und magischen Handlungen zugeschrieben.»

«Hm, so etwas Ähnliches hat deine Mutter auch mal gesagt.»

Nachdem sie das Dorf Wendlingen hinter sich gelassen hatten und die Straße leerer wurde, zog Catharina ein zusammengefaltetes Stück Pergament aus ihrem Beutel und reichte es Christoph.

«Hier, sieh dir das an.»

«Was ist das?» Verständnislos starrte er auf einen ungelenk gemalten Davidsstern, dessen Spitzen in kleine Kreuze mündeten, die von seltsamen Zeichen und den Insignien der Heiligen Drei Könige umgeben waren.

«Ein Schutzzettel oder auch Reisesegen. Barbara hat ihn in meinen Beutel gesteckt. Christoph», flüsterte sie, «ich mache mir Sorgen um Barbara. Ständig hantiert sie mit irgendwelchen Zeichen oder Amuletten herum. Als ich ihr sagte, wie gefährlich das sei, lachte sie nur und meinte, selbst unser Kaiser Rudolf widme sich der Magie und sei ein meisterhafter Nekromane.»

«Ich kann mir schon denken, von wem sie das aufgeschnappt hat. Vielleicht sollte ich noch einmal mit ihr reden. Doch um ehrlich zu sein, ich mache mir viel größere Sorgen um Anselm. Er redet sich noch einmal um Kopf und Kragen.»

Catharina nickte und dachte an den gestrigen Abend, als sie von der Küche aus zufällig ein Streitgespräch zwischen Anselm und einem seiner Kommilitonen, einem gewissen August Wimmerlin, belauscht hatte.

«Es ist mir unbegreiflich», hatte sie Anselm sagen hören, «wie selbst bei uns im Habsburgerreich die Rechtsvorschriften unterhöhlt werden. Als ob es nie das Mandat von unserem vormaligen Kaiser Ferdinand gegeben hätte, dass Unglücke wie Krankheit, Hunger oder Missernten nicht auf Hexerei, sondern allein auf den Zorn Gottes zurückzuführen seien, wogegen nichts helfe als Beten und bußfertiges Leben. Haben unsere Rechtsgelehrten das vergessen? Haben sie vergessen, dass unser Reichsgesetz immer noch die Constitutio Criminalis Carolina ist, die Zauberei nur dann unter Strafe stellt, wenn ein nachweislicher Schaden zugefügt wurde? Da kann man einem Witekind doch nur Recht geben, wenn er die üblichen Verfahren bei Hexenprozessen als Rechtsbrüche bezeichnet und den viel zu häufigen Einsatz der Folter anprangert.»

«Lieber Anselm, zweifelst du etwa an der Berechtigung der peinlichen Befragung? Wie sonst soll ein Delikt aufgeklärt werden, wenn es keine Zeugen und Indizien gibt und du nicht auf längst überholte Mittel wie die Wasserprobe zurückgreifen willst? Bei Hexerei hast du es schließlich mit einem crimen exeptum zu tun, da kannst du die Leute bei der peinlichen Befragung nicht mit Samthandschuhen anfassen. Außerdem hat der Mensch selbst in der Marter immer noch die Freiheit, zwischen Lüge und Wahrheit zu wählen.»

«Selbst Unschuldige zwingt der Schmerz zu lügen! Ist die Marter nur grausam genug, sagt er dir alles, was du hören möchtest. Sogar Molitor hat davor gewarnt, und er war immerhin bischöflicher Prokurator in Konstanz. Aber darauf wollte ich gar nicht hinaus. Diesen ganzen Tatbestand der Hexerei halte ich für eine Seifenblase. Wenn du mit der Nadel deines Verstandes hineinstichst, zerplatzt dieses ganze Denkgebäude zu einem Nichts. Witekind ist der Meinung –»

«Hör mir doch auf mit diesem Calvinisten», unterbrach ihn Wimmerlin schroff.

«Du vergisst, dass sich dieser Calvinist bei seiner Argumentation auf den Canon Episcopi unserer katholischen Kirche bezieht! Dort wird der Hexenflug ausdrücklich als ein Irrglaube bezeichnet, der an sich bereits eine Sünde sei. Was sind denn diese alten Weiber anderes als kranke Seelen mit Wahnvorstellungen, denen geholfen werden muss? Frauen, die sich aus innerer Not oder Armut dem Teufel verschrieben haben? Hast du selbst oder irgendwer, den du mir mit Namen nennen kannst, schon einmal eine Hexe durch die Luft fliegen sehen? Oder wie erklärst du dir das folgende Phänomen: Eine Angeklagte liegt schlafend oder bewusstlos im Kerker und erzählt beim Erwachen, sie sei eben bei einem Sabbat gewesen. Wie denn, wenn sie doch in eisernen Ketten liegt?»

«Na und? Dann war es eben ihre Seele, die sich vom Leib getrennt hat und durch die Luft geflogen ist. Lass gut sein, Anselm, in all deinen Reden höre ich doch nur deine Glaubensgenossen Weyer, Witekind, Goedelmann und wie sie alle heißen heraus. Ich will dir mal etwas sagen: Diese Leute wären vor hundert Jahren als Ketzer verbrannt worden, und ich halte es für einen Fehler, dass sie heutzutage ihr Maul in aller Öffentlichkeit aufreißen dürfen. Und was deine Theorie der seelischen Krankheit betrifft: Eben solche Krankheiten sind doch auf einen Pakt mit dem Teufel zurückzuführen. Genau da kommen wir endlich auf den Punkt: Wer sich aus Schwäche im Glauben und im Denken – und wie die Erfahrung zeigt, sind dies in der Mehrzahl Frauen – auf einen Teufelspakt einlässt, begeht eine der schlimmsten Gotteslästerungen und verdient allein dadurch schon den Tod. Meiner Meinung nach gehen die Freiburger Gerichte viel zu behutsam gegen solche Leute vor, bisher wurden noch keine zwei Hand voll der Angeklagten der Hexerei überführt. In Trier oder Lothringen ist man da viel konsequenter.»

Bleib ruhig, Anselm, dachte Catharina in der Küche, dieser Disput ist doch zwecklos. Doch wie sie es vorausgesehen hatte, wurde er jetzt wütend.

«Diese Massenhinrichtungen nennst du konsequent?» Anselm schlug mit der Faust auf den Tisch. «Für mich ist das eine von Menschenhand geschaffene Hölle. In Trier kommt es ständig zu neuen Missernten, denn die Felder liegen brach, weil es kaum noch Bauern und Winzer gibt. Das Volk lechzt nach Blut, die Notare, Schreiber und Schankwirte werden reich, die Richter und Landesherren teilen sich die Besitztümer der Verurteilten. Der Scharfrichter reitet auf edlen Rössern daher, in Gold und Silber gekleidet, und sein Weib staffiert sich aus wie ein Fürstenfräulein.»

«Dein Vorwurf der Bereicherung ist so lächerlich wie falsch», sagte Wimmerlin ruhig. «Du hast anscheinend keine Ahnung, was ein Scharfrichter heutzutage kostet. Und ein Scheiterhaufen erst, der so kunstvoll konstruiert sein muss, dass ein Menschenleib vollständig zu Asche verbrennt. Und für Freiburg gilt deine Beschuldigung schon gar nicht: Den größten Teil des Vermögens von Hingerichteten, auch von Hexen, erhalten deren erbberechtigte Kinder.»

«Aha! Das wäre doch eine einleuchtende Erklärung für den mangelnden Eifer der Freiburger Gerichte. Weißt du, August, was mich bei dieser ganzen Auseinandersetzung um Hexen und um Zauberei am meisten stört? Dass der zumeist harmlose Aberglaube des Volkes regelrecht dämonisiert wird, und zwar von einer Kirche, die zur Hilfe gegen die tägliche Unbill Mittelchen anbietet, die denjenigen der schwarzen und weißen Magie verblüffend ähnlich sind.»

«Pass auf, Anselm.» Wimmerlins Stimme bekam etwas Drohendes. «Du schießt übers Ziel hinaus.»

«Ich bin noch nicht fertig. Sieh dir doch dieses ganze Arsenal von Devotionalien und Benediktionen, von christlichen Amuletten und Breverln an – was mich betrifft, ich kann längst nicht in jedem Fall unterscheiden, ob es sich nun um Gebete oder um Beschwörungen, um einen kirchlichen Schutzbrief oder um magische Abwehrzeichen handelt.»

«Legitim ist es, die Erfüllung eines Gebets dem Wirken Gottes zuzuschreiben, illegitim, es dem Gegenstand zuzuschreiben.»

«Meine Güte, erkläre das mal einem Knecht oder einer Magd, die weder lesen noch schreiben können. Ich kann dir aber auch ein anderes Beispiel nennen: Mit dem Läuten geweihter Kirchenglocken sollen Unwetter vertrieben werden. Versucht ein Wettermacher dasselbe, indem er ein Messer oder Amulett in die Luft schleudert, so ist das Magie und Gotteslästerung. Wie soll der einfache Mann unterscheiden zwischen Aberglauben und christlichem Glauben, wenn der Pfarrer in der Messe so unglaubliche Dinge vollbringt wie die Verwandlung von Brot in den Leib Christi und von Wein in das Blut Christi und diesem einfachen Mann die unverständlichen, weil lateinischen Worte ‹Hoc est enim corpus meum› wie eine Beschwörung klingen, wenn der Pfarrer den Heiligen Geist in Tauf- und Weihwasser, in Öl, Wachs, Kräuter und Stein bannt, wenn dieser Pfarrer seine kranke Kuh mit Weihwasser besprengt, ein Kreuz darüber schlägt und ihr geweihtes Salz eingibt, wenn –»

«Hör auf, dieses blasphemische Geschwafel muss ich mir nicht weiter anhören. Du solltest dir ein anderes Handwerk suchen, mit dieser Einstellung wirst du nie zum Studium der Rechte zugelassen.»

«Du bist ein Arschloch, Wimmerlin!»

«Und du ein Dummkopf. Du kannst froh sein, wenn ich in der Fakultät niemandem von diesem Gespräch erzähle. Ich an deiner Stelle wäre vorsichtiger.»

Dann hörte Catharina das scharrende Geräusch eines wegrückenden Schemels und wie die Tür ins Schloss fiel. Als sie in die Stube trat, waren sowohl Anselm als auch August verschwunden.

In einem kleinen markgräflichen Weiler, eine halbe Stunde hinter Krozingen, machten sie Mittagsrast. Der Himmel blieb, wie er den ganzen Morgen schon gewesen war: grau und von einer Wolkendecke verhangen.

«Hoffentlich regnet es nicht», sagte Catharina.

«Könnte schon sein», meinte Sommerer, «aber da es nicht nach Gewitter aussieht, wird der Regen so heftig nicht sein. Außerdem könnt Ihr ja, wenn Ihr eng zusammenrückt, auch unter die Plane rutschen.»

«Hoffentlich regnet es bald», murmelte Christoph, und Catharina gab ihm einen Nasenstüber.

Während der Fuhrunternehmer die Pferde ausspannte und zur Tränke führte, breitete Catharina neben dem Wagen Barbaras Schätze aus: knusprig ausgelassene Speckseiten, zehn hart gekochte Eier, zwei Laibe dunkles Brot, ein riesiges Stück Butterkäse, Äpfel und eingelegte Kirschen, in Fett gebackene Krapfen und mit Honig bestrichene und eingerollte Pfannkuchen. Dann rief sie Sommerer heran.

«Kommt, esst mit uns, unsere Köchin hat uns viel zu viel eingepackt.»

«Da sag ich nicht nein. Aber wartet einen Augenblick, dort drüben wohnt ein Winzer, der baut einen hervorragenden Roten an!»

Catharina sah sich um. Was für eine liebliche Landschaft! Das Rheintal ging in sanften Hügeln, die Obstwiesen und Weingärten trugen, in den Schwarzwald über, der von der majestätischen Kuppe des Belchen beherrscht wurde. Fruchtbar und üppig sah das Land aus, die Bewohner wirkten heiter. Ob hier dieser grausame Verfolgungswahn auch schon eingesetzt hatte?

Sommerer kam mit einem großen Krug und drei Bechern zurück. Feuchte Spuren im Bart verrieten, dass er von dem Wein schon eine Probe genommen hatte.

«So, jetzt können wir es uns gut gehen lassen.» Er begann zu erzählen. Von seinem Leben als selbständiger Fuhrmann, seinen Fahrten bei Wind und Wetter, von den Städten und Ländern, die er schon gesehen hatte.

«Seid Ihr noch nie überfallen worden?»

«Doch, einmal. Dabei hatte ich doppeltes Pech. Zuerst hielt mir ein Kerl, der wohl auf der Flucht war, ein Messer an den Hals und verlangte mein Pferd. Damals hatte ich noch einen Einspänner. Da saß ich nun mit meiner Wagenladung, es begann zu dämmern, und niemand kam mir zur Hilfe. Dann, als es stockdunkel war, schlichen drei Gestalten heran, zogen mir eins über den Schädel und nahmen mit, was sie nur tragen konnten. Mein Pferd habe ich übrigens am nächsten Morgen ganz in der Nähe wieder gefunden – es war keinen Reiter gewohnt und hatte seine unangenehme Last einfach abgeworfen. Aber, wie gesagt, in den ganzen zehn Jahren, die ich schon herumkutschiere, ist mir so etwas nur ein einziges Mal vorgekommen, und das war kurz vor Köln. Ihr könnt also beruhigt sein, hier am Oberrhein ist die Straße sicher und zudem gut in Schuss. Dafür sorgen sowohl die Markgräfler als auch die Vorderösterreicher. Natürlich nicht umsonst – ich lasse hier jedes Mal Unsummen an Brücken- und Wegezoll zurück.»

«Was transportiert Ihr in der Regel?»

«Alles, was auf meinen Wagen passt. Den höchsten Gewinn bringen Gewürze, denn sie sind sehr wertvoll, beanspruchen aber nur wenig Platz, und ich kann noch andere Waren zuladen.»

Christoph hatte aufgehorcht. «Kennt Ihr den Gewürzhändler Stöckli aus Konstanz?»

«Ja, für den habe ich hin und wieder Ware transportiert. Aber inzwischen habe ich genug Auftraggeber am Hochrhein, da lohnt es sich nicht mehr, bis nach Konstanz zu fahren.»

«Ist er ein zuverlässiger Mann?»

Sommerer zuckte die Achseln. «Nun ja, Händler sind immer Schlitzohren, das gehört zum Beruf. Ich jedenfalls hatte nie Unstimmigkeiten mit ihm. Auch von anderen hab ich nichts Nachteiliges über ihn gehört.»

Catharina verteilte die verführerisch duftenden Pfannkuchen. «So stelle ich mir das Morgenland vor», sagte sie verträumt. «Ein Duft von Honig, Zimt und Muskat hängt in der Luft, sommers wie winters ist es warm, alles wächst und gedeiht. Allein schon der Klang der Namen: Damaskus, Kairo, Bagdad, Indien, Persien, China – und Leute wie Stöckli haben all diese Paradiese bereist.»

«Täuscht Euch da nicht», lachte Sommerer. «Die Länder und Orte, die Ihr da eben aufgezählt habt, werden nicht von kleinen Gewürzhändlern besucht, sondern von den Karawanen der großen Handelsgesellschaften, und besonders paradiesisch geht es bei den Mohren und Heiden auch nicht gerade zu. Stöckli ist allenfalls bis Venedig oder Marseille gekommen, wo die großen Märkte für Waren aus dem Orient stattfinden.»

«Wart Ihr schon einmal in Venedig?»

«Nein, und es zieht mich auch nicht dorthin, selbst wenn man von den italienischen Städten so Unglaubliches hört, wie beispielsweise, dass alle Straßen mit polierten Steinplatten gepflastert und die Brunnen aus weißem Marmor gehauen sind, dass Männer wie Frauen nach Rosenöl riechen und mit Gabeln, diesen zinkenbesetzten Dingern, essen. Die Welschen sind mir nicht recht geheuer, sie sind anders als wir. Außerdem verstehe ich kein Wort ihrer Sprachen.»

Sommerer wischte sich die honigverschmierten Finger an der Hose ab und nahm noch einen Schluck Wein.

«Wie weit kommen wir heute noch?», fragte Christoph.

«Ich denke, bis nach Bellingen, einem Dorf am Rhein. Aber wenn wir das schaffen wollen, müssen wir jetzt aufbrechen – so angenehm es ist, mit Euch hier zu sitzen und zu plaudern.»

28

Sie erreichten Bellingen am frühen Abend, und da ein feiner, aber stetiger Landregen eingesetzt hatte, der Glieder und Kleidung klamm werden ließ, trieb Sommerer seine Braunen in Trab und hielt schließlich vor einem kleinen, abgewirtschaftet wirkenden Gasthof. Im Schutz des Vordaches an der Längsseite des Hauses drängten sich einige Pferde im Matsch, vier, fünf Karren standen dicht nebeneinander.

«Ich weiß ja, dass Ihr Wirtsleute seid», sagte der Fuhrunternehmer reichlich verlegen.» Umso unangenehmer ist es mir, Euch hierher zu führen. Ihr müsst wissen, dass in Bellingen viele Fuhr- und Schiffsleute Station machen, und dadurch ist das einzig anständige Gasthaus völlig überteuert. Deshalb übernachte ich, wenn es das Wetter zulässt, normalerweise draußen, an einem hübschen, windgeschützten Rastplatz am Ortsrand. Aber bei diesem Regen –»

Er sah Catharina an. «Ich für meinen Teil bleibe hier, aber wenn Ihr wollt, führe ich Euch zu dem anderen Gasthof. Dort zahlt Ihr allerdings das Doppelte.»

Catharina winkte ab. «Für eine Nacht wird es schon gehen.»

Doch als sie die stickige, überfüllte Gaststube betraten, bereute Catharina ihren Entschluss. Dass sich so etwas Gasthaus nennen durfte! Ein kahler, von einigen Tranlampen spärlich erleuchteter Raum diente als Herberge für Männer und Frauen gleichzeitig, und in der Ecke gleich neben dem Eingang, nur durch einen hüfthohen Bretterverschlag abgetrennt, war das lebende Hab und Gut der Gäste angebunden: Zwei Schweine, einige Hühner und vier Ziegen standen auf einer urin- und kotgetränkten Strohschütte. Sicherlich hätte es bestialisch gestunken, wären die Ausdünstungen der Tiere und durchnässten Menschen nicht von dem beißenden Rauch einer Feuerstelle überdeckt worden, die sich an der gegenüberliegenden Wand befand und deren Abzug ganz offensichtlich verstopft war. Eine dicke Frau in speckigem Kittel und vor Schmutz starrenden Haaren schlurfte auf sie zu. Grußlos und in mürrischem Ton gab sie ihnen Anweisungen.

«Pferd und Wagen kosten extra. Hunde müssen draußen bleiben. Nasse Kleider und Schuhe gehören auf die Bänke am Feuer. Sichert Euch gleich einen Strohsack, sonst müsst Ihr auf dem blanken Boden schlafen. Bezahlt wird im Voraus.»

«Und was ist mit Abendessen?», fragte Christoph.

«Gibt's nach Sonnenuntergang», gab die Wirtin zurück und hielt die Hand auf.

Nachdem Sommerer und Christoph bezahlt hatten, zerrten sie aus einem rasch kleiner werdenden Stapel drei zerschlissene Strohsäcke hervor. Sie hatten die unbefriedigende Wahl, entweder mit tränenden Augen in der Nähe des qualmenden Feuers oder im Stallgeruch der gegenüberliegenden Seite zu schlafen. Der Fuhrunternehmer sah sich prüfend um.

«Mein Vorschlag: Wir legen uns an die Kaminseite unter das Fenster. Dort ist zwar jetzt noch die schlechteste Luft, aber das Feuer wird nach dem Abendessen ausgehen, und dann öffnen wir das Fenster. Immer noch besser als in der Nähe der Strohschütte, denn die wird erfahrungsgemäß im Lauf der Nacht noch mehr stinken.»

Während der Fuhrunternehmer noch einmal hinausging, um nach Wagen und Pferden zu sehen, bereiteten Catharina und Christoph die Schlafstatt vor. Sie mussten daumenlange Kakerlaken von den dreckverkrusteten Dielenbrettern verscheuchen, bevor sie ihre vom Sitzen steifen Glieder ausstrecken konnten. Immer mehr durchnässte Wanderer strömten herein. Die meisten von ihnen zogen sich ungeniert bis aufs Hemd aus und breiteten ihre Kleider rund um die Feuerstelle zum Trocknen aus. Die Feuchtigkeit im Raum ließ kaum noch Luft zum Atmen.

«Sind das Hübschlerinnen?», fragte Catharina und deutete auf drei aufgedonnerte Frauen, die kichernd die Stube betraten. Die jüngste von ihnen lächelte unverhohlen zu Christoph herüber.

«Ich denke schon», sagte Christoph und wandte ihnen den Rücken zu. «Wahrscheinlich hoffen sie auf einen guten Verdienst heute Nacht.»

Sommerer kehrte zurück, und kurz darauf trugen die Wirtin und eine Magd Holzgestelle in die Mitte des Raumes und legten lange Bretter darüber. Dann wischten sie mit zwei, drei Armbewegungen die feuchten Kleider von den Bänken. Einige Gäste murrten, als sie ihre Kleidung auf dem schmutzigen Boden liegen sahen. Endlich war die Tafel aufgebaut, und die Wirtin klatschte in die Hände. «Nachschlag gibt es nur einmal, Wein und Wasser, soviel Ihr wollt.»

«Ich rate Euch, dieses Angebot anzunehmen», grinste der Fuhrmann. «Je mehr Ihr trinkt, desto besser übersteht Ihr die Nacht und das miserable Essen.»

Die Leute kramten ihre Messer aus dem Gepäck und drängten sich hungrig an den Tisch. Catharina starrte auf ihren Napf mit der lauwarmen Hirsegrütze. Am Rand klebten noch Essensreste vom Vortag.

«Ich habe keinen Hunger», sagte sie und schob den Napf von sich.

«Dann nimm wenigstens etwas von dem Fleisch.» Christoph reichte ihr die Platte. «Es ist zwar zäh wie Leder, aber gut gewürzt.»

«Wahrscheinlich würde man sonst merken, wie angefault es

ist. Nein danke, ich halte mich lieber an den Wein, auch wenn er nach Essig schmeckt.»

Catharina schlief alles andere als ruhig. Sie war es nicht gewohnt, mit so vielen Menschen in einem Raum zu liegen, zudem machte ihr die schlechte Luft zu schaffen, denn die Wirtin hatte ihnen verboten, die Fenster zu öffnen, solange es regnete. Auch Christoph, der zwischen ihr und dem Fuhrmann lag, wälzte sich auf seinem Sack unruhig hin und her, sodass Sommerer ein Stück weit von ihm abrückte.

Inzwischen waren alle Lichter gelöscht, was manche nicht daran hinderte, im Dunkeln weiterzuzechen. Das erste Schnarchen war zu hören und mischte sich mit dem steten Platschen dicker Regentropfen in eine Blechschüssel. Dann setzte nur wenige Schritte weiter ein leises, rhythmisches Stöhnen ein, das bald darauf auch noch aus einer anderen Richtung zu hören war. Catharina wäre am liebsten nach draußen gegangen, um einen Spaziergang zu machen.

Endlich hörte der Regen auf. Sie stand auf und öffnete vorsichtig, um niemanden zu wecken, das Fenster. Kühle Nachtluft strömte herein und erfrischte sie. Der Himmel klarte langsam auf, und ein fast voller Mond schien in die Gaststube. Catharina wollte sich eben hinlegen, da stutzte sie: Die Gestalt, die sich von hinten an Christoph presste, war doch nicht Sommerer! Dann begann sich die Gestalt sachte zu bewegen, dabei rutschte die Decke zur Seite, und Catharina sah einen bleichen splitternackten Frauenkörper und eine Hand, die Christophs Geschlecht umfasste. Es war die jüngste der drei Dirnen. Als sich Christoph ihr mit einem leichten Grunzen entgegendrehte, griff Catharina kurzerhand in den Haarschopf der Frau und zog.

«Au! Hör auf, du Miststück!»

«Lass augenblicklich meinen Mann los und verschwinde, sonst reiß ich dir deine Haare einzeln aus», zischte Catharina wütend.

«Ruhe!», riefen Stimmen aus der Dunkelheit. «Tragt Eure Streitereien draußen aus.»

«Was ist denn los?», fragte Christoph erstaunt und tastete nach Catharinas Hand.

«Das fragst ausgerechnet du», antwortete Catharina böse. «Du warst doch kurz davor, diese Dirne zu … zu …» Das Mädchen war inzwischen im Schutz der Dunkelheit verschwunden.

«Ich schwöre dir, Cathi, ich habe geschlafen. Na ja, ein bisschen wach geworden bin ich eben schon, aber ich dachte, du seist es und –»

«Was und?»

Er nahm sie in den Arm und zog sie fest an sich. «Und ich habe mich gefreut.»

Sie spürte, wie sich seine Erregung auf sie übertrug, und wickelte sich umso fester in ihren Umhang.

«Bitte, Christoph, hör auf. Ich finde es schrecklich hier in dieser verlausten Bude, wo herumgehurt wird wie in einem Frauenhaus.»

«Dann lass uns rausgehen und uns ins nasse Gras legen.»

«Du spinnst.»

«Wenn jetzt nicht bald Ruhe ist, hole ich die Wirtin!», schimpfte eine Frau. Entnervt legte sich Christoph auf die Seite.

Als Catharina mit leichten Kopfschmerzen erwachte, dämmerte es, und die ersten Gäste machten sich bereits zum Aufbruch fertig. Strahlend, mit nassem Gesicht, stand Sommerer neben ihrer Schlafstatt.

«Es ist herrliches Wetter. Wenn wir gleich losfahren, schaffen wir es heute bis Laufenburg.»

«Kann man sich hier denn waschen?», fragte Catharina.

Er nickte. «Draußen an der Viehtränke.»

Die kalte Morgenluft ließ ihre Kopfschmerzen augenblicklich verschwinden. Sie drängte sich zwischen zwei ältere Frauen an die Tränke, holte tief Luft und klatschte sich dann mit vollen

Händen das eisige Wasser an Hals und Gesicht. Nachdem sie sich mit ihrem Sacktuch abgetrocknet hatte, hielt sie es noch einmal unter Wasser und lief in die Stube zurück. Genüsslich drückte sie das eiskalte Tuch auf Gesicht und Nacken des schlafenden Christoph.

«Hilfe!»

Mit einem Schrei richtete er sich auf und riss Catharina das Tuch aus der Hand.

«Die Rache für deine nächtlichen Gelüste –»

Sommerer, der die Szene beobachtet hatte, lachte. «Die Dirne hat Eurem Mann ja einen schönen Schlamassel beschert. Diese Weiber schrecken wirklich vor nichts zurück, nicht mal vor anwesenden Ehefrauen. Ich warte draußen am Wagen auf Euch, ein Morgenmahl gibt es hier nämlich nicht. Bis gleich.»

Auf Catharinas Bitten hin machte der Fuhrmann einen Abstecher an den kleinen Hafen. Träge glitzerte der mächtige Strom in der Morgensonne. An der Anlegestelle machte gerade ein Schiffszug aus vier lang gestreckten, mit bunten Fahnen geschmückten Transportschiffen fest. Catharina hatte noch nie Schiffe mit Aufbauten und Segeln oder Flöße in dieser Größe gesehen und wäre gern ausgestiegen, um diese fremde Welt der Schifffahrt genauer kennen zu lernen. Doch Sommerer drängte zur Weiterfahrt.

«Ihr werdet auf dieser Reise mehr als genug Wasser und Boote besichtigen können.»

Bis zum frühen Vormittag war vom nächtlichen Regen keine Pfütze mehr zu sehen, und die Sonne brannte heiß auf sie herunter. Sie ließen das Rheintal hinter sich, da Sommerer drei Ballen Leinen in Lörrach abzuliefern hatte. Dort, in einem Wäldchen unterhalb der Burg Rötteln, holten sie ihr Frühstück nach.

«Wir haben zwei Möglichkeiten zur Weiterfahrt», sagte Sommerer und nahm seinen Pferden den Hafersack ab. «Entweder nehmen wir den etwas längeren Weg südlich des Dinkelbergs nach Rheinfelden oder die Straße durch das Wiesental. Die ist zwar etwas bergiger und anstrengender für die Tiere, aber dafür schattiger. Ja, ich denke, wir fahren oben herum, früh genug dran sind wir, und der Wagen ist bereits halb leer.»

Dann bat er seine beiden Fahrgäste, für alle Fälle ihre Messer bereitzuhalten, da diese Strecke nicht ganz so sicher sei. Etwas beunruhigt rückte Catharina näher an Christoph. Wollte der Fuhrmann sie nur hochnehmen, oder lauerten jetzt tatsächlich Gefahren?

Ohne Zwischenfälle stießen sie kurz vor Säckingen auf den Hochrhein. Catharina konnte kaum glauben, dass dies derselbe Fluss sein sollte, dessen riesige Wasserfläche sie am Morgen bewundert hatte. Viel schmaler war er geworden, seine Trägheit hatte er verloren. Aus dem gekrümmten Lauf erhoben sich felsige Inseln und hier und da die Schaumkronen von Stromschnellen. Die Berge und Hügel des Hotzenwalds schoben sich so dicht ans Ufer, dass gerade noch Platz für die Landstraße und den Leinpfad blieb, auf dem kräftige Pferde und Ochsen ihre Schiffslast stromaufwärts zogen.

Sommerer trieb seine erschöpften Braunen an. Ohne Halt zu machen, fuhren sie an der Befestigung von Säckingen vorbei, denn die Sonne stand bereits tief.

«Wir haben zwar in Laufenburg einen sicheren Schlafplatz», wandte sich Sommerer nach hinten, «aber nach Einbruch der Nacht werden keine Wagen mehr in die Stadt gelassen.»

Gerade noch rechtzeitig erreichten sie die Tore der Habsburgerstadt. In einem Gässchen hinter der Pfarrkirche wohnte der Kaufmann, für den die restliche Fuhre bestimmt war und der Sommerer eine Schlafkammer zur Verfügung stellte. Als der Fuhrmann seine Begleiter vorstellte, ließ der dicke, gemütliche Mann unverzüglich zwei weitere Strohsäcke in die Kammer bringen.

«Es tut mir Leid, dass ich kein weiteres Bett mehr frei habe», entschuldigte er sich bei Catharina. Die lachte.

«Wenn Ihr wüsstet, was ich für eine Nacht hinter mir habe. Da erscheint mir der Strohsack in Eurer Kammer wie ein Fürstenbett.»

Christoph nahm die Einladung zum Abendessen freudig an, doch Catharina war von der langen Fahrt völlig erschöpft und zog sich zurück. Kaum hatte sie sich auf ihrem Lager ausgestreckt, fiel sie auch schon in einen tiefen, traumlosen Schlaf.

Am dritten Tag ihrer Reise wurde Catharina das ewige Sitzen auf dem rumpelnden Wagen zu viel.

«Am liebsten würde ich wieder zu Fuß gehen», sagte sie leise zu Christoph.

«Sag so was nicht», gab er zurück. «Wenn wir Pech haben und keinen Wagen nach Konstanz finden, müssen wir morgen den ganzen Tag marschieren.»

Hinter Waldshut verließen sie den Rhein und fuhren durch die fruchtbare Hügellandschaft des Klettgaus. Die Festung von Schaffhausen war schon in Sichtweite, als Sommerer sein Gefährt in einen schmalen Hohlweg lenkte, der bald auf ein kleines felsiges Plateau mündete.

«Euch zuliebe», wandte er sich lächelnd an Catharina, «mache ich einen Umweg. Ich will Euch etwas zeigen, das Ihr nie vergessen werdet. Steigt aus und schaut Euch den Rhein einmal von oben an.»

Neugierig traten Christoph und Catharina an den Rand des Felsrückens und sahen nur einen Steinwurf weit entfernt den Fluss zu ihren Füßen.

«Was ist denn das?»

Eine weiße Wand von der Breite einer kleinen Stadt versperrte das Flusstal. Erst auf den zweiten Blick erkannten sie, dass da ungeheure Wassermassen, die Gischt und Nebel versprühten, in die Tiefe stürzten. Sprachlos betrachtete Catharina das Schauspiel, lauschte dem dumpfen Grollen des Wasserfalls und spürte die Feuchtigkeit auf ihrer Haut.

Eine halbe Stunde später standen sie vor dem Rathaus von Schaffhausen. Der Abschied von Sommerer fiel ihnen schwer.

«Wenn ich wieder einmal nach Freiburg komme, besuche ich Euch», versprach der Fuhrmann und nahm Catharina und Christoph herzlich in den Arm. «Ihr wart die angenehmste Reisebegleitung seit langem. Gott sei mit Euch.»

«Gott sei mit Euch, Sommerer, und behüte Euch auf Euren Reisen.»

Die wenigen Meter zum Gasthaus hinauf, das Sommerer ihnen empfohlen hatte, gingen sie zu Fuß. Der schmale Fachwerkbau besaß eine gemütliche kleine Schankstube und zwei einfache, aber saubere Schlafsäle – der eine für Männer, der andere für Frauen.

«Schade», sagte Christoph. «Ich hatte mich schon daran gewöhnt, neben dir zu schlafen.»

Nachdem sie dem Wirt ihr Gepäck in Obhut gegeben hatten, kauften sie sich auf dem Marktplatz heiße Pfannkuchen und schlenderten zur Anlegestelle. Bis in die Abendstunden sahen sie dem geschäftigen Treiben der Bootsleute und Lastträger zu. Catharina war restlos glücklich.

«Und morgen sind wir am See! Ich kann es kaum erwarten.»

Am nächsten Tag weckte Christoph sie in aller Herrgottsfrühe. Wie Sommerer ihnen geraten hatte, begaben sie sich zur Rheinbrücke, über die die Landstraße nach Stein und Konstanz führte. Auf dem Weg dorthin kam ihnen ein Menschenstrom entgegen, an dessen Spitze, bewacht von schwer bewaffneten Bütteln, drei zerlumpte Gestalten stolperten. Bei ihrem Anblick fuhr Christoph der Schreck in die Glieder – wurden nun überall im Land Hexen und Zauberer verbrannt? Die Männer, alle drei in seinem Alter, waren an Fußknöcheln und Handgelenken aneinander gefesselt, ganz offensichtlich waren sie verwundet, denn ihre Kittel waren blutverschmiert, und einer von ihnen trug einen schmutzigen Verband am Kopf. Wütend bewarfen die Menschen am Straßenrand sie mit faulem Obst und Pferdeäpfeln.

«Hängt sie auf, diese Quacksalber», riefen sie. «Ans Rad mit ihnen!»

«Was wirft man den Männern vor?», fragte Christoph einen der Umstehenden.

«Diese Hundsfötte haben gestern auf dem Markt Gelbe Rüben für Alraunen verkauft. Dafür werden sie jetzt an den Galgen geknüpft.»

«Lass uns schnell weitergehen», flüsterte Catharina.

Gegen einen, wie Christoph fand, unverschämt hohen Preis fand sich ein Krämer bereit, sie mit nach Steckborn zu nehmen. Auf seinem Karren saß es sich alles andere als bequem, und die Sonne trieb ihnen den Schweiß auf die Stirn. Doch als linker Hand das Städtchen Stein auftauchte, erhob sich eine angenehm frische Brise. Schließlich hielten sie in Steckborn, und Catharina und Christoph kletterten vom Wagen.

«Sieh mal, Christoph, der Rhein wird immer breiter.»

Der Krämer beobachtete Catharina, und ein Anflug von einem Lächeln breitete sich über sein mürrisches Gesicht. «Dachte ich es mir doch, dass Ihr Fremde seid», sagte er und spuckte aus. «Was Ihr hier seht, ist der Untersee. Die Türme da drüben gehören zu den Klosterkirchen von Reichenau, einer großen Insel, der waldige Bergrücken dahinter ist der Bodanrück. Wartet ab, bis Ihr in Konstanz seid, dort fängt der See erst richtig an.»

Trotz der Hitze machten sie sich gleich auf den Weg.

Christoph genoss es, neben Catharina den schmalen Uferweg entlangzuwandern, vorbei an üppigen Gemüsegärten und fetten Viehweiden, an schilfbesetzten Buchten, in denen flache Holzkähne schaukelten, und Kiesstränden mit glasklarem Wasser. Als sie schließlich das Wasserschloss der Konstanzer Bischöfe erreichten, runzelte er die Stirn. Hier war der See eindeutig zu Ende, und vor ihnen erhoben sich die Türme und das Münster der österreichischen Garnisonstadt. Er war verwirrt.

«Führt dieser Weg in die Stadt?», fragte er einen Fischer, der im Schatten seiner Hütte Netze ausbesserte. Der nickte.

«Immer am Rhein entlang.»

Also waren sie wieder am Rhein angekommen. Christoph warf einen verstohlenen Seitenblick auf Catharina – ob sie wohl sehr enttäuscht vom Bodensee war? Sei's drum, es wartete ja noch eine Überraschung, eine Überraschung, mit der sie sicherlich nicht rechnete. Unwillkürlich lächelte er und beschleunigte den Schritt.

«Nun renn doch nicht so», schalt Catharina. «Und das bei dieser Hitze.» Dann blieb sie stehen.

«Sieh mal, dort, hinter der Brücke. Siehst du die Masten und Segel? Da ist ja noch ein See!»

Sie rannten los, bis sie das steinerne Geländer der Rheinbrücke erreicht hatten. Christoph traute seinen Augen nicht: Eine silbrig glitzernde Wasserfläche von unvorstellbarer Weite. Vor sich konnte er zwar noch schemenhaft eine Hügelkette ausmachen, doch wenn man nach rechts sah, dehnte sich der See in die Unendlichkeit, verschmolz mit dem dunstigen Sommerhimmel. So gewaltig hatte er sich den See nicht vorgestellt. Er sah hinüber zum Hafen, einem Gewirr von Masten und Segeln, von Tauen und bunten Wimpeln, und inmitten der hin und her schaukelnden Takelage Schwärme von kreischenden Möwen. Da spürte er Catharinas Arm um seine Hüften, ihren erhitzten Körper, der sich an seine Seite schmiegte.

«Danke, Christoph.»

Er sah sie an, sah die Strähnen, die sich aus ihrem hochgesteckten Haar gelöst hatten, ihre vom Laufen immer noch geröteten Wangen und die tiefschwarzen, mit Tränen gefüllten Augen. Gütiger Gott im Himmel, wie sehr er diese Frau doch liebte!

«Weißt du, was ich jetzt möchte?», sagte Catharina nach einer Weile. «Dort drüben auf der anderen Seite des Rheins, wo es so grün ist, am Seeufer sitzen und aufs Wasser schauen. Mir ist jetzt nicht nach den engen Gassen und dem Lärm einer Stadt.»

«Gut, wenn du meinst. Aber hast du noch keinen Hunger?»

«Wie sollte ich in so einem Moment Hunger haben? Komm.»

Sie überquerten die Brücke und schlenderten an einfachen Häuschen und Fischerhütten vorbei, bis der Weg endete und nur noch ein schmaler Trampelpfad durch schilfiges Gelände führte. Schließlich erreichten sie eine einsame Bucht mit einer kleinen Wiese und einem Erlengehölz, das seine langen Schatten auf den kiesbedeckten Strand warf. Catharina, die schon den ganzen Weg über die Schuhe in der Hand getragen hatte, warf sie nun mitsamt ihrem Beutel auf die Wiese und watete mit gerafftem Rock durch das flache Wasser auf einen umgestürzten Baumstamm zu.

«Das tut gut!» Sie war auf den Stamm geklettert und ließ die Füße ins kühle Wasser hängen, während die Sonne ihr den Rücken wärmte. Im Licht des späten Nachmittags hatte der See eine tiefblaue Farbe.

«Was meinst du, Christoph, wie unendlich weit weg mag das Ufer dort sein, wenn man es nicht sehen kann.»

«Wenn du genau hinschaust, kannst du Berge erkennen. Ich sehe sogar Schneefelder.»

Während sie angestrengt über das Wasser starrte, zog Christoph sich blitzschnell aus.

«Und jetzt gehe ich baden» rief er, stürzte sich bäuchlings ins Wasser und spritzte und tobte wie ein kleiner Junge.

«Cathi, komm, es ist herrlich!»

«Um Himmels willen, ich kann nicht schwimmen, und außerdem tun die Steine meinen armen Füßen weh.»

Er richtete sich auf. «Schau her, hier kannst du stehen. Und der Boden ist aus feinstem Sand.»

Sie zögerte, dann streifte sie ihre Kleidung bis aufs Hemd ab. Mit vorsichtigen Schritten tastete sie sich über die Kiesel auf Christoph zu, der sie übermütig nass spritzte.

«Na warte», rief sie und stürzte auf ihn zu. Sie packte Christophs Knie und versuchte, ihn umzuwerfen. Dabei fielen sie beide der Länge nach ins Wasser. Prustend kam Catharina wieder hoch. Ihre runden Brüste zeichneten sich unter dem nassen Hemd ab, auf ihren Armen und Schultern glitzerten die Wassertropfen in der Sonne wie Diamanten. Christoph betrachtete sie ungläubig. Er holte tief Luft und ließ sich rücklings ins Wasser fallen.

«Christoph, wo bist du?»

Hinter ihrem Rücken tauchte er auf und umarmte sie.

«Du wirst mich nie wieder los», flüsterte er ihr ins Ohr. Er spürte, wie ihre Abwehr in sich zusammenfiel wie eine brüchige Mauer, und sie küsste ihn mit einer Leidenschaft, die er niemals erwartet hätte. Er führte sie ans Ufer, ins weiche Gras, und zog sie an sich. Zitterte sie?

«Wenn du wüsstest», sagte er leise, «wie viel Angst ich davor habe, alles falsch zu machen. Außer mit Sofie war ich nie mit einer Frau zusammen.»

«Vergiss nicht die Magd aus Lehen.» Catharina legte ihm die Hand über die Augen. «Weißt du, was ich möchte? Dass du die Augen schließt und mich nicht anschaust. Versprichst du das?»

«Ich mache alles, was du willst.»

Während seine Hand jeden Zoll ihres Körpers ertastete, nahm er wahr, wie sie weich und anschmiegsam wurde und erst langsam, dann immer forscher seine Zärtlichkeiten erwiderte. Aus dem Erlenbruch drang der herbe Duft von Bärlauch, ein Kuckuck begann zu rufen. Das Rauschen der Blätter im Wind über ihnen, das sanfte Hin und Her des Sees zu ihren Füßen, die

Bewegungen ihrer feuchten Leiber: Es wurde alles eins, kein Oben und Unten, kein Innen und Außen gab es mehr, nur noch ein Gefühl von Wärme und Nähe, das sich steigerte und wie eine Feuersbrunst von ihm Besitz ergriff. Er hätte nicht sagen können, wem sich der lang gestreckte Seufzer entrang, der sich mit dem Ruf des Kuckucks mischte.

Langsam lösten sie sich voneinander. Der See lag so ruhig und gelassen da wie zuvor, der Kuckuck war längst verstummt. Catharina betrachtete Christophs Brust, die sich immer noch unter schnellen Atemzügen hob und senkte. Erstaunt fragte sie sich, wieso sie davor, was eben geschehen war, jemals hatte Angst haben können. Wie ein glühender Feuerball hatte sich ihr Innerstes zusammengezogen, und auch jetzt noch verspürte sie das heftige Pochen, das nur langsam verebben wollte.

Ihre Hände ineinander verschränkt, lagen sie lange Zeit schweigend in der Abendsonne. Wie leicht schien auf einmal das Leben, wie gering die Zwänge und Widrigkeiten der vergangenen Jahre. Sie richtete sich auf und strich Christoph das verschwitzte Haar aus der Stirn.

«Jetzt ist alles gut. Es ist, als wären wir niemals getrennt gewesen.»

Christoph lächelte beinahe schmerzvoll.

«Wie konnte ich nur so lange warten. Was auch immer geschieht – ich will dich nie wieder verlassen.»

Als von einem nahen Kirchturm das Sechs-Uhr-Läuten zu hören war, stand er auf. «Wir müssen los!»

«Willst du denn heute Abend noch zu diesem Gewürzhändler?»

«Nein, das hat Zeit.» Er betrachtete sie liebevoll. «Aber wir müssen noch ein Nachtquartier finden, das schönste, das es in Konstanz gibt.»

Als sie die Stadt erreichten, wunderte sich Catharina, wie zielstrebig Christoph auf das alles überragende Münster zusteuerte und sich dann zum Obermarkt durchfragte. Vor einem stattlichen Haus blieb er stehen.

«Hier muss es sein», murmelte er und schlug den schweren, mit einem Löwenkopf besetzten Eisenring an die Tür.

«Das sieht nicht eben nach einer Herberge aus», sagte Catharina, doch bevor sie sich weitere Gedanken machen konnte, öffnete sich die Tür, und vor ihnen stand – Lene.

29

Catharina war wie versteinert, als ihr bewusst wurde, wohin Christoph sie geführt hatte. Neugierig, wie ihr wart, kamt ihr gleich zur Tür gelaufen, und Catharina stand da, kreidebleich, stumm, und konnte den Blick nicht von dir abwenden. Seit deiner Geburt hatte sie dich nie wieder gesehen. Vielleicht kannst du sie verstehen, jetzt, wo du so vieles erfahren hast: Sie wollte dich nicht sehen, nicht, weil sie dich als ihr Kind nicht geliebt hätte, sondern eben, weil sie dich liebte. So sehr, Marthe-Marie, dass sie auf alles, was die Gefühle einer Mutter ausmacht, verzichtet hatte. Denn du solltest nicht bei Ordensfrauen oder im Findelhaus aufwachsen, sondern bei richtigen Eltern, in einer richtigen Familie. Und das wollte sie nicht zerstören.

Bis tief in die Nacht saßen wir zusammen, so viel hatten wir uns zu erzählen. Leider war dein Vater, der Catharina brennend gern kennen gelernt hätte, für ein paar Tage unterwegs, und auch dein Bruder war nicht da. Matthias hatte damals ja gerade mit seiner Soldatenlaufbahn begonnen, und das kaiserliche Heer hatte ihn nach Innsbruck versetzt.

Wie genau kannst du dich an jenen Abend noch erinnern? Du warst ja damals schon fünfzehn, und du und deine kleine Schwes-

ter, ihr hattet Catharina von Anfang an ins Herz geschlossen. Weder mit Zureden noch mit Drohungen wart ihr ins Bett zu bekommen. Irgendwann hast du gefragt, ob Catharina mit deinem Onkel verheiratet sei, und als Cathi mit dem Kopf schüttelte, sagtest du: «Dann dürft ihr auch nicht unter einer Decke schlafen.»

Ich werde nie vergessen, wie Catharina vor Verlegenheit errötete und dich dabei anschaute. So viel Liebe war in ihrem Blick. Und als du dich neben sie auf die Bank setztest, den Kopf an ihre Schulter legtest und schließlich einschliefst, da erstrahlte in ihrem Gesicht eine Ruhe und ein Glück, wie ich es noch nie gesehen habe.

Catharina konnte es nicht fassen. Der ganze Abend erschien ihr wie ein Traum. Sie hatte es sofort gesehen: Mit ihren schwarzen Haaren, den dunklen Augen und den feinen Gesichtszügen glich Marthe-Marie Catharinas Mutter, wie ihr Vater sie einst gemalt hatte. Dagegen war Franziska, die Jüngste, ein Abbild von Lene in jungen Jahren. Der vierzehnjährige Ferdinand schien nach seinem Vater zu kommen. Auch er hatte schwarze Haare, dabei jedoch helle Augen. Er wirkte schüchtern, während die beiden Mädchen die Gäste neugierig beobachteten und mit Fragen überschütteten. Als Marthe-Marie an ihrer Schulter einschlief, war Catharina selig.

Sie bemerkte Lenes Blicke und lächelte. Lene schien verändert und doch dieselbe. Sie war unzweifelhaft älter geworden. Ihre mädchenhafte Schönheit, die den Burschen im Dorf den Kopf verdreht hatte, war einer reifen, mütterlichen Weiblichkeit gewichen. Auch wirkte sie gelassener, doch das, was Catharina an ihrer Freundin immer am meisten geschätzt hatte, war geblieben: ihre Wärme und ihr offenes Wesen.

«Ja, Cathi, schau mich nur an. Ich bin ein altes Weib geworden, da beißt die Maus keinen Faden ab. Aber ich sage euch, das hat auch Vorteile. Die Leute begegnen einem respektvoller, und der eigene Mann lässt einen nachts ein bisschen mehr in Ruhe.»

«Wo wir schon bei diesem Thema sind –» Christoph räusperte sich. «Es ist mir egal, wo wir uns schlafen legen, aber ich beantrage einen Schlafplatz mit Cathi zusammen, auch wenn deine Marthe-Marie Einspruch erhebt.»

«Dann habt Ihr Euch also endlich gefunden.» Lene lachte. «Wurde ja höchste Zeit. Doch um ehrlich zu sein, lieber Bruder, hättest du dir deinen Antrag eben sparen können, schließlich habe ich Augen im Kopf. Sag mal, hast du nicht morgen früh etwas in der Stadt zu erledigen?»

«Ja, wieso?»

«Gut, dann geh ohne Cathi und lass sie bei mir. Ich möchte mich nämlich in Ruhe mit ihr unterhalten. Und nimm doch die Kinder auch gleich mit, schließlich kennst du dich in Konstanz nicht aus.»

In dieser Nacht war Catharina zerrissen zwischen dem Bedürfnis, Christoph über ihre Tochter aufzuklären, und dem Begehren, mit ihm zu schlafen. Ihre Lust aufeinander siegte und ließ sie kaum Schlaf finden. Bleich und übermüdet machte sich Christoph am nächsten Morgen mit den Kindern auf den Weg zum Kontor des Gewürzhändlers Stöckli, um anschließend am Hafen einen Kahn ausfindig zu machen, der sie rheinabwärts mitnehmen würde.

Als die beiden Frauen allein beim Morgenmahl saßen, sprachen sie zum ersten Mal offen über Marthe-Marie. Catharina erfuhr, dass es auch für Lene nicht immer leicht gewesen war, vor dem Mädchen ihre Herkunft zu verschweigen, und wie schwer es Raimund im ersten Jahr fiel, Marthe-Marie an Kindes statt anzunehmen.

«Aber dann wurde er ihr ein großartiger Vater. Ich habe manchmal den Eindruck, er hat längst vergessen, dass sie nicht seine Tochter ist. Wenn seine Freunde sagen, wie hübsch Marthe-Marie sei und dass sie mit ihren schwarzen Haaren ganz nach ihm komme, dann schwillt er förmlich an vor Vaterstolz.»

In allen Einzelheiten beantwortete sie Catharinas Fragen, erzählte, wie gut sich die beiden Mädchen verstanden und wie blitzgescheit Marthe-Marie sei – sie könne jetzt schon besser schreiben und lesen als die Erwachsenen. Catharina merkte, wie sie nach und nach akzeptieren konnte, dass Marthe-Marie Teil dieser Familie war.

«Du wirst sie sicher wieder sehen wollen, jetzt, wo ihr euch kennen gelernt habt.»

Catharina nickte.

«Möchtest du, dass Marthe-Marie die Wahrheit erfährt?»

«Nein.» Catharinas Antwort kam ohne Zögern. «Sie ist glücklich bei euch. Es mag seltsam klingen, aber ich trage sie jetzt in meinem Herzen als meine Tochter, und doch kann ich sie bei dir lassen. Denn du bist ihre Mutter.»

In diesem Moment brachte Gritli, Lenes Hausmädchen, einen Krug eiskalten Biers herein, und Lene nutzte die Unterbrechung, um ihre Unterhaltung in eine andere Richtung zu lenken.

«Warum ziehst du nicht nach Villingen? Du musst dich ja nicht gleich in Carls Gasthof breit machen, wenn er, wie Christoph mir geschrieben hat, in eine Heirat nicht einwilligt. Aber ihr könntet ein kleines Häuschen anmieten und euch treffen, wann immer ihr wollt. Glaub mir, Christoph meint es ernst mit dir, fürchterlich ernst.»

«Dasselbe hat mir Christoph letzte Nacht auch vorgeschlagen.»

«Und? Hast du dich entschieden?»

«Wenn ich an den nächsten Winter denke, klingt es verlockend, aber es geht nicht. Ich möchte mit Christoph zusammenleben, ohne mich verstecken zu müssen. Ich will klare Verhältnisse, und solange die nicht gegeben sind, möchte ich meine neue Unabhängigkeit nicht aufgeben.»

Sie versuchte, Lene begreiflich zu machen, wie wohl sie sich in ihrem neuen Haus fühlte, mit ihren beiden Frauen, mit Anselm, ja selbst mit ihrer täglichen Arbeit im Sudhaus.

«Mein Gott, Cathi, wie sehr musst du in deiner Ehe gelitten haben. Und wie ich dich kenne, hast du dich in deinen Briefen, was Michael Bantzer betrifft, noch sehr zurückgehalten.»

Als sie Genaueres über diese Zeit wissen wollte, merkte Catharina, wie schwer es ihr immer noch fiel, über bestimmte Dinge zu sprechen. Doch es tat auch gut, mancher Knoten in ihrem Innersten löste sich bei diesem Gespräch. Sie schaute Lene nachdenklich an.

«Bist du mit Raimund glücklich? Ich könnte auch anders fragen: Wie sieht der Alltag in einer normalen Ehe aus?»

«Ein bisschen langweilig vielleicht.» Lenes Antwort kam ohne Zögern, und sie musste lachen, als sie Catharinas verblüfftes Gesicht sah. «Weißt du, wenn ich deine Lebensgeschichte so höre, bin ich ganz froh drum, dass bei uns alles in geruhsamem Trott läuft, ohne Aufregung, ohne böse Worte. Ich muss zugeben, im Augenblick bin ich ein bisschen neidisch, wenn ich dich und Christoph so beobachte, denn bei uns war es mit Kitzel und Herzklopfen bald vorbei. Aber dafür ist Raimund nicht ein einziges Mal gewalttätig geworden und hat in all den Jahren nie die Achtung vor mir verloren. Und das, finde ich, ist schon ein großes Glück. Mein zweites großes Glück sind die Kinder.»

Sie schenkte die Steinkrüge randvoll.

Catharina nahm einen kräftigen Schluck. «Und wie verläuft bei euch die Ehe nachts?»

«O Cathi, du bist noch ganz die Alte, immer so verschämt! Also, um es klipp und klar zu sagen: In den ersten Jahren hat mein lieber Raimund jeden Rock gevögelt, der jünger als sechzig war und nicht wie eine Vogelscheuche aussah. Zuerst habe ich davon gar nichts mitbekommen, weil er mir in dieser Hinsicht nie Grund zur Klage gegeben hat – er ist nämlich wirklich ein guter Liebhaber. Doch als mir dann eines dieser missgünstigen Klatschweiber zugesteckt hat, was hinter meinem Rücken lief, war ich so wütend, dass ich mit einem Pfannenstiel auf ihn losgegangen bin. Da hat er dann Besserung gelobt, aber leider nicht eingehalten.»

«Was hast du dann gemacht?»

«Was sollte ich schon machen? Ich hab halt auch nichts anbrennen lassen, schließlich war ich noch jung. Aber spätestens als Ferdi auf der Welt war, hatte ich die Lust daran verloren, mich mit irgendwelchen hübschen Burschen in geheimen Verstecken herumzudrücken. Und inzwischen hat sich Raimund wohl auch die Hörner abgestoßen, denn er genießt nichts mehr, als mit mir und den Kindern am Ofen oder hinten im Garten zu sitzen und einen guten Meersburger zu trinken. Nein, es ist schon gut so, wie wir leben. Nur das ständige Umziehen macht mir zu schaffen. Und Christoph und du – ihr seid so weit weg!»

Sie stand auf und nahm Catharina in den Arm.

«Ich glaube fast, ich komme zu früh.» Christoph trat ein.

Er ließ sich neben Catharina auf die Bank sinken und trank ihren Krug in einem Zug leer.

«Es ist alles abgemacht. Wir haben eine Passage auf einem kleinen Lastkahn bis Schaffhausen, übermorgen früh um sieben.»

«Sehr gut.» Catharina küsste ihn auf die Wange. «Und was ist mit diesem Gewürzhändler?»

«Stöckli beliefert uns, und zwar, nachdem ich eine Stunde mit ihm gekämpft habe, zu meinen Konditionen. In einem Punkt allerdings hat er keine Zugeständnisse gemacht: Er liefert nicht bis nach Villingen, sondern nur nach Freiburg. Da war ich leider gezwungen, ihm das Haus zur guten Stund als Adresse anzugeben.»

Die Zeit in Konstanz verging viel zu rasch. Catharina beschloss, Christoph erst auf dem Rückweg von Marthe-Marie zu erzählen, wenn sie wieder allein waren. Sie wollte auf keinen Fall, dass das Mädchen etwas bemerkte.

Als sie zu früher Morgenstunde mit Lene und den Kindern an der Anlegestelle warteten, bis die Ladung auf ihrem Kahn verstaut war, setzte leichter Regen ein. Die Oberfläche des Sees verschwamm im Dunst zu einem schmutzigen Grau, das nur von den schwarzweißen Farbtupfern der Möwen unterbrochen wurde.

«Das richtige Wetter zum Abschiednehmen», sagte Lene und wischte sich die Regentropfen aus dem Gesicht. Oder waren es Tränen? Catharina brachte kein Wort heraus, als der Bootsmann die Taue löste und sie drängte, endlich einzusteigen. Als der Kahn unter den steinernen Bogen der Rheinbrücke glitt, sah sie noch, wie Marthe-Marie den Arm hob und heftig winkte, dann verschwand sie aus ihrem Blickfeld. Bald war die Silhouette der stolzen Bischofsstadt nicht mehr zu sehen, und Catharina ließ ihren Tränen freien Lauf.

Christoph nahm ihre Hand.

«Was ist mit dir? Du bist anders, seit du den Fuß über Lenes Türschwelle gesetzt hast. Ganz anders als sonst.»

«Marthe-Marie ist meine Tochter.»

Christoph starrte sie an. Sie berichtete in wenigen Worten von ihrer Ehe, vom ständigen Kampf gegen die Gefühle für Christoph und ihrem unerfüllten Wunsch nach Kindern, von ihrem Verhältnis zu Benedikt und dessen Bedeutung für sie damals, und wie sie es nicht übers Herz gebracht hatte, das Ungeborene zu töten. Christoph hörte ihr schweigend zu, und als sie geendet hatte, zog er sie heftig an sich, ohne etwas zu sagen. Sie spürte, wie er zitterte. Fast hatte sie das Gefühl, ihn trösten zu müssen.

«Es ist gut so, Christoph. Jetzt ist alles gut.»

Sie saßen dicht gedrängt mit drei anderen Reisenden unter einem schmalen Vordach, das mehr schlecht als recht den Regen abhielt. Es ging eine stetige Brise von Osten, die das Wasser zu kleinen Schaumkronen aufwühlte und sie zügig durch den Untersee trieb. Diesmal war das Nordufer des Sees nicht zu sehen, und Catharina hatte das Gefühl, am Rande eines unendlichen Meers zu segeln. Das ständige Schwanken des Kahns verursachte ihr Übelkeit, Feuchtigkeit und Kälte krochen ihr in die Glieder. Sie presste sich noch enger an Christoph.

Kurz hinter Stein, wo das Segel eingeholt wurde, riss der Himmel auf, und die Sonne brachte die feuchten Planen, die die Waren schützten, zum Dampfen. Das heftige Schaukeln hatte aufgehört, in einem sanften Auf und Ab ließ sich der Kahn von der Strömung des Rheins mitführen. Weinberge, Wälder und Viehweiden glitten an ihnen vorüber wie Bilderbögen. Das Leben kann schön sein, dachte sie und sah Christoph an. Als er ihren Blick aus seinen tiefblauen Augen erwiderte, gestand sie sich endlich ein, wie unendlich sie diesen Mann liebte.

Acht Tage waren sie unterwegs gewesen, als sie auf dem letzten Stück ihrer Strecke Zeugen eines Ereignisses wurden, das einen hässlichen Schatten auf ihre Reise warf. Nachdem sie in glühender Mittagshitze zu Fuß die Südflanke des Kaiserstuhls erreicht hatten, hielt ein Kaufmann mit seinem Pferdekarren und überließ ihnen die leere Ladefläche. Da tauchte wie aus dem Nichts eine Gruppe von sieben oder acht dunkelhäutigen Kindern auf, barfuß und in Lumpen gehüllt, die Mädchen mit bunten Kopftüchern. Keines von ihnen war älter als zehn Jahre. Bettelnd liefen sie neben dem Wagen her und streckten ihnen ihre schmutzigen Hände entgegen.

«Zigeunerpack», rief der Kaufmann und schlug nach dem Erstbesten mit der Peitsche. Nicht einen Moment lang hatte Catharina Angst gehabt vor dieser armseligen Horde. Umso furchtbarer traf sie das Entsetzen bei dem, was in den nächsten Minuten geschah. Ein schlaksiger Junge, offensichtlich der Anführer, hängte sich in die Zügel und versuchte das Pferd zum

Stehen zu bringen. Bedächtig, ohne jede Gefühlsregung, zog der Kaufmann unter einer Wolldecke eine schwere Streitaxt hervor und schleuderte sie gegen die Brust des Jungen. Erschrocken bäumte sich das Pferd auf. Mit einem Ausdruck tiefsten Erstaunens auf seinem kindlichen Gesicht sah der Junge Catharina an, dann sackte er auf die Knie und kippte hintenüber. Die Axt steckte bis zum Schaft in seinem gespaltenen Brustkorb.

Mit Peitschenhieben trieb der Kaufmann sein Pferd in scharfen Galopp, sodass der Karren in den Kurven gefährlich schwankte. Catharina klammerte sich am Wagenrand fest. Als das Pferd endlich wieder in Schritt fiel, bat sie den Kaufmann anzuhalten.

«Ich bleibe keinen Augenblick länger auf diesem Karren», flüsterte sie Christoph zu.

«Ist Euch nicht gut?», fragte der Kaufmann, als Catharina mit weichen Knien vom Wagen kletterte. «Zugegeben, das war kein schöner Anblick. Aber diese Zigeuner sind wie Ungeziefer, je weniger es davon auf der Welt gibt, desto besser.»

Christoph, der inzwischen auch abgestiegen war, sagte so ruhig es ihm möglich war: «Ihr seid ein Mörder, und dafür gehört Ihr aufgehängt.»

«Ihr könnt mich doch kreuzweise!», fluchte der Kaufmann und fuhr in einer Staubwolke davon.

Bedrückt gingen sie den restlichen Weg zu Fuß weiter. Als sie an einem Bildstock mit der Muttergottes vorbeikamen, kniete Catharina nieder und betete für den Zigeunerjungen. Christoph tat es ihr gleich.

Am späten Nachmittag erreichten sie Lehen und schlugen, ohne sich abzusprechen, den Weg zum Kirchhof von St. Cyriak ein. Einige Male schon waren sie gemeinsam an Marthes Grabstein gestanden, doch so schwermütig wie heute war Catharina noch nie zumute gewesen.

Ohne Eile kehrten sie danach nach Freiburg zurück. Als sie in die Schiffsgasse einbogen, seufzte Catharina.

«Wir sind wieder zu Hause – ich zumindest.»

Dann stutzte sie. Die Tür, die ins Sudhaus führte, war mit zwei dicken Brettern zugenagelt und mit dem Siegel der städtischen Büttel versehen.

«Was hat das zu bedeuten?»

Hastig öffnete sie die Haustür und eilte die Treppe hinauf. Oben hörte sie Elsbeths Stimme rufen: «Sie sind da! Dem Himmel sei Dank, sie sind wieder heil zurück!»

Sie und Barbara stürzten aus der Küche. Freudig begrüßten sie die Heimkehrer. Dann trat Barbara einen Schritt zurück.

«Ihr habt es sicher schon gesehen. Diese Hundsfötte von Stadtknechten haben gestern das Sudhaus geschlossen. Eure Lizenz zum Brauen ist bis auf weiteres zurückgezogen.»

«Wieso das denn?»

«Ein Bürger der Stadt hat Euch angezeigt mit der Begründung, die Lizenz sei unrechtmäßig erworben. Wer dieser Bürger ist, wollte uns niemand verraten.»

«Cathi, Liebes, wach auf. Ich muss los.»

«Nein, noch nicht!» Im Halbschlaf schlang Catharina ihre Arme um Christophs Nacken und zog ihn an sich. Christoph küsste sie, dann machte er sich vorsichtig los.

«Ich habe ein Abschiedsgeschenk für dich, mach doch mal die Augen auf!»

Catharina blinzelte. Die Morgensonne schickte durch die Kammer ihre glitzernden Strahlen. Christoph legte ihr etwas in den Schoß: ein nagelneuer kleiner Wasserschlauch aus weichem, hellbraunem Schweinsleder, in dessen Oberfläche winzige Ornamente eingeätzt waren.

«Wie hübsch der ist», rief Carharina.

Christoph nickte. «Und jetzt mach die Augen zu.»

Catharina schloss die Augen und hörte ein leises Gluckern.

«Stell dir vor, wir liegen wieder am Ufer des Bodensees zusammen im Gras, der Wind rauscht in den Zweigen, der Kuckuck ruft, und das Wasser des Sees plätschert leise vor sich hin.»

«Du hast Seewasser in den Schlauch gefüllt, nicht wahr? Und dann hast du den schweren Schlauch die ganze Zeit durch die Sommerhitze mitgeschleppt!»

«So schwer ist er nun auch nicht», lachte Christoph. Dann wurde er ernst.

«Ich verspreche dir jetzt etwas: Noch bevor das Wasser in diesem Schlauch verdunstet ist, werden wir beide als Mann und Frau zusammenleben.»

Nachdem sich Christoph schweren Herzens wieder auf den Weg nach Villingen gemacht hatte, ging Catharina ins Schneckenwirtshaus, um Berthold und Mechtild von der Schließung ihres Sudhauses zu berichten. Eine Mischung aus Ratlosigkeit und Verwirrung ergriff sie. Nicht nur das Wiedersehen mit ihrer Tochter und der Abschied von Christoph nach acht Tagen innigen Zusammenseins hatte sie mitgenommen – immer wieder drängte sich die grausige Szene von der Hinrichtung des Zigeunerjungen in ihr Gedächtnis. Und jetzt auch noch diese Geschichte mit der Braulizenz.

«Wem könnte daran gelegen sein, dass ich kein Bier mehr brauen darf? Ich mit meinen geringen Mengen mache doch niemandem den Absatz streitig.»

«Irgendwer will dir Böses», sagte Berthold und las das amtliche Schreiben noch einmal aufmerksam durch.

«Es wird dir also vorgeworfen, Bier zu brauen und zu verkaufen, ohne dass du deine Kenntnisse auf vorgeschriebene Weise erworben hast, nämlich bei einem Braumeister oder in einjähriger Lehrzeit bei einem Wirt, der im Besitz einer ordentlichen Lizenz ist. So. Und unterschrieben ist das Ganze von einem gewissen Secretarius Waldvogel.»

Er sah Catharina an. «Weißt du, was wir versuchen können? Du gehst dich bei diesem Secretarius beschweren, dass du als unbescholtene Frau von einem Bürger verleumdet worden seist, denn du hättest jahrelang im Wirtshaus ‹Zur Schnecke› gearbeitet und dabei das Bierbrauen erlernt. Sei möglichst forsch, denn Angriff ist die beste Verteidigung. Der Secretarius soll mich ruhig vorladen, ich werde ihm dann dasselbe erzählen. Wir können nur hoffen, dass niemand etwas Schriftliches verlangt. Zum Glück können unsere Angestellten nicht aussagen, denn von ihnen hat damals noch keiner hier gearbeitet.»

«Du willst sagen, dass du mir zuliebe lügen würdest?»

Berthold lachte.

«Das ist doch nicht gelogen! Schließlich war ich es doch, der dir das Brauen beigebracht hat – wenn auch erst vor kurzem. Geh gleich los, du hast keine Zeit zu verlieren.»

Eilig lief Catharina in die Ratskanzlei am Franziskanerplatz. Der alte Ratsdiener, den Catharina noch aus Bantzers Magistratszeiten kannte, führte sie in die Stube von Secretarius Waldvogel. Der Schreiber stand an seinem Pult und kritzelte mit einem Federkiel Blatt um Blatt voll, bis er endlich aufsah. Catharina hielt ihm sein Schreiben vor die Nase.

«Lieber Secretarius», sagte sie freundlich, doch mit energischem Unterton. «Ich bin Catharina Stadellmenin. Gestern habe ich mein Sudhaus im Haus zur guten Stund verschlossen und versiegelt vorgefunden und von meiner Magd dieses Schreiben erhalten. Könnt Ihr mir sagen, wer solche Lüge über mich in die Welt gesetzt hat? Selbstverständlich habe ich das Bierbrauen rechtmäßig erlernt, und zwar beim Schneckenwirt. Ihr könnt –»

«Seid Ihr nicht Michael Bantzers Witwe?», unterbrach sie der Schreiber und sah sie über den Rand seiner Brille prüfend an.

Als Catharina nickte, fuhr er wohlwollend fort: «Ihr könnt Euch sicher nicht erinnern, aber ich war einmal bei Euch zu Gast, als Euer verstorbener Mann – Gott hab ihn selig – in den

Magistrat gewählt wurde. Ein ebenso vergnügliches wie vorzügliches Mahl war das! Dass ich nicht selbst darauf gekommen bin, dass Ihr das seid! Aber wie ich sehe, wohnt Ihr jetzt in einem anderen Haus.»

«Ganz recht. Und dort hab ich die Arbeit wieder aufgenommen, die ich vor meiner Heirat im Schneckenwirtshaus erlernt habe, nämlich das Bierbrauen. Braucht Ihr hierüber schriftliche Zeugnisse?»

«Nein, nein, Bantzerin, nicht nötig. Ich denke, das geht jetzt alles in Ordnung. Da ist wohl einer unserer Bürger ein bisschen übereifrig gewesen.»

«Darf ich wissen, wer dieser Bürger ist?»

«Das zu sagen ist mir leider nicht erlaubt.»

Catharina war enttäuscht.

«Könnt Ihr mir wenigstens sagen, was dieser Mensch mir im Einzelnen vorgeworfen hat?»

«Ja, also dass Ihr – wartet einen Augenblick, ich suche eben das Protokoll heraus. Wo habe ich es nur abgelegt? Ach ja, hier ist es.»

Er rückte seine Brille zurecht und begann vorzulesen.

«Ich, Hartmann äh – Sowieso äh – zeige hiermit an, dass die Bürgerin Catharina Stadellmenin, wohnhaft im Haus zur guten Stund –»

Catharina hörte nicht weiter zu. Also hatte sie mit ihrem Verdacht Recht gehabt: Hartmann Siferlin steckte dahinter.

Nachdem Waldvogel das Schreiben beiseite gelegt hatte, sagte er freundlich: «Macht Euch keine Sorgen. Ich gebe Euch einen Büttel mit, der das Sudhaus wieder öffnet, und gleich heute noch werde ich Euch eine neue Lizenz ausstellen. Wo, habt Ihr gesagt, habt Ihr das Bierbrauen gelernt? Im Schneckenwirtshaus?»

Catharina nickte und bedankte sich.

Zu Hause machte sie sich gleich an die Arbeit und weichte frische Braugerste ein. Zum Glück war Anselm fleißig gewesen und hatte genug Bier hergestellt. Nicht auszudenken, wenn sie durch diesen dummen Zwischenfall den «Storchen» als Kunden verloren hätte. Neugierig füllte sie sich einen halben Krug von Anselms Bier ab und lächelte, nachdem sie gekostet hatte. Nicht schlecht. Sie musste ihn fragen, wie er diesen würzigen Geschmack zustande gebracht hatte.

Dann besprach sie sich mit Barbara und Elsbeth wegen Siferlin.

«Ihr solltet besser herausfinden, was Siferlin gegen Euch hat», sagte Barbara. «Sonst ist das womöglich nicht das letzte Mal, dass er Euch Steine in den Weg wirft.»

«Hattet Ihr in letzter Zeit einmal Streit mit ihm?», fragte Elsbeth.

Catharina erzählte den beiden, ohne auf Einzelheiten einzugehen, von den gefälschten Büchern.

«Habt Ihr ihn denn deshalb nicht angezeigt?», fragte Barbara erstaunt.

Ein leichte Röte stieg in Catharinas Wangen. «Er hat gedroht, dass er im Falle einer Anzeige mein Verhältnis mit Benedikt öffentlich machen würde.»

«Verdammter Heuchler», zischte Barbara.

«Es ist doch seltsam», sagte Elsbeth nachdenklich. «Schließlich habt Ihr Euer Schweigen über seine Betrügerei gehalten, und jeder normale Mensch, der so viel Dreck am Stecken hat wie Siferlin, würde Euch jetzt in Ruhe lassen.»

«Ich verstehe es auch nicht. Vom ersten Moment an, als ich in das Bantzer'sche Haus zog, hatte ich den Eindruck, dass er mich verachtet – ja, mehr noch: Er hasst mich.» Sie stand auf. «Ich werde ihn zur Rede stellen.»

Am frühen Abend suchte sie Siferlin auf. Wie bei ihrem letzten Gespräch setzte er sich in den Lehnstuhl, schlug die Spinnenbeine übereinander und sah sie aus seinen Fischaugen abschätzend an.

«Eine Frage nur», sagte Catharina und gab sich Mühe, Siferlins stechendem Blick nicht auszuweichen. «Warum macht Ihr mir das Leben schwer?»

Siferlin lachte meckernd. «Ich bewundere Euren Scharfsinn. So wie damals bei den Geschäftsbüchern habt Ihr also nicht Ruhe gegeben, bis Ihr herausgefunden habt, wer Euch angezeigt hat. Für eine Frau seid Ihr sehr klug, zu klug.»

»Ihr habt meine Frage nicht beantwortet.»

«Ich sehe keinen Anlass, Euch andere Gründe für meine Anzeige zu nennen als die sachlichen. Wie Ihr vielleicht mitbekommen habt, arbeite ich jetzt als Buchhalter im Kaufhaus und damit im Dienst der Stadt. Ihr als Witwe eines Magistratsmitglieds müsstet eigentlich wissen, dass ich allein dadurch verpflichtet bin, Unregelmäßigkeiten anzuzeigen.»

«Hört doch auf zu predigen wie der Pfarrer in der Kirche. Ich schädige niemanden mit dem Verkauf meiner zwei, drei Fässchen Bier. Von Anfang an habt Ihr mich doch angefeindet.»

Siferlin schwieg und schloss die Augen. Seine Miene wirkte noch blasierter als sonst. Entschlossen trat Catharina auf ihn zu. Sie überragte den sitzenden Siferlin jetzt um Kopfeslänge.

«Ihr hasst mich, weil ich eine Frau bin.»

Siferlin riss die Augen auf. Dann erhob er sich, hinkte zu einer Anrichte und schenkte zwei Gläser aus edlem Kristall mit Obstwasser voll.

Catharina, die spürte, dass sie mit ihrer Bemerkung ins Schwarze getroffen hatte, hakte nach. «Ihr hinkt stärker als früher.»

«Haltet den Mund», fuhr er sie an. Hastig kippte er den Obstler hinunter. Ohne zu fragen, nahm Catharina das andere Glas und trank. Vielleicht bringe ich ihn mit Hilfe des Schnapses zum Reden, dachte sie. Aufmerksam beobachtete sie, wie er sich, äußerlich ganz ruhig, ein zweites Mal einschenkte.

«Verschwindet, oder trinkt noch ein Glas mit mir», sagte er

barsch, und sein Blick bekam etwas Lauerndes. Catharina trank aus und hielt ihm ihr Glas hin. Der Obstler stieg ihr zu Kopf, doch jetzt konnte sie nicht zurück.

«In der Geschichte der Menschheit haben Frauen von Anbeginn immer nur Unheil angerichtet. Vor allem solch schöne Frauen wie Ihr.»

Sein knotiger Zeigefinger fuhr über ihren Hals und ihren Ausschnitt. Nur nicht die Ruhe verlieren, dachte Catharina, ganz ruhig bleiben. Sie nahm seine Hand und führte ihn zum Lehnstuhl zurück.

«Setzt Euch und trinkt noch ein Gläschen. Ihr wirkt erschöpft.»

«Ich brauche Eure Fürsorge nicht.» Dann trank er sein drittes Glas in einem Zug aus.

«Wie schön Ihr immer noch seid! Und nun bin ich ganz allein mit Euch und ungestört. Ich spüre, wie Euer Zauber auf mich zu wirken beginnt.» Er stöhnte leise auf.

Catharina wurde es zusehends unwohl in ihrer Haut. Sie betete, dass sie heil aus dieser Lage herausfinden würde. Irgendwie musste sie ihn zum Reden bringen.

«Warum hasst Ihr mich?»

Sein Gelächter klang wie von einem lungenkranken Greis. «Ihr seid doch nur ein kleines Licht – wie sollte ich Euch da hassen? Eigentlich schade, dass sich die Natur geirrt und keinen Mann aus Euch gemacht hat. Die Fähigkeiten sind vorhanden, leider aber habt Ihr die hinterhältige Seele einer Frau, und was noch schlimmer ist: Ihr habt einen Busen, der lockt, einen Arsch, der Begierde weckt, und zwischen Euren Schenkeln ein tiefes Loch, das jeden Mann ins Verderben stürzt.»

Wieder stöhnte er und machte einen Versuch aufzustehen, ließ sich dann aber zu Catharinas großer Erleichterung zurücksinken.

«Ja, da staunt Ihr. Das alles sage ich, der hinkende Buchhalter

Hartmann Siferlin, Euch ins Gesicht. Aber ich bin nicht so dumm wie Euer verstorbener Mann, ich lasse mich nicht von Euch einwickeln.»

Der Mann ist nicht ganz bei Sinnen, fuhr es Catharina durch den Kopf. Siferlin war nun in seinem Redestrom nicht mehr aufzuhalten.

«Ihr habt den Mann, den ich am meisten geschätzt habe, in Trunksucht und in den Tod getrieben. Vom ersten Tag an, als ich Euch sah, wusste ich, dass Ihr Bantzers Verderben seid. Eine heidnische Todesgöttin. Michael Bantzer –» Seine Nasenflügel begannen zu zittern. «Er war mein Vorbild, mein Freund, mein Vater, meine Liebe.»

«Habt Ihr etwa mit Michael –» Sie sprach den Gedanken nicht aus.

Siferlin lachte. «Jetzt habe ich Eure schmutzige Phantasie entfacht, nicht wahr? Aber im Gegensatz zu Euch ist meine Seele rein, und bis zu meinem Tod wird sie unbefleckt bleiben von diesem Schmutz aus Schleim und Blut und Sperma, in dem sich Männer und Frauen in ihrer Fleischeslust wälzen. Und auch Michael Bantzers Seele war rein, bis er auf Euch getroffen ist. Er hat mich auch geliebt, er wusste, was in mir steckt. Ihm war es gleich, ob ich hinkte oder was meine Herkunft ist.»

Er nahm einen tiefen Schluck und sprach mit schwerer Zunge weiter.

«Wisst Ihr, was es heißt, inmitten einer ehrenwerten Kaufmannsfamilie als Bastard aufzuwachsen? Gebrandmarkt zu sein fürs ganze Leben, nur weil die eigene Mutter eine Hure ist und es mit Lehrbuben treibt? Sie hätte mich besser gar nicht geboren. Doch Gott hat sie gestraft für ihre Wollust: Ich kam mit einem verkrüppelten Bein auf die Welt, und sie verfiel langsam dem Wahnsinn. Sie hat mich vom Tage meiner Geburt an gehasst. Diese verfluchte Hure!»

Er sah sie aus verschwommenen Augen an.

«Und Ihr gleicht dieser Ausgeburt aufs Haar. Ihr seid ebenso schön und ebenso gefährlich.» Er schwankte auf sie zu, sank vor ihr zu Boden und umklammerte ihre Hüften. «Gebt mir, was Ihr jedem hergelaufenen Mannsbild gebt. Macht Eure verdammten Schenkel breit, ein einziges Mal nur will ich wissen, was das Verderben so schön macht. Auch ein hinkender Bastard hat eine Rute, die zustoßen kann.»

Catharina versuchte, sich aus der Umklammerung zu lösen. Wie ein Schraubstock hielt Siferlin sie fest und wühlte seinen Kopf zwischen ihre Schenkel. Am liebsten hätte Catharina diese Schmeißfliege erwürgt. Sie holte tief Luft, griff Siferlin unter die Achseln und zog ihn mit einem Ruck hoch. Dann tätschelte sie ihm, gegen ihren Ekel ankämpfend, wie einem kranken Tier besänftigend den Rücken. Tatsächlich, er entspannte sich und ließ sich willig zu seinem Stuhl führen. Seine Stirn war schweißnass.

«Legt Euch am besten gleich schlafen. Ich muss jetzt gehen.» Mit raschen Schritten erreichte sie die Tür. Da brüllte er ihr nach:

«Du hast mich verhext, du dreckige Dirne! Genau wie den armen Bantzer!»

Sie ließ die Tür hinter sich ins Schloss fallen und rannte hinaus auf die Gasse. Dieser Mensch war krank im Kopf. Benommen lief sie durch die einsetzende Dämmerung nach Hause, wo schon Barbara, Elsbeth und Anselm um den Küchentisch saßen und auf sie warteten.

«Ihr seht ja aus, als wärt Ihr eben mit dem Gottseibeiuns persönlich zusammengestoßen», flachste Anselm.

«So ähnlich war es auch.» Sie berichtete in wenigen Worten von ihrem Besuch bei Siferlin.

«Beruhigt Euch erst ein wenig und trinkt von Anselms selbst gebrautem Bier. Es ist hervorragend.» Elsbeth stellte ihr einen Krug hin.

Doch sie fühlte sich schon besser. Sie hatte herausgefunden, was sie wissen wollte. Zugleich war ihr klar, dass sie sich weiterhin vor Siferlin in Acht nehmen musste.

«Zur Feier des Tages habe ich nämlich ein Fässchen Starkbier gebraut», sagte Anselm und hob seinen Krug.

«Was feiern wir denn?»

«Eure glückliche Wiederkehr und dass die Anzeige von diesem Widerling nichts gefruchtet hat. Na ja, und außerdem freue ich mich, dass unsere Juristenfakultät doch noch nicht ganz den Verstand verloren hat. Während Eurer Reise wurden nämlich schon wieder zwei Frauen wegen Hexerei eingesperrt, zwei Bürgersfrauen, die von der Witwe des Fischers unter der Folter genannt worden waren. Wie es inzwischen ja üblich ist, wurden die Verhörprotokolle und die Zeugenaussagen einem Gremium von Rechtsgelehrten vorgelegt. Und die haben einstimmig auf Freispruch plädiert.»

«Und was ist mit den beiden Frauen geschehen?»

«Sie wurden auf freien Fuß gesetzt und haben am selben Tag die Stadt verlassen. Hier wären sie wohl nicht mehr glücklich geworden. Hoffen wir, dass die Zeit der Hexenjagd in Freiburg jetzt endgültig vorbei ist.»

Anselm merkte, dass durch seine Worte die Stimmung am Küchentisch nachdenklich geworden war. Betont munter prostete er Catharina zu und rief:

«Jetzt soll uns Catharina endlich von ihrer Reise erzählen. Gestern Abend ist sie ja gleich mit meinem lieben Vetter in der Kammer verschwunden.»

Catharina lächelte. «Also gut. Aber vorher verrätst du mir noch, wie du in so kurzer Zeit gelernt hast, Starkbier zu brauen, und dazu noch ein so würziges.»

«Hmm, Euch kann ich wohl keinen Bären aufbinden», sagte er und warf einen verlegenen Blick auf Elsbeth und Barbara. «Ich habe es gekauft.»

30

Die nächsten Monate verliefen ruhig und ohne Aufregung. Siferlin hatte seit ihrer unangenehmen Begegnung nichts mehr von sich hören lassen. Christoph erschien alle vier, fünf Wochen in Freiburg, um zwei Tage später mit Stöcklis Gewürzlieferung am Sattel zurückzureiten. Das Schönste: Marthe-Marie schrieb ihr. Alle Briefe begannen mit «Meine liebe Lieblingstante!», und sie berichtete mal kindlich, mal erstaunlich reif über Ereignisse und Erlebnisse, die ihr wichtig erschienen, beschwerte sich darüber, wie streng Lene manchmal sein konnte, oder beschrieb auf komische Art, wie ein Nachbarsbursche ihr den Hof machte. Einmal erläuterte sie einen ganzen Brief lang, warum sie Naturforscherin werden wolle und dass sie dazu eines Tages in die Neue Welt reisen würde.

Anselm hatte nach der Sommerpause ein wenig widerwillig sein Studium wieder aufgenommen. Hin und wieder brachte er Kommilitonen mit nach Hause, mit denen er sich in die Haare geriet, sobald es um juristische oder theologische Fragen ging. Seine Hoffnung, dass sich der Hexenwahn legen möge, wurde nicht enttäuscht: Auch wenn in anderen Städten und Ländern das Morden weiterging, in Freiburg kam es zu keinen Anzeigen und Verhaftungen mehr. Hatte Anselm keine Lust zum Lernen, half er Catharina im Sudhaus, die nach anfänglicher Experimentierfreude das Brauen als zwar notwendigen, aber lästigen Broterwerb betrachtete. Um die Arbeit ein wenig interessanter zu gestalten, brachte Anselm ihr ein paar Worte Latein bei, wobei Catharina daran zweifelte, dass dies das Latein der Kirche und der Hochschule war, denn meist handelte es sich um unflätige oder anzügliche Redewendungen.

Catharinas ganze Liebe galt, zu Barbaras großer Freude, inzwischen dem Garten. Die Planung des Haushalts hingegen hatte sie längst in die Hände der beiden Frauen gelegt.

«An uns verdienen die Gemüsehändler nichts», frohlockte die Köchin. «So wie das alles sprießt im Garten!»

Was Catharinas Pflanzen betraf, durfte ihr niemand dreinreden. Für die Beete hatte sie ein ausgeklügeltes Bewässerungssystem angelegt, achtete peinlich genau auf Schädlinge und Unkraut und stellte Überlegungen an, welche Pflanzen zueinander passten und welche keine Nachbarschaft miteinander duldeten. Einmal versetzte sie mehrmals hintereinander einen Stachelbeerbusch, mit dem Ergebnis, dass er schließlich einging. Ihre Beobachtungen und Gedanken schrieb sie sorgfältig nieder.

«Wollt Ihr einmal ein Buch veröffentlichen?», fragte Anselm.

«Mach dich nicht lustig, Frauen schreiben keine Bücher. Das hier ist nur für mich gedacht. Außerdem bleibe ich dann mit dem Schreiben in Übung.»

«Ich meine es ernst», beharrte Anselm. «Hildegard von Bingen ist auch eine Frau und hat Bücher geschrieben – zum Beispiel über Kräuter und Gartenbau.»

Diese Bemerkung brachte Catharina auf die Idee, ihrer Freundin Margaretha Mößmerin Lesen und Schreiben beizubringen.

«Du bist verrückt», wehrte Margaretha ab. «Ich kann meinen Namen kritzeln, das reicht. Was soll ich da noch meinen alten Kopf martern.»

«Denken und Lernen hält jung. Außerdem hast du neulich selbst gesagt, dass dir manchmal die Decke auf den Kopf fällt, so allein mit Anneli, und dass du zu viel grübelst. Komm, lass uns gleich morgen damit anfangen, es wird dich ablenken.»

«Du kannst ein richtiger Quälgeist sein, Catharina. Aber gut, wir können es ja mal versuchen.»

«Fein. Dann besorge ich Papier und Feder für dich, und du kommst morgen Nachmittag mit Anneli zu uns.»

Catharina wusste, dass Anneli nur selten aus dem Haus kam, da Margaretha es nicht ertrug, wenn das kleine Mädchen wegen seiner Schwachsinnigkeit gehänselt wurde.

«Nein, ich möchte den Unterricht lieber bei mir zu Hause abhalten. Ich bin zwar gern für ein Stündchen bei euch, aber dann wird es mir zu umtriebig.»

Catharina seufzte. Diese Stubenhockerin. Aber Margaretha hatte nicht ganz Unrecht. Tatsächlich ging es abends und am Wochenende im Haus zur guten Stund oft turbulent zu, zumal es seit Oktober noch einen weiteren ständigen Gast gab: Beate Müllerin.

Beate und Catharina hatten sich vor Jahren einmal flüchtig kennen gelernt, da Beates Vater ebenfalls Magistratsmitglied war und seit einem Jahr zu den Zwölf Beständigen gehörte. In der Bäckerei gegenüber von Catharinas neuem Haus hatten sie sich wiedergesehen. Als Catharina dort Brot bestellen wollte, trat Beate aus der Backstube.

«Wir kennen uns doch – seid Ihr nicht die Witwe vom Zunftmeister Bantzer?»

Kaum waren die beiden Frauen ins Gespräch gekommen, empfanden sie Sympathie füreinander. Beate besaß viel von Lenes unbekümmerter Art. Obwohl sie bestimmt zehn Jahre jünger war als Catharina, hatte sie bereits zwei Ehemänner überlebt. Jetzt war sie mit dem Weißbäcker Gervasius Schechtelin verheiratet.

«Ich kann einfach nicht allein leben», erklärte sie ihrer neuen Freundin. «Und Kinder kann ich leider keine bekommen, seitdem ich als junges Mädchen einen schweren Unfall hatte. Aber das habe ich meinen Ehemännern natürlich nie verraten.» Sie kicherte.

Bald kam sie regelmäßig nach der Arbeit zu Catharina.

«Weißt du, Gervasius ist ein todlangweiliger Mensch, und dauernd ist er müde. Wenn ich den ganzen Tag mit ihm zusammen bin, brauche ich abends unbedingt Abwechslung.»

Anselm war hocherfreut über den Neuzugang in der «Weiberburg», wie er sein Zuhause inzwischen selbst nannte. Catharina entging nicht, dass Beate eine Schwäche für den Jungen entwickelte, die nichts mit der fürsorglichen Mütterlichkeit der anderen Frauen gemein hatte. Wenn Beate ihm bei ihren abendlichen Gesprächen einen Moment zu lange in die Augen schaute, eine Spur zu sanft seine Hand berührte und Anselms Blick einen verdächtigen Glanz annahm, fragte sich Catharina, ob Beate in ihrer Tändelei nicht zu weit ging. Diese Frau hätte vom Alter her fast seine Mutter sein können. Dabei war sie nicht einmal hübsch im herkömmlichen Sinne, dennoch ging ein mädchenhafter Zauber von ihr aus. Vielleicht lag es an ihren riesigen hellbraunen Augen und der frechen Himmelfahrtsnase oder an ihrem herzhaften Lachen – für Anselm schien sie jedenfalls die schönste Frau der Welt zu sein.

Catharina nahm ihre neue Freundin eines Tages beiseite.

«Ich gönne dir ja deine Späße mit Anselm, aber vergiss nicht, dass der Junge erst siebzehn ist. In diesem Alter sind die Burschen zu rasender Verliebtheit fähig. Ich habe keine Lust auf ein Liebesdrama in meinem Haus.»

Beate sah sie verdutzt an, dann lachte sie schallend.

«Meinst du im Ernst, Anselm würde sich in mich alte Frau verlieben? Ich wette mit dir, er hat längst irgendwo heimlich ein Mädel sitzen. Aber wenn es dich beruhigt: Ich werde künftig drei Schritt Abstand halten.»

Der Winter kam, und die Wege zwischen Freiburg und Villingen wurden unpassierbar. Catharina vermisste Christoph sehr, und die Kälte und Dunkelheit dieser Jahreszeit taten ein Übriges, um Catharinas Stimmung niederzudrücken. Beim Unterricht mit Margaretha war sie unkonzentriert, und von den gemeinsamen Abendmahlzeiten zog sie sich oft als Erste zurück. Sie, die ihr Leben lang nie ernsthaft krank gewesen war, litt jetzt häufig unter Kopfschmerzen.

«Wie können wir Euch denn ein bisschen aufheitern?», fragte Anselm sie besorgt. Catharina hatte längst entdeckt, dass sich hinter seiner oft aufbrausenden Art eine Verletzlichkeit verbarg, die ihn auch für das Leid anderer sehr empfänglich machte.

«Ach, lass nur, Anselm, wenn der verdammte Winter erst einmal vorbei ist, wird es mir schon wieder besser gehen.»

«Aber der Winter hat gerade erst angefangen, und Ihr könnt doch nicht monatelang den Kopf hängen lassen!»

Eines Abends kam Anselm etwas später als sonst nach Hause.

«Ich hab Euch etwas mitgebracht», sagte er geheimnisvoll zu Catharina und führte sie in die Essstube. Dort lag ein quadratisch zugeschnittenes Holzbrett, abgegriffen und an den Rändern angeschlagen, aber hübsch anzusehen mit seinen abwechselnd hellbraun und schwarz gefärbten Feldern.

«Was ist denn das?»

«Wartet, das ist noch nicht alles.»

Er zog aus seinem Beutel schwarze und hellbraune Holzfiguren, die meisten davon einfach gedrechselte Kegel, andere kunstvoll zu Pferdeköpfen, menschlichen Gestalten und zinnenbewehrten Türmen geschnitzt. Bedächtig setzte er die Figuren auf die einzelnen Felder.

«Das ist ein Schachspiel», erklärte er. «Das schönste Spiel, das ich kenne, und das beste Mittel gegen Langeweile an Winterabenden. Das ist der König», er hob die größte Figur in die Höhe. «Die wichtigste Figur, aber ansonsten ein Schlappschwanz, denn er kann sich kaum bewegen. Die Dame hier ist viel wendiger, so wie Ihr.» Er strahlte sie an.

«Das muss ja ein Vermögen gekostet haben!»

«Keine Sorge, ich habe es von einem Trödler bekommen, der in meiner Schuld stand.»

Dann erklärte er ihr geduldig die Regeln, bis Catharina ihn unterbrach.

«Hör auf, Anselm, das verstehe ich nie! Es ist lieb gemeint, aber ich glaube, ich bin für dieses Spiel zu dumm.»

Es dauerte keine Woche, bis Catharina die Regeln beherrschte und immer mehr Gefallen an den abendlichen Partien mit Anselm fand. Sie verlor zwar jedes Mal, doch sie merkte, wie gut ihr die gezielte Aufmerksamkeit tat, die dieses Spiel erforderte. Außerdem war das die einzige Möglichkeit, Anselm über Stunden hinweg zum Schweigen zu bringen.

«Remis!», rief sie eines Abends so laut, dass Barbara erschrocken den Kopf aus der Küche streckte. Freudig erklärte sie der Köchin, dass dies Gleichstand bedeute, dass sie also zum ersten Mal nicht verloren habe.

«Wie schön für Euch», murrte Barbara und verzog unwillig das Gesicht.

«Ist etwas?», fragte Catharina erstaunt.

«Na ja, seitdem Ihr fast jeden Abend über diesem seltsamen Brett sitzt, seid Ihr nicht mehr ansprechbar. Das ist ja eine Stille hier im Haus wie auf dem Kirchhof.»

Verdrossen stapfte sie in die Küche zurück.

«Weißt du was, Anselm? Wozu gibt es Würfel und Karten – dabei können alle mitspielen. Übermorgen ist Weihnachten, bis dahin besorge ich Würfel, und dann machen wir alle zusammen ein großes Fest.»

Sie trafen sich im Haus zur guten Stund, um gemeinsam zur heiligen Messe zu gehen: Anselm, die beiden Mägde, Margaretha mit ihrem Enkelkind, Beate – selbst Gervasius, Beates Mann, erschien, der später, während des Hochamts, ständig einnickte und von Beate mit heftigen Rippenstößen geweckt werden musste. Nur Christoph fehlt, dachte Catharina wehmütig. Nach dem Kirchgang holte Catharina ihren besten Kaiserstühler Wein aus dem Keller, und Barbara servierte ein Festessen, für das sie den ganzen Tag in der Küche gestanden hatte. Noch vor dem Nachtisch verabschiedete sich Gervasius mit der Entschuldigung, er habe die ganze Nacht in der Backstube gearbeitet und sei hundemüde.

«Besser so», sagte Beate. «Der alte Miesepeter hat ohnehin nichts für Spiele übrig.»

Nachdem sie schon etliche Karaffen Wein geleert hatten und des Würfelns überdrüssig geworden waren, schlug Beate vor, Personenraten zu spielen. Anselm offenbarte unerwartet komisches Talent, und sie lachten Tränen über seine Darbietungen.

«Das bist eindeutig du, Beate!», rief Catharina. «Deine schusselige Art und dein freches Grinsen, wenn wieder einmal etwas zu Bruch gegangen ist.»

Beate tat empört. «Ich und schusselig! Ich bin die Geschicklichkeit in Person!»

«Ihr dürft mir nicht böse sein, aber Catharina hat richtig geraten.» Anselm trat auf sie zu. Seine Augen glänzten vom Spieleifer und vom Alkohol. Er legte seine schmächtigen Arme um Beates Schultern und gab ihr einen herzhaften Kuss. Die anderen klatschten so laut, dass Anneli, die mit dem Kopf in Elsbeths Schoß eingeschlafen war, wieder erwachte.

«Jetzt wird's Zeit für uns zu gehen», sagte Margaretha und nahm Anneli bei der Hand. «Es war ein wunderbares Fest, ein bisschen laut, wie immer, aber langsam gewöhne ich mich daran.»

Catharina begleitete die beiden hinunter auf die Gasse, um nach einem Fackelträger Ausschau zu halten. Da öffnete sich im Nebenhaus die Tür und der Leinenweber Schmitz, mit dem sie seit ihrem Einzug noch keine drei Worte gewechselt hatte, schaute wütend heraus.

«Ich sag's Euch, Stadellmenin, wenn bei Euch nicht augenblicklich Ruhe ist, hol ich die Stadtwache. Bei dem Krach kann ja kein Mensch schlafen!»

Dann knallte er die Tür wieder zu.

Als Catharina die Küche betrat, waren Elsbeth und Barbara bereits am Aufräumen, und Anselm kniete vor Beate, hielt ihre Hand und sang mit lauter Stimme ein Minnelied. Beate mimte mit geschlossenen Augen und zurückgeworfenem Kopf eine edle Burgfrau.

«Schluss jetzt», rief Catharina. «Nachbar Schmitz will uns die Stadtwache auf den Hals hetzen.»

«Spielverderber!», sagte Beate. Sie strich Anselm noch einmal über die roten Locken, flüsterte ihm etwas ins Ohr und stand dann auf.

«Dann gehe ich eben. Aber ihr müsst mir versprechen, dass dies nicht der letzte Spieleabend war.»

Als Catharina sie begleiten wollte, winkte sie ab.

«Die paar Schritte über die Straße werde ich noch allein schaffen. Gute Nacht, ihr Lieben.»

«Ich gehe auch zu Bett», sagte Anselm. «Gute Nacht!»

«Die Müllerin verdreht dem Jungen noch völlig den Kopf», brummte Barbara, als Anselm verschwunden war.

Catharina zuckte die Schultern. «Sie wird schon nicht zu weit gehen», sagte sie und wollte sich einen Becher Wasser einschenken, doch der Krug war leer.

«Ich hole noch Wasser aus dem Keller und geh dann auch ins Bett. Lasst das Geschirr stehen, den Abwasch können wir auch morgen machen.»

Mit dem Talglicht in der Rechten, dem leeren Krug in der Linken tappte sie vorsichtig das dunkle Treppenhaus hinunter. Als sie an der Tür zum Sudhaus vorbeikam, hörte sie ein Poltern. Sie erschrak. Doch dann sagte sie sich, dass sicher wieder eine dieser halbwilden Katzen eingesperrt war. Sollte sie nachsehen? Vor der Messe hatte sie die Tür abgeschlossen, und der Schlüssel hing oben in der Küche. Leise stellte sie Krug und Lampe auf den Treppenabsatz und schlich in den Garten. Von dort konnte man durch ein kleines Fenster ins Sudhaus sehen.

Im ersten Moment begriff sie überhaupt nicht, was dort vor sich ging. Auf einem Bierfass flackerte eine Kerze, die den großen Raum kaum erhellte. Dann sah sie in der Ecke menschliche

Schatten, die sich bewegten. Jemand stand mit dem Rücken zu ihr. Dann trat der andere Schatten einen Schritt zurück in den Lichtkegel. Es war Anselm mit entblößtem Oberkörper, die schmale Brust glänzte im Kerzenschein, die Locken hingen wirr in die Stirn. «Hab keine Angst», flüsterte die andere Person. «Mach das, wonach du Lust hast.» Beate und Anselm! Jetzt nestelte sie an seinem Hosenbund und streifte ihm vorsichtig die Beinkleider herunter. Catharina hielt den Atem an: Völlig nackt, mit erigiertem Glied, stand Anselm im flackernden Kerzenlicht. Fast unwillig riss sie sich von diesem Anblick los und hastete zurück ins Treppenhaus. Sie hatte genug gesehen, morgen würde sie Beate den Kopf waschen. Doch als sie im Bett lag, sah sie immer wieder den vollkommenen Körper des Jungen vor sich, und sie musste zugeben, dass sie gern an Beates Stelle gewesen wäre.

31

Anselm hat ein Mädel in der Stadt», jammerte Beate. Sie saß bei Catharina in der Küche und hatte rot geweinte Augen. «Er hat es mir gestern Abend gesagt.»

Catharina wusste nicht, ob sie lachen oder weinen sollte. Da saß nun diese gestandene Frau vor ihr, verheiratet und Mitte dreißig, und heulte sich die Augen aus wegen eines Jungen, der gerade mal halb so alt war wie sie.

«Das ist besser so, Beate, glaub mir. Du kannst froh sein, dass diese Geschichte zu Ende gegangen ist, ohne dass jemand von eurem Verhältnis erfahren hat. Stell dir nur mal vor, der Schmitz von nebenan hätte etwas mitbekommen – das wäre doch ein gefundenes Fressen für ihn gewesen. Wo er sich ohnehin ständig beschwert, dass es bei uns zugehe wie auf der Kirchweih.»

Der Winter war wie im Flug vergangen, mit viel Arbeit und

häufigen ausgelassenen Abenden. Catharina hatte ihre Freundin gleich nach ihrer Entdeckung im Sudhaus zur Rede gestellt und ihr mit scharfen Worten klar gemacht, dass sie es nicht zulassen würde, wenn Anselms Gefühle für ein Abenteuer ausgenutzt würden.

«Aber für mich ist das kein Abenteuer», hatte Beate sie entrüstet zurückgewiesen. «Ich bin so verliebt wie noch nie im Leben. Und stell dir vor, ich bin seine erste Frau.»

Die nächsten Wochen, ja Monate war es kaum auszuhalten gewesen mit den beiden. Beim Schachspiel war Anselm fahrig und verlor eine Partie nach der anderen, er verschlief die morgendlichen Vorlesungen an der Universität, und wenn er und Beate abends mit den anderen beim Würfeln oder Kartenspielen zusammensaßen, hatten sie nur Augen füreinander – die restliche Welt schien für sie nicht mehr zu existieren. Barbara und Elsbeth waren anfangs ziemlich erbost über diese Entwicklung.

«Wenn Euer Verhältnis auffliegt, wird unsere Herrin wegen Kuppelei verklagt», sagte Barbara ohne Umschweife zu Beate.

«Wenn Ihr nichts ausplaudert, wird auch niemand etwas erfahren, denn wir zeigen uns nie zusammen auf der Straße», gab Beate ungerührt zurück.

Doch dann lernte Anselm ein Mädchen seines Alters kennen.

Beate begann wieder zu schluchzen. Catharina setzte sich zu ihr auf die Bank und nahm sie in den Arm.

«Ich weiß, dass dich im Moment nichts trösten kann. Aber warte einfach ein paar Tage ab, am besten, ohne Anselm zu treffen. Dann wirst du dich wieder besser fühlen. Auf Dauer wäre es ohnehin nicht gut gegangen. Dein Gervasius ist vielleicht ein Langweiler, aber er ist nicht blöd.»

So ließ sich Beate in den nächsten Wochen kaum noch blicken. Als Christoph Anfang April zum ersten Mal wieder nach Freiburg kam, wunderte er sich darüber.

«Hast du dich mit deiner neuen Freundin zerstritten?»

Als Catharina ihm die Geschichte erzählte, musste er lachen.

«Liebesleid wegen Anselm? Dieser Kindskopf? Das darf nicht wahr sein. Weißt du, was ich glaube? Das renkt sich schneller wieder ein, als du denkst. Schließlich hält es Beate keine vier Wochen bei sich zu Hause aus.»

Tatsächlich steckte Beate noch am selben Abend den Kopf zur Küche herein.

«Störe ich beim Essen?», fragte sie. Am Arm zog sie eine Frau mittleren Alters hinter sich her, die schüchtern in die Runde blickte. «Ich habe gesehen, dass Christoph heute Nachmittag angekommen ist, und mir gedacht, das wäre doch mal wieder ein Grund zum Feiern. Außerdem habe ich heute Besuch bekommen von einer alten Bekannten, was Gervasius nicht so recht in den Kram passte, weil er wieder so schrecklich müde ist.»

Sie nahm Anselm gegenüber Platz, der ihr ein strahlendes Lächeln schenkte und sagte: «Schön, dass du wieder zu uns kommst!»

Dann stellte Beate ihren Gast vor: Margret Vischerin aus der Predigervorstadt. Alle Anwesenden wussten sofort, wen sie vor sich hatten. Vischerins Mann war ein halbes Jahr zuvor wegen Totschlags nach einem Wirtshaushandel hingerichtet worden. Seither lebte sie mehr oder weniger von Almosen und war ein wenig seltsam im Kopf geworden.

Gutwillig tischte Barbara der schweigsamen Frau eine besonders große Portion Braten mit sauren Bohnen auf. Nach dem Essen zeigte Anselm stolz seine neueste Errungenschaft: eine Laute. Er schlug ein paar Akkorde an.

«Kannst du einen Reigen spielen?», fragte Christoph.

Anselm nickte. Als er zu singen und spielen anhob, schob Christoph den Esszimmertisch zur Seite, nahm Catharina und Beate bei der Hand und eröffnete mit stampfenden Beinen den Reigen.

«Los, kommt, macht mit!», rief er den anderen Frauen zu. Barbara und Elsbeth ließen sich das nicht zweimal sagen, nur die Vischerin setzte sich in die Ecke auf eine Bank und beobachtete mit stumpfem Blick, wie die anderen ausgelassen tanzten und sangen. Anselm spielte nicht schlecht, vor allem besaß er einen schier unerschöpflichen Fundus an Tanzliedern.

«Weil Anselm die arme Beate sitzen gelassen hat, muss er jetzt zur Strafe den ganzen Abend aufspielen. Dabei würde er viel lieber tanzen», kicherte Catharina. Ihre Wangen glühten. Christoph nahm sie um die Hüfte und führte sie unauffällig hinaus.

«Lass sie weiterfeiern. Ich möchte mit dir allein sein.»

Als sie sich Stunden später zufrieden und matt aneinander schmiegten, hörten sie von unten immer noch das Stampfen und Singen ihrer Mitbewohner und Gäste.

Am übernächsten Tag begegnete Catharina beim Fischbrunnen dem alten Zunftmeister der Schmiede.

«Ah, Stadellmenin, gut, dass ich Euch treffe. Ich habe in einer etwas unangenehmen Sache mit Euch zu reden.»

Unwillig zog Catharina die Augenbrauen hoch. Was hatte sie denn noch mit der Zunft ihres verstorbenen Mannes zu schaffen?

«Was gibt es?»

«Ich möchte Euch einen väterlichen Rat geben. Ihr solltet strenger auf Eure Haushaltung Acht geben. Es ist bis zum Rat der Stadt gedrungen, dass in Eurem Haus ein reges Aus und Ein herrscht, und zwar bis acht oder neun Uhr in der Nacht. Den Lärm von Musik und Tanz hört man bis auf die Straße, und –»

«Hat sich der alte Leinenweber also wieder beschwert?», unterbrach ihn Catharina. «Soll er doch zu mir kommen, wenn es ihm zu laut wird. Außerdem halten wir die Fenster immer geschlossen, um niemanden zu stören.»

«Darum geht es doch nicht! Es ziemt sich einfach nicht für eine Witwe, und dazu noch in Eurem Alter, dass es in ihrem

Haus zugeht wie in einem Taubenschlag. Dass gesungen und getanzt wird, dass man weder Euch noch Eure Mägde sonntags im Gottesdienst sieht –»

Catharina unterdrückte ein Grinsen. Sie glaubte Michael Bantzer zu hören: Eine Bantzerin tut dies nicht, eine Bantzerin tut das nicht. Damit ist es nun endgültig vorbei, lieber Herr Zunftmeister und lieber Herr Leinenweber Schmitz – von Euch alten Männern macht mir keiner mehr Vorschriften darüber, wie ich zu leben habe.

«Wieso lächelt Ihr?», fragte der Zunftmeister erstaunt.

«Ach, Herr Meister, ich musste eben nur an meinen lieben verstorbenen Mann denken, der sich auch immer sehr um mich gesorgt hat.»

«So ist's recht. Dem guten Bantzer wäre auch viel daran gelegen, dass Ihr Euren Ruf als ehrsame Bürgersfrau nicht aufs Spiel setzt. Seht Ihr, es ist natürlich nicht verboten, dass man hin und wieder feiert und musiziert, nur sollte man gerade als Frau die Form wahren, vor allem, wenn man wie Ihr in einem Frauenhaushalt lebt, in dem es keinen Vater oder Gatten gibt, der ein wenig auf Ordnung hält. In so einem Fall ziemt es sich auch nicht, dass Ihr einen jungen Mann zur Untermiete wohnen habt.»

«Da könnt Ihr ganz beruhigt sein, Anselm ist noch ein Kind!»

Sie dachte an die nächtliche Szene im Sudhaus und musste sich abermals ein Lächeln verkneifen. Dann fragte sie sich, was wohl über Christoph und sie geredet wurde. Sie sah dem Alten direkt in die Augen.

«Und so ganz ohne Mann ist unser Haus ja nicht. Wie Ihr vielleicht wisst, sieht mein Vetter aus Villingen regelmäßig nach mir.»

«Das ist auch sehr lobenswert von ihm – schließlich muss sich Verwandtschaft gegenseitig helfen, wo es nur geht. Und er ist ein tüchtiger, erfolgreicher Mann, wie ich gehört habe, der sich rührend um seinen alten Schwiegervater kümmert. Doch er ist nur selten hier und kann keinesfalls einen richtigen Hausvater ersetzen.»

Wie schön – da hatte der Zunftmeister ja genaue Erkundigungen über Christoph eingezogen. Das Entscheidende an Christophs Fürsorge hatte er allerdings übersehen, Gott sei Dank.

«Habt Ihr nie daran gedacht, wieder zu heiraten?»

Catharina nickte. «Der Richtige wird eines Tages schon kommen.»

Dann reichte sie ihm die Hand, da sie das Gespräch für beendet ansah. Doch der Zunftmeister zupfte sich nervös an seinem grauen Spitzbart und sagte:

«Da ist noch etwas. Versteht mich nicht falsch, Ihr seid eine freie Bürgerin und könnt als Gäste bewirten, wen Ihr wollt. Doch solltet Ihr mehr auf Euren Umgang achten. Die Vischerin Margret ist bei Euch gesehen worden. Diese Frau hat einen sehr schlechten Ruf, nicht erst, seitdem ihr Mann an den Galgen gebracht wurde. Passt auf, dass Ihr von solchem Gesindel nicht ausgenutzt werdet.»

«Danke, ich werde mir Eure Worte zu Herzen nehmen», sagte Catharina und verabschiedete sich eilig. Was für eine lächerliche Figur, dieser Zunftmeister!

Sie ging geradewegs zu Beate in die Bäckerei und berichtete ihr von der Unterredung. Als sie ihren Bericht beendet hatte, lachte Beate schallend.

«Ein Komplott der Greise! Mein Vater war heute hier, du weißt ja, er ist Obristmeister, und hat mich ins Gebet genommen – er hat mir denselben Unsinn vorgehalten wie dir dein Zunftmeister. Wir sollten uns wie anständige Frauen benehmen und solche Weiber wie die Vischerin nicht ins Haus lassen.»

«Und was hast du ihm geantwortet?»

«Dass er nicht so viel auf die Leute geben solle und dass wir uns abends zum Nähen und Stopfen zusammensetzen.» Sie kicherte. «Und was die Vischerin betreffe: dass ich mich nur im Rahmen meiner Christenpflicht um sie kümmern würde, denn sie sei eine arme und kranke Frau. Weißt du was, Catharina? Wir kümmern uns einfach nicht um dieses Geschwätz!»

In diesem Sommer starb Barbara – ohne Aufhebens, zufrieden und mit einem Lächeln auf dem Gesicht.

Am Abend zuvor hatten sie noch alle zusammen hinten im Garten gesessen. Margaretha Mößmerin war nach längerer Krankheit zum ersten Mal wieder zu Besuch gekommen, Anneli spielte im Gras mit einem jungen Kaninchen, Beate hatte ein knuspriges frisches Speckbrot mitgebracht, das sie mit einem gekühlten Rotwein gleich im Garten verzehrten. Niemandem war etwas Absonderliches an Barbara aufgefallen. Sie besserte ihre alte Küchenschürze aus und machte wie immer ihre mal bissigen, mal spaßigen Bemerkungen. Nachdem die Sonne hinter der Gartenmauer verschwunden war, verabschiedete sie sich und stieg in ihre Kammer hinauf. Am nächsten Morgen lag sie mit geschlossenen Augen auf dem Rücken und rührte sich nicht. Ihre gefalteten Hände und ihr Gesicht strahlten Ruhe und Frieden aus, als habe sie in den letzten Momenten ihres Daseins noch etwas Angenehmes gesehen.

Barbaras Tod hinterließ im Haus eine schmerzhafte Lücke. Überall fehlte ihre umsichtige, helfende Hand, das Haus war still ohne ihr herzhaftes Lachen, leer ohne ihre rundliche Gestalt. Catharina vermisste Barbaras heiterere und gelassene Art sehr, denn trotz des Standesunterschieds war sie ihr längst eine enge Vertraute geworden, und sie bezweifelte, dass das Leben im Haus zur guten Stund jemals wieder so sein würde wie früher.

Am schlimmsten aber traf der Verlust Elsbeth. Sie hatte ihre beste Freundin verloren, vielleicht die einzige in ihrem Leben. An ihrem Kummer drohte ihr Lebenswille zu zerbrechen: Sie aß nicht mehr, verrichtete ihre Arbeit mechanisch, nahm kaum noch wahr, was um sie herum vor sich ging. Wäre Anselm nicht gewesen, hätte sie sich vielleicht vollständig aufgegeben und wäre ihrer Freundin in den Tod gefolgt. Doch ihr einstiger Schützling kümmerte sich rührend um sie, ließ sie nicht aus den Augen, suchte in jeder freien Minute ihre Nähe und das Gespräch mit ihr, bis sie nach und nach wieder zu sich fand. Sie arbeitete sich in Barbaras Reich der Kochkunst ein, und als sie eines Sonntags eine vierteilige Speisenfolge mit Braten, Fisch und Geflügel auf den Tisch zauberte, bekamen ihre Augen zum ersten Mal seit Barbaras Tod etwas Glanz.

«War das Essen recht so?», fragte sie Catharina, Anselm und Margaretha erwartungsvoll.

Die beiden Frauen nickten zustimmend. Anselm strich sich über den Bauch und rülpste kräftig.

«Um ehrlich zu sein: Ich bin längst noch nicht fertig, so gut ist es. Hoffentlich hast du noch Nachschub in der Küche.»

Anfang Oktober brachte Anselm sein Bakkalaureat hinter sich, mit Ächzen und Stöhnen zwar, doch nun stand ihm der Weg offen zu seinem Herzenswunsch: dem Studium der Rechtswissenschaften. Eine rechte Feierstimmung wollte dennoch nicht aufkommen, zum einen, weil dies das erste Fest ohne Barbara gewesen wäre, zum anderen, weil sie sich Sorgen um Christoph machten, von dem sie schon seit Wochen nichts mehr gehört hatten.

«Das Beste ist», sagte Anselm zu Catharina, «ich reite gleich morgen nach Villingen. Es ist ohnehin höchste Zeit, dass ich mich wieder bei meinem Vater blicken lasse. Macht Euch um Christoph keine Gedanken, wahrscheinlich hat er einfach zu viel Arbeit, um den Gasthof allein zu lassen.»

Mit Bangen wartete Catharina auf Anselms Rückkehr.

«Christoph ist gesund und munter», rief er ihr schon von weitem zu, als er eine Woche später wieder ihr Haus betrat. Doch ein einziger Blick auf seine Miene verriet ihr, dass trotzdem etwas nicht stimmte. Er hielt ein Papier in der Hand, das er ihr überreichte.

«Er wird in absehbarer Zeit allerdings nicht kommen können. Sein Schwiegervater ist bettlägerig und braucht Tag und Nacht Pflege.»

Hastig faltete Catharina das Papier auseinander.

«Liebste Cathi, Carl hat einen schweren Schlag erlitten, war zwei Tage ohne Bewusstsein und ist nun halbseitig gelähmt. Sein Verstand setzt oft aus, dann verlangt er wie ein kleines Kind ständig nach mir. Er ist in einem furchtbaren Zustand, und ich kann ihn nicht allein lassen. Sicher ist, dass es mit ihm zu Ende geht, doch der eine Medicus spricht von wenigen Tagen, der andere meint, er könne noch monatelang so dahinsiechen. Inzwischen wünsche ich ihm den Tod nicht nur um unseretwillen, denn in den wenigen Momenten, wenn der alte Mann bei klarem Verstand ist, betet er mit solcher Inbrunst um einen baldigen friedlichen Tod, dass es mir die Tränen in die Augen treibt. Ich kann kaum mit ansehen, wie er leidet, und zugleich habe ich solche Sehnsucht nach dir, weiß ich doch nicht, wann ich dich wiedersehe. Doch was mich aufrecht hält und was auch du dir immer vor Augen halten solltest: Wenn diese Wochen vorbei sind, wird uns nichts mehr im Wege stehen, und wir werden für immer zusammen sein. In großer Liebe, dein Christoph.»

Monat um Monat verging, und es änderte sich nichts am Zustand von Christophs Schwiegervater. Das Leben im Haus zur guten Stund war ruhiger geworden, und die Nachbarn fanden keinen Grund mehr, sich zu beschweren. Anselm vertiefte sich in sein Studium, Beates Besuche wurden seltener, nur Margaretha kam nach wie vor regelmäßig mit ihrem Enkelkind vorbei. Hin und wieder legte sich Catharina den Wasserschlauch auf den Schoß, strich vorsichtig über die Ornamente des dunkler werdenden Leders und lauschte dem leisen Plätschern des

Bodenseewassers. Es war bereits erschreckend viel Wasser verdunstet.

Dann brach das neue Jahr an, und mit den eisigen Winterstürmen des Januar fegte der längst tot geglaubte Wahn erneut über die Stadt, fachte die Scheiterhaufen an und trieb mehr Frauen denn je in den Tod. Wie einst die Pest breitete sich in den engen Mauern der Irrglaube der Menschen aus, dass der Nachbar, der Bruder, das eigene Eheweib mit Hexenkünsten die Weltordnung auf den Kopf zu stellen drohten und im Bunde mit dem Teufel die Herrschaft über alle christlichen Seelen anstrebten. Und fast unmerklich schlich sich nach kürzester Zeit die Gewissheit ins Bewusstsein, dass es sich bei den Unheil bringenden Verführern um Frauen handelte.

Elsbeth, die seit Barbaras Tod wieder regelmäßig am Gottesdienst teilnahm, erzählte mit solchem Entsetzen von der Verwandlung des Pfarrers während der Predigten, dass Catharina sie schließlich begleitete.

«Die Freveltaten dieser Unholde sind grauenhaft», brüllte der Gottesmann mit hochrotem Kopf von der Kanzel. «Sie beneiden die Kinder um die Gnade der Taufe und berauben sie derselben. Ja, das Fleisch einiger Kinder haben sie aufgezehrt, wie sie eingestehen. Unfassbar ist die Gottlosigkeit, Unkeuschheit, Grausamkeit, welche unter Satans Anleitung diese verworfenen Weiber offen und insgeheim betreiben. Seht ihr denn nicht», er ballte die Fäuste, und seine Stimme überschlug sich, «wie sich überall im Land Furcht und Schrecken ausbreiten, Teufel und Gespenster, Hexen, Missgeburten, Erdbeben, Feuerzeichen am Himmel, dreiköpfige Gesichter in den Wolken und so viele andere Zeichen göttlichen Zorns? An vielen Orten verbrennt man diese verderblichen Unholdinnen des Menschengeschlechts –»

Unruhe breitete sich im Kirchenschiff aus, einige der Umstehenden bekreuzigten sich, andere riefen: «Ins Feuer mit den Hexen!» Bestürzt verließen Elsbeth und Catharina vorzeitig den Gottesdienst. Catharina fiel der Lieblingsspruch ihrer toten Freundin ein: Die Hölle ist nie so heiß, wie sie die Pfaffen machen!

Sie hakte sich bei Elsbeth unter.

«Lass dich von den Predigten nicht verwirren. Du weißt doch, was Barbara immer gesagt hat: Alles, was von Teufel und Hölle gepredigt wird, soll die Leute erschrecken, um ihnen besser das Geld aus der Tasche zu ziehen.»

Doch Elsbeth besaß nicht Barbaras forsches Gemüt. Sie wirkte vollkommen verunsichert.

«Vielleicht ist doch etwas dran an all diesen Reden. Vielleicht sucht sich der Teufel gerade die anständigsten, bravsten Seelen für seine Verführungskünste aus, um damit Gott umso mehr herauszufordern.»

Zwar mied Elsbeth in den nächsten Wochen den Gang zur Kirche, aber die Rufe der Eiferer waren auch in den Gassen überall zu hören: Wanderprediger und selbst ernannte Hexenbanner kletterten auf Brunnenränder, Holzpodeste oder Ochsenkarren, um mit donnernder Stimme vor der allgegenwärtigen Gefahr zu warnen oder probate Mittelchen gegen Hexerei anzupreisen: «Kauft Schutzbriefe! Hufeisen aus geschmiedetem Eisen! Gallensteine!» Trotz der eisigen Kälte drängten sich die Menschen in dichten Trauben um sie, und zu ihrem Schrecken erblickte Catharina immer häufiger Elsbeth unter den Zuhörern, sah, wie die alte Frau erregt den drastischen Schilderungen von Hexensabbaten und Teufelsbuhlschaften lauschte oder ehrfurchtsvoll die Amulette und anderen Gegenstände zur Hexenabwehr betrachtete. Auf großen Tüchern ausgebreitet lagen da geweihte Kräuterbüschel neben Korallenästen gegen den bösen Blick, Lochsteine zum Aufhängen neben den begehrten Drudenmessern, Klappmesser, auf deren Klingen Kruzifixe, Mondsicheln und die Kreuzesinschrift INRI eingraviert waren.

Tierzähne und Mardergebisse, Maulwurfspfoten und Kauri-
muscheln – schier unerschöpflich schienen die Möglichkeiten,
sich gegen bösen Zauber zu schützen. Einmal beobachtete
Catharina, wie Elsbeth ein Drudengatterl aus geweihtem Holz
in die Hand nahm. Es bestand aus sieben dünnen Holzleisten,
die kreuzweise zu einem kleinen Gatter verleimt waren. Sie
zählte bereits die Münzen aus ihrem Beutel, als plötzlich ein
schriller Pfiff ertönte. In Windeseile verknoteten die Hexenbanner ihre Schätze in ihren Tüchern, um gleich darauf im dichten
Gedränge zu verschwinden. Wer nicht schnell genug war, den
erwischten die Stadtknechte, die durch das Marktgeschehen pa-
trouillierten. Sie hatten Order, jeden dieser Händler in den
Turm zu werfen, denn nur die Kirche besaß das Recht, Hilfs-
mittel gegen Hexerei und schwarze Magie anzubieten.

An jenem Tag wollte Catharina ein Schock Eier kaufen. Sie
wunderte sich, dass außer bei einem Großhändler aus Herdern
nirgendwo Eier zu kaufen waren.

«Nehmt mit, soviel Ihr könnt. Ich gebe Euch das Schock für
einen halben Pfennig!»

«Tut das nicht», flüsterte eine alte Frau neben ihr. «Hier in
der Stadt sind Hexen aufgetaucht, die Eier legen und auf den
Markt bringen, um die Leute zu vergiften!»

Kopfschüttelnd ging Catharina nach Hause. War denn alle
Welt verrückt geworden?

Anselm sah die Entwicklung mit Entsetzen. Ende Januar war es
tatsächlich zu den ersten Verhaftungen gekommen – die Frau
eines Rebmanns und eine Pfaffenmagd wurden eingekerkert. In
der juristischen Fakultät sprach man von nichts anderem mehr
als von den Verfahrensvorschriften bei Hexereiprozessen. Die
Lectiones der Freiburger Rechtsgelehrten waren in diesen Tagen
so gut besucht, dass auf den Bänken des Auditorium maximum
keine Fliege mehr Platz gefunden hätte. Selbst Mediziner und

Theologen ließen sich die Ausführungen zu Fragen, ob bei Hexenprozessen die eigentlich verbotene wiederholte Folter rechtmäßig sei oder ob Gerüchte und Besagungen gefolterter Hexen für die Verhaftung einer verdächtigen Person ausreichten, nicht entgehen. Anselm saß jeden Vormittag wie auf Kohlen, so heftig widersprachen die Begründungen und Rechtfertigungen, die er hörte, seinem Empfinden. Schließlich konnte er sich nicht mehr zurückhalten, stellte sich, nachdem die Vorlesung beendet war, auf die Bank und bat Ordinarius und Studenten um Gehör.

«Verzeiht meine mangelnde Zurückhaltung, ehrwürdiger Professor Martini, ich weiß, es ziemt sich nicht für einen Studenten, das Wort zu ergreifen, doch wenn Ihr erlaubt, möchte ich zum Punkt der Folter noch einen Gedanken vorbringen, der mir seit langem keine Ruhe lässt.»

Erstaunt blickte der Ordinarius Professor Friedrich Martini den Jungen an, auf dessen Wangen sich vor Aufregung rote Flecken bildeten. Dann nickte er gnädig.

«Danke, ehrwürdiger Professor.» Anselms Stimme wurde lauter und fester. «Wir, die wir das Recht studieren, wissen alle, dass die Constitutio Criminalis Carolina eine Wiederholung der Folter untersagt. Um nun eine mehrfache Folter zu rechtfertigen, betrachtet man erstens den Hexenprozess als crimen extraordinarium, das durch die Natur der Sache außerhalb aller bisher geltenden Vorschriften steht oder, anders ausgedrückt, für das die üblichen Verfahrensrichtlinien nicht mehr gelten, und zweitens nennt man die immer wieder aufs Neue ausgeführte Tortur einfach Fortsetzung der Folter. Durch diese Konstruktion steht unser processus ordinarius immer fest auf der Grundlage der Carolina. So weit, so gut. Jedoch, und jetzt komme ich zum Kern meines Gedankens, wird eines bei dieser Argumentation niemals infrage gestellt: Die Bedeutung der Folter für die Wahrheitsfindung.»

Im Auditorium breitete sich Unruhe aus.

«Soll ich den Burschen vor die Tür setzen?», rief der Pedell dem Dekan zu.

«Nein, wartet, der Junge ist mir schon seit langem ein Dorn im Auge. Ich will hören, was er zu sagen hat.»

Anselm räusperte sich und fuhr dann fort: «Wie kann die peinliche Befragung der Wahrheitsfindung dienen, wenn jede Verhaltensweise dem Verdächtigten zum Nachteil gereichen kann? Gesteht der Angeklagte schnell, dann ist er überführt, übersteht er die Tortur, ist er ein besonders verdammenswerter Fall, der mit Satans Hilfe oder durch eigene Hexenkünste Schmerzunempfindlichkeit erlangt hat. Wird ein Hexenmal gefunden und angestochen und es fließt kein Blut, wird dies als stigma diaboli gedeutet, fließt jedoch Blut oder wird kein Mal gefunden, kann dies als Beweis gewertet werden, dass es sich um eine besonders treue Hexe handelt, die solche Erkennungszeichen nicht nötig hat. Gleiches gilt für die Tränenprobe. Was hat ein solchermaßen angewandtes Prozessmittel noch an Beweiskraft? Hinzu kommt, dass der ursprüngliche Sinn der Folter verloren geht. War es doch bisher so: Entweder gestand der Angeklagte sein Vergehen, oder aber er überstand die Marter und hatte sich damit von jeglichem Verdacht reingewaschen. Eine zu Unrecht als Hexe angeklagte Frau hat jedoch keine Möglichkeit, ihre Unschuld zu beweisen!»

Anselms letzte Worte waren kaum noch zu hören in dem Tumult, der entstanden war.

«Unerhört!» – «Aufhören!» – «Hexenfreund!» – «So jemand will einmal Recht sprechen, haut ihm eins aufs Maul!»

Auf ein Zeichen des Dekans hin schritt der Pedell zu Anselm, drehte ihm den Arm auf den Rücken und wollte ihn hinausführen. Doch Anselm wehrte sich mit aller Kraft, sodass zwei kräftige Kommilitonen zu Hilfe eilen mussten. Sie schleppten ihn in den fensterlosen Karzer, wo er zitternd eine eiskalte Nacht auf dem blanken Steinboden verbrachte. Erst gegen Mittag, nachdem die juristische Fakultät ihr Urteil über ihn gefällt hatte, ließ man ihn frei.

Catharina war nicht entgangen, dass Anselm die Nacht außer Haus verbracht hatte. Um sich zu beruhigen, sagte sie sich, dass er bei irgendeiner Frau stecken mochte oder mit seinen Kommilitonen zu viel gezecht hatte. Doch im Grunde glaubte sie selbst nicht daran, denn der Junge war so gut wie nie nach Läuten der «Mordglocke», die um elf Uhr nachts für die Studenten der Stadt den endgültigen Zapfenstreich verkündete, heimgekehrt.

Als er am nächsten Abend vor ihr stand, war ihr sofort klar, dass etwas Schlimmes geschehen sein musste: Sein Gesicht war bleich wie Wachs, die linke Wange blutig verschrammt, und seine Augen blickten stumpf und maßlos enttäuscht. Müde setzte er sich an den Küchentisch. Nachdem er erzählt hatte, was vorgefallen war, fragte sie erschrocken: «Und was geschieht jetzt?»

«Man hat mich exmatrikuliert. Ich hätte heute Morgen meine Ausführungen noch widerrufen können, öffentlich, vor allen Studenten und Professoren, versteht Ihr? Doch ich habe mich geweigert, und jetzt reut mich meine Sturheit. Na ja, in Heidelberg gibt es eine reformierte Universität, an der eine andere Rechtslehre als hier vertreten wird. Ich werde Freiburg und Euer Haus verlassen müssen.»

Er legte den Kopf auf die Tischplatte und weinte.

32

Die Margret Vischerin ist verhaftet worden!» Schwer atmend stand Beate im Türrahmen und schüttelte sich die Schneeflocken von der Kapuze. «Man hat sie heute Morgen zur Befragung in den Predigerturm gebracht.»

Catharina sah sie ungläubig an. Gestern erst waren die Pfaffenmagd und die Frau des Rebmanns bei lebendigem Leib den Flammen übergeben worden, heute schon glaubte man, die nächste Hexe gefunden zu haben. Catharina wusste von Anselm, wie das gemeinhin vor sich ging: Hatte die Frau unter der Folter ihre Buhlschaft mit Satan und sämtliche damit einhergehenden Abscheulichkeiten gestanden, musste sie alle Personen besagen, die zu ihrer Hexengemeinschaft gehörten. Die Bezichtigten wurden unverzüglich gefangen genommen. Auf diese Weise hoffte man, sämtliche Beteiligten der Hexenverschwörung ausfindig zu machen und diese größte Bedrohung des christlichen Friedens ein für alle Mal auszurotten. So wurde es überall im Land gehandhabt, und so waren auch in Freiburg inzwischen zahlreiche Menschen, fast immer Frauen, der Hexerei überführt worden.

Doch jetzt saß zum ersten Mal eine Frau wegen Hexereiverdachts im Turm, die Catharina persönlich kannte. Zwar verbanden sie mit der Vischerin nicht gerade freundschaftliche Gefühle, doch hatte sie sie willkommen geheißen, wenn Beate sie hin und wieder mit ins Haus gebracht hatte, denn sie empfand Mitleid mit dieser einsamen, verhärmten Frau. Zugegeben, ein wenig unwohl konnte einem schon werden in ihrer Gegenwart, wenn sie so schweigsam mit stumpfem Blick auf der Bank saß und die ausgelassene Runde beobachtete. Catharina hatte nie viele Worte mit ihr gewechselt.

«Das muss ein Irrtum sein. Die Vischerin kann doch keiner Fliege etwas zuleide tun», sagte Catharina, doch sie zweifelte an ihren eigenen Worten. «Bestimmt wird sie bald wieder freigelassen.»

Beate starrte sie an. «Catharina, ich habe Angst!»

Dichte graue Nebelschwaden standen zwischen den Häusern und ließen den Tag vorzeitig zu Ende gehen. Die Menschen beeilten sich, nach Hause zu kommen, lauerten doch bei solchem Wetter noch mehr Gefahren als sonst in den düsteren Gassen. Selbst Anselm, sonst nicht gerade ängstlicher Natur, beschleunigte seinen Schritt. Eben war er beim Schmuckhändler gewesen, um ein Abschiedsgeschenk für Catharina auszusuchen. Er durfte gar nicht daran denken, dass er schon übermorgen nach Heidelberg aufbrechen würde. Wie ein warmes gemütliches Nest war ihm das Haus zur guten Stund immer erschienen, und er hätte sich gewünscht, bis zur Gründung einer eigenen Familie dort bleiben zu dürfen.

Man kann ja nicht mehr die Hand vor Augen sehen, dachte er, als er den Platz vor dem Rathaus überquerte. Da bemerkte er vor sich die schemenhafte Gestalt eines hageren hinkenden Mannes. Er erkannte Siferlin, der eilig über den Platz Richtung Ratskanzlei schlurfte, wo ein untersetztes Männlein gerade das Haupttor verriegelte.

«He, Secretarius Wagner, seid Ihr das?», rief Siferlin leise. Das Männchen wandte sich um, und die beiden begrüßten sich.

Anselm hätte ebenso gut nach Hause gehen können, zumal ihm durch und durch kalt war. Doch irgendetwas in seinem Inneren hieß ihn, die beiden Männer im Auge zu behalten. Rasch lief er hinüber zu den Laubengängen des Kollegiengebäudes, das neben der Ratskanzlei stand. Mit dem Nebel hatte Tauwetter eingesetzt, und der Schlamm schmatzte und zog an seinen Holzpantinen.

«Ist da nicht eben jemand vorbeigelaufen?», hörte er Siferlin fragen. Er stand nur einen Steinwurf von ihm entfernt. Angespannt drückte sich Anselm im Dunkel des Vorbaus hinter einen engen Holzverschlag.

«Ich habe niemanden gesehen», entgegnete der Secretarius. «Worum geht es, Meister Siferlin?»

«Sind der Schultheiß oder der Statthalter noch im Hause? Ich habe eine wichtige Aussage zu machen.»

«Nein, es ist niemand mehr in der Kanzlei. Und ich fürchte, dass sie auch die nächsten Tage keine Zeit für Aufwartungen haben, denn sie stecken mitten in diesem Prozess.»

«Wartet ab, was ich zu sagen habe. Kommt, gehen wir hinüber zu den Lauben, da sind wir ungestört.»

Ihre Schritte näherten sich und kamen dicht neben dem Verschlag zum Stehen. Anselm konnte Siferlins heißen Zwiebelatem riechen. Sein Herz klopfte bis zum Hals. Wenn er nun entdeckt wurde?

«Also, fasst Euch kurz, Meister Siferlin, ich habe wenig Zeit.»

«Es geht um Catharina Stadellmenin. Ich habe gehört, dass die Vischerin sie der Mittäterschaft bezichtigt hat. Ich kenne die Stadellmenin sehr gut und könnte Euch wichtige Hinweise geben, um sie endgültig der Hexerei und Zauberei zu überführen. Sie hat nicht nur –»

«Halt, Siferlin, kein Wort mehr hier auf der Straße. Wir müssen sofort zum Schultheiß. Er sitzt mit dem Statthalter im ‹Roten Bären› beim Abendessen.»

Nachdem die Männer sich entfernt hatten, kauerte Anselm noch minutenlang wie erstarrt in seinem Versteck. Das musste ein böser Traum sein. Seine Gevatterin sollte der Hexerei bezichtigt werden? Catharina Stadellmenin, die nie in ihrem Leben irgendwelchen magischen Praktiken nachgegangen war? Doch es gab keinen Zweifel, er hatte jedes einzelne Wort verstanden, und Anselm wusste nur zu gut, was als Nächstes geschehen würde. Er stürzte los in die milchige Dämmerung, den Franziskanerplatz hinunter Richtung Predigerkloster und in die Schiffsgasse. Er rannte, so schnell er konnte. Der Matsch spritzte ihm bis an die Knie, die schweren Holzschuhe schienen am Boden festzukleben. Kurzerhand streifte er sich Schuhe und Fußlappen ab und lief das letzte Stück auf bloßen Füßen weiter.

Im Sudhaus war noch Licht. Catharina war dabei, die Gerätschaften zu säubern und aufzuräumen. Verschwitzt, barfuß und mit Schlammflecken auf dem Rock stand Anselm vor ihr und bekam vor lauter Keuchen und Schrecken kein Wort heraus.

«Um Himmels willen, Anselm», rief Catharina erschrocken. «Was ist denn geschehen?»

«Ihr – Ihr müsst weg, sofort weg. Sie sind hinter Euch her!»

«Was redest du für Zeug? Wer ist hinter mir her?»

Anselm schlug die Hände vors Gesicht.

«Es ist wahr. Ich habe Siferlin belauscht, wie er mit einem Ratsdiener sprach. Er sagte, er könne helfen, Euch als Hexe zu überführen.»

«Aber das ist doch Unsinn. Was habe ich denn mit diesen Frauen, mit diesen Hexenprozessen zu schaffen?»

«Die Vischerin hat Euch bezichtigt!»

Catharina starrte Anselm an. Die Erde unter ihren Füßen begann zu schwanken, scheppernd fiel die Eisenpfanne aus ihrer Hand. Sie lehnte sich an die Wand. Dann gab sie sich einen Ruck. Jetzt nur nicht den Kopf verlieren.

«Erzähl mir genau, was du gehört hast.»

Der Junge holte tief Luft und berichtete von der Zusammenkunft der beiden Männer.

Siferlin, dachte Catharina nur, immer wieder Siferlin. Jetzt sieht er den Moment gekommen für die große Rache seines Lebens. Sie blickte auf Anselms nackte Füße.

«Komm mit in die Küche. Du musst deine Füße wärmen, sonst bekommst du Frostbeulen.»

Eine halbe Stunde später saß Catharina mit Elsbeth und dem zitternden Jungen auf der Küchenbank und versuchte, sich zu beruhigen. Sie hatte niemandem geschadet noch jemals Böses gewollt. Wieso sollte ihr also Gefahr drohen?

«Das klärt sich bestimmt alles von selbst auf», sagte sie leise. «Was ich nur nicht verstehe: Warum benennt die Vischerin ausgerechnet mich? Die vier, fünf Abende, die sie hier verbracht hat, konnte sie es sich doch gut gehen lassen. Sie durfte essen und trinken, soviel sie wollte!» Einmal hatte Christoph sie sogar zum Tanz aufgefordert. Christoph – wenn er jetzt nur bei ihr wäre! Er würde den Arm um sie legen und ihr in seiner beruhigenden Art klar machen, dass sie nichts zu befürchten hatte. Doch sie war allein, hatte Christoph seit unsagbar langer Zeit nicht mehr gesehen. Plötzlich begann sie am ganzen Leib zu zittern.

«Warum hat sie das getan?», wiederholte sie ihre Frage und schlug die Hände vors Gesicht.

«Aus Neid, aus blankem Neid. Die Frau war mir nie recht geheuer», murmelte Elsbeth. Sie war leichenblass. «Ihr dürft keine Zeit verlieren. Ihr müsst sofort weg von hier, am besten nach Villingen. Sie können jeden Moment vor der Tür stehen, um Euch zu holen. Und dann bringen sie Euch in den –» Sie sprach den schrecklichen Gedanken nicht aus.

«Ach, Elsbeth, wie soll ich denn bei Nacht und Nebel nach Villingen kommen? Außerdem schließen in Kürze die Stadttore.»

«Dann versteckt Euch beim Schneckenwirt bis morgen früh.»

«Elsbeth hat Recht.» Anselm sah sie flehentlich an. «Ihr könnt nicht hier bleiben.»

Catharina schüttelte den Kopf. «Wir sollten uns nicht verrückt machen. Mir wird schon nichts geschehen. Siferlin hat nichts in der Hand, was mich mit Hexerei in Verbindung bringen könnte. Und was die Vischerin betrifft: Der Inquisitor hat ihr sicherlich ins Gesicht gelacht und gesagt, sie solle keine ehrenwerten Bürgerinnen ins Gerede bringen. Schließlich bin ich die Witwe eines Magistratsmitglieds und Zunftmeisters.»

Catharina fand in dieser Nacht keinen Schlaf. Immer wieder fragte sie sich, ob sie tatsächlich in Gefahr sei. Aber nein, Siferlins Rachedurst und Margret Vischerins Neid mussten doch für jeden durchschaubar sein, es wäre doch einfach lächerlich, sie der Hexerei anzuklagen.

Hin und wieder glitt sie erschöpft über die Schwelle des

Schlafs, fuhr aber jedes Mal mit schweißnasser Stirn wieder auf. Von nebenan hörte sie die unruhigen Schritte der Magd. Catharina dachte an die Folterkammern in den Stadttoren, aus denen die Schreie der Delinquenten drangen. Sie wusste nicht mit Gewissheit, was mit diesen Menschen geschah, doch gehört hatte sie grauenhafte Dinge über deren Qualen, und mehrfach schon hatte sie den Henkerskarren auf seinem Weg zur Richtstatt gesehen, die geschundenen, zermarterten Körper der Verurteilten und ihre seelenlosen Blicke.

Noch vor Morgengrauen kleidete sie sich an. Es hatte keinen Sinn, sich dieser schrecklichen Ungewissheit weiter auszusetzen. Sie würde nach Villingen wandern, zu Fuß, auch wenn sie viele Tage dazu bräuchte. Alles in ihr drängte sie zu Christoph. Bei ihm wäre sie in Sicherheit, und dann würden sie gemeinsam weitersehen. Vielleicht, dachte sie, ist Carl auch inzwischen gestorben, dann könnten wir über das Erbe verfügen und notfalls das Land verlassen. In Christophs letzter Post hatte gestanden, dass nun auch der andere Medicus den baldigen Tod diagnostiziert hatte.

In der Küche brannte bereits Feuer, und Elsbeth setzte Wasser auf.

«Ihr habt Euch also entschieden zu gehen», sagte sie erleichtert mit einem Blick auf den Reisebeutel über Catharinas Schulter. Sie sah müde aus und hatte gerötete Augenränder.

«Ich habe Euch schon etwas Wegzehrung gerichtet.»

Sie schob Catharina ein prall gefülltes zusammengeknotetes Tuch zu.

«Danke, das ist lieb von dir.»

Catharina verstaute den Proviant in ihrem Beutel und reichte der Magd den Wasserschlauch, den Christoph ihr geschenkt hatte. Er war inzwischen leer. «Wenn du den noch füllen würdest. Ich will mich gleich bei Sonnenaufgang auf den Weg machen.»

In diesem Moment polterte es unten gegen das Haustor.

«Sofort aufmachen! Hier ist die Stadtwache!»

Geistesgegenwärtig packte Elsbeth den Reisesack und zog Catharina an der Hand hinter sich her, die Treppe hinunter.

«Wenn Ihr nicht sofort aufmacht, brechen wir die Tür auf!»

Elsbeth riss das Tor zum Garten auf und drängte Catharina hinaus.

«Flieht, in Gottes Namen. Über die Gartenmauer!»

Dann eilte sie zurück zur Haustür, ordnete ihre Röcke und ihre Haube und schob den Riegel zurück. Zwei mit Stock und Dolch bewaffnete Büttel standen in der Dunkelheit.

«Seid Ihr von Sinnen, mitten in der Nacht solchen Lärm zu machen. Meine Herrin ist krank und –»

Die beiden Männer beachteten sie nicht und sahen an ihr vorbei.

«Seid Ihr Catharina Stadellmenin, die Witwe des Schlossermeisters Bantzer?»

Elsbeth wandte sich um und stieß einen spitzen Schrei aus, als sie Catharina erblickte, die wie festgewurzelt im Hoftor stand.

«Ja, das bin ich.»

«Aha», grinste der Kleinere und schlug mit der flachen Hand auf den Sack, den Catharina immer noch in der Hand hielt. «Die Hexe wollte wohl ausfliegen!»

Er entriss ihr den Sack und schleuderte ihn in die Diele zurück. Dann nahmen sie Catharina in ihre Mitte, hielten mit eisernem Griff ihre Handgelenke fest und führten sie auf die stille Gasse. Gegenüber, im Torbogen des Bäckerhauses, stand Gervasius Schechtelin und glotzte ihnen mit offenem Mund nach.

Benommen stolperte Catharina zwischen den beiden Bütteln den kurzen Weg zum Predigertor. Über dem Burgberg kündigte sich fahl die Morgendämmerung an, der Nebel hatte sich verzogen, und es versprach ein klarer Februartag zu werden. Nur wenige Menschen waren zu dieser frühen Stunde unterwegs. Sie blieben entweder neugierig stehen, um sie anzustarren, oder beeilten sich, außer Reichweite der Büttel zu kommen.

Im Schein zweier Pechfackeln sah Catharina schon von weitem einen kleinen Menschenauflauf vor dem Tor des Predigerturms. Als sie sich näherte, konnte sie weitere Büttel und einige Frauen ausmachen.

«Ich habe vom Turmherrn Anweisung, fünf Gefangene aufzunehmen und nicht acht!»

«Aber in den anderen Türmen ist kein Platz mehr!»

«Das ist mir gleich. Bringt sie in den Keller der Ratsstube oder ins Spitalsloch.» Er hob ein Dokument in den Schein der Fackeln und verlas stockend die Namen der Gefangenen, die in den Predigerturm gebracht werden sollten.

«Magdalena Beurin, Catharina Stadellmenin –»

Catharina hörte ihm nicht zu. Sie hatte längst erkannt, wen es außer ihr getroffen hatte: zwei Frauen aus Betzenhausen, die sie noch aus ihrer Zeit als junges Mädchen kannte, ihre einstige Nachbarin und Frau eines Tuchhändlers namens Anna Wolffartin, die im Haus zum weißen Löwen wohnte, schräg gegenüber dem Bantzer'schen Anwesen, und – Margaretha Mößmerin. Catharina sah ihre Freundin an und erkannte das eigene Entsetzen in deren Augen. Sie versuchte, in ihre Nähe zu gelangen, doch der kleinere ihrer Bewacher drehte ihr roh den Arm auf den Rücken.

«Stehen geblieben!», zischte er.

Dann traten sie hintereinander durch das schmale Türchen in den Raum des Torwächters und kletterten eine Holzstiege hinauf: eine schweigende Kolonne von zehn schwer bewaffneten Bütteln und fünf Frauen. Sie erreichten einen kahlen quadratischen Raum von etwa zehn Fuß Seitenlänge, von dem eine weitere Stiege nach oben und zwei winzige Kammern abgingen, nicht größer als Schweinekoben. Die Türöffnung war mit einem schweren nur hüfthohen Holztor versehen, sodass der Wächter jederzeit Einblick in das Innere der Kammer hatte. Hier hinein wurden die Wolffartin und Margaretha gebracht, die anderen Frauen mussten nach oben, wo sich neben einer verschlossenen Eisentür drei solch kleine Kammern befanden.

Catharina wurde in die mittlere gestoßen.

«Los, hinsetzen!»

Sie ließ sich auf den Boden sinken, der mit einer dünnen Schicht aus frischem Stroh bedeckt war. Mit geübten Griffen befestigten die Büttel ihre Handgelenke an Eisenschellen, die an schweren, in die Wand eingelassenen Ketten hingen.

Erschöpft schloss sie die Augen, als man sie endlich allein ließ. Sosehr sie im ersten Moment darüber erschrocken war, dass man auch ihre Freundin eingesperrt hatte, so beruhigend fand sie jetzt die Erkenntnis, dass sie nicht die einzige Frau aus angesehenem Haushalt war. Es gab Prozessvorschriften, und sicherlich musste jedem Hinweis nachgegangen werden. Bestimmt würde im Laufe des Tages ein Vertreter des ehrsamen Gerichts im Turm erscheinen und ihnen erklären, dass die ihnen gemachten Vorwürfe unhaltbar seien.

Von unten hörte sie Margarethas Stimme: «Hab keine Angst, Catharina, wir sind bald wieder draußen.»

«Ich weiß.»

«Haltet den Mund», schrie eine männliche Stimme. Wahrscheinlich der Turmwächter. Catharina bewegte die Arme. Sie konnte sie ausbreiten, bis sie rechts und links die Wände berührte. Doch um aufzustehen, waren die Ketten zu kurz. Wenn sie sich aufrecht gegen die Wand setzte, konnte sie über das Holzgatter hinweg durch eine kleine Luke an der gegenüberliegenden Wand nach draußen sehen. Wie auf einem Bild zeichneten sich im heller werdenden Licht die Umrisse der Burg ab. Der Tag brach an mit seinen üblichen Geräuschen: dem Rumpeln der Holzkarren, Hundegekläff, dem Fluchen der Ochsentreiber, Rufen und Gelächter. Im Turm selbst war Stille eingekehrt. Die Gefangenen wagten nicht mehr zu sprechen, nur ein leises Schnarchen war aus der Kammer zur Linken Catharinas zu hören. Auch Catharina kroch die Müdigkeit wie Blei in die Glieder. Sie streckte sich, so gut es mit den schweren Ketten ging, im Stroh aus. Obwohl es frisch war, stank der Raum nach Urin und Kot. Ob es hier Ratten gibt?, dachte Catharina noch, dann war sie eingeschlafen.

An diesem Tag ereignete sich nichts mehr. Catharina erwachte von dem klirrenden Geräusch der Eisenketten und männlichen Stimmen. Eine der Betzenhauserinnen neben ihr wurde aus der Zelle geführt, und als Catharina den Kopf reckte, konnte sie sehen, wie sie hinter der geöffneten Eisentür verschwand, zusammen mit einigen Männern. Die Tür fiel krachend ins Schloss. Offensichtlich war dort noch ein weiterer Raum. Die berüchtigte Folterkammer? Doch es war kein Laut zu hören. Etwa eine Stunde später kehrte die Frau zurück, aufrecht, und schien keinen Schaden genommen zu haben.

Der Rest des Tages verging endlos langsam, mit quälendem Warten und großer Ungewissheit. Catharina versuchte, ihre Gedanken zu ordnen, überlegte sich, was sie dem Untersuchungsrichter sagen könnte, mit welchen Worten sie Margret Vischerins Bezichtigung entkräften würde. Dann dachte sie an Christoph, der in diesem Moment wahrscheinlich am Bett seines todkranken Schwiegervaters saß, ohne zu wissen, in welch schrecklicher Lage sie sich befand. Ob Elsbeth daran dachte, die Bierfässer zu liefern?

Jedes Mal, wenn unten im Turm die Tür ging, zuckte sie zusammen, doch niemand kam, gerade als habe man sie vergessen. Sie starrte die schmutzig gelben Wände ihres Gefängnisses an, bis sich ihr jeder Riss, jeder Fleck, jede Vertiefung eingeprägt hatte. Hin und wieder fiel sie in unruhigen Schlaf, aus dem sie beim leisesten Rascheln und Kettengeklirr aufschreckte. Ihre Handgelenke begannen zu schmerzen, mal schlief ihr ein Bein, mal ein Arm ein. Mit der Dunkelheit kam die Kälte, und niemand brachte Decken oder einen Strohsack. Wie lange würde sie hier liegen müssen? Tage? Wochen? Sie faltete die Hände und betete zum Gottvater und der Jungfrau Maria.

An den abschüssigen Stellen rutschte das Pferd immer wieder mit den Hufen weg. Die Schneemassen des vergangenen Winters hatten sich mit dem durchnässten Erdreich zu hellbraunem Schlamm verbunden, der ein Vorwärtskommen schier unmöglich machte. Christoph stieg ab und führte sein Pferd hinter sich her. Der tauende Schnee troff von den Ästen in seinen Nacken, die nassen Zweige peitschen ihm ins Gesicht. Verdammte Torheit, bei diesem Sauwetter die Abkürzung durch den Wald zu nehmen, dachte er ärgerlich, als ihm ein umgestürzter Baum den Weg versperrte. Er musste so schnell wie möglich den Hauptweg erreichen.

Am Vortag hatten sie seinen Schwiegervater beigesetzt, und es wäre vernünftig gewesen, mit dem Ritt nach Freiburg noch zwei, drei Tage zu warten, bis die Wege einigermaßen getrocknet waren. Doch es war nicht allein die Sehnsucht nach Catharina, die ihn zur Eile getrieben hatte. Die ganze Nacht schon hatte eine Unruhe von ihm Besitz ergriffen, die sich gegen Morgen zu einer peinigenden Angst steigerte. Sie hatte etwas mit Catharina zu tun, er spürte, dass sie in Gefahr war. Noch im Dunkeln hatte er sein Pferd gesattelt und war losgeritten.

Jetzt war der Mittag bereits vorbei, und noch nicht einmal die Hälfte der Strecke lag hinter ihm. Immer wieder musste er kleine Umwege machen, und hätte ihm die Sonne am wolkenlosen Himmel nicht als Wegweiser gedient, er hätte sich hoffnungslos verirrt.

Schließlich erreichte er den Turner, wo sich der Wald lichtete.

Er saß wieder auf und trieb seinen Fuchs in scharfen Galopp. Christoph klopfte dem willigen Tier anerkennend den Hals. Bald würde er den Fuhrweg von St. Märgen erreichen, und dann hatte er es so gut wie geschafft.

Endlich stand er an einem steilen Abhang und sah tief unter sich den Weg von St. Märgen, der nicht weit von hier in die Landstraße nach Freiburg mündete. Das Pferd tänzelte unruhig, während Christoph überlegte, wie er am besten hinunter auf den Weg gelangen könnte. Wollte er nicht wieder einen Umweg machen und kostbare Zeit verlieren, musste er wohl oder übel den nassen Hang hinabklettern. Er stieg ab und führte das Pferd vorsichtig zum Abhang. Da geschah das Unglück: Dem Pferd rutschte auf dem glitschigen Gras die Hinterhand weg, es riss den Kopf hoch, um das Gleichgewicht wiederzuerlangen. Durch den heftigen Ruck am Zügel verlor auch Christoph seinen Halt. Er stürzte hintenüber, die Beine sackten ihm weg, und dann rutschte er den Steilhang hinunter, immer schneller, immer schneller. Vergeblich suchte er nach einem Halt, seine Hände griffen ins Leere. Da spürte er einen kräftigen Schlag gegen Hinterkopf und Unterarm und kam zum Halten. Ein breiter Baumstumpf hatte ihn aufgefangen. Stöhnend fasste er sich an seinen schmerzenden Kopf, und als er die Hand zurückzog, war sie blutrot – eine tiefe Platzwunde. Er sah nach oben und pfiff durch die Zähne – das hätte ja böse ausgehen können. Dann stockte sein Atem: Wo war das Pferd?

Deutlich war eine breite Schleifspur durch die Schneereste zu erkennen, die bis zum Weg hinabführte. Dort lag ein fuchsbrauner Leib. Christoph setzte sich auf den Hosenboden und ließ sich das letzte Stück rücklings hinuntergleiten. Völlig durchnässt landete er neben dem zitternden Tier. Dem Himmel sei Dank, es lebte! Verängstigt sah ihn der Fuchs aus halb geöffneten Augen an. Dann hob er den Kopf und versuchte vergeblich, wieder auf die Beine zu kommen. Christoph erkannte es auf den ersten

Blick: das linke Vorderbein war knapp unterhalb des Knies gebrochen. Er hätte laut losheulen können. Vorsichtig nahm er den Sattel ab und legte ihn in ein dichtes Gebüsch. Es war ein kostbares Stück, und wenn er Glück hatte, würde er ihn auf dem Rückweg noch dort vorfinden. Dann wandte er sich wieder dem schnaubenden Pferd zu. Beruhigend tätschelte er ihm die Nüstern, schob seinen Kopf sanft nach oben und zog seinen Dolch. Mit einem raschen, gezielten Schnitt durchtrennte er die Kehle. Ein Schwall Blut schoss hervor, dann ging ein letztes Beben durch den mächtigen Leib des Pferdes, und seine Augäpfel drehten sich nach oben.

Je näher Christoph der Stadt kam, desto schneller wurden seine Schritte. Er spürte weder die Wunde am Kopf noch seine durchnässten Glieder. Nach dreistündigem Fußmarsch erreichte er das Schwabstor. Es war bereits dunkel, und wie er befürchtet hatte, waren die Tore geschlossen. Mit beiden Fäusten hämmerte er gegen die Pforte des Wächterhäuschens.

«Macht auf, in Gottes Namen, macht auf», rief er so lange, bis sich eine winzige Luke öffnete. Eine rote Knollennase und zwei triefende Augen zeigten sich.

«Was wollt Ihr? Das Tor ist geschlossen.»

Branntweinatem schlug Christoph entgegen.

«Lasst mich in die Stadt, es eilt.»

«He, he – um diese Zeit kommt keiner mehr herein.»

«Um diese Zeit dürftet Ihr Euch auch nicht mit Branntwein voll laufen lassen.»

Mit einem lauten Knall wurde die Luke wieder zugeschlagen, und die Pforte öffnete sich. Mit grimmigem Gesicht trat der Wächter heraus, in der Hand einen schweren Schlüsselbund.

«Also gut. Dann sagt mir jetzt ganz genau, wer Ihr seid und wohin Ihr wollt.»

«Christoph Schiller, Sohn der verstorbenen Marthe Stadellmenin aus Lehen, Besitzer eines Gasthauses in Villingen. Mein

Pferd ist mir unterwegs verreckt, deshalb bin ich so spät dran. Jetzt lasst mich durch, ich muss dringend zu meiner Base.»

«Und wer ist Eure Base?»

Christoph wurde ungeduldig. «Catharina Stadellmenin, wohnhaft im Haus zur guten Stund.»

Der Wächter schwankte.

«Stadellmenin Catharina? Ist die nicht heute früh verhaftet worden?»

Christoph starrte ihn entgeistert an. «Was sagt Ihr da?»

«Nichts für ungut, ich kann mich auch täuschen. In der letzten Zeit sind wieder so viele Hexen eingekerkert worden, da kann man sich nicht alle Namen merken. Ihr könnt durch.»

Eingekerkert, Hexe – die Worte trafen Christoph wie Hammerschläge. Er rannte quer durch die stille Stadt, ungeachtet der Dunkelheit und der Schlammlöcher auf den Straßen. Eine völlig aufgelöste Elsbeth öffnete ihm das Haustor. Bei Christophs Anblick fing sie an zu weinen. Dann zog sie ihn in die Küche, wo sie ihm über die Einzelheiten der Verhaftung berichtete.

«Heute Abend könnt Ihr nichts mehr ausrichten. Esst und trinkt etwas, während ich Eure Wunde säubere.»

Nur unwillig ließ sich Christoph von ihr behandeln. Sein Kopf dröhnte, und es fiel ihm schwer, einen klaren Gedanken zu fassen.

«Ich weiß, wo der Statthalter wohnt, dieser Renner. Ich gehe gleich bei ihm vorbei. Das Ganze ist doch ein zum Himmel schreiender Irrtum!»

«So, wie Ihr im Moment ausseht, lässt er Euch gar nicht ins Haus.»

«Du hast Recht.» Er sah die Magd scharf an: «Glaubst du, dass Catharina etwas mit Hexerei im Sinn hat?»

«Nein!» Mehr schien sie dazu nicht zu sagen zu haben.

Nachdem Christoph sich gewaschen und umgezogen hatte, machte er sich auf den Weg. Er mietete sogar einen Fackelträger, wie es sich zu Nachtzeiten für einen anständigen Bürger ziemte. Schon eine halbe Stunde später kehrte er zurück. Er war enttäuscht und niedergeschlagen.

«Und?» Elsbeth bebte vor Aufregung.

«Erst wollte er mich nicht empfangen, sah es als Frechheit an, dass ich ihn um diese Zeit störte. Dann kam er doch für einen Moment die Treppe herunter. Ach, Elsbeth, so einfach, wie ich es mir vorgestellt habe, ist es nicht.»

Er ließ sich auf die Bank nieder. Jetzt spürte er jeden einzelnen seiner Knochen, und seine Wunde pochte schmerzhaft.

«Vor Gericht zugelassen sind nur Zeugen der Anklägerseite. Die einzige Möglichkeit, die mir laut Renner bleibt, ist eine schriftliche Bittschrift. Ich muss Zeugen nennen, die für Cathis ordentlichen Lebenswandel bürgen. Ob solche Zeugen angehört werden, ist die alleinige Entscheidung des Gerichts.»

Stumm blickte er ins Leere. Es würde eine kalte Nacht werden, und Cathi, seine unschuldige, herzensgute Cathi lag irgendwo im Predigerturm in Ketten, frierend, zu Tode geängstigt, allein. Wenn sie ihr nun etwas angetan hatten? Wenn sie verletzt war, Schmerzen hatte?

Er sah Elsbeth an. «Margaretha Mößmerin und Beate Müllerin sind ebenfalls verhaftet.»

Dann verlor er die Besinnung.

Am nächsten Morgen wurde Catharina mit einem Fußtritt geweckt.

«Aufwachen. Die Herren Inquisitoren sind da.»

Der Wärter löste ihre Fessel und zog sie hoch. Sie musste trotz der Kälte und des widrigen Nachtlagers die letzten Stunden fest geschlafen haben, denn sie fühlte sich mehr bei Kräften als am Vortag. Während sie dem Wärter folgte, klopfte sie sich das Stroh vom Kleid. Die Eisentür stand offen. Catharina betrat den bis auf ein Stehpult vollkommen kahlen Raum, der spärlich von einer Tranlampe erhellt wurde. Drei Männer standen in der Ecke und unterhielten sich, hinter dem Stehpult ordnete der Gerichtsschreiber Papier und Tinte. August Wimmerlin! Dieser unangenehmste von allen Kommilitonen, die Anselm je ins Haus gebracht hatte, war also inzwischen Jurist. Wimmerlin wich ihrem Blick aus. Da trat aus der Gruppe der Richter ein hoch gewachsener, gepflegter Mann mit grau meliertem Haar auf sie zu. Das musste der Untersuchungsrichter sein. Erst auf den zweiten Blick erkannte Catharina ihn: Es war Doktor Textor, den Catharina einige Male im Hause von Jacob Baur getroffen hatte und der vor rund zehn Jahren, nachdem Lehen an die Stadt Freiburg verkauft worden war, den Lehener Herrenhof übernommen hatte. Sie unterdrückte einen Seufzer der Erleichterung.

«Seid Ihr Catharina Stadellmenin?»

«Aber ja, Doktor Textor, wir kennen uns doch. Von Einladungen in Baurs Haus, bei Margaretha Mößmerin. Ihr kennt doch auch meinen verstorbenen Mann, Michael Bantzer. Wie froh wird Margaretha sein, wenn sie erfährt, dass Ihr die Untersuchung leitet. Wir sind –»

Sie wurde von Wimmerlin unterbrochen. «Soll das alles protokolliert werden, Herr Commissarius?»

«Esel», antwortete einer der Schöffen an Textors Stelle. «Natürlich nicht!»

Catharina war nicht entgangen, dass für einen kurzen Moment ein wehmütiger Zug um Textors Mundwinkel spielte. Dann straffte sich sein Gesicht, und er sagte: «Beantwortet nur meine Fragen, nichts weiter. Ihr seid also Catharina Stadellmenin?»

«Ja, Euer Ehren.»

Sie begriff, dass die Fragen nach einem festgelegten Schema erfolgten, das sie nicht durchbrechen konnte.

«Wie alt seid Ihr, und wo seid Ihr wohnhaft?»

«Ich bin an die fünfzig und wohne im Haus zur guten Stund in der Schiffsgasse.»

«Wie ernährt Ihr Euch?»

«Ich betreibe eine kleine Bierbrauerei.»

«Wo seid Ihr geboren?»

«Hier in Freiburg.»

«Die Eltern?»

«Anna Meierin, wenige Jahre nach meiner Geburt im Kindbett gestorben. Mein Vater war der Maler Hieronymus Stadellmen, gestorben, als ich vierzehn Jahre alt war.»

«Wart Ihr danach in Diensten?»

«Ja, im Gasthaus meiner Tante, Marthe Stadellmenin. Ihr kennt diesen Gasthof, es ist der in Lehen. Und danach war ich Schankfrau im Schneckenwirtshaus.»

«Verheiratet?»

«Ich bin seit einigen Jahren Witwe. Mein Mann war der Schlossermeister und Magistrat Michael Bantzer. Aber das wissen Euer Ehren doch alles?»

«Schweigt! Ihr sollt lediglich beantworten, was Ihr gefragt werdet.»

Diese Worte waren ohne jegliche Schärfe vorgebracht.

«Habt Ihr Kinder?»

«Nein.» Sie spürte, wie sie den Mut verlor. Was für eine aberwitzige Unterredung!

«Direkte Verwandte, die noch am Leben sind?»

«Nein, das heißt, ich weiß nicht recht, was Euer Ehren unter direkten Verwandten verstehen. Ich habe noch Vettern und eine Base.»

«Das interessiert hier nicht.»

Textor gab Wimmerlin ein Zeichen, woraufhin der seine Utensilien zusammenpackte. Grußlos verließen die Männer den Raum, der Commissarius Textor als Letzter. Ohne Catharina anzusehen, ging er an ihr vorbei. Sie war wie vor den Kopf geschlagen. Das konnte doch nicht alles gewesen sein? Sie war überhaupt nicht angehört worden!

Auf dem Weg in ihre Zelle blieb sie an der Stiege stehen und rief nach unten: «Margaretha, Doktor Textor war hier, hörst du?»

Da gab ihr der Wärter einen Stoß in die Rippen. «Keine Unterhaltung mit den anderen Gefangenen. Sonst landet Ihr gleich im Folterturm.»

33

Die Morgensonne zauberte durch die schmalen, mannshohen Buntglasfenster leuchtende Kreise auf den lang gestreckten Holztisch der Ratsstube. Statthalter Johann Jacob Renner, Kopf des ehrsamen Rats der Vierundzwanzig, die sich heute zum Blutgericht versammelt hatten, ging mit energischen Schritten vor den Schöffen auf und ab.

«Was heißt hier delikat? Wir sollten in diesem Prozess genauso gewissenhaft und vorschriftsmäßig verfahren wie in allen anderen Prozessen dieser Art. Auch mir ist nicht entgangen, mein guter Textor, dass wir im Kampf gegen die Hexenverschwörung in unserer Stadt an einem Punkt angelangt sind, wo drei Frauen einsitzen, die allesamt Witwen von hoch angesehenen Bürgern unserer Stadt sind. Ich zähle auf: die Wolffartin, Witwe des Gewerbemannes Alexander Schell, die Mößmerin, Witwe unseres verstorbenen Obristmeisters Jacob Baur, die Stadellmenin, Witwe des mehrfachen Magistrats und Zunftmeisters Michael Bantzer. Dazu kommt noch, als vierte, Beate Müllerin, Tochter unseres hoch angesehenen Mitglieds der Zwölf Beständigen, Georg Müller. Die persönliche Bekanntschaft mit diesen Frauen», dabei warf er Textor einen verständnislosen Blick zu, «mag für einige unter uns natürlich ein erschwerender Umstand sein bei der Wahrheitsfindung und Überführung der Angeklagten. Jedoch –» er schlug heftig mit der Faust auf den Tisch, und seine ohnehin gehaltvolle Stimme rutschte in einen tiefen Bass «– ist hier im Raum unter den Anwesenden in der Tat jemand, der der Überzeugung ist, dass Gottes Widersacher Standesunterschiede macht bei der Auswahl seiner Gefolgsleute? Die Erfahrung hat gezeigt, dass einfache Leute ohne Stand und Bildung anfälliger sind für teuflische Verführungskünste, doch auch Vertreter des vornehmen Stands, insbesondere das schwache Geschlecht, sind nicht dagegen gefeit, und daher muss unnachsichtig jeder, ich sage, jeder Spur nachgegangen werden. Vielleicht erinnern sich einige der anwesenden Herren, auch wenn es bald fünfzehn Jahre zurückliegt, dass die Mößmerin schon einmal wegen Hexerei angezeigt worden ist. Der Sache wurde nicht weiter nachgegangen, da es sich bei der Denunziantin um eine Frau mit sehr schlechtem Leumund handelte. Nur wenige Monate später: die zweite Anzeige, diesmal von einem Freiburger Ballierer. Da dieser Mann als Schelm und Querulant stadtbekannt war, wurde er jedoch wegen Verleumdung verurteilt.»

Unbehaglich rutschte Carolus Textor auf seinem Stuhl hin und her.

«War das nicht dieser Friedlin Metzger», unterbrach er den Statthalter, «der seinerzeit in der Neuburg einen Teil der Stadtmauer abgetragen und die Steine verkauft hat? Ein verschlagener Bursche, auf dessen Aussage ich nichts geben würde.»

«Zwei Anklagen wegen Hexerei wurden seinerzeit also abgewehrt», fuhr Renner fort, offenbar unbeeindruckt von Textors Einwand. «Ein wenig zu voreilig, wenn man mich fragt. Denn es kann doch kein Zufall sein, dass dieselbe Frau nun schon zum dritten Mal mit Hexerei in Verbindung gebracht wird, diesmal durch vier Besagungen, die allesamt von Frauen stammen, die auf Hexerei und Teufelsbuhlschaft bekannt haben. Diese vier Besagungen betreffen im Übrigen auch die Wolffartin, die Müllerin und die Stadellmenin.»

Renner nahm einen großen Schluck Wasser und hob wieder seine Stimme: «So viel zu Margaretha Mößmerin. Ich habe zu Beginn meiner Ausführungen von hoch angesehenen Bürgern gesprochen. Wohlgemerkt von Bürgern, denn das bedeutet nicht zwangsläufig, dass auch deren Gattinnen einen gebührlichen Lebenswandel führen. Das beste Beispiel für einen Abfall von der ordentlichen Haushaltsführung des verstorbenen Mannes ist die Stadellmenin, die Witwe des von uns allen so geschätzten Michael Bantzer. In den letzten Jahren haben sich die Klagen einiger Nachbarn gehäuft: Lärm und Musik bis in die Nachtstunden, das Aus und Ein von fremden Mannsbildern, eine auffallend enge Verbundenheit mit ihren Dienstmägden, die Vermietung eines Zimmers an einen ledigen jungen Mann und anderes mehr. Es wurden sogar höchst verdächtige Zusammenkünfte in ihrem Garten beobachtet, mit Tanzen und Singen unterm Vollmond. Die Ermahnung des Zunftmeisters der Schlosser, der ihr in väterlicher Zuneigung verbunden ist, hat nicht gefruchtet. Und nun, gerade rechtzeitig zu Prozessbeginn, wurde mir die Aussage eines Mannes zugetragen, die zur weiteren Erhellung von Catharina Stadellmenins Wesen beitragen könnte. Gerichtsdiener, führt den Zeugen herein.»

Siferlin trat ein. Der Stolz, von so vielen ehrbaren Herren gehört zu werden, war ihm deutlich anzusehen. Renner setzte sich, und der zweite Vorsitzende, ein gelangweilt dreinblickender Mann, übernahm die Befragung.

«Euer Name?»

«Hartmann Siferlin.»

«Bürger der Stadt Freiburg?»

«Ja, Euer Ehren.»

«Wie ernährt Ihr Euch?»

«Ich arbeite als Buchhalter im Kornhaus, im Dienst der Stadt also.»

«Wiederholt jetzt bitte dem anwesenden Gericht die Aussage, die Ihr vorgestern vor den Herren Statthalter und Schultheiß gemacht habt.»

«Ich hatte den hochwohlgeborenen Herren vorgebracht, dass ich zu Lebzeiten des Schlossermeisters Bantzer, in dessen Diensten ich jahrelang als Buchhalter stand, Zeuge einer schlimmen Anschuldigung geworden bin.»

«Was war das für eine Anschuldigung?»

«Mein Brotherr warf seiner Gattin, Catharina Stadellmenin, ehemals Bantzerin, vor, sie habe ihn verhext und mittels eines Zaubers seiner männlichen Kraft beraubt. Bantzer war nicht nur mein Brotherr, sondern hat mir auf allen Gebieten immer großes Vertrauen entgegengebracht und –»

«Bleibt bei der Sache, Siferlin!»

«Nun ja, er hat sich tatsächlich mehrmals bei mir beklagt, er könne bei keiner Frau mehr liegen.»

«Wussten außer Euch noch andere Leute davon, dass die Stadellmenin ihren Mann verhext haben sollte?»

«Sicher!» Siferlin nickte eifrig. «Ich kann Euch leider keine Namen nennen, doch ging diese Anschuldigung damals durch alle Gassen. Ihr könnt Elsbeth Lauberin, die Magd, fragen. Sie hat seinerzeit bitterlich gejammert über das Gerede der Leute.»

«Also wusste auch die Stadellmenin, was über sie geredet wurde?»

«Ja.»

Der zweite Vorsitzende wandte sich an Renner: «Hat sich die Stadellmenin gegen diese Ehrverletzung jemals öffentlich gewehrt?»

«Nein, es fand niemals eine Eingabe statt.»

«Ein Indiz, eindeutig ein Indiz», murmelten einige Schöffen.

«Nun zu dem anderen Punkt, Siferlin. Ihr könnt also bezeugen, dass die Stadellmenin zu Bantzers Lebzeiten ein fleischliches Verhältnis mit einem anderen Mann eingegangen ist?»

«Ja, Euer Ehren, und zwar über mehrere Jahre hinweg.»

«Wer war dieser Mann?»

«Benedikt Hofer, einer unserer Gesellen, ein hoffärtiger Bursche.»

«Wo fanden die geschlechtlichen Vereinigungen statt?»

«Meist in Hofers Kammer am Lehener Tor, zu später Abendstunde. Mitunter aber auch in der Küche meines Herrn, sozusagen direkt vor seiner Nase.»

Ein empörtes Raunen ging durch die Stuhlreihen. Der zweite Vorsitzende blieb unbeeindruckt.

«Lebt dieser Hofer noch in Freiburg?»

«Nein, Euer Ehren, er hat die Stadt vor vielen Jahren verlassen.»

«Danke, Siferlin, Ihr könnt gehen.»

Doch Siferlin blieb stehen. «Wenn Ihr erlaubt, Euer Ehren – da ist noch etwas, das ich vorgestern zu erwähnen vergaß.»

«Dann sprecht!»

«In den letzten Jahren meiner Dienste entdeckte ich im Bantzer'schen Haus allerlei magische Zeichen und Gegenstände. Die Stadellmenin muss sich in diesem Handwerk also sehr wohl auskennen.»

In diesem Moment trat ein Gerichtsdiener mit einem Blatt Papier in der Hand ein und übergab es an Renner.

«Aha, eine Bittschrift in Sachen Stadellmenin», murmelte er, und zu Siferlin gewandt: «Ihr könnt gehen!»

Er faltete das Papier auseinander.

«Von einem gewissen Christoph Schiller, Gastwirt aus Villingen. Ein Vetter der Angeklagten.» Seine Stimme wurde lauter. «So möge doch das hohe Gericht die untadelige Lebensweise der Angeklagten überprüfen – ihre Aufrichtigkeit und Hilfsbereitschaft – dies als Zeugen könnten bestätigen – meine Schwester

Lene Schillerin, wohnhaft zu Konstanz, der Freiburger Schneckenwirt und seine Frau, Georg Matti, Stellmacher zu Lehen, Babett Heißlerin, Unfreie zu Lehen, des Weiteren –»

Renner sah auf. «Uninteressant.»

Er wollte das Papier schon zur Seite legen, da stutzte er.

«Babett Heißlerin aus Lehen? Die hat doch vor langer Zeit hier vor Gericht gestanden wegen Kindsmord?»

Einige Schöffen nickten.

«Allerdings freigesprochen», beeilte sich Textor einzuwerfen. «Sie hatte mehrere Fehlgeburten hintereinander, doch eine Beihilfe zum Tod ihrer Kinder konnte ihr nicht nachgewiesen werden. Was schreibt dieser Schiller über sie?»

«Die Stadellmenin habe ihr als junges Mädchen bei der Geburt ihres Sohnes Hieronymus auf freiem Feld zur Seite gestanden und sie und ihren Sohn dann regelmäßig besucht und mit allerlei notwendigen Dingen unterstützt.»

Renner sprang auf. «Wenn da nicht ein Zusammenhang besteht zwischen den Fehlgeburten und den Hexenkünsten der Angeklagten. Gerichtsdiener, lasst die Heißlerin vorladen. Sie muss examiniert werden!»

Am dritten Tag ihrer Haft wurde Catharina abermals in den Raum mit der Eisentür gebracht. Infolge des ewigen Sitzens und Liegens auf der durchgedrückten Strohschütte waren ihre Beine taub geworden, und sie schwankte, als sie den Schöffen und Doktor Textor gegenübertrat. In den letzten vierundzwanzig Stunden hatte sie das Nachdenken und Grübeln so gut wie aufgegeben, hatte die Zeit in einem dumpfen Dämmerzustand verbracht, nur geplagt durch solche Nöte wie Hunger, Durst und den Gestank ihrer eigenen Exkremente, die sie, soweit dies mit den kurzen Ketten überhaupt möglich war, möglichst an den Rand ihrer Liegestatt zu platzieren versuchte. Ihr Rock war befleckt, die Haare verklebt von Stroh, Staub und dem Schweiß ihrer Angstträume.

Als sie so vor den Richtern stand, stieg ihr die Schamröte ins Gesicht. Was mache ich nur für einen Eindruck, so stinkend und verdreckt, dachte sie. Bin ich noch Catharina Stadellmenin?

Textor räusperte sich.

«Warum vermeint Ihr hierher geführt worden zu sein?»

«Ich soll wohl eine Unholdin sein, doch man hat mich fälschlich angegeben.» Die eigenen Worte klangen ihr fremd in den Ohren. Wie hatte sie nur in diese Lage geraten können?

«Könnt Ihr lesen und schreiben?»

«Ja, Euer Ehren.»

«Habt Ihr Euch in einem Vertrag dem Teufel verschrieben?»

«Nein, ich bin unschuldig.»

»Wann habt Ihr Euch dem bösen Feind ergeben?»

«Ich hatte niemals etwas mit ihm zu schaffen, auch nicht mit anderen Hexen.»

«In welcher Gestalt ist Euch der Teufel erschienen?»

«Ich bin unschuldig, so glaubt mir doch. Ich habe mein Lebtag niemals etwas mit Zauberei zu tun gehabt, weder mit guter noch mit böser.»

«Besser, Ihr gesteht aus freiem Willen. Sonst müssen wir unsere Zeugen aufführen und Euch den Henker zur Seite stellen.»

«Und wenn es tausend Zeugen gäbe!», rief sie verzweifelt. «Ich habe ein reines Gewissen. Ich bin keine Hexe! Was kann ich nur tun, um meine Unschuld zu beweisen?»

Textor sah sie müde an.

«Würdet Ihr Eure Unschuld auch unter der Folter beteuern?»

Schwindel erfasste Catharina. Was wollte man von ihr? Wieso sollte sie etwas gestehen, das sie nicht begangen hatte?

«Ich habe Gott niemals verleugnet», sagte sie leise. «Und ich würde es auch unter der größten Marter nicht tun. Und wenn Ihr mir nicht glauben wollt, so will ich um Christi Qualen willen auch den Tod erleiden.»

August Wimmerlin schrieb dienstbeflissen jedes Wort mit.

Hart kratzte die Feder auf dem Papier. Textor räusperte sich erneut.

«Bringt sie heute Nachmittag zur Verbalterrition in den Christoffelsturm», sagte er zu dem Wärter und verließ mit den Schöffen und einem verächtlich dreinblickenden Wimmerlin im Schlepptau den Raum.

Jetzt erst bemerkte Catharina, dass ein neuer Wärter sie zurückführte. Er war noch jung, seine Gesichtszüge grob und wettergegerbt, aber nicht unleidlich anzusehen. Das Mitleid stand ihm in den Augen. Etwas schien in seinem Kopf vorzugehen, doch er schwieg.

Sie ließ sich auf das feuchte Stroh sinken. Seit ihrer Verhaftung hatte sie nichts als hartes Brot und Wasser zu sich genommen, doch jetzt war ihr so übel, dass sie die zarteste Hühnerbrust ausspeien würde. Was war eine Verbalterrition? Von Anselms wenigen lateinischen Brocken war ihr im Kopf geblieben, dass ‹verbal› etwas mit Worten zu tun hatte, also nicht bedrohlich war. Woher kam dann diese plötzliche Angst? Langsam begriff sie: Gleichgültig, wie unschuldig sie war, sie würde dem, was jetzt Schritt für Schritt folgte, nicht entkommen können. Der Ablauf der Inquisition war vorgegeben wie das Aufeinanderfolgen der Jahreszeiten.

Hoffnungslos wartete sie darauf, abgeholt zu werden. Jede Faser ihrer Muskeln war angespannt. Fast erleichtert richtete sie sich auf, als gegen Abend der junge Wärter erschien.

«Holt Ihr mich jetzt?»

Der Wärter schüttelte den Kopf und reichte ihr einen Becher mit brackigem Wasser. Sie trank in kleinen Schlucken, während der Mann sie beobachtete.

«Ihr seid aus Lehen, nicht wahr?», fragte er, als er den leeren Becher entgegennahm.

Sie sah ihn ungläubig an. Ihr war, als würde zum ersten Mal seit Wochen ein Mensch freundlich mit ihr sprechen.

«Kennt Ihr mich?»

«Nicht persönlich. Ich bin im Nachbarhaus von Hieronymus aufgewachsen, dem Sohn der Heißlerin. Sie hat viel von Euch erzählt.»

Catharina schloss die Augen. Ein warmer Frühlingstag, die Bauersfrau lag stöhnend am Wegesrand, Christoph ihr zur Seite. Christoph, ein hochgeschossener Junge, der von Anfang an ihr Herz besessen hatte.

Von weit her hörte sie die flüsternde Stimme des Wärters.

«Eigentlich ist es mir bei Todesstrafe verboten, das zu tun. Nehmt schnell und verratet mich nicht. Und vergesst nicht, das Licht zu löschen.»

Er gab ihr ein zusammengeknülltes Papier, stellte seinen Kerzenstumpf neben sie und entfernte sich schnell.

Sofort waren Catharinas Sinne hellwach. Sie hielt den Brief dicht an die Flamme und entzifferte die in aller Eile hingeworfenen Worte:

«Liebste Cathi, mein Ein und Alles! Es schmerzt mich, wenn ich daran denke, was dir zugestoßen ist, doch was sind meine läppischen Schmerzen gegen deine Qual und Ungewissheit. Du musst wieder Mut fassen, denn ich unternehme alles, damit du aus deinem Kerker unbeschadet freikommst. Ich habe eine Bittschrift eingereicht und werde alle Zeugen aufbringen, die für deine Unschuld aussagen können. Ich habe einen Boten nach Konstanz geschickt, vielleicht kann mein Schwager über die vorderösterreichische Regierung etwas erreichen. Und nicht zuletzt: Doktor Textor scheint, nach allem, was ich gehört habe, ein umsichtiger und gerechter Mann zu sein. Verzag also nicht! Ich bin ganz in deiner Nähe und werde es bleiben, bis du außer Gefahr bist. In größter Liebe und Zuneigung, dein Christoph.»

Catharina betrachtete den flackernden Schatten ihres Kopfes an der Wand. Nein, sie würde nicht aufgeben. Sie war nicht mehr allein.

Als Catharina am nächsten Tag immer noch nicht in den Christoffelsturm gebracht wurde, fragte sie sich, ob sie dies als gutes oder als schlechtes Zeichen deuten sollte. Sie konnte nicht wissen, dass diese Verzögerung mit Doktor Textor zu tun hatte. Der Commissarius geriet mit seinem Gewissen zunehmend in Bedrängnis.

«Werte Herren Kollegen, in aller Offenheit muss ich zugeben, dass ich Zweifel habe an der Schuld der mir zur Inquisition anvertrauten vier Frauen. Jede einzelne von ihnen hat mit aller Inbrunst und Überzeugungskraft geleugnet, sich jemals in Gesellschaft des Bösen begeben zu haben. Ihr Beteuern, dass sie fälschlich angegeben worden seien, scheint mir von Herzen zu kommen, und jede von ihnen ist bereit, sich diesbezüglich auch der härtesten Folter auszusetzen.» Er wischte sich den Schweiß von der Stirn, als er die Unruhe im Kreis der anderen Richter spürte. «Ich bin mir bewusst, dass ich durch meine Bekanntschaft mit den Angeklagten, insbesondere mit Margaretha Mößmerin, möglicherweise befangen bin, und stelle daher den Antrag, dass zur weiteren Examinierung ein anderer Untersuchungsrichter eingesetzt wird.»

34

Das grelle Tageslicht blendete Catharinas Augen. Nach einer Woche in der Finsternis des Predigerturms ertrug sie die Sonne nicht mehr. Mit schweren, halb geschlossenen Augenlidern stolperte sie vorwärts. Sie war frei, doch sie erkannte ihre Stadt nicht wieder. Die Menschen wichen vor ihr zurück, ein paar Gassenbuben rempelten sie an und riefen ihr Spottnamen nach. Beinahe wäre sie vor die Räder eines Pferdekarrens gelaufen. «Weg da, verlauste Dirne», fluchte der Kutscher und schlug mit der Peitsche nach ihr. Dann fand sie sich vor dem Haus zum Kehrhaken wieder.

Michael wird mich beschimpfen, wenn ich in diesem Aufzug das Haus betrete, dachte sie und sah an ihren Lumpen hinab. Er wird mich schlagen. Nein, besser ich gehe nach Lehen, zu Tante Marthe. Zu Lene und zu Christoph.

Ihr wurde wieder speiübel. Seit zwei Tagen hatte sie Leibschmerzen und Durchfall von dem fauligen Wasser im Turm, in ihrem Kopf pochte das Fieber. Sie schwankte, doch bevor sie seitwärts in den Straßendreck rutschte, fing ein hilfreicher Arm sie auf. Blitzartig war sie wieder bei Sinnen, als sie erkannte, wer sie da am Arm hielt: derselbe Büttel, der sie eine Stunde vorher aus dem Turm gelassen hatte.

«Der kleine Spaziergang ist beendet», lachte er hämisch. «Ab in den Christoffelsturm, dort bist du besser aufgehoben.»

Nach einem vergeblichen Versuch, sich zu wehren, ließ sie sich abführen. Nur schemenhaft nahm sie die johlenden und feixenden Gesichter um sich herum wahr, während sie sich die Große Gasse entlangschleppte. Hie und da glaubte sie jemanden zu erkennen. War das nicht ihr Küfer? Und dort, vor der bunt bemalten Fassade des Basler Hofes, die Frau vom Storchenwirt? Schmerzhaft zog sich ihr Leib zusammen, dann spürte sie etwas Warmes an ihren von Flöhen und Wanzen zerbissenen Beinen herunterrinnen.

«Sie scheißt sich voll, sie scheißt sich voll!», kreischten die Kinder auf der Straße begeistert.

«Ich flehe Euch an, lasst diese Frau los. Sie ist unschuldig!» Vor ihnen stand ein Mann mit unrasiertem Gesicht und zornig blitzenden Augen und versperrte ihnen den Weg. Catharina fiel auf die Knie und schrie heiser auf: «Christoph!»

Christoph sank neben ihr zu Boden und riss sie verzweifelt in seine Arme, streichelte sie, bis ein kräftiger Schlag mit dem Stock des Büttels ihn zur Seite warf.

«Verschwindet, sonst landet Ihr selbst im Kerker», brüllte der Büttel und schleifte Catharina die letzten Schritte bis zum Turm hinter sich her. Catharina wandte ein letztes Mal den Kopf und sah Christoph mitten auf der Straße stehen, die Tränen liefen ihm über die eingefallenen Wangen.

Im Halbdunkel des Christoffelsturms wartete bereits ein Mann auf sie, den sie vorher nie gesehen hatte.

«Die Stadellmenin, Euer Ehrwürden», meldete der Büttel. «Mit Verlaub bitte ich sagen zu dürfen, dass ihr die Scheiße wie Wasser aus dem Leib rinnt.»

Angewidert rümpfte der Mann die Nase. «Verschieben wir ihre Examinierung. Ich ertrage diesen Gestank nicht. Ersucht den Henker um ein Mittel gegen Durchfall, aber eines, das bis morgen wirkt. Kettet die Frau oben an und bringt mir stattdessen die Wolffartin, aber schnell.»

Catharina wurde über zwei Stiegen nach oben geführt und stand in einem dunklen Raum, in dem rundum Eisenketten von den Wänden hingen. Das einzige schmale Fenster war mit Stroh verstopft, und es stank bestialisch. Nachdem sich ihre Augen an die Dunkelheit gewöhnt hatten, stellte sie fest, dass sie allein war. Kurz darauf erschien ein älterer Mann, in dem sie den städtischen Henker erkannte. Er stellte einen Holznapf mit gesalzenem Haferschleim und bitterem Wein auf den Bretterboden.

Catharina schüttelte den Kopf. Allein beim Anblick des Essens begann es sie zu würgen.

«Ihr esst das jetzt, und wenn ich es Euch mit Gewalt einflößen muss.» Dabei klang seine Stimme keineswegs unfreundlich. Tatsächlich ging es Catharina nach dieser Mahlzeit, der ersten anständigen Nahrung seit Tagen, schnell besser. Sie versuchte, die Gedanken an das, was ihr möglicherweise bevorstand, zu verscheuchen, und dachte an Christoph. Wie elend hatte er ausgesehen. Im fiebrigen Halbschlaf spürte sie noch einmal seine

Umarmung. Er hatte sie liebkost, obwohl sie verdreckter und verwahrloster war als jeder Landstreicher. Das Gefühl von Scham wechselte mit Dankbarkeit dafür, dass sie Christoph noch einmal hatte sehen dürfen. Dann tat der Wein seine Wirkung, und sie schlief ein.

Ein kurzes, tiefes Stöhnen ließ sie aufschrecken. Was war das? Sie lauschte in die Stille. Von weit unten hörte sie gedämpfte Stimmen. Wieder dieses Stöhnen, und plötzlich ein lang gezogener, markerschütternder Schrei. Entsetzt presste sie die Fäuste gegen die Ohren und sprach laut und hastig «Vater unser im Himmel, geheilt werde dein Name, dein Reich komme –»

Doch es half nichts. Die Schreie drangen durch alle Poren ihres Körpers, schnitten wie Messerstiche in ihr Hirn, zerrissen in ihr den allerletzten Rest an Mut und Zuversicht.

«Warum vermeint Ihr hierher geführt worden zu sein?»

Sie befanden sich im Keller des Turms. Eisige Kälte herrschte in dem von zwei Fackeln spärlich erhellten Raum. Vor Catharina stand derselbe Mann, dem sie gestern bei ihrer Einlieferung in den Christoffelsturm vorgeführt worden war. Sein Gesicht wies harte, wie in Stein gemeißelte Züge auf, mit einem vorspringenden Kinn und winzigen, eng beieinander liegenden Augen. Mit Schrecken wurde ihr klar, dass Doktor Textor die Untersuchung in ihrem Fall abgegeben hatte.

Ungeduldig wiederholte der neue Commissarius seine Frage. Hinter ihm stand der Scharfrichter in seinem grauen Lederschurz und kratzte sich am Hals.

Catharina riss alle Kraft zusammen und sagte laut: «Durch ein großes Unglück.»

Der Richter musterte sie kalt.

«Hört, Stadellmenin, Ihr seid eine Hexe. Gesteht es gutwillig, sonst wird der Scharfrichter seine Arbeit verrichten.»

Sie schüttelte den Kopf. «Ich bin keine Hexe. Das habe ich doch bereits vor Doktor Textor geschworen.»

«Ihr seid als Gespielinnen angegeben worden, und zwar von Margret Vischerin, Magdalena Schreinerin, Magdalena Karrerin und Hedwig Jüdin. Kennt Ihr diese Frauen?»

«Nur die Vischerin. Ich bitte Euch, bringt sie her, damit sie mir ihre Anschuldigung ins Gesicht sagen kann.»

«Die Vischerin ist zu Asche verbrannt», gab er ungerührt zurück. «Gebt zu, dass Ihr mehrfach bei teuflischen Zusammenkünften auf dem Bromberg wart und in Eurem Garten in der Schiffsgasse. Gebt zu, dass Ihr mit einer Salbe, die Euch der Teufel zukommen ließ, drei Neugeborene der Babett Heißlerin aus Lehen umgebracht habt.»

Catharina zuckte zusammen. «Wie könnte ich so etwas zugeben, wo ich es doch nicht getan habe? Glaubt mir doch, ich habe mich niemals dem Teufel verschrieben.»

Der Commisarius gab dem Henker einen Wink und setzte sich zu Wimmerlin und den beiden Schöffen an einen Tisch. Über ihnen hing ein großes hölzernes Kruzifix. Catharina wurde vom Henker bei den Schultern genommen und in den hinteren Teil des Raums geführt. Auf einer Bank lagen fremdartige Geräte aus geschmiedetem Eisen, die Catharina an das Handwerkszeug aus Bantzers Schlosserei erinnerten.

Leise, in einfachen Worten, wie er es wohl schon hundertfach getan hatte, erklärte der Scharfrichter, wie die Daumenschrauben verwendet wurden.

«Ihr legt die Daumen Eurer Hände zwischen die beiden Eisenplatten, die mit dieser Schraube allmählich zugezogen werden. Die Nieten an der Innenseite der Platten quetschen die Daumen zusammen, bis das Blut unter den Fingernägeln hervorspritzt. Das ist der erste Grad der Tortur. Für den zweiten Grad werden die spanischen Stiefel angelegt.»

Catharina verbarg das Gesicht in den Händen. Ein junger

Mann mit wulstiger Narbe quer über der Oberlippe, den sie bislang noch gar nicht wahrgenommen hatte, riss ihr die Hände weg.

«Schaut gefälligst hin, wenn Euch mein Vater etwas erklärt!»

«Die flache Seite der Beinschraube wird an die Wade angelegt, die Seite mit den Eisenspitzen an das Schienbein. Beim Zuschrauben dringen die Spitzen in die Haut, wenn man weiter dreht, auch bis in die Knochen.»

Dann deutete er auf ein wuchtiges Holzgestell, einem hohen Türrahmen gleich, an dessen Seite ein riesiges Rad befestigt war. Dieses Rad bediente eine Winde, mit der ein dickes Seil, das über eine Rolle an der Decke befestigt war, aufgezogen werden konnte. Jetzt baumelte das leere Ende des Seils leicht hin und her.

«Falls Ihr dann immer noch nicht gestanden haben solltet, werdet Ihr aufgezogen.»

Ausführlich beschrieb er, wie ihr die Hände hinter dem Rücken gebunden und an dem Seil befestigt würden und wie er sie langsam hochziehen würde. Zur Verstärkung der Tortur könne man ihr Gewichte an die Füße binden oder sie aus großer Höhe fallen lassen. Als zusätzliche Marter wäre Auspeitschen oder Ausreißen der Fußnägel denkbar.

«Sag ihr», warf sein Sohn eilfertig ein, «dass wir ihr auch brennende Pechpflaster aufsetzen oder ihr die Achseln mit Fackeln ausbrennen oder ihr Branntwein über den Rücken gießen und anzünden können. Manchmal gehen die hohen Herren auch essen und lassen die Hexenweiber in der Zwischenzeit hängen.»

Der Henker sah seinen Sohn ärgerlich an, doch Catharina hatte kaum zugehört. Sie war zu Boden gesunken und blickte immer noch mit vor Schreck geweiteten Augen auf den Daumenstock.

Der Henker beugte sich zu ihr hinunter und flüsterte: «Bitte hört auf mich! Bekennt etwas, sei es, was es will. Ihr haltet es nicht durch. Und herauskommen werdet Ihr hier nimmermehr!»

«Können wir jetzt endlich anfangen?» Der Untersuchungsrichter war aufgestanden, und Wimmerlin reckte begierig den Hals.

«Ja, Euer Ehren».

Geschickt fesselte der Scharfrichter Catharinas Hände vor der Brust, dann musste sie vor die Bank knien und ihre Daumen in den Schraubstock legen. Der Commisarius stellte sich dicht hinter sie.

«Ich frage Euch also ein letztes Mal gütlich: Wann ist Euch zum ersten Mal der Teufel erschienen?»

«Ich habe ein reines Gewissen. Niemals war ich in der Gesellschaft – nein!!!»

Ihr Schrei gellte durch den Gewölbekeller. Noch einmal zog der Henker an der Schraube, wieder durchschoss sie dieser wahnsinnige Schmerz. Nach dem dritten Mal waren ihre Daumen plötzlich so taub, als habe man sie ihr abgerissen.

«Die Stiefel!»

Der Henkerssohn machte sich an ihrem linken Bein zu schaffen.

«In welcher Gestalt ist der Teufel zu Euch gekommen?»

«Ich sage – doch – hab ihn nie – gesehen. Lasst – nein – aufhören!»

«Was hat der Teufel Euch versprochen? Zieht die Schraube weiter zu!!!»

Wie ein Tier unter seinem Schlächter begann sie zu brüllen, flehte und heulte, bis ihr Schaum vor den Mund trat und die Zunge aus dem Mundwinkel hing. Dann fiel sie in Ohnmacht.

Als sie langsam zu sich kam, lag sie wieder in ihrer Ecke an die Wand gekettet, und ihre Hände und ihr linkes Bein waren sorgfältig verbunden. Sie fühlte weder Schmerz noch Angst, schwebte vielmehr weit über sich in einer unendlichen Leere. Ist das der Tod, fragte sie sich ungläubig. Doch dann hörte sie ganz in ihrer Nähe ein Ächzen. Sie war nicht allein.

Es dauerte eine Weile, bis sie sprechen konnte, denn Gaumen und Kehle waren ausgetrocknet.

«Ist da jemand?»

Keine Antwort. Nur das Rascheln der Ratten, die neugierig näher kamen und an ihrem Kleid knabberten.

«Wer ist da?»

Wieder das leise Ächzen, schließlich eine raue Stimme, die fragte: «Catharina?»

Ihre Freundin Margaretha! Sie wollte antworten, doch in diesem Moment kam der Schmerz mit einer solchen Wucht zurück, dass sie beinahe wieder das Bewusstsein verloren hätte. Gottergeben wartete sie, bis die Wellen verebbt waren.

Schließlich flüsterte sie: «Ja, ich bin es.»

Sie hörte der Stimme aus der Dunkelheit die Anstrengung an, die es sie kostete, zu sprechen.

«Catharina – Beate ist frei. Ihr Vater hat es geschafft, sie rauszuholen. Für uns –» Margaretha stöhnte erneut auf «– ist es vorbei. Anna Wolffartin ist auch hier, viermal aufgezogen, halb tot.»

Catharina flüsterte noch ein paar Mal Margarethas Namen, doch es kam keine Antwort mehr. Sie starrte in die Dunkelheit. Wieso sollte ihr Leben jetzt zu Ende sein? Es hatte doch eben erst richtig begonnen! Von draußen rief Christoph nach ihr. Ich komme gleich, warte noch einen Moment. Bald ist es Frühling, und dann legen wir uns in die Dreisamwiesen. Die sind gelb vom blühenden Löwenzahn. Und die Weiden am Fluss tragen ihr erstes Grün. Catharinas Augen brannten, doch sie hatte keine Tränen mehr. Sie vergrub ihr Gesicht in ihrer vom Angstschweiß getränkten Achselhöhle. Gütiger Vater im Himmel, lass mich nicht zu lange leiden.

«Wie weit seid Ihr mit Eurer Befragung, Doktor Frauenfelder?»,
wandte sich Renner an den Commissarius. Frauenfelder warf einen
unsicheren Blick auf Textor und strich sich über sein spitzes
Kinn.

«Die Mößmerin und die Stadellmenin haben bisher standhaft
geleugnet. Die Wolffartin hat nach dem Aufziehen zunächst gestanden, ihre Aussage aber am nächsten Tag widerrufen.»

Textor sprang auf. «Und wenn sie doch unschuldig sind?»

«Ach was. Zäh wie Leder sind sie, das ist alles. In allen drei
Fällen ist also eine verstärkte Tortur angebracht. Doch ich denke, das hat Zeit bis Montag.»

Renner nickte. «Auch recht. Wir haben morgen eine Kinds-
taufe in der Familie. Wie sieht es aus? Gehen wir zusammen essen? Der Bärenwirt hat frische Forellen.»

35

Als Catharina am Montag bei Tagesanbruch zur Fortsetzung
der Tortur in den Keller gebracht wurde, zitterte sie vor Angst
und konnte sich kaum auf den Beinen halten. Doktor Frauenfelder schob ihr mit dem Fuß einen wackligen Schemel hin.
Catharina setzte sich und legte ihre auf immer zerstörten Hände
in den Schoß.

«Der Schreiber muss gleich hier sein, er ist noch wegen eines
Gutachtens in der Fakultät», sagte Frauenfelder zu den beiden
Schöffen. «Henker, erklärt der Hexe, wie es weitergeht.»

Die Richter nahmen Platz an ihrem Tischchen, auf dem ein
großer Krug Wein mit vier Gläsern bereitstand.

«Wenn Ihr jetzt nicht gesteht, werde ich Euch aufziehen müssen», sagte der Henker. Dann fuhr er leise fort: «Unten auf der
Straße hat mich ein Mann angesprochen. Er hat keinen Namen

genannt, hatte aber auffallend blaue Augen. Er bat mich, Euch auszurichten, dass er immer in Eurer Nähe sei.»

Wimmerlin und der Sohn des Henkers traten ein. Frauenfelder stand auf und kam gemessenen Schrittes auf Catharina zu.

«Gesteht Ihr, eine Hexe zu sein und mit dem Leibhaftigen gebuhlt zu haben?»

«Ich bin unschuldig!»

«Bleibt Ihr dabei?»

«Ja, Euer Ehren.»

«Zieht sie aus und untersucht, ob sie Amulette oder sonstige Zaubermittel versteckt hält.»

Ungeduldig zog der Sohn des Henkers sie vom Schemel hoch und riss ihr die verschmutzten, von Ratten und Ungeziefer angefressenen Kleider vom Leib. Splitternackt stand sie da, schutzlos den Blicken von sechs Männern ausgesetzt. Spätestens in diesem Augenblick brach Catharinas Würde restlos in sich zusammen. Gott schien sie aufgegeben zu haben, zur Strafe für irgendein Vergehen, dessen sie sich nie bewusst gewesen war.

Ohne Widerstand ließ sie sich den Kopf scheren, dann Achseln und Schamhaare. Gleichgültig nahm sie die lüsternen Blicke des jungen Henkers wahr, als er ihr mit seinen rauen Händen erst die Hinterbacken, dann genüsslich die Scheide auseinander drückte, um irgendeinen vermeintlichen Schadenszauber zu entdecken. Anschließend wurde ihr der sackleinene Marterkittel übergezogen. Der Junge führte sie zum Seilaufzug und fesselte ihr die Hände auf dem Rücken, während sein Vater die Sperre an der Seilwinde löste.

«Ein Miserere lang aufziehen, dann fallen lassen», kam die knappe Anweisung von Frauenfelder. Schmatzend kostete er von dem rubinrot funkelnden Wein.

Das lose Ende des Seils wurde hinter ihrem Rücken an den gefesselten Händen befestigt, dann hoben sich ihre Hände durch den Zug des Seils, langsam, ganz langsam in die Höhe. Zunächst spürte Catharina überhaupt nichts, doch als sich ihre Füße vom Boden lösten und ihr ganzes Gewicht an den nach hinten verdrehten Schultergelenken zerrte, glaubte sie, Himmel und Erde gingen unter. Eine riesige Klammer schien ihren Brustkasten zusammenzupressen, sie wollte schreien, bekam aber keine Luft, und ihrem geöffnetem Mund entrang sich nur stoßweise ein Röcheln. In dem Moment, als sie dachte, jetzt sei alles vorbei, jetzt dürfe sie endlich sterben, wurde sie aus großer Höhe auf den Steinboden geschleudert, wo sie halb besinnungslos liegen blieb.

«Noch einmal aufziehen, diesmal langsamer, und hängen lassen.»

Catharina hörte ihr eigenes Stöhnen und Wimmern nicht, noch das Reißen ihrer Sehnen und Bänder, noch das leise Knacken, als ihre Arme aus den Schultergelenken auskugelten. Ihr war schwarz vor Augen, und ihr ganzer Körper loderte vor Schmerzen.

Frauenfelder drückte dem Henker eine Lederpeitsche in die Hand. Dann prasselten seine Fragen auf Catharina nieder, jede einzelne von einem scharfen Peitschenhieb unterstrichen:

«Habt Ihr Euch mit dem Teufel fleischlich vereinigt? In welcher Gestalt kam er? Wann zum ersten Mal? Was habt Ihr dem Teufel versprochen, was hat er Euch gegeben? Wie oft seid Ihr zum Sabbat ausgefahren? Wer waren Eure Gespielinnen? Wie oft habt Ihr Wetter gemacht? Wem habt Ihr mit Eurem Hexenzauber geschadet? Wart Ihr nachts auf dem Kirchhof, um Kinder auszugraben? Wie viel Menschen, Vieh und Kinder habt Ihr umgebracht? Wer hat Euch dabei geholfen? Sprich lauter, du Hexenweib, ich versteh dich nicht!»

«Ich – gestehe – alles.»

Der Henker ließ auf Frauenfelders Zeichen hin das Rad los. Mit einem dumpfen Schlag fiel Catharina auf den Boden zurück und blieb mit verrenkten Gliedern und blutgetränktem Rücken liegen.

«Bringt ihr was zu trinken!»

Keuchend schnappte sie nach Luft, als der Henker sie vorsichtig aufrichtete. Sie spuckte einen Schwall Blut aus, denn der zweimalige Sturz hatte ihr einige Zähne ausgeschlagen und außerdem eine klaffende Wunde auf der Stirn zugefügt.

«Versucht, in kleinen Schlucken zu trinken», sagte der Scharfrichter und hielt ihr den Becher an die Lippen.

Und dann brachte Catharina ihr Geständnis vor.

Wimmerlins Feder flog nur so über das Papier, vor Anstrengung biss er sich die Unterlippe wund, während Catharina, hin und wieder von Frauenfelders eindringlichen Fragen in die richtige Richtung geführt, stockend und mit heiserer Stimme ihre Vergehen aufzählte.

Ja, sie habe sich dem Teufel verschrieben, als Mädchen schon. Er sei ihr in der Gestalt eines jungen Mannes in der Lehmgrube draußen vor der Stadt erschienen, habe sie begehrt, und sie habe sich ihm fleischlich hingegeben. Ja, er sei kalter Natur gewesen, und sie habe ihm zu Willen Gott verleugnet, es aber gleich herzlich bereut. In späteren Jahren sei er ihr in anderer Gestalt erschienen, immer aber schwarzhaarig und dunkel. Ihr Buhle habe sie in Schadenzauber unterrichtet, und sie habe den Zauber verschiedene Male gegen Männer verwandt – gegen welche Männer, könne sie nicht mehr sagen. Mitunter habe ihr der Teufel auch gegen ihren Mann beigestanden, den Schlossermeister Bantzer, denn der habe sie die letzten Jahre ihrer Ehe übel gehalten, vor allem, wenn er betrunken war und sie sich vor seinen Schlägen die halbe Nacht auf dem Dachboden verstecken musste. Nein, den Kindern der Heißlerin habe sie kein Leid getan, wohl aber habe sie einmal ihr eigenes Neugeborenes ihrem Buhlen zuliebe umgebracht. Viele Male sei sie mit einem gesalbten Stecken nachts auf den Bromberg und in das Mösle ausgefahren, da standen Tische, gedeckt mit guten Speisen, Gebratenem und Wein, den ihr ihr Buhle aus einem silbernen Becher zu trinken gegeben habe.

Dann hätten Lautenschläger zum Tanz aufgespielt. Wer die Gespielinnen gewesen seien? An diesem Punkt geriet Catharinas Redestrom das einzige Mal ins Stocken. Sie musste Namen nennen, heilige Mutter Gottes, jetzt musste sie Namen nennen.

Die meisten habe sie nicht gekannt, flüsterte sie zögernd, bis auf die Vischerin, die Mößmerin und die Wolffartin. Ja, die seien jedes Mal dabei gewesen.

Catharina ließ den Kopf auf die Brust sinken und schwieg. Befriedigt rieb sich Frauenfelder die Hände.

«Zum Schluss gestehen die Weiber doch alle. Immer wieder zeigt sich», dozierte er, «wie Recht unser ehrwürdiger Institoris hatte: So leichtgläubig und schnell verführbar die Weiber sind, so wenig Stärke und Widerstand zeigen sie bei der Tortur. Wie schreibt er doch in seinem großen Werk, dem Malleus maleficarum? Die Frauen seien in allen Kräften, der Seele wie des Leibes, mangelhaft.»

Wimmerlin nickte eifrig. Die Bewunderung für Frauenfelders Ausführungen stand ihm ins Gesicht geschrieben. Der Commissarius stieß ihn in die Seite.

«Habt Ihr alle Aussagen verzeichnet, Wimmerlin? Bis morgen müsst Ihr das Protokoll ins Reine geschrieben haben. Und Ihr», wandte er sich an Catharina, «werdet, sobald Euch der Henker einigermaßen wiederhergestellt hat, Eure Urgicht ordnungsgemäß vor den sieben Zeugen bestätigen.»

Durch dichten blaugrauen Nebel sah Catharina, dass die Männer, bis auf den Sohn des Henkers, den Keller verließen. Dann schloss sie die Augen. Plötzlich durchfuhr sie ein höllischer Schmerz: Jemand hatte sie unsanft auf ihren wunden Rücken gedreht, und ein schweres Gewicht ließ sich auf ihren geschundenen Körper nieder. Sie glaubte im ersten Moment, dass die Folter nun fortgesetzt würde. Doch es war der Henkerssohn, der sich keuchend, mit offenem Hosenlatz, auf sie gelegt hatte und nun versuchte, in sie einzudringen.

«Mal schauen, ob dir dein Teufelsbuhle zu Hilfe kommt, vermaledeite Hure. Mir jedenfalls macht er keine Angst. Verdammt nochmal, mach die Beine breit!»

Volle fünf Tage verbrachte Catharina noch in der Dunkelheit des Christoffelturms, fünf Tage, in denen der Scharfrichter ihre ausgekugelten Glieder wieder einrenkte, den Verband ihrer zerquetschten Finger wechselte, mit Öl aus Alraun und Zaubernuss das brandig gewordene linke Bein behandelte und die eitrigen Schwären am Rücken reinigte. Mit einem Geheimrezept aus Baldrian, Haselwurz, Steinbrech und einer Spur Schierling linderte er ihr Fieber und ihre Schmerzen. Der Alte verstand sein Handwerk, denn er hatte nicht nur das Töten, sondern auch das Heilen gelernt.

Doch von all dem, was in diesen fünf Tagen mit ihr geschah, nahm sie kaum etwas wahr. Sie wusste nicht, dass nur wenige Schritte neben ihr ihre todkranke Freundin Margaretha Mößmerin in Ketten lag und ein Stockwerk unter ihr die Witwe des reichen Tuchhändlers, Anna Wolffartin. Einen ihrer wenigen klaren Momente hatte sie, als eines Morgens der Untersuchungsrichter mit sieben Zeugen in ihrem Gefängnis aufmarschierte und ihre unter der Folter erpresste Urgicht verlas. Erstaunt lauschte sie den Sätzen, die aus ihrem Mund stammen sollten. Fremde Worte, seltsame Dinge, die augenscheinlich mit ihr zu tun hatten. Sie schüttelte den Kopf, nein, das könne nicht von ihr sein. Kurz darauf erschien der Henker mit den Beinschrauben, die er an ihr gesundes Bein anlegte, und es bedurfte eines einzigen Zugs der Schraube, um Catharina im Namen Gottes bekennen und die genannten Verbrechen bestätigen zu lassen. Dann bat sie, ihr Testament machen zu dürfen und dass ein Priester sie aufsuche. Der Priester kam am selben Tag, er war nicht allein.

«Gute Frau, habt Ihr noch einen Wunsch, den ich Euch in den nächsten Tagen erfüllen könnte?» Textors Stimme zitterte.

«Nein – nichts, es ist – vorbei. Warum – nur?»

Catharina hatte Mühe zu sprechen. Plötzlich ging ein Ruck durch ihren Körper.

«Oder doch. Einen Brief an meine Freundin Lene Schillerin. Sie – ihre Kinder – meine Tochter – sollen wissen, dass ich unschuldig bin.»

Textor nickte. «Das wird sich machen lassen.»

Nachdem die Männer gegangen waren, fiel sie wieder in ihren Dämmerzustand. Einzig die Besuche Textors brachten Licht in ihren Kerker, rissen sie aus ihrer Bewusstlosigkeit. Unter Textors Feder füllte sich Seite um Seite, Blatt um Blatt mit Worten, die voller Hast und ohne Unterbrechung aus Catharinas Innerstem strömten.

«Nur langsam», beruhigte sie Textor immer wieder. «Wir haben Zeit. Dieses eine Mal noch haben wir Zeit. Vergesst nicht, in den Augen des Magistrats verfasse ich eine wissenschaftliche Abhandlung.»

Aber auch diese Zeit ging zu Ende, und als Textor ein letztes Mal seine Schreibutensilien zusammenpackte und sich mit bleichem Gesicht verabschiedete, ließ sie sich vollends in ihr Schattenreich fallen, zu dem nichts und niemand mehr Zutritt hatte. Wenn sie überhaupt fähig war, etwas zu fühlen, dann die ruhige Ermattung eines Kranken, der weiß, dass er auf dem Weg der Genesung ist. Sie begegnete Marthe und stand mit ihr im blühenden Obstgarten, lief mit Moses über endlose Wiesen und Felder, ließ sich von Christoph durch dunkelblaue Wogen tragen, saß mit Marthe-Marie am Hafen von Konstanz, ihrer Marthe-Marie, in der sie weiterleben würde. Immer wieder besuchte sie ein winziger Greis mit roter Kapuze und leeren Augenhöhlen, der ihre Hand hielt und mit trauriger Stimme bedauerte, dass sie nicht mehr auf sich Acht gegeben und auf seinen Rat gehört habe. Auch Michael Bantzer kam, doch sie schickte ihn weg, ebenso wie Benedikt.

Dann erschien Lene, mitten in der Nacht, mit einer blakenden Tranlampe in der Hand, und streichelte ihr über das Gesicht. Ihr Haar war grau geworden, ihre Wangen tränennass.

«Weine nicht, es ist doch alles gut», sagte Catharina, obwohl ihr das Sprechen sehr schwer fiel. «Wie geht es den Kindern? Hast du sie mitgebracht?»

«Ferdi hat mich begleitet, er wartet bei dir zu Hause auf uns.»

Catharina sann darüber nach, was Lenes Worte zu bedeuten hatten. Erst nach geraumer Zeit fand sie in die Wirklichkeit zurück.

«Wie – bist du – hereingekommen?»

«Der Wächter hat mich eingelassen. Ich habe den Schlüssel für deine Ketten.»

Ich kam zu spät. Catharina hatte mit dem Leben abgeschlossen. Dabei war alles bestens vorbereitet. Wir hatten herausgefunden, dass die Katzenpforte in jener Nacht unbewacht war. Unten auf der Straße wartete Christoph, um Cathi nach Basel zu bringen. Von ihm hatte ich das Säckchen mit Goldstücken, um den Wächter zu bestechen. Christoph hatte es gut gemeint, als er mich in den Turm schickte, er glaubte, dass eine Frau das Herz des Wächters eher erweichen würde. Nun, fast hatte er Recht, wenn auch in anderem Sinne. Die Goldstücke genügten dem Hundsfott von Wächter nicht, doch es gibt Momente im Leben, Marthe-Marie, die bringt man mit geschlossenen Augen ohne Hadern hinter sich, so wie die Liebesdienste für diesen Widerling.

Als ich endlich mit den Schlüsseln in der Zelle stand und Catharina fragte, ob sie aufstehen könne, schüttelte sie den Kopf.

«Lieb von dir, dass du mich besucht hast, aber ich muss jetzt schlafen. Ich habe morgen früh viel Arbeit. Die Setzlinge müssen ins Frühbeet, und Elsbeth kommt mit dem Bierbrauen allein nicht zurecht. Und für Marthe-Maries Namenstag möchte ich noch einen Kuchen backen. Komm doch ein andermal vorbei, ja?»

«Cathi!»

Ich nahm sie bei den Schultern, wollte sie schütteln, doch sie legte mir ihre verbundene Hand auf den Mund.

«Psst, leise, Christoph schläft schon. Geh jetzt, Lene, bis bald.»

Dann streckte sie sich auf dem stinkenden Stroh aus und rührte sich nicht mehr. Ich legte mich neben sie, nahm sie in die Arme und beschloss, sie nie wieder zu verlassen. Doch irgendwann kam der Wächter und brachte mich mit Gewalt hinunter auf die Straße.

In jener Nacht ergriff mich hohes Fieber, und mein Haar färbte sich so schlohweiß, wie du es jetzt vor dir siehst. Wenn ihr Kinder nicht gewesen wärt – wer weiß, ob ich jemals meinen Lebensmut wiedergefunden hätte.

Ach ja, du fragtest eben, was aus diesem Siferlin geworden ist. Wenigstens in seinem Fall ließ der Himmel Gerechtigkeit walten. Genau ein Jahr nach Catharinas Tod wurde er der fortgesetzten Veruntreuung und des Betrugs überführt. Da er als Buchhalter im Dienste der Stadt tätig war, fiel die Strafe besonders schwer aus: Er wurde aufs Rad geflochten, ohne die Gnade der vorherigen Enthauptung.

Ich komme zum Ende, Marthe-Marie. Doch ich habe nicht die Kraft, die Worte auszusprechen. Nimm diese Blätter und lies, es sind die letzten Seiten von Doktor Textors Aufzeichnungen.

Am nächsten Morgen betrat der Henker Catharinas Gefängnis und riss als Erstes das Stroh aus der Fensteröffnung. Helles Licht strömte in den engen Raum. Verschreckt suchten die Ratten nach einem Unterschlupf. Dann befreite er Margaretha und Catharina von ihren Eisen. Blinzelnd rieb sich Catharina mit ihren verbundenen Fäusten die entzündeten Handgelenke. Wieso war es auf einmal so hell?

«Es ist so weit», sagte der Scharfrichter. «Um elf Uhr werdet Ihr abgeholt. Aufgrund eines Gnadengesuchs Eures Vogtes», er sah zu Margaretha, «und Eures Vetters aus Villingen werdet Ihr vor der Verbrennung enthauptet. Bevor wir losfahren, bringe ich

Euch Eure letzte Mahlzeit und werde Euch waschen. Dann kommt der Priester. Auch Doktor Textor möchte Euch noch einmal sehen.» Er beugte sich zu Catharina hinunter. «Das ist für Euch.»

Er legte ein auseinander gefaltetes Papier neben sie. Catharina erkannte Christophs Handschrift, doch die Buchstaben tanzten vor ihren Augen. Hilflos blickte sie zum Scharfrichter auf. Der zuckte die Schultern.

«Ich kann leider nicht lesen.»

Mit viel Mühe schaffte Catharina es, die Nachricht zu entziffern.

«Meine Liebste! Tag und Nacht war ich in Gedanken bei dir, und die Ungewissheit, ob wir uns je in Freiheit wiedersehen, hat mich nicht mehr schlafen lassen. Warum nur habe ich dich allein in Freiburg gelassen und dich nicht, meinem Schwiegervater zum Trotz, nach Villingen geholt? Was nützt mir nun meine Erbschaft, der Gasthof und das viele Geld? Als Lene gestern allein aus dem Turm zurückkam, habe ich die ganze Nacht Zwiesprache mit Gott gehalten, und ich denke, er wird meine Entscheidung, mit dir zu gehen, verstehen und mir diese eine große Sünde verzeihen, denn sie geschieht aus reiner Liebe. Sei also unbesorgt, wie ich es jetzt auch bin, denn wir werden bald für immer zusammen sein. Kein Richter, kein Büttel wird uns dann mehr trennen können.»

Die Märzsonne schien warm von einem dunstigen Himmel, und auf der großen Gasse vor dem Christoffelstor herrschte Volksfeststimmung. Bäcker verteilten an die umherstreunenden Kinder Henkerswecken, knusprig gebackene Brötchen aus Weißmehl, an den Straßenecken standen Weinhändler und kamen nicht nach mit dem Ausschenken. Ein paar Halbwüchsige vertrieben sich die Zeit des Wartens damit, eine dreibeinige Katze mit Steinen zu jagen.

Als der Schinderkarren vorfuhr, gezogen von einem kräftigen

Rappen, und sich die Tür des Christoffelturms öffnete, ging ein Raunen durch die Menge. Hölzerne Rätschen begannen zu rasseln, Topfdeckel wurden aufeinander geschlagen, Kindertröten plärrten, laute Rufe erschollen: «Heraus mit den Hexen!» «Wir wollen sie brennen sehen!»

Anna Wolffartin erschien als Erste und bestieg den Wagen. Als Einzige konnte sie auf eigenen Beinen stehen. Dann wurden Margaretha Mößmerin und Catharina Stadellmenin herausgeschleppt und auf den Karren geschoben. Als sich der Wagen ruckend in Bewegung setzte, fielen die Frauen in sich zusammen wie ein Haufen Lumpen. Vorweg, auf hochbeinigen Schimmeln, ritten der Priester, der Schultheiß und Statthalter Renner, gefolgt von den Richtern und Stadträten. Die Vertreter der Zünfte waren feierlich in blank geputzten Harnischen angetreten. Einzig Doktor Textor fehlte in ihren Reihen, er war einen Tag zuvor von allen Ämtern und Titeln zurückgetreten. Ein gutes Dutzend Büttel bewachte den Karren und versuchte, die Verurteilten vor der Meute zu schützen. Hinter dem Wagen schließlich trotteten der Henker und sein Sohn.

Wie ein Bienenschwarm folgte die Menge dem Zug Richtung Münsterplatz, räudige Hunde rannten kläffend nebenher, und die ersten Wurfgeschosse landeten auf dem Schinderkarren. Ein Stein traf Anna Wolffartin am Hinterkopf, und das Geschrei der Leute steigerte sich zu tosendem Gebrüll, das das eben einsetzende Glockengeläute vom Münster übertönte.

Wehe, wenn der Pöbel losgelassen wird, dachte Textor unwillig und schlug einem der jungen Burschen einen Stein aus der Hand. Er fragte sich, wer der hagere Mann vor ihm war, der, in einen schwarzen Umhang gehüllt, die Kapuze tief ins Gesicht gezogen, neben dem Wagen herschritt, so dicht, wie es die Büttel zuließen.

In der Vorhalle des Münsters nahmen die Richter und Schöffen Aufstellung, hoch über ihren Köpfen das erst vor kurzem erneuerte Relief des Jüngsten Gerichts. Nachdem der letzte Glockenschlag verhallt war, trat August Wimmerlin vor, mit stolzgeschwellter Brust, denn er hatte die ehrenvolle Aufgabe, die Geständnisse der drei Hexen und ihr Urteil zu verlesen.

«Auf Montag, den 22. März anno 1599, hat Margaretha Mößmerin, weiland Herrn Jacob Bauren seligen gewesenen Obristmeisters hinterlassenen Witwe vor den verordneten Herren Siebener, aller Banden ledig und los, im St. Christoffelsturm gütlich gestanden und der Hexerei halber bekannt, wie folgt:

Dass erstlich wahr sei, dass vor zehn Jahren ein schwarzer Mann zu ihr in den Garten spät gegen Abend gekommen sei und an sie begehrt habe, sie solle seines Willens mit ihm pflegen. Das habe sie getan, und er sei kalter Natur gewesen.

Item sei wahr, derselbe hab sich mit Namen Hemmerlin genannt und ihr Stecken und Salbe in einem Büchslein geben, den Stecken oder die Gabel damit zu salben.

Item sei wahr, dass sie auf demselbigen Stecken vergangener Jahre hinaus in den Bromberg gefahren, dass die Stadellmenin, die Wolffartin, auch Schneckenanna genannt, und sonst viel andere Weiber, die sie nicht kenne, bei ihr gewesen seien, und haben daselbst gegessen und getrunken.

Item sei wahr …»

Gespannt starrte die Menge während dieser endlosen Litanei auf die drei Frauen, wie sie sich wohl aufführen würden, jetzt, wo ihnen in aller Öffentlichkeit ihre Schandtaten vorgehalten wurden. Doch keine von ihnen regte sich, wie Mehlsäcke lagen sie aneinander, die Köpfe zur Brust gesenkt. Waren sie überhaupt noch bei Bewusstsein?

Textor spürte, wie sich sein Herz zusammenzog. Zu Hause, in seiner Eichenholztruhe, stapelten sich Hunderte von eng beschriebenen Blättern, ein dickes Bündel Papier, das die Wahrheit über diese Frauen enthielt. Eine Wahrheit, die niemand hören wollte. Doch eines Tages würde man diesen Zeilen Glauben schenken müssen, und er, Carolus Textor, würde sich mit all seiner Kraft dafür einsetzen. Gleich morgen würde er beginnen, alles ins Reine zu schreiben und besagter Lene Schillerin in Konstanz eine Abschrift zukommen zu lassen.

«Nicht einmal in ihrer letzten Stunde zeigen sie Bußfertigkeit», flüsterte eine alte Frau neben ihm erbost. «Wie sollen sie auch», gab eine andere zurück. «Wo ihnen der Leibhaftige doch bis zuletzt zur Seite steht.»

Textor sah, wie sich der hagere Mann in der zerschlissenen schwarzen Kutte nach vorn schob. Sein Blick war fest auf Catharina Stadellmenin gerichtet, seine Worte übertönten Wimmerlins Stimme:

«Hab keine Angst, ich bin bei dir.»

Langsam hob die Stadellmenin den Kopf. Mit geröteten Augen und zerschlagenem Gesicht betrachtete sie den Mann vor sich, und plötzlich schien sie zu erkennen, schien sich zu erinnern und begann zu lächeln, wie beim Anblick eines unerwarteten Glücks. Ihre Lippen formten lautlose Worte, und Textor fragte sich, ob sie Zwiesprache mit ihrem Gegenüber oder mit Gott hielt.

Wimmerlin sprach schneller und warf immer wieder ängstliche Blicke auf die Menge, die zusehends unruhiger wurde. «Anfangen!» «Entzündet das Feuer!» «Worauf wartet Ihr noch, in die Flammen mit den verdammten Hexen!»

Auf einen Wink des Schultheiß pflanzte sich die Stadtwache breitbeinig vor dem Henkerskarren auf und drängte die Leute mit gekreuzten Lanzen zurück. Da läutete ein Glöckchen. Der Schultheiß erhob sich, trat unter den mächtigen Torbogen des Portals und hob zur Urteilsverkündung einen zierlichen Stab in die Höhe. Augenblicklich trat Ruhe ein. Wimmerlin räusperte sich und versuchte seiner Stimme einen strengen und zugleich feierlichen Klang zu geben.

«Bürger Freiburgs, hört nun das Urteil:

Nach solchem Bekennen wird vom Hohen Gericht zu Recht erkannt, dass Margaretha Mößmerin, Herrn Jacob Bauren seligen Witwe, Anna Wolffartin, Alexander Schellen seligen Witwe, und Catharina Stadellmenin, Michael Bantzers seligen Witwe, als Hexen überführt sind und dieselbigen um ihre begangene Missetat und getriebener Hexerei willen erstlich aus Gnaden auf geschehene Fürbitte auf dem Schutzrain enthauptet, danach hinaus zum Hochgericht geführt und daselbst die Körper zu Asche verbrannt werden sollen. Gott verzeihe der armen Seelen. Amen.»

«Amen», kam es aus Hunderten von Kehlen rau zurück. Dumpfe Trommelwirbel ertönten, dann zerbrach der Schultheiß den Stab und warf ihn vor den Henkerskarren aufs Pflaster. Das war das Zeichen zum Aufbruch. Die Menschenmenge setzte sich in Bewegung wie ein schwerfälliges Tier und schob sich durch die Gassen zum Schutzrain, der vor der äußeren Stadtmauer lag. Fast Schulter an Schulter ging Textor mit dem Mann in der Kutte.

Als der Henker das in schwarzes Tuch gehüllte Richtschwert vom Wagen nahm, erschien der Priester. Vom Pferd herab schwang er sein Kruzifix. «Ora pro nobis», hob er an, doch seine Stimme ging unter im Lärm der Topfdeckel und Rasseln.

Dann, als Catharina Stadellmenin zwischen den beiden anderen Frauen vor dem Richtblock kniete und der Henker sein Schwert hob, wurde es still. Die meisten bekreuzigten sich, der verhüllte Mann in vorderster Reihe der Zuschauer fiel auf die Knie und entblößte sein Haupt. Jetzt erst erkannte Textor ihn: Es war der Villinger Gastwirt Christoph Schiller, Vetter der Stadellmenin und, wie Textor inzwischen wusste, ihr heimlicher Gatte.

Textor beobachtete, wie Christoph Schiller den Kopf hob und sich die Blicke der Geliebten trafen, mehr noch: ineinander ruhten, als seien die beiden fernab dieses grauenhaften Schauplatzes

allein auf der Welt. Über Catharina Stadellmenins geschunde-
nes Gesicht ging ein Leuchten, ihre Augen verloren jegliche
Stumpfheit und strahlten Zuversicht und Erlösung aus, den
Glanz grenzenloser Liebe.

Dann pfiff das Schwert durch die Luft, einmal, zweimal, ein
drittes Mal. Textor betete laut das schmerzvollste Gebet seines
Lebens, die Worte «Gegrüßest seist du, Maria, gebenedeit die
Frucht deines Leibes» gellten aus seiner Brust und flehten um
Gnade für jegliche Schuld, die er am Tod dieser Frauen tragen
mochte. Dann, von einer Sekunde auf die nächste, war alles vorüber.

Keiner der Gaffer, nicht einmal der ehemalige Commissarius
Carolus Textor, hatte bemerkt, was mitten in ihren Reihen geschehen war, dass da ein Mann regungslos auf der Erde kauerte,
als wolle er den staubigen Boden küssen, und sich nicht einmal
rührte, als die kopflosen Körper aufgeladen und selbst die Greise und Lahmen längst auf dem Weg zum Scheiterhaufen waren,
um endlich die Hexenleiber in Flammen aufgehen zu sehen.

Erst als die Haufen lichterloh brannten und der Feuerschein
bis weit über die Stadt hinaus zu sehen war, traf ein Trupp Stadtknechte ein, um die Richtblöcke vom Blut zu säubern. Mit einem kräftigen Fußtritt warf einer von ihnen den leblosen Mann
auf die Seite und entdeckte, dass tief in seiner Brust ein Dolch
steckte.

*Marthe-Marie erhob sich und legte den Kopf in Lenes Schoß. Als
das Herdfeuer erloschen war, sah sie auf.*

*«Nein, meine Mutter war keine Hexe. Ich bin stolz auf sie, auf
ihren Mut und auf ihre Stärke.»*

Lene schluckte. «Aber du siehst, wohin das geführt hat.»

«Trotzdem!»

Nachbemerkung:
Ebenso wie Catharina Stadellmenin hatten sich auch die beiden anderen Verurteilten auf die Frage nach ihren Gespielinnen gegenseitig angegeben sowie die Namen von bereits hingerichteten Frauen genannt. Die Verfolgungen hörten damit fürs Erste auf.

Bis vier Jahre später der Hexenwahn erneut ausbrach.

B 114/1

© privat

Astrid Fritz

**Historische Romane – lebendige Porträts der Ausge-
stoßenen, der Hexen, Bettler, Gaukler, Huren, Henker ...**

Die Hexe von Freiburg
Roman. rororo 23517
Freiburg im 16. Jahrhundert: Der
Hexenwahn fegt über Deutsch-
land. Als in dem Universitäts-
städtchen am Rande des Schwarz-
walds zum ersten Mal die
Flammen über einer Hexe
zusammenschlagen, wird Catharina geboren. Ein schlechtes
Omen? Das wissbegierige Mädchen wächst zu einer selbstbe-
wussten jungen Frau heran, die ihr
Leben lang gegen die Abhän-
gigkeit von den Männern an-
kämpft. Am Ende droht sie deswegen alles zu verlieren — nur
eines bleibt ihr: eine unendliche
Liebe, vor der selbst der Tod seinen Schrecken verliert.

Die Tochter der Hexe
Roman. rororo 23652
Ein großer Schicksalsroman, eine
Liebesgeschichte und ein Porträt
der Ausgestoßenen jener Zeit.

Die Gauklerin
Roman
Die junge Agnes führt ein behüte-
tes Leben bis zu dem Tag, als der
Krieg ihre Geburtstadt Ravensburg
heimsucht. Fünf Jahre währt das
Schlachten schon — dreißig wer-
den es am Ende sein ...

rororo 24023

Weitere Informationen in der Rowohlt Revue *oder unter* www.rororo.de

Abbildung: J. W. Waterhouse

Historische Romane bei rororo

Zauber und Spannung vergangener Zeiten

Catherine Jinks
Der Tod des Inquisitors
3-499-23655-9
Südfrankreich im 14. Jahrhundert:
Die Mühlen der Inquisition mahlen
ohne Pause. In der Stadt Lazet ist
Bruder Bernard Inquisitor, doch
statt Fanatismus bestimmt Ver-
ständnis sein Handeln. Folter ist
ihm zuwider, lieber wendet er in
seinen Verhören Taktik und Raf-
finesse an. Doch dann wird sein
Vorgesetzter grausam ermordet,
und Bernard gerät selbst ins Visier
der Inquisition ...

Franka Villette
Die Frau des Wikingers
3-499-23708-3

Elke Loewe
Der Salzhändler
3-499-23683-4

Astrid Fritz
Die Hexe von Freiburg
3-499-23517-X

Elke Loewe
Simon, der Ziegler
3-499-23516-1

Ruth Berger
Die Druckerin
Liebe, Mord und Kabbala ...

3-499-23303-7

Weitere Informationen in der Rowohlt Revue oder unter www.rororo.de